ANJERS IN SINT-PETERSBURG

Van Linda Holeman verschenen eerder:

De doornappel
De granaatappel
Witte jasmijn
Gouden saffraan

Linda Holeman

Anjers in Sint-Petersburg

VAN HOLKEMA & WARENDORF
Uitgeverij Unieboek | Het Spectrum bv, Houten – Antwerpen

Oorspronkelijke titel: *The Lost Souls of Angelkov*
Vertaling: Annet Mons
Omslagontwerp: Andrea Barth | Guter Punkt
Omslagfoto vrouw: Nik Merkulov | Shutterstock
Omslagfoto Sint-Petersburg: Vladimir Sazonov | Shutterstock
Opmaak: ZetSpiegel, Best

ISBN 978 90 00 31115 6 | NUR 302

© 2012 Linda Holeman
© 2012 Nederlandstalige uitgave: Uitgeverij Unieboek | Het Spectrum bv,
Houten – Antwerpen
Oorspronkelijke uitgave: Headline Review, an imprint of Headline
Publishing Group

www.lindaholeman.com
www.unieboekspectrum.nl

Van Holkema & Warendorf maakt deel uit van
Uitgeverij Unieboek | Het Spectrum bv
Postbus 97, 3990 DB Houten

Sans illusions, adieu à la vie!

– Motto uit *Herinneringen aan een mazurka*
Michail Glinka, 1847

De honderd jaar durende opkomst en ondergang van orkesten van lijfeigenen heeft zeer weinig serieuze musici opgeleverd en slechts één grote componist die met hen in contact is geweest: Glinka.

– Richard Stites, *Serfdom, Society, and the Arts in Imperial Russia*

1

Landgoed Angelkov, provincie Pskov
Drie dagreizen van Sint-Petersburg

April 1861

De dag dat zijn zoon werd gestolen, had Konstantin de verandering in de lucht bespeurd. Het was een subtiele geur, de eerste aanwijzing dat het voorjaar misschien nu toch een einde zou maken aan de lange winter. Dit is de gedachte die hem bezighoudt – de geur van de lucht – wanneer de mannen voor hem opduiken.

Ze komen uit het stille bos – zijn bos – waar ze zigzaggend tussen de slanke, kale berken en groene sparren zijn geglipt. Hoe kon hij de hoeven niet op de harde sneeuw hebben horen daveren, het gesnuif van de paarden terwijl ze zijn kant uit stormden? Hij herinnert zich dat Michail naar hem had geroepen: *Papa, er komt iemand aan,* maar hij had geen acht geslagen op de jongen. Waarom? Had het enig verschil gemaakt? Had hij zijn paard tot staan moeten brengen om te luisteren?

De mannen hebben hun hoge bontmutsen diep over hun voorhoofd getrokken. Hun wollen jassen dragen de opvallende kozakkeninsignes. Hun neus en mond gaan schuil onder sjaals. Op hun snelle paarden lijken ze monsterlijk groot. Ze daveren op hem af met getrokken sabels, sabels zoals kozakken die altijd dragen.

Konstantin neemt de teugels losjes in één hand en grijpt naar zijn eigen zwaard. Hij trekt het moeizaam uit de schede terwijl hij over zijn schouder schreeuwt: *Rijden, Michail, maak dat je wegkomt!*

Maar Michail heeft zijn paard niet in bedwang. *Papa, papa, ik kan hem niet wenden.*

Michail is negen jaar. Hij zit niet op zijn eigen kleine en makke merrie. Hij rijdt op een speelse appelschimmel, een ruin. Grisja, Konstantins rentmeester, had geopperd dat de uitdaging goed zou zijn voor de jongen. *Die verdomde Grisja.* Zou het wat hebben uitgemaakt als Michail op zijn eigen paard had gezeten, het paard dat hem altijd onmiddellijk gehoorzaamde?

Er zijn nu drie kozakken, misschien vier; het gebeurt allemaal heel snel, en zijn ogen zijn niet meer wat ze vroeger waren. Hij is te oud om nog zo'n heldere blik te hebben als vroeger, om alles te kunnen horen wat hij moet horen. Opeens is zijn zoon naast hem; hij vangt een glimp op van Michails dikke blonde haar, zijn blanke huid. Net zijn moeder.

Antonina, denkt hij dan. O god, nee, Antonina. Ze had gezegd dat hij de jongen vandaag niet mee mocht nemen, ze had gezegd dat het te koud was, dat het kind ziek was geweest. *Neem hem niet mee, Konstantin,* had ze gesmeekt. *Alsjeblieft, Kostja, hij moet niet naar buiten in deze kou.*

Hij beseft instinctief dat wat er ook in deze bossen gaat gebeuren, het zal haar kapotmaken. Haar gezicht komt hem voor de geest, verpletterd, gekweld, met een blik die hij nooit eerder heeft gezien. Maar het is te laat. Hij weet dat het te laat is.

Konstantin grijpt de teugels van Michails paard en houdt sterk in, zodat het paard en Michail vlak naast hem zijn. De ruin trappelt nog steeds nerveus. De kozakken omringen Konstantin en zijn zoon.

Dit kwam allemaal doordat hij zo koppig was – *jij koppige oude man* – had Antonina gezegd toen hij erop had gestaan Michail mee te nemen. Ze had hem nogmaals nageroepen toen hij had geweigerd een van de bedienden mee te nemen op hun rit. Vervolgens zag Konstantin haar met Grisja praten, waarbij ze de rentmeester aan zijn mouw trok. Ze stond al wankel op haar benen, hoewel het nog vroeg in de middag was. En daarna, toen Grisja wegliep, stond

Antonina op de brede stoep van het huis terwijl ze steun zocht bij een pilaar. Ze had nog een laatste keer naar hem geschreeuwd, met haar gewoonlijk melodieuze stem die nu hard en vlak klonk in de stille, koude lucht. Iets over een muts voor Michail. Hij had zijn blik afgewend, er kwam een bediende achter hen aan, zwaaiend met Michails *oesjanka*, de bontmuts met oorflappen.

Hij was naar het bos gegaloppeerd. Michail was hem een lengte voor, en hij bewonderde de manier waarop het dikke haar van zijn zoon in de koude wind wapperde.

En nu... De leider van de kozakken, langer en breder dan de andere mannen, drijft zijn vos tot naast Konstantins zilvergrijze arabier die trilt op zijn slanke benen. Het paard van de kozak knabbelt op het bit en knikt met zijn hoofd, als instemmend met waar de ruiter hem ook heen zal voeren. Konstantins arabier is groter dan het paard van de kozak maar is schichtig en gooit zijn hoofd achterover, alsof hij het geweld in de lucht voelt.

Konstantin heft het zwaard dat hij in de hand heeft – hoe kan het zo zwaar zijn geworden? – maar voor hij zich bewust is van een beweging van de kozak klinkt er een geniepig gefluit en snijdt er een dunne, dodelijke kling in de rug van zijn blote hand. Zijn zwaard is verdwenen.

Hij voelt de pijn niet meteen, en hij weet de teugels van het paard van zijn zoon met zijn linkerhand vast te houden. Hij hoort Michails kreet van ontzetting, hoort hem *Papa, papa* schreeuwen.

'Stil maar, Michail,' zegt Konstantin tegen zijn zoon.

Michails gezicht is lijkbleek, zijn mond trilt.

'Stil maar, Misja,' herhaalt hij. 'Rustig. Rustig.' Hij hoopt dat stilte zal helpen de dreigende ramp te voorkomen. Hij bedenkt ook dat hij de muts had moeten meenemen: Michails hoofd is te bloot, te kwetsbaar. Misschien had die muts het kind op de een of andere manier kunnen helpen.

'Graaf Mitlovski,' zegt de kozak tegenover hem, met een stem die door de sjaal wordt gesmoord.

De kozak kent hem. Iedereen kent hem. Hij is de landeigenaar. Hij bezit het schitterende landgoed Angelkov en de honderden en honderden wersten eromheen. Hij was eveneens, tot voor kort, de eigenaar van duizenden zielen, allemaal zijn voormalige horigen. Dus ja, het is een plan. Hoeveel uren hebben de kozakken hem tussen de bomen opgewacht, in deze vochtige kou aan het eind van de winter, met gevoelloze tenen in hun hoge leren laarzen, hun haar nat van het zweet onder hun muts? Hoeveel dagen zijn ze naar deze plek gekomen, wachtend op precies dit moment: wanneer graaf Konstantin Nikolevitsj Mitlovski, zonder begeleiders, door zijn eigen dichte bos van dennen en sparren en berken rijdt? Wanneer hij nietsvermoedend een rit maakt over het eenzame pad dat hij zijn horigen door het bos heeft laten kappen zodat hij op de weg vlak bij het dichtstbijzijnde dorp uit kan komen en zich een afstand van vijf werst kan besparen?

Op hetzelfde moment beseft hij dat hij dit de afgelopen week juist elke dag heeft gedaan. Het weer is zo mooi geweest. Ja, hij heeft gisteren, in zijn eentje, over dit pad gereden, en ook de dag ervoor, en de dag daarvoor. Het enige verschil is dat hij vandaag zijn zoon bij zich heeft.

Zijn enige kind.

Konstantin probeert zich duidelijker te richten op de donkere ogen van de man voor hem. Hij is zich nu bewust van een schokkend, hevig geklop in zijn rechterhand. De hand hangt slap naast hem en het bloed drupt van zijn vingertoppen op zijn grijze wollen broekspijp, op het blinkend gepoetste leer van zijn hoge rijlaars, op de aangestampte sneeuw onder zijn paard. Hij is blij dat Michail aan zijn andere kant staat en het bloed niet kan zien.

De kozak gluurt om Konstantin heen en bekijkt de jongen. Iets in de blik van de kozak maakt dat Konstantin zijn ogen dichtdoet en een stil gebed naar de heiligen zendt. 'Ik heb een aantal roebels bij me,' zegt hij, terwijl hij zijn ogen weer opendoet en de kozak aankijkt. Zijn stem klinkt hees, alsof hij zojuist wakker wordt uit een lange slaap. 'Hier.' Hij maakt een gebaar met zijn hoofd, knikt naar de zijkant van zijn overjas, waar een leren tas aan zijn riem is bevestigd. 'Neem maar mee. En ik heb nog meer. Je weet dat je alles kunt krijgen wat je wilt. Zeg het. Zeg het maar, en je krijgt het.'

Konstantin moet blijven hopen dat wat er gebeurt een gewone beroving is. Dat deze mannen nemen wat zij vinden dat hun toekomt en dat dit alleen maar een gevolg is van de onrust die het land teistert. In februari heeft de tsaar de lijfeigenschap afgeschaft en de vrijheid van de horigen veroorzaakte veel problemen bij degenen die hen eens hadden bezeten. Misschien zijn deze mannen geen echte kozakken, geen soldaten van de tsaar, maar sinds kort vrije mannen die kwaad zijn op degenen die ooit hun toekomst dicteerden.

De kozak gebruikt de punt van zijn sabel om de leren lussen waarmee de beurs aan Konstantins riem is bevestigd door te snijden. Met een behendige beweging van zijn sabel wipt hij de beurs in de lucht, grijpt hem met zijn linkerhand en propt hem in de zak van zijn jas.

Konstantin is niet opgelucht. De mannen die hem omringen, komen steeds dichterbij. Hij weet wat er nu gaat komen. Een radeloos, wankelend gevoel maakt dat hij opeens het idee krijgt dat hij van zijn paard zou kunnen vallen op een manier die hem niet meer is overkomen sinds hij op zijn derde op zijn eerste kleine pony zat.

Nu zet de kozak de punt van zijn zwaard in Konstantins nek. 'Geef me de teugels van de jongen.'

Konstantin verroert zich niet, zich bewust van die dodelijke punt. 'Alstublieft. Spaar het kind, smeek ik u. Wat voor nut heeft hij – een jongen, en nog niet eens een goed ruiter? Hij zal jullie alleen maar ophouden. In godsnaam, ik zal u geven wat...' Hij zwijgt, nu de punt van de sabel zo diep in zijn nek dringt dat er een kleine plop klinkt, een geluid dat in zijn oren weergalmt alsof er in een aangrenzende kamer een fles gekoelde champagne is geopend. Zijn nek brandt alsof er een vlam tegenaan is gehouden.

'Geef me de teugels,' zegt de kozak opnieuw. Hij laat zijn sabel zakken en reikt met zijn andere hand, groot en gespierd, naar voren om de leren teugels van Konstantin weg te rukken. De kracht van de oudere man is geen partij voor de kozak.

Wanneer de ruin van de jongen voor zijn arabier langs gaat, staart Michail hem aan. 'Papa?' zegt hij. Hij is geen bijzonder gehoorzame jongen, maar op dit moment wacht hij op instructies van zijn vader.

Konstantin ziet de naam van de jongen, MICHAIL, die langs de onderkant van de rug van zijn blauwe wollen *talmotsjka* is geborduurd. Hij weet nog hoe hij Antonina er met naald en draad aan heeft zien werken, haar hoofd gebogen over de gewatteerde jas van haar zoon.

'Alstublieft,' smeekt Konstantin, en zelfs in zijn eigen oren klinkt zijn stem zwak, de stem van een oude man. Hulpeloos. Hij heeft nu geen wapen, geen enkele verdediging. Hij is één oude man tegenover drie – hij ziet nu dat het er slechts drie zijn – sterke jonge kozakken. Toch buigt hij zich opzij in het zadel, rukt met zijn goede hand aan de mouw van de kozak. Hak mijn hand eraf, denkt hij, hak hem eraf, hak mijn beide handen eraf, zodat iedereen zal weten dat ik heb geprobeerd mijn zoon te redden.

De kozak schuift zijn sabel gewoon in de schede en probeert zijn arm los te rukken uit Konstantins greep. Konstantin laat niet los. De kozak geeft zijn paard de sporen, schopt hem in de flanken, en het dier komt op zijn achterbenen omhoog. Konstantin wordt op de grond geworpen, en zijn paard gaat ervandoor en galoppeert tussen de bomen door, met platliggende oren. De kozak wendt zijn glanzende vos in de tegenovergestelde richting. Hij voert Michails paard mee terwijl hij wegrijdt, en de anderen volgen.

Michail draait zich in zijn zadel om, om naar zijn vader te kijken. Konstantin is al op de been en roept zijn zoon na. 'Het komt wel goed, Michail. Wees een brave jongen. Doe wat ze je zeggen. Ik kom je later halen. Ik zal je komen halen. Wees niet bang.' Hij denkt dat zijn stem zeker klinkt en dat Michail gerustgesteld zal zijn. Is dat zo? Michails blik is paniekerig, zijn ogen zijn groot, grijsgroen in de ijle winterlucht, maar hij maakt geen geluid.

Een dappere jongen, denkt Konstantin, in een wonderlijk stilstaand moment. 'Losgeld,' schreeuwt hij wanneer de mannen verder tussen de bomen rijden. Michail zit nog steeds een beetje gedraaid en kijkt hem over zijn schouder aan. 'Losgeld! Zeg maar hoeveel. Stuur bericht. Ik zal onmiddellijk betalen. Hoeveel dan ook. Elk bedrag. Ik zal het geven. Wat dan ook! Zeg het!' Hij kijkt in welke richting de kozakken verdwijnen terwijl hij tussen de dichte bomen naar zijn eigen paard zoekt. Hij moet hen volgen.

Bij het geschreeuw van zijn vader kan Michail zich niet langer bedwingen. Hij draait zich om, met zijn smalle schouders stijf en hoog, zijn haar als een gouden gloed in het licht dat tussen de hoge, heen en weer bewegende takken door valt.

Het is te koud voor hem om zonder muts buiten te zijn, denkt Konstantin. *De moeder van het kind had gelijk, zoals altijd. Ik had naar haar moeten luisteren.*

Achter hem klinkt het geluid van hoefgetrappel. Hij draait zich met een ruk om. Het is Grisja, met de teugels van de grijze arabier in de hand.

'Grisja,' zegt hij. 'Goddank. Ze hebben Michail. Ze hebben mijn zoon. Ga ze achterna, Grisja.'

Grisja laat de teugels van de arabier voor Konstantin vallen. Konstantin probeert zich met zijn goede hand op zijn paard te hijsen. Hij valt in de met bloed besmeurde sneeuw, probeert op te stijgen, valt weer. Zijn linkerhand trilt terwijl hij in westelijke richting wijst, het dichte bos in.

Grisja galoppeert in de richting van de ontvoerders en verdwijnt tussen de bomen.

2

$\mathcal{A}$ntonina wordt gewaarschuwd door het geschreeuw van een stalknecht op het erf.

Ze pakt haar wijde rok met beide handen vast en rent naar de voordeur. Ze arriveert nog net op tijd om te zien hoe Grisja Konstantin van zijn arabier trekt. Hij zou zijn gevallen als Grisja hem niet stevig had vastgehouden.

Ze overziet het tafereel in één oogopslag: haar man en Grisja. Er is iets met haar man aan de hand. Waar is haar zoon?

'Misja,' zegt ze. 'Misja.' Geholpen door de stalknecht Ljosja draagt en sleept Grisja Konstantin naar het huis.

'Laten we nu meteen gaan, Grisja,' schreeuwt Ljosja, wankelend onder het gewicht van de graaf. 'Ik zal de anderen halen. We moeten ze niet nog meer tijd geven.'

Antonina's mond wordt droog en ze wordt door zo'n hevige angst overmand dat ze niets kan uitbrengen. Ze kan zelfs de naam van haar zoon niet nog eens uitspreken.

Grisja schudt zijn hoofd en sist tegen Ljosja dat hij zijn mond moet houden. 'We moeten hem eerst naar binnen zien te krijgen. Daarna gaan we terug.'

Antonina klampt zich vast aan de deurpost en staart naar de open jas van haar man, naar zijn bebloede overhemd en de hand die is gewikkeld in een sjaal die ze herkent als die van Grisja. Ze dringen zich langs haar heen en in het kielzog van de mannen ruikt ze de ranzige lucht van angst, de metalige geur van bloed. Ze is bij hen wanneer ze Konstantin op de smaragdgroene, met zijde beklede bank in de salon leggen.

Grisja richt zich op en kijkt haar aan. Opeens is het alsof de lucht in de kamer rond Antonina stil is blijven staan.

Het personeel verdringt zich in de deuropening, zwijgend, en slaat een kruis. Antonina ziet haar kamenier, Lilja, die haar jongere broer Ljosja bij de schouder houdt alsof ze hem wil beschermen, ook al is hij langer dan zij en moet ze omhoog reiken.

Antonina is bang dat als ze op dit moment beweegt of iets zegt, ze alle controle zal verliezen en iets krankzinnigs zal doen: haar armen als molenwieken in het rond draaien, of zich op de vloer laten vallen, spartelend met haar benen zodat haar kanten onder-rokken voor alle bedienden te zien zullen zijn. Ze zal jammeren – o, ze weet zeker dat ze zal jammeren als een oude baboesjka, een traditionele rouwende die een kist naar het kerkhof volgt.

Nee. Ze zal zichzelf niet toestaan zulke dingen te doen. Ten slotte zegt ze: 'Mijn zoon. Waar is mijn zoon, Konstantin?'

Wanneer Konstantin zijn ogen dichtdoet en zijn gezicht naar de rugleuning van de bank draait, zegt Grisja: 'Hij is meegenomen, me-vrouw. Ik volgde de graaf en uw zoon, zoals u had opgedragen, maar ik bleef op afstand. Ik wist dat als de graaf me zag... dus toen ik op de open plek kwam en hem vond' – hij gebaart met zijn kin naar Konstantin – 'hadden de mannen een ruime voorsprong. Ik volgde hen in de richting die de graaf aanwees, maar na korte tijd werd dat al onmogelijk. Er waren te veel sporen, mevrouw. Ik wist dat ik terug moest gaan naar de graaf, om hem naar huis te brengen. Zijn hand...'

Ljosja stapt naar voren uit de groep bedienden in de deur-opening. 'Laten we hen achternagaan, Grisja.'

Grisja staart hem aan tot Ljosja een stap terug doet. Deze keer legt Lilja haar hand op zijn arm. Grisja is de opzichter op het land-goed. Hij rapporteert aan de graaf. Het is Grisja die de anderen moeten gehoorzamen.

Zonder enige waarschuwing krijgt Antonina een zurige vloeistof in haar keel. Ze slikt, met haar vuist tegen haar mond. Ze wil zich niet te schande maken in aanwezigheid van het personeel. Haar keel brandt wanneer ze haar hand laat zakken. 'Meegenomen?' herhaalt ze, en ze schraapt haar keel. 'Meegenomen door wie?'

'Ik weet het niet, mevrouw. Ik heb ze niet gezien; de graaf zegt dat het er drie waren. Hij heeft een dokter nodig, mevrouw.'

Ten slotte spreekt Konstantin. Hij zegt luid 'Nee' en gaat rechtop zitten. 'We hebben geen tijd voor een dokter. Breng schoon linnen.' Langzaam maakt hij de sjaal los en krimpt ineen.

Antonina kijkt naar Konstantins hand. De rug van de hand is doorgesneden en de pezen en aderen vormen een brijachtige massa van gestold en vers bloed.

'Maar, graaf Mitlovski,' zegt Grisja, 'het bloedt te...'

'Ik zei: geen dokter. Daar hebben we geen tijd voor,' zegt Konstantin, met een moeizame grimas. '*Tsjort*,' vloekt hij.

'Mevrouw,' zegt Grisja tegen Antonina. 'Zijn hand... Alstublieft, mevrouw. We verwachten uw opdracht.'

'Ik geef hier de bevelen,' zegt Konstantin tegen Grisja. 'Hou je mond.'

Antonina richt haar blik op Konstantins overhemd: het sneeuwwitte oppervlak is besmeurd met rode vlekken. Uit Konstantins hand, denkt ze. Niet van Michail. Het bloed is van Konstantins hand. 'Haal iets om het bloeden te stelpen,' zegt ze tegen de kamer, met kalme stem. Ze weet haar zelfbeheersing te bewaren. Ze ziet een lapje stof uit Konstantins andere hand steken.

'Wat is dat?' wijst ze. 'Wat heb je daar in je hand, Konstantin?' Ze loopt naar hem toe en probeert zijn vingers open te maken, maar het is de greep als van een dode. 'Konstantin,' zegt ze, zacht en dwingend. Hij vouwt zijn vingers open. In de palm van zijn hand ligt een reepje wol met een klein insigne dat er met stevige steken op is genaaid.

'Kozakken,' zegt ze. Nu is haar stem die van een vreemde, hees en rauw, alsof ze te lang heeft geschreeuwd. Kozakken, cavalerie in het tsaristische leger, met hun lansen, karabijnen, pistolen en sabels, zijn in oorlogstijd woest en roofzuchtig. Maar er is geen oorlog. De kozakken horen nu te vissen en voor het vee te zorgen, zoals ze dat in vredestijd doen.

'Waarom zouden kozakken Misja willen meenemen?' vraagt ze aan Konstantin. Ze denkt aan de verhalen die ze heeft gehoord, over kozakken die in oorlogstijd hun gelederen aanvullen door boerenjongens te ontvoeren. 'Ze hebben nu geen jongens nodig. En al helemaal geen... Michail is van adel. Waarom, Konstantin?'

Konstantin trekt zijn hand terug, zijn lippen zijn opeengeklemd, de huid eromheen is wit. Het insigne valt op de vloer.

Achter Antonina is het geritsel van rokken, het schuren en stampen van zware laarzen tegen de vloer. De klok op de schoorsteenmantel tikt. Er klinkt gemompel. Dan wikkelt Olga, de oude huishoudster, een lap katoen om Konstantins hand. Maar het bloeden duurt voort, doorweekt de lagen katoen.

Antonina schraapt opnieuw haar keel en slikt, proeft haar zure speeksel. 'Is het om geld? Is het dat, Konstantin? Konstantin, willen ze losgeld?' Haar stem is nu hard. 'Al deze beroering – denken ze dat ze gewoon kinderen kunnen stelen en om losgeld vragen?' Ze kijkt naar de groep in de deuropening, alsof zij, haar eigen bedienden, op de een of andere manier verantwoordelijk zijn voor de rest van Rusland. Iedereen kijkt naar de vloer, behalve Lilja. Ze stapt naar voren, loopt door de kamer naar haar mevrouw. 'Ze zullen losgeld eisen,' verklaart Antonina terwijl ze weer naar Konstantin kijkt. Haar stem klinkt luid in de spookachtige stilte van de kamer. En opeens is ze vervuld van een vreselijke energie; ze hebben al te veel kostbare minuten verspild. 'Losgeld! Losgeld, we zullen het losgeld betalen. Uiteraard.' Ze steekt haar trillende handen op.

Lilja staat naast haar. 'Mevrouw,' zegt ze zacht, en bij het horen van haar stem laat Antonina haar armen zakken.

'Ja,' zegt Konstantin. 'Ja. Ze zullen geld willen, en wij zullen het hun betalen. Zo is het wel genoeg,' zegt hij tegen Olga, die druk in de weer is met verband. 'Maar we mogen niet wachten tot we iets van hen horen. We zullen hen achternagaan. Goed, Grisja, verzamel zoveel mannen als we paarden hebben. We zullen ze vinden, Antonina. En we zullen Michail mee terugbrengen.'

'Kostja.' Ze kijkt weer naar zijn hand. Die zit dik in het verband en wordt door een katoenen mitella tegen zijn borst gehouden, met de wijs- en middelvinger eruit, op zijn hals gericht. 'Is Misja... Hebben ze hem pijn gedaan? Zeg me wat er met hem is gebeurd. Wat hebben ze precies gezegd?'

'Ze hebben hem geen pijn gedaan,' zegt hij.

Ze wil hem geloven. 'Snel dan, Kostja,' zegt ze, nog luider, terwijl ze over haar schouder naar Grisja kijkt. 'Vooruit, Grisja. Ik ga ook mee. Lilja, haal mijn rijlaarzen. Zadel mijn paard, Ljosja.'

Maar Konstantin staart Grisja aan.

'Jij,' buldert hij, en hij gaat abrupt staan en duwt Antonina opzij, alsof hij energie aan haar heeft ontleend. Ze verliest haar evenwicht, maar Lilja vangt haar op. Konstantin wankelt. 'Jij hebt hem dat verdomde paard gegeven. Hij kon hem niet de baas. Het dier was veel te wild voor hem. Waarom heb je die jongen zo'n moeilijk paard gegeven? Jij idioot.' Hij heft zijn linkerhand alsof hij Grisja wil slaan. Het volgende moment kreunt hij, betast zijn verbonden hand en valt zwaar op de bank achterover, met gespreide benen.

Grisja heeft zich niet verroerd. Zijn gezicht verraadt, zoals gewoonlijk, afgezien van een vage blos, niets. Hij verontschuldigt zich niet, slaat zijn ogen niet neer.

'Konstantin, wind je in godsnaam niet op over het paard. Vooruit, Grisja,' zegt Antonina. 'Nu meteen. We hebben geen tijd te verliezen. Elke minuut dat we later komen... Michail, het is nog maar een kind. Hij is ziek geweest, gisteren had hij nog koorts. Hij had niet in deze kou naar buiten gemogen.' Ze weet dat ze te snel praat, maar ze kan niet ophouden. 'Hij mag geen kouvatten, hè Lilja?' Ze kijkt naar haar kamenier, en de vrouw knikt. 'Het wordt al snel donker. We hebben geen tijd te verliezen,' herhaalt ze.

Lilja pakt de hand van de gravin en wrijft die tussen haar eigen handen.

Konstantin gaat weer staan, met een krijtwit gezicht. 'Schiet op, jij stommeling,' schreeuwt hij tegen Grisja. 'Roep de mannen, aan de slag.'

Grisja kijk Konstantin strak aan, alsof hij iets wil zeggen. Zijn gezicht is nog roder, zijn kaak strak.

'In welke richting gaan we…' begint Antonina, en ze rukt haar hand van Lilja weg, maar Konstantin grijpt haar bij de pols. 'Jij gaat niet mee. Blijf hier wachten.'

'Nee, ik blijf niet wachten. Ik ben een betere ruiter dan de meeste mannen. Ik ga met jullie mee.'

Konstantin grijpt haar pols nog steviger vast en buigt zich naar haar gezicht. Zijn stem is zacht maar draagt ver in de kamer. 'Je bent dronken. In deze toestand kun je niet rijden. Blijf hier en zorg dat je nuchter wordt. Hoor je?'

Antonina deinst met haar hoofd achteruit, knippert met haar ogen. Er is geen enkel geluid van de bedienden, geen kuch, geen geschuifel van een laars. Antonina steekt haar kin in de lucht. 'Sla niet zo'n toon aan, Konstantin. Op dit moment is de veiligheid van onze zoon het belangrijkste. Ik wil mee.'

'Nee. Je gaat niet mee.' Konstantin loopt met grote stappen langs haar heen en de groep bedienden in de deuropening wijkt uiteen.

Lilja slaat haar arm om Antonina's middel. 'Kom. Kom, mevrouw. We zullen u thee brengen.'

Antonina kijkt haar aan alsof ze een vreemde taal spreekt. Thee? Hoe kan Lilja denken dat thee van enig nut is? Lilja slaat haar ogen neer – maar niet voordat Antonina haar blik heeft opgevangen. Een blik van groot verdriet. Verdriet, en nog iets anders dat Antonina niet herkent. Ze begrijpt er helemaal niets van.

Antonina kan niet aan thee denken. In plaats daarvan loopt ze naar de brede veranda aan de voorzijde. Grisja is daar, met zijn rug naar haar toe. Ze ziet een verse striem met kleine druppels bloed erin over zijn nek. Hij draait zich om wanneer hij haar voetstappen hoort en als ze dichterbij komt legt hij zijn hand op haar onderarm, in een ongewoon gebaar. 'Mevrouw,' zegt hij, 'wat dat paard betreft...'

'Dat was dwaas van je, zoals mijn man al zei,' zegt ze, en haar stem wordt luid. 'Je weet dat hij nog geen sterke rijder is.' Het bloed uit Grisja's nek besmeurt de kraag van zijn witte tuniek en ze weet dat Konstantin dit heeft gedaan.

Wat heeft het voor zin om hem verder te straffen? Ze heeft hem nodig om haar zoon te helpen vinden.

Grisja kijkt haar nog steeds aan. Wanneer ze verder niets zegt, knikt hij. 'We wachten tot iedereen is opgezadeld. We zullen ons in verschillende richtingen tussen de bomen verspreiden, en dan zullen we de kozakken vinden, mevrouw. We zullen terugkomen met uw zoon, ongedeerd.'

Bij zijn woorden, die zo zelfverzekerd worden uitgesproken, gaat er een rilling door Antonina. Ze kijkt omlaag naar zijn hand op haar mouw. Voor de eerste keer sinds het hysterische gegil van de stalknecht op het erf heeft ze het gevoel dat ze niet alleen is. 'Dank je, Grisja,' fluistert ze. 'Dank je.' Hem deze woorden van troost te horen zeggen – en hem te geloven terwijl ze hem aankijkt – is precies wat ze nodig heeft. Grisja is veel jonger dan Konstantin en hij is sterk; hij zou niet laf en zwak zijn, zoals Konstantin moet zijn geweest.

Het is meer dan twee uur geleden dat Michail is ontvoerd. Zoals Grisja heeft gezegd, ze zullen de kozakken vinden, natuurlijk zullen ze hen vinden. Misja zal bij haar terug worden gebracht, koud en bang, hongerig, maar ongedeerd.

Ik zal die kozakken naar de verste uithoeken van Siberië laten sturen. Antonina richt zich op bij die gedachte. Ze heeft altijd medelijden gevoeld met de gevangenen die naar het oosten werden gestuurd, dwars door het land naar die grote, uitgestrekte woestenij. Ze had hun gezichten wel eens bekeken, wanneer ze langs een kar kwam die was volgeladen met geketende, gekneusde en verslagen uitziende schepsels, en dan had ze zich afgevraagd wat voor misdrijf ze hadden gepleegd om tot zo'n verbanning te worden veroordeeld. Nu zal ze geen mededogen meer voelen.

Grisja neemt zijn hand van haar arm en loopt haastig de stoep af naar het paard dat Ljosja uit de stal heeft gehaald.

Antonina kijkt de mannen na wanneer ze vertrekken, Konstantin voorop. Ze heeft geen jas aan, maar ze voelt de koude niet. Slechts enkele uren geleden had ze op dezelfde plek gestaan en zag ze haar zoon wegrijden met zijn vader.

Olga trekt zachtjes aan haar arm. Antonina laat zich door de oude vrouw het huis in leiden, naar de salon, waar Lilja een dienblad met een glas thee en een kristallen schaaltje met jam op de tafel zet. Antonina staart naar het dienblad alsof dit onbekende voorwerpen bevat, gaat dan op de sofa van bordeauxrode velours zitten, tegenover het met bloed bevlekte bankje. Olga legt een wollen omslagdoek over haar schouders. Tinka, Antonina's *bolonka* – een Maltees schoothondje – springt onmiddellijk omhoog en gaat rustig naast haar liggen, likkend aan haar voorpoten.

'Lilja,' zegt Antonina. 'Alsjeblieft. Breng me een glas wijn.' Maar is dit niet de reden waarom Konstantin Misja die middag bij haar heeft weggehaald? Is het niet haar schuld dat Konstantin haar zoon mee uit rijden heeft genomen? Als zij niet had gedronken, hadden Konstantin en zij geen ruzie gekregen. *Ik walg van je*, had Konstantin gezegd. *Ik wil niet dat de jongen je zo ziet.*

Ze had in de muziekkamer in een kleine fauteuil bij de piano zitten luisteren naar hoe Michail speelde, met haar ogen dicht. Ze dronk van haar wijn terwijl ze de muziek over zich heen liet komen.

De muziek ging hem moeiteloos af. Hoewel ze zelf ook muzikaal was, was haar zoon veel verder dan zij op die leeftijd. Wat schonk hij haar toch veel plezier, niet alleen wanneer hij speelde, maar ook in hun dagelijkse leven samen. Hij was het eerste waaraan ze elke morgen dacht wanneer ze wakker werd, en hij was in haar laatste gebeden wanneer ze in slaap viel. Toen ze vandaag zat te luisteren dacht ze terug aan het eerste duet dat ze samen hadden gespeeld toen Michail vier was – het *Kinderball-duet* van Schumann – en aan hoe hij naar haar had opgekeken toen de laatste noten waren gespeeld. Hij keek haar nog steeds zo aan wanneer hij een moeilijk stuk had gespeeld en hij tevreden was over zichzelf, en hij deze vreugde met haar wilde delen.

Vandaag speelde hij Glinka's *La Séparation* in f kleine terts toen Konstantins stem, luid en dichtbij, haar deed opschrikken zodat ze een paar druppels van de volle rode wijn op haar rok morste.

'Ik neem de jongen mee uit rijden,' zei hij.

Ze ging staan, met haar glas in de hand. Michail bleef spelen. 'Laat hem dit stuk uit spelen,' zei ze. 'Hij heeft een paar dagen niet achter de piano gezeten omdat hij ziek was.'

Konstantin keek haar strak aan. 'Zo vroeg al, Antonina?' zei hij.

Ze stak haar kin in de lucht. 'Ik ben erg ongerust over hem geweest. Dat weet je.' Ze bracht het glas naar haar lippen en dronk langzaam, waarbij ze hem recht bleef aankijken.

Ze zag zijn lippen strak worden en toen bracht hij, onverwachts, zijn hand omhoog en sloeg het glas uit haar hand. Het verbrijzelde tegen de stenen haard en er fladderden vellen bladmuziek op de vloer, waarbij sommige in de wijn en in de scherven vielen. Michail hield abrupt op, sprong overeind en sloeg zijn handen voor zijn oren. 'Kijk nu eens wat je hem aandoet,' riep Antonina. 'Waarom moet je hem zo overstuur maken?'

'Ik ben niet degene die hem overstuur maakt,' zei Konstantin, met stemverheffing. 'Ik schaam me zelfs dat het personeel je in zo'n staat ziet.'

'Vader,' zei Michail, terwijl hij naar Antonina toe holde en zijn armen om haar middel sloeg. 'Niet doen. Maak mama alstublieft niet verdrietig.'

'Stil maar, lieverd,' zei Antonina, zijn haar gladstrijkend. 'Alles is goed met me, echt waar. Speel die nocturne nu maar verder. Hij is erg mooi. Je hebt geen enkele noot vergeten. Toe lieverd, speel nu maar verder.'

Maar Konstantin schudde zijn hoofd. 'Je gaat mee uit rijden, Michail. Je zit veel te veel binnen. Je hebt wat lichaamsbeweging nodig, nu je ziek bent geweest. Grisja heeft de paarden klaar. Kom mee.'

Terwijl hij met grote stappen wegliep, maakte Michail zich van haar los. Hij keek van haar naar de piano, en toen naar Konstantins rug, met een ontredderde blik in zijn ogen.

Antonina wilde dat hij de nocturne verder speelde. Een onafgemaakt muziekstuk was als een zin die half uitgesproken in de lucht bleef hangen. Ze had zich niet altijd zo gevoeld, zo bezorgd, zo snel uit haar evenwicht. Het trillen begon net onder het oppervlak van haar huid. En toch kon ze de vreselijke blik van verwarring op het gezicht van haar zoon niet verdragen.

'Ga maar, lieverd. Doe wat je vader zegt.'

Hij knikte, maar keek nog steeds zorgelijk. Ze moest zich bedwingen om hem niet terug te trekken en stevig in haar armen te nemen. Ze wilde de sierlijke botten van zijn schouders voelen, haar gezicht in zijn dikke blonde haar stoppen en zijn geur inademen.

Ze zal zich dit altijd blijven herinneren: ze heeft hem met zijn vader meegestuurd. Stel, ze had hem wel teruggeroepen, had gezegd: *Nee, nee, Misja. Ik sta dit niet toe. Jij blijft hier, veilig bij mij.* Stel dat ze dit had gezegd. Had ze Konstantin ervan kunnen weerhouden hem mee te nemen?

Michail had zijn leren mapje met notenpapier van de piano gepakt en was achter zijn vader aan gehold. Toen Antonina een stap deed, knerpte het glas onder haar voet. Ze keek omlaag naar het vel muziek.

Voor Antonina Leonidovna, op haar zeventiende naamdag – met veel bewondering en respect, Valentin Vladimirovitsj. Gedateerd 14 maart 1849.

De pagina zat onder de rode spatten van de wijn. Toen Antonina zag hoe Konstantin zelfs dit had bedorven – haar prachtige bladmuziek van Glinka, een cadeau dat haar heel dierbaar was – liep ze naar het buffet om zich nog een glas uit de karaf in te schenken. Ze dronk het achter elkaar op, zette het glas neer en veegde haar lippen af met de rug van haar hand.

'Lilja,' riep ze. 'Lilja! Haal Misja's jas en muts. Hij gaat rijden.'

Maar Michail zette zijn muts natuurlijk niet op.

En dit is het laatste beeld dat Antonina van dat moment heeft: haar zoon die van haar wegreed, haar hand die was geheven terwijl ze tegen Konstantin riep: *Wacht! Wacht alsjeblieft. Michail moet zijn muts opzetten.* Ze zag hoe zijn haar van zijn oren naar achteren wapperde, en ze wist dat ze het koud zouden krijgen. Zijn haar zou naar de frisse wind ruiken.

Nu stopt Lilja, die tussen de tafel en de sofa geknield ligt, een lepel jam in Antonina's mond. 'Nu even geen wijn, mevrouw,' zegt ze, en Antonina knikt.

'Je hebt gelijk. Vandaag geen wijn meer.' Ze slikt de jam door en neemt een slokje uit het dampende glas in de gegraveerde houder, dat Lilja tegen haar mond houdt. Het glas is dun en zacht als zijde tegen haar lippen. Antonina is zich bewust van de zoetheid van de jam, de warmte van de thee, maar ze proeft niets.

'Wanneer denk je dat ze hem zullen vinden?' vraagt ze. 'Dat zal toch wel voor donker zijn, vast wel voor donker. Denk je niet, Lilja?'

Lilja zet het glas neer. 'Daar ben ik van overtuigd, mevrouw.

Het duurt nog een paar uur voordat het donker wordt.' Haar gezicht staat strak, uitdrukkingsloos. Ze lijkt nu opeens een vreemde. Lilja staat Antonina nader dan wie van de bedienden ook, en toch lijkt ze een afstandelijke vreemde.

'Maakt u zich niet nog verder overstuur, mevrouw,' zegt Olga nu. 'Het is misschien beter als u even gaat slapen. Als u wat rust...'

'O nee. Ik moet naar hen uitkijken,' zegt Antonina. Ze springt overeind zodat de omslagdoek van haar schouders valt en Tinka op de vloer springt. Lilja, die nog steeds op haar knieën ligt, buigt zich opzij zodat Antonina's wijde rok haar niet in het gezicht zwiept. Olga, die een stap achteruit doet, trapt op het pootje van de hond. Tinka slaakt een verbaasd gepiep en duikt onder de sofa.

Antonina loopt in de richting van de hal, naar de deur.

'Mevrouw,' zegt Lilja, en haar hand raakt die van Antonina aan. 'Misschien heeft Olga gelijk. U kunt beter naar bed gaan en een slaappil nemen.'

Antonina schudt haar hoofd en slaat haar armen over elkaar. 'Nee. Ik moet hier zijn, voor als Michail thuiskomt. Ik wil hem opwachten.'

'Goed. Komt u dan terug en drink nog wat thee. U hebt niets meer gegeten sinds het ontbijt. Als u nog een glas thee drinkt en iets eet, zult u sneller... weer uzelf zijn. Dan kunt u goed voor uw zoon zorgen wanneer hij u nodig heeft. Kom,' zegt Lilja, en ze laat haar stem dalen, zodat Olga haar niet kan horen. 'Kom, Tosja. Alsjeblieft.'

Antonina likt langs haar lippen. Ze ziet de crucifix van de vrouw en ze denkt aan de icoon van Sint-Nicolaas aan een dun gouden kettinkje rond Michails hals, naast zijn eigen crucifix. Heeft ze ooit echt geloofd dat Sint-Nicolaas haar zoon kon beschermen? Ze wordt overmand door de schok, en ze huivert. 'Ja, goed.'

Ze loopt terug naar de sofa en slaat de omslagdoek weer om zich heen. Lilja mompelt instructies aan Olga terwijl ze het theeglas nog eens vol schenkt. Tinka kruipt onder de sofa vandaan en Lilja pakt haar op en legt haar op Antonina's schoot.

Anonina streelt afwezig de rug van de hond terwijl ze haar thee drinkt.

Olga komt terug met een dienblad. Antonina kijkt naar het koude schapenvlees en de bietensalade, het zachte broodje dat met smeuïge boter is besmeerd. Ze slikt moeizaam. Ze kan zich niet voorstellen dat ze een hap door haar keel kan krijgen.

'Rustig maar, mevrouw,' zegt Lilja. 'Neem gewoon een klein beetje, om te beginnen.' Ze breekt een stuk van het broodje af en geeft het aan Antonina.

Antonina pakt het aan en stopt het in haar mond. Daarna snijdt ze het vlees en eet ervan, waarbij ze heel zorgvuldig kauwt en slikt, alsof haar keel dichtzit, tot het bordje halfleeg is. Ze geeft Tinka een plakje vlees.

Vervolgens veegt ze haar mond af aan het damasten servet. 'Dank je, Olga,' zegt ze, 'ik zal de wacht houden bij de ramen aan de voorkant.' De oude vrouw pakt het blad en vertrekt.

Antonina loopt met Tinka nog steeds in haar armen naar de hoge ramen die uitkijken over het voorplein en blijft daar roerloos, met rechte rug, staan. Lilja knielt naast haar neer en slaat haar handen ineen om te bidden. 'Hij zal snel terugkomen, Tosja,' zegt ze. 'En dan zal het net als altijd zijn. Jij, ik, en onze Misja.' Ze doet haar ogen dicht en buigt haar hoofd boven haar handen.

Antonina legt haar lippen tegen de kop van het hondje en fluistert haar eigen gebeden.

De mannen en paarden daveren door het woud, met Konstantin en Grisja voorop. Grisja's nek doet pijn door de klap met de zweep van Konstantin.

Als de graaf zich nu op zijn paard zou omdraaien, zou hij verbaasd opkijken bij de haat die gegrift staat op het gezicht van de man die hem helpt om Angelkov te beheren. Grisja is geen horige maar een vrije man die betaald wordt voor zijn werk. Konstantin vindt dat de manier waarop hij Grisja behandelt edelmoedig en redelijk is.

Konstantin vindt ook dat hij altijd edelmoedig en redelijk is geweest voor al zijn horigen – alle zielen die hij ooit heeft bezeten. Nu is alles bezig te veranderen. De Russische wereld begint te kantelen. Het Emancipatie Manifest, waarmee tsaar Alexander II twee maanden eerder, in februari 1861, de lijfeigenschap heeft afgeschaft, heeft het leven voor zowel de horigen als de landeigenaren veranderd.

De horigen zijn de landheren nu niets schuldig, geen *obrok*, de jaarlijkse belasting die ze de landheren moesten betalen om iets van de oogst te gebruiken om hun eigen buik te vullen, of betaling in natura.

Enkele horigen van Konstantin hebben het landgoed al verlaten omdat ze in de dorpen hun eigen leven wilden beginnen. Hij kan zich niet voorstellen dat Grisja ooit zou vertrekken. Wat zou hij ooit van zichzelf kunnen hebben zonder Angelkov? Was hij niet bevoorrecht met de allerhoogste positie op het landgoed? Verschaft Konstantin hem niet een eigen huisje – een warm houten huisje met blauwe luiken – dat hem in staat stelt zelfstandig te wonen, ver bij de knechtenkamers vandaan, of nog erger, in de akelige *izba's* in het dorp, die weinig meer zijn dan hutjes? Bezoekt hij soms zelf Grisja niet, in het huis met de blauwe luiken, en brengt dan eersteklas wodka mee, om met hem over politiek te praten, waarbij hij hem bijna behandelt alsof hij van dezelfde stand is?

Tijdens de rit zit Grisja niet aan het vermiste kind te denken. Hij denkt aan oudjaarsavond, meer dan drie maanden geleden, en hoe graaf Mitlovski en hij de belofte – of het dreigement, al naar gelang het standpunt – hadden besproken van de mogelijkheid dat de tsaar een verordening zou uitvaardigen om de horigen te bevrijden.

'Het is de horigheid die Rusland in de weg staat,' had hij tegen zijn meester gezegd bij het drinken van een glas wodka. 'Hebben we in de Krimoorlog niet een zware nederlaag geleden? We gaan prat op onze militaire kracht, en toch waren we geen partij voor de legers van Frankrijk of Engeland of Turkije. Met alle respect, graaf Mitlovski, in het grootste deel van Europa is het feodale systeem eeuwen geleden al afgeschaft.'

De graaf schoof zijn kraag recht, trok zijn vest omlaag en schonk nog een rondje wodka in. Hij hief zijn kleine glas en sloeg de inhoud in één keer achterover. 'Het Heilige Rusland is een door God gegeven land. Een blik op de corrupte landen in het Westen kan ons niets leren.'

Grisja's linkeroog bonsde van de inspanning om zijn zelfbeheersing te bewaren, nu hij, voor de zoveelste keer, werd gedwongen de graaf zijn huis te laten gebruiken voor een rendez-vous. Hij hoorde Tanja, de wasvrouw van Angelkov, in de slaapkamer heen en weer lopen. In zíjn slaapkamer. En terwijl zij zich aankleedde moest hij alle meningen van Mitlovski aanhoren. Hij hield zijn glas stevig vast, maar hij dronk niet. 'Ik smeek u mij een andere mening toe te staan, *barin*, heer. We kunnen veel leren van andere landen die hun mensen zelf hun lot hebben laten bepalen. Wanneer mensen slaven zijn, is er geen prikkel tot verbetering.'

Konstantin schoot in de lach. 'Slaven? De boeren zijn geen slaven. Ik ben de eigenaar van dit land, en de boeren bewerken het land. Alleen op deze manier zijn ze aan mij gebonden.'

Grisja kon niet langer blijven zitten. Hij stond op, boog naar de graaf, en liep toen naar het raam. Achter de ruitjes was het zwart, en hij zag zijn eigen spiegelbeeld, zijn haar als een golvende zwarte massa die van zijn voorhoofd naar achteren was geborsteld, zijn ogen als spleetjes in het blekere ovaal van zijn gezicht. 'Opnieuw, met alle respect, graaf Mitlovski,' zei hij tegen zijn spiegelbeeld. 'U heerst over de levens van de duizenden zielen die u bezit. U bezit de macht om de boeren te verbieden uw land te verlaten, en u kunt, naar believen, iedere horige verhuizen of aan een ander landgoed verkopen, zelfs als dat betekent dat gezinnen uiteen worden gerukt.' Toen draaide hij zich om. Hij zag Konstantins oogleden over zijn ogen zakken en zijn wangen waren verhit. Hij sprak op vlakke toon met gedempte stem. 'U kunt hen laten geselen of zonder enige aanleiding in de mijnen te werk stellen of hen in Siberië laten omkomen. U bepaalt met wie ze mogen trouwen. Is dit geen slavernij, barin?'

Konstantin gebaarde met zijn hand in de lucht alsof Grisja's woorden onbelangrijk waren, alsof hij ze te vaak had gehoord om ze nog serieus te nemen. 'Laten we het niet meer over politiek hebben, Grisja. Je verveelt me. De tsaar is ons van God gegeven. Hij zal tot inkeer komen. Hij zal dit belachelijke dreigement niet uitvoeren. Kom op. Het is oudjaarsavond. We zullen drinken op onze gezondheid, en op de gezondheid van hen die we liefhebben.'

Grisja voegde zich weer bij hem en de eerste dreun van het vuurwerk van het landgoed weerklonk toen hij met zijn heer dronk.

'Goedenacht, liefje,' riep Konstantin naar de slaapkamerdeur terwijl hij ging staan en zijn lege glas neerzette. Grisja hoorde Tanja's gemompelde antwoord.

De graaf legde een stapeltje roebels op Grisja's schoorsteenmantel en vertrok toen om samen met zijn vrouw en zoon naar het vuurwerk te kijken. Grisja staarde in de haard. De wodka brandde in zijn buik. Graaf Mitlovski had het bij het verkeerde eind; Grisja was ervan overtuigd dat de tsaar het manifest tot vrijlating van de horigen binnen enkele maanden zou uitvaardigen. En wanneer dit gebeurde wist Grisja precies hoe hij zijn leven wilde leiden als hij niet meer onder de knoet van Mitlovski hoefde te blijven.

Tanja kwam de slaapkamer uit met een berg linnengoed in haar armen. Haar kastanjebruine haar zat netjes, haar smalle gezicht was uitdrukkingsloos toen ze de roebels van de schoorsteenmantel pakte en wegstopte.

Grisja schonk nog een glas wodka in en stak haar dit toe. 'Drink met me, Tanja, op het nieuwe jaar.'

'Dank je, Grigori Sergejevitsj,' zei ze, en ze legde het gebruikte beddegoed neer en pakte het glas. De rimpels tussen haar wenkbrauwen en rond haar mond waren diep.

Hij tikte met zijn glas tegen het hare en hief het. 'Op de vrijheid,' zei hij, en hij sloeg de inhoud achterover.

3

Er zijn enkele uren verstreken. Antonina zit op een rechte stoel voor het raam en buigt zich naar voren om in de schemering naar buiten te staren. Ze heeft haar ogen niet van het voorplein afgehouden.

Ze springt overeind wanneer er paarden naderen, geeft Tinka aan Lilja en rent naar de voordeur. Ze gooit de deur open, maar op de bovenste trede van het bordes blijft ze zo plotseling staan dat Lilja, die haar achterna is gegaan, tegen haar opbotst.

Het zijn alleen Konstantin en Grisja.

Ze holt de stoep af naar hen toe. 'Wat is er gebeurd, Konstantin? Waarom zijn jullie terug? Michail... Misja...' Ze kijkt naar Konstantin die voorovergezakt op zijn zadel zit, met zijn mond een beetje open, en dan kijkt ze naar Grisja. 'Jullie hebben hem niet gevonden?' Ze begrijpt dit, maar ze moet het toch vragen.

Grisja schudt zijn hoofd. 'Nog niet, mevrouw, maar toen ik terugging waren Ljosja en de anderen nog steeds aan het zoeken. Ze hadden een goede voorsprong zolang het nog licht was, want de paden...' Hij zwijgt en kijkt even naar Konstantin. 'De graaf was zwak door al het bloedverlies. Hij kon nauwelijks op zijn paard blijven zitten. Ik besefte dat ik hem naar huis moest brengen. Maar de anderen... Ze zullen hem vinden, mevrouw.'

Antonina grijpt de omslagdoek met één hand beet, alsof er een plotselinge koude bries over het plein gaat. 'Het duurt nu al veel te lang, Grisja. En het is al bijna donker.'

'Nee, het is niet zo lang,' zegt hij, en hij stijgt af en gaat naast haar staan. 'Lilja! Roep Pavel om met de graaf te helpen.' Hij kijkt Antonina weer aan en raakt even haar hand aan. 'Helemaal niet zo lang. En als hij vanavond niet wordt gevonden, beginnen we morgen zodra het licht is, met verse paarden.'

Opnieuw weten zijn zelfverzekerdheid en aanraking haar te kalmeren. Konstantins kamerknecht Pavel arriveert en samen met Grisja halen ze Konstantin van zijn paard. Ze helpen hem naar zijn slaapvertrek. Antonina volgt, en wanneer hij op zijn bed ligt, met zijn goede hand over zijn ogen, gaat ze naast hem staan.

Pavel en Grisja zijn naar de deur gelopen.

'Man van me,' zegt ze op gezaghebbende toon, terwijl ze op hem neerkijkt. Konstantin haalt zijn hand van zijn gezicht. 'Spreek, Konstantin Nikolevitsj. Zeg me hoe Michail was toen je hem voor het laatst zag.' Ze ziet een verse schram op de slappe huid onder zijn oorlel. 'Kostja,' zegt ze, deze keer luider.

Hij kijkt haar aan, maar zijn mond blijft gesloten.

'Waarom wil je niet tegen me spreken?' vraagt ze dan, met luide stem. Ze pakt hem bij de schouders en schudt hem heen en weer. Als in een droom ziet ze zichzelf van bovenaf, even wild als een *vedma*, misschien Baba Jaga in eigen persoon.

Konstantin staart haar aan. Zijn hulpeloze blik vervult haar met woede. Grisja komt achter haar staan en legt zijn hand op haar schouder. Beschaamd houdt ze op met haar man door elkaar te schudden.

Konstantins mond gaat open, als een zwart vierkant onder zijn dikke witte snor, en hij fluistert: 'Mijn zoon, Tosja. Onze jongen.' Er glinsteren tranen in zijn ogen. 'Hij was heel dapper.'

Antonina brengt haar hand naar haar mond en Grisja laat Antonina's schouder los en stapt achteruit. Ze hoort de deur zachtjes dichtgaan. Pavel blijft in de buurt, klaar om te doen wat zij wil. Ze

blijft vlak bij het bed. In plaats van dat Konstantins tranen medelijden opwekken, roepen ze alleen maar nog meer woede in haar
op. Haar eigen tranen ontstaan uit deze woede, en uit haar vreselijke angst.

'Vertel het me,' zegt ze, deze keer rustig.

'Ze... ze hebben gewoon zijn paard meegevoerd. Ze hebben
hem geen pijn gedaan, ze hebben hem niet eens aangeraakt. Hij
heeft geen kik gegeven. Ik heb tegen hem gezegd dat hij rustig
moest blijven, en dat deed hij. Dat deed hij echt, Tosja. Het is een
goeie jongen. Het is altijd een goeie jongen geweest, hè?'

Antonina kan geen woord uitbrengen.

'Hij is een kind van goede komaf en hij is heel intelligent. Hij
zal zich op nobele wijze weten te gedragen, zoals wij hem hebben
geleerd. De kozakken zullen dit zien, ze zullen daardoor respect
voor hem hebben.'

Antonina doet haar ogen dicht. Konstantin is een dwaas, dacht
ze. Ze hebben ons kind ontvoerd, en hij heeft het over respect.

'Hij zat heel goed op het paard, Tosja. Toen hij wegreed zag ik dat
hij er meer controle over had dan ik had gedacht. Hij heeft het in
zich om een goede ruiter te worden. Het enige wat hij nodig heeft
is meer rijden, minder tijd achter de piano en meer in het zadel.'

Denkt hij dat ik mijn eigen zoon niet ken? schiet het door haar
hoofd. Ik wil weten wat er verder gaat gebeuren. Ik wil weten wanneer ik hem weer in mijn armen heb.

'Hij hield zijn hoofd hoog, Tosja. Hij zal niet voor hen buigen.
Ik heb hem veel geleerd.' Hierop hapert Konstantins stem, en hij
kan niets meer uitbrengen.

Konstantin begint nu echt te huilen, snikkend als een klein kind.
Antonina heeft hem nog nooit zo gezien. Ze verlangt ernaar zijn
armen om haar heen te voelen, ze verlangt naar troost, maar ze
gaat niet dichter naar haar man toe.

En omdat er verder niets is wat zij kan doen, knielt ze neer en
begint te bidden, terwijl ze naar Konstantin kijkt. Zijn ogen zijn

dicht en de tranen stromen over zijn wangen naar zijn oren, maar hij maakt geen enkel geluid.

Antonina vraagt Pavel de wodka van Konstantins rozenhouten tafel naast de haard te halen. In tegenstelling tot Lilja gehoorzaamt Pavel zonder aarzeling. Ze grist de fles uit zijn hand, schenkt zich een glas in en knikt naar hem. Hij buigt en loopt naar buiten, hoewel Antonina weet dat hij in de gang, vlak bij de deur, zal blijven voor het geval zij hem nodig heeft.

Ze loopt naar de brede leren stoel. Na verloop van tijd hoort ze de klok op de overloop middernacht slaan. Ze schenkt zich bij uit de fles. Ze drinkt zich door de eerste nacht van haar zoons verdwijning heen.

Bij het aanbreken van de dag roept Konstantin Pavel en laat hem Grisja halen. Antonina heeft niet geslapen. Ze loopt te ijsberen. Ze weet dat er geen nieuws is. Als dat er wel was geweest, zou Grisja meteen zijn gekomen.

Wanneer Grisja hun vertelt dat de zoekactie niets heeft opgeleverd en dat de mannen rond middernacht met lege handen zijn teruggekomen, geeft Konstantin opdracht hen allen te geselen. Hij weet geen andere manier om zijn angst en schuldgevoelens af te reageren. Grisja knikt, maar hij voert het bevel niet uit.

'Vandaag zal er vast wel een brief over het losgeld komen,' zegt Antonina tegen Konstantin terwijl ze voor zijn bed heen en weer loopt. Ze veegt haar lippen af met de rug van haar hand. 'Die zal vandaag komen, en dan weten we wat we moeten doen om Misja terug te krijgen.'

Konstantins huid is grauw. Het verband zit vol opgedroogd bloed en er ontstaan steeds nieuwe rode vlekken.

'Je moet je hand goed laten verzorgen,' zegt Antonina. 'Ik zal de dokter laten halen.'

'Daar is geen tijd voor. We gaan er weer op uit,' zegt Konstantin. 'Pavel. Help me met aankleden.'

'Ik ga ook mee,' zegt Antonina, en Konstantin protesteert dit keer niet.

Om acht uur vertrekken ze met zijn allen in de bewolkte, vochtige aprildag.

Ze gaan terug naar de open plek waar Michail gevangen was genomen; Antonina ziet de omgewoelde modder en de plakkaten harde sneeuw, waarvan sommige met Konstantins bloed zijn bespat. Ze verspreiden zich in alle richtingen. Antonina rijdt met Grisja. Ze komen langzaam vooruit met hun paarden die een pad zoeken tussen de bomen. Uiteindelijk komen ze uit op een akker en ze steken die over, naar het dorpje Toesjinsk, dat in bezit is van Konstantin.

Daar stijgen ze af en binden hun paarden vast, lopen door de luttele straatjes. 'Het is het beste als u bij mij blijft, mevrouw,' zegt Grisja.

Grisja ondervraagt de dorpsbewoners. Ze zijn op hun hoede, zwijgzaam staan ze tegenover hem, ze schudden hun hoofd. Ze buigen vanaf hun middel naar Antonina. Zij stelt hun ook vragen, maar de gezichten van de mannen en vrouwen, wanneer ze hun beveelt het hoofd op te richten, vertellen haar niets.

Ze rijden verder, stoppen niet om te eten of te drinken. Met elk uur dat verstrijkt neemt Antonina's wanhoop toe. Wanneer ze onderweg een dorpsbewoner met een handkar ondervragen en hij alleen maar naar hen omhoogkijkt zonder antwoord te geven op Grisja's vragen, valt Antonina gefrustreerd tegen de man uit. Grisja buigt zich naar haar toe en legt een hand op haar teugels.

'Het begint laat te worden, mevrouw. We moeten eigenlijk terug naar het huis. U zult het wel koud hebben.' Hij kijkt naar haar wollen cape die openwaait in de koude wind.

'Ik heb het niet koud,' zegt ze, en ze trekt de cape om zich heen. 'Laten we verder gaan.'

Dan begint er een lichte motregen te vallen en Grisja staat erop dat ze omdraaien en terugrijden naar Angelkov.

'Nog niet, Grisja. Laten we doorgaan. Eén uurtje nog,' zegt Antonina.

Grisja schudt zijn hoofd en kijkt naar het paard. De vos die Antonina Doenja heeft genoemd, is moe, ze laat het hoofd hangen terwijl ze op haar slanke benen voortsjokt. 'Misschien zijn de graaf of de anderen... misschien is Michail Konstantinovitsj inmiddels thuis,' zegt hij.

'Ik bid dat dit zo is, Grisja,' zegt Antonina. Dan wendt ze Doenja en rijdt met Grisja terug naar Angelkov.

Ze komen thuis vóór Konstantin en de anderen. Er is geen bericht van Michails ontvoerders.

Antonina gaat naar haar slaapkamer om haar bemodderde kleren uit te trekken. Lilja brengt haar één, en dan een tweede glas wodka. Daarna gaat Antonina op de veranda staan, huiverend, met haar armen om zich heen geslagen, terwijl ze over de lange, met bomen omzoomde oprijlaan kijkt, waarvan de takken van de lindebomen nog kaal zijn in de voorjaarslucht.

Ten slotte gaat ze weer naar binnen, maar al snel hoort ze de geluiden van mannen en paarden, en ze holt naar buiten op haar slofjes en in haar dunne wollen jurk. Ze holt door de resten hobbelige, smeltende sneeuw en bevroren modder naar het stalerf. In gedachten dwingt ze haar zoon bij zijn vader op het paard te zitten. Maar hij is er niet.

Ze staart naar haar man, haar armen slap naast zich neerhangend.

'Is er bericht over losgeld gekomen?' vraagt Konstantin.

Antonina schudt haar hoofd.

Konstantin lijkt veel ouder dan gisteren. Wanneer hij zijn hoed afzet, is de vorm van zijn schedel onder zijn van zweet doordrenkte haar al te goed zichtbaar in het laatste middaglicht. Hij is eenenzestig en zij is achtentwintig. Hij stijgt moeizaam af, met slechts zijn ene goede hand als steun. Ljosja leidt zijn paard weg.

'Konstantin, wat nu?' vraagt Antonina, maar hij geeft niet meteen antwoord.

Ten slotte kijkt hij haar aan. 'Morgen beginnen we weer,' zegt hij. 'Dat is alles wat we kunnen doen. Zoeken, terwijl we wachten op bericht over onze zoon.'

Ze loopt achter hem aan het huis in, waar de bedienden de lampen hebben ontstoken. Het ruikt er naar rundvlees, en de lange, glimmend gepoetste tafel in de grootse eetkamer is gedekt voor twee. Antonina loopt langs de eetkamer, over de brede, gebogen trap omhoog naar haar slaapkamer. Konstantin gaat aan de tafel zitten en wacht tot hij wordt bediend, terwijl hij naar de gedekte plaats voor Antonina kijkt, en dan naar de plek waar hun zoon zou hebben gezeten.

Antonina slaapt niet, ze houdt opnieuw de wacht met een fles wodka, en ze is beverig wanneer Lilja, zoals gebruikelijk, de volgende morgen komt om haar te helpen met aankleden. Antonina's dikke blonde haar valt tot aan haar middel, maar zelfs haar man heeft het nooit helemaal los gezien. Gewoonlijk heeft Lilja minstens een halfuur nodig om het te borstelen en op modieuze wijze op te steken met de fraaie kammen waaraan Antonina zo gehecht is. Het is prachtig haar, vindt Lilja altijd, wonderlijk dik en zwaar. Ze vindt het heerlijk om het voor Antonina te wassen terwijl haar mevrouw in de grote, porseleinen badkuip ligt. Soms, als ze alleen in Antonina's kamer is, probeert Lilja hetzelfde kapsel met haar eigen donkere haar. Maar het haar is te dun en de kammen glijden eruit omdat ze geen houvast kunnen vinden. Het geeft niet. Ze zou nooit anders voor de dag kunnen komen dan met haar haar in de bekende vlechten die rond haar hoofd zijn gedraaid.

'Steek het maar snel op, Lilja,' zegt Antonina tegen de vrouw. 'Ik ga weer met hen mee. Ik wil geen tijd verspillen.' Ze zucht diep als de borstel met lange, gelijkmatige halen van haar schedel naar de punten van haar haar glijdt.

37

Lilja kijkt Antonina in de spiegel aan. 'Alle bedienden bidden voor de veilige thuiskomst van Michail,' zegt ze. 'Zelfs mijn man zegt dat de kozakken een kind geen pijn zouden doen, en zeker niet zo'n kind als onze Michail.'

Er volgt een moment van stilte voordat Antonina zegt: 'En wat weet die Soso van jou over kozakken en hun manier van doen, Lilja? Wat weet hij van mijn kind, wat weet hij überhaupt van kinderen?'

De borstel stopt, en Lilja haalt adem alsof ze het voor haar man wil opnemen, maar ze zegt: 'Laten we dan geloven dat God zich om zijn lam zal bekommeren.' Ze tilt de borstel weer op, maar Antonina pakt hem opeens vast.

'Ik zal geloven in mannen als Grisja en je broer Ljosja. Als iémand Michail kan vinden, zijn zij het wel. Zij zullen hem vinden en hem ongedeerd bij me terugbrengen. Dit zijn de mensen in wie ik geloof, Lilja. Niet in jouw ruwe echtgenoot. Niet in mijn zwakke echtgenoot. Niet in God.'

Lilja's lippen worden strak. 'Toch moet u de graaf laten verzorgen. Pavel zegt dat het helemaal niet goed met hem gaat.'

Antonina staart naar het met parelmoer ingelegde blad waarop haar kammen liggen.

'Tosja? Heb je gehoord wat ik zeg?'

Antonina kijkt Lilja in de ovale spiegel aan. Ze zijn van dezelfde leeftijd, hoewel Lilja veel ouder lijkt. Ze heeft grijze strepen in haar donkere haar en de kleine rimpels bij haar ooghoeken zijn zelfs zichtbaar als ze niet glimlacht.

'Schiet alsjeblieft op,' zegt Antonina tegen haar.

Als Lilja klaar is, loopt Antonina door de lange, brede gang naar de slaapkamer van haar man. Wanneer ze binnenkomt, ziet ze Pavel bij Konstantin staan, met een vochtige doek in de hand. Er ligt ook een vochtige doek over Konstantins voorhoofd gedrapeerd.

'Kostja?' zegt ze. Hij houdt zijn verbonden hand met zijn linkerhand tegen zijn borst. Naast het oude en het nieuwe bloed ziet ze ook vieze, gele smurrie op het verband.

Ze buigt zich over hem heen, maar deinst onmiddellijk terug bij de geur van zijn adem. Zijn donkere ogen zijn mat, maar schitteren toch vreemd. 'Laat me je hand eens zien,' zegt ze.

Konstantin schudt zijn hoofd.

'Laat me dan de dokter erbij halen.'

Konstantin gaat rechtop ziten. 'Ik moet weer op weg. Help me, Pavel.'

'Je moet eerst iets eten,' zegt Antonina. 'Als je ziek wordt, heeft niemand iets aan je.'

Konstantin negeert haar en gaat moeizaam, geholpen door Pavel, staan.

Antonina loopt zijn kamer uit, gaat naar beneden naar de salon en laat Grisja roepen. Als hij binnenkomt, maakt hij een buiging.

'Ik wil dat je probeert mijn man over te halen zijn hand te laten verzorgen. De wond had goed schoongemaakt moeten worden en gehecht. Ik laat Pskov de dokter halen, maar je weet hoe koppig de graaf is. Wil jij met hem praten, Grisja? Zeg hem dat hij te ziek is om te rijden. Hij moet gezond blijven tot... Hij moet gezond blijven om te helpen onze zoon weer terug te brengen. Naar jou luistert hij wel.'

'Ja, mevrouw,' zegt Grisja. 'Moet ik nu naar hem toe gaan?'

'Graag. Hij is in zijn kamer. Zonder hem...' Ze zwijgt. 'Wanneer de ontvoerders met hun eisen komen, zullen die tot de graaf gericht zijn.' Ze staat voor Grisja en kijkt naar hem op. Hij is langer dan haar man. 'Waarom is er geen eis tot losgeld gekomen, Grisja? Waarom niet?'

Grisja wendt zijn blik van haar af en kijkt naar het knetterende haardvuur. 'Ik ben ervan overtuigd dat die vandaag zal komen, mevrouw.'

'Ja?' zegt Antonina gretig, en ze klampt zich aan zijn mouw vast. 'Denk je echt dat hij vandaag zal komen?'

'Deze mannen... Ze willen u gewoon laten lijden. Op deze manier zijn ze verzekerd van uw wanhoop.' Hij kijkt naar haar hand en ze trekt hem terug. 'Ze wachten alleen maar even, opdat u niet zult aarzelen hun bevelen op te volgen.'

Antonina slaakt een diepe zucht. 'Dat klinkt logisch. En, Grisja? Ze zullen Misja vast niets doen.' Het is geen vraag.

'Waarom zouden ze het kind iets aandoen wanneer ze hem willen terugbrengen, mevrouw?' vraagt Grisja, en zijn stem wordt zacht. 'Uw zoon zal ongedeerd blijven.'

Ze knikt, ze is Grisja dankbaar voor zijn stellige mening dat Michail veilig is en dat de brief met de eis voor het losgeld vandaag zal komen. Toch moet ze onwillekeurig huilen. Het is of de kalmte en de kracht van de rentmeester haar toestaan te huilen. Ze wendt haar hoofd af, beschaamd over haar tranen in zijn bijzijn.

'Ik denk dat u vandaag beter thuis kunt blijven,' zegt hij tegen haar, nog steeds met zachte stem. 'Voor het geval er een brief komt.'

'Maar ik wil helpen hem te vinden.' Ze draait zich om en kijkt hem aan. 'Ik wil...' Ze zwijgt wanneer Grisja zijn hoofd schudt.

'Ik denk echt, mevrouw, dat u hier van meer nut zult zijn. Voor als uw zoon terugkomt, of voor als er een brief over losgeld komt. Wat het ook mag zijn, u hoort hier te zijn.'

'Misschien heb je gelijk,' zegt ze, en ze haalt een zakdoek uit haar mouw om haar tranen weg te vegen. Terwijl ze diep ademhaalt, wordt Grisja vervuld van respect voor haar. Ze verwerkt elke dag met een waardige en stoïcijnse houding. Hij weet hoe intens haar toewijding aan haar zoontje is. Hij kan raden naar haar wanhoop.

Zoals Grisja heeft voorspeld, arriveert halverwege de middag de brief over het losgeld. Pavel moet haar wakker maken, ze is op de sofa in de muziekkamer in een lichte slaap gevallen.

De opperstalknecht Fjodor staat haar op te wachten wanneer ze naar de personeelsingang aan de achterzijde snelt waar Pavel zegt dat hij is. Ze ruikt Fjodors met mest besmeurde laarzen, en ook het vet en het zweet van zijn zware jas en de pet die hij in zijn ene hand houdt. Wanneer de man vanuit zijn middel buigt, een vel papier naar haar uitstekend, ziet Antonina dat hij geen linkeroor heeft. Ze vraagt zich af wat er met dat oor is gebeurd. Ze heeft het ooit geweten.

Ze grist het papier weg en vouwt het open, met trillende handen. Het is onhandig geschreven, maar de aanwijzingen zijn duidelijk. Ze leest het bericht één keer, twee keer, en dan drukt ze het tegen haar borst. Fjodor staat nog steeds gebogen voor haar.

'Je kunt wel gaan, Fjodor,' zegt ze. 'Dank je.' Ze is zo dankbaar voor de brief dat ze vergeet te vragen wie hem heeft gebracht.

De man richt zich op, hoewel hij zijn ogen op de grond gericht houdt. Hij loopt achteruit tot hij de deur uit is. Hij gedraagt zich nog steeds als een horige, er is veel tijd nodig om levenslange gewoonten te laten verdwijnen.

Antonina blijft waar ze is. Het briefje eist een enorm bedrag, dat de volgende morgen op een bepaald tijdstip op een bepaalde plek in het bos door de rentmeester van het landgoed moet worden afgegeven. In het briefje staat tevens dat niemand anders met de rentmeester mee mag komen. Als er anderen bij zijn, zullen ze de jongen niet teruggeven. Maar als de eisen worden opgevolgd zoals beschreven, zal het kind worden teruggebracht.

Antonina laat zich op haar knieën vallen en slaat een kruis terwijl ze een dankgebed fluistert.

De mannen van de zoekactie komen deze dag vroeger naar Angelkov terug dan de voorgaande dagen. Zodra Antonina de paarden hoort, rent ze naar buiten om Konstantin de brief te geven. Hij leest hem en geeft hem dan aan Grisja – een rentmeester moet kunnen lezen om de boekhouding van het landgoed te kunnen doen.

'We zullen hem morgen weer terug hebben, Konstantin,' zegt ze. 'Morgen.'

'Wie heeft dit gebracht?' vraagt hij, en dan pas realiseert Antonina zich dat ze dat niet heeft gevraagd. Ze zegt dat Fjodor haar de brief heeft gegeven, en hij gaat samen met Grisja naar de stal.

Antonina eet die avond een paar hapjes van de maaltijd, in haar kamer. Ze vraagt Lilja een bad voor haar klaar te maken en ze staat de vrouw toe haar haar te wassen, waarbij ze zich met een zucht in de kuip warm water laat zakken. Wanneer haar zoon thuiskomt wil ze er net zo uitzien als altijd.

Wanneer Lilja haar voor de nacht alleen heeft gelaten, pakt ze een fles wodka van de gebruikelijke plek achter in haar kleerkast. Ze kijkt ernaar en zet hem dan weer terug, zonder hem open te maken. Ze weet dat ze zonder drank ook zal slapen. Michail Konstantinovitsj komt weer naar huis.

Ze staat op, ver voor het aanbreken van de dag. Ze popelt van ongeduld tot Konstantin opstaat en ze loopt nog voor zeven uur naar zijn kamer. Wanneer ze de deur opendoet en in de donkere kamer stapt, is de geur van verrotting nog sterker dan eerst.

Pavel komt overeind van een veldbed bij het voeteneind van Konstantins bed.

'Konstantin Nikolevitsj,' zegt ze zacht, en ze loopt naar zijn bed. 'Alsjeblieft. Heb je het geld voor Grisja klaar?'

Konstantin lijkt moeite te hebben zijn ogen open te doen, en wanneer hij haar eindelijk aankijkt, is het met een wazige bik, alsof hij niet zeker weet of hij droomt of wakker is. Er staat zweet op zijn voorhoofd en de voorkant van zijn nachthemd is klam.

'De dokter komt vandaag,' zegt ze tegen hem.

Konstantin knikt.

'Is alles klaar voor Grisja?' vraagt ze weer.

'Ik ga met hem mee,' zegt Konstantin, en hij schuift het beddegoed opzij, zwaait zijn benen op de vloer en wiegt even heen en weer om voldoende vaart te krijgen om overeind te komen.

Antonina houdt hem tegen, met haar hand op zijn borst. 'Nee.

De brief is heel duidelijk, Konstantin. Je mag niet mee. En ik ook niet. Als een van ons meegaat, zullen we alles bederven.'

'Ik zal zorgen dat ze me niet zien.' Konstantin wankelt als hij staat en hij zoekt steun bij haar schouder.

Pavel stapt naar voren.

'Kijk nou toch. Je kunt nauwelijks op je benen staan. Je kunt echt niet rijden. Je bent ziek, Konstantin. Laat Grisja doen zoals de kozakken hebben gevraagd. Je moet niet gaan, Kostja,' zegt ze, nu luider. 'Ik sta het niet toe.'

'Ik heb gezien hoe mijn zoon gevangen werd genomen, en ik zal zien hoe hij wordt teruggegeven,' zegt hij en hij duwt haar met zijn goede arm opzij. 'Blijf uit mijn buurt. Pavel, pak mijn kleren.'

Antonina schudt haar hoofd. 'Begrijp je dan niet dat je als je gaat alles zult...'

'Maak dat je wegkomt,' snauwt Konstantin.

Antonina doet haar mond open, maar er valt niets meer te zeggen.

Ze smijt de deur met een klap dicht als ze vertrekt.

Ze wacht op de veranda. Drie uur later komen Grisja en Konstantin terug. De mannen zitten samen op Konstantins hoge arabier, Grisja achter Konstantin, met één arm om het middel van de oudere man. Konstantins hoofd hangt naar voren, met zijn kin op zijn borst, alsof hij slaapt. Wanneer Grisja het paard halt laat houden en zijn arm wegtrekt, valt Konstantin, zwaar en log, in de vieze sneeuw van het plein. Grisja stijgt moeizaam af. Hij is gewond, zijn ene wang is al dik en zijn linkeroog is opgezet en blauw. Hij heeft een snee in zijn lip en op zijn kin zit opgedroogd bloed. Zijn jas is weg, zijn tuniek gescheurd.

Ze hebben Michail niet bij zich.

Antonina zakt op één knie naast Konstantin. 'Waar is hij? Waar is mijn zoon? Wat er gebeurd?' Maar Konstantin is bewusteloos. Bij het horen van haar stem, die hoog en dun en van paniek vervuld is, komen de bedienden uit het huis gerend, uit de stallen en uit de schuur en de kas en de opslagruimten, uit de kippenhokken en uit de schuur van de hoefsmid. De mannen tillen de graaf op en dragen hem het huis in. Antonina kijkt naar Grisja. 'Vertel me wat er is gebeurd,' zegt ze.

Grisja zit in de keuken met een vol glas en een fles wodka voor zich. Antonina staat aan de andere kant van de tafel, haar handen ineengeslagen om het beven te bedwingen. Ze heeft moeite om lucht te krijgen, ze is licht in haar hoofd en schenkt zich ook een glas in van de sterke, heldere vloeistof. Ze houdt het glas met beide handen stevig vast terwijl ze wacht tot Grisja iets zegt.

'Ik heb de graaf gevraagd, gesmeekt zelfs, om niet mee te gaan,' zegt Grisja ten slotte, terwijl hij voorzichtig kleine slokjes uit het glas neemt, ineenkrimpend wanneer de alcohol zijn gespleten lip raakt. 'Toen ik hem eenmaal had overgehaald mij het pak roebels – het losgeld – te geven ben ik in volle vaart van hem weggereden, in de hoop ruimschoots vóór hem op de afgesproken plek te zijn, het geld over te geven en de jongeheer op te halen. Ik dacht niet dat de graaf in staat zou zijn me bij te houden – zoals u weet kon hij nauwelijks rijden.'

Antonina blijft knikken. Haar hoofd gaat op en neer alsof ze er geen beheersing over heeft.

'Ik ben inderdaad op de plek gearriveerd die de kozakken me hadden genoemd en...'

'Michail. Heb je Michail gezien?' valt Antonina hem in de rede.

Grisja schudt zijn hoofd. 'Nee. Het spijt me, mevrouw. Uw zoon was nergens te bekennen. Er waren wel drie kozakken. Hun gezicht hielden ze voor mij verborgen. Zodra ik hen naderde, riep ik: "Hebben jullie het kind?"

"Heb je het geld bij je?" riep er één terug. "Ben je alleen gekomen?"

"Ja, ja," zei ik, "maar zonder de jongen betaal ik niets. Toon me

Michail Konstantinovitsj Mitlovski, en ik zal jullie het geld laten zien." Een van de mannen wendde zijn paard en begon naar een bosje te rijden. Ik geloof dat ik daar het gesnuif van nog een paard hoorde, mevrouw. Ik denk...'

'Ja? Wat denk je, Grisja?'

'Ik denk dat Michail daar was verborgen.'

Antonina hapt naar lucht. 'Maar je hebt hem niet gezien?'

Grisja heeft deze vraag al beantwoord. 'Op dat moment reed de graaf de open plek op. Hij was nauwelijks in staat in het zadel te blijven. Hij was verward, mevrouw, hij schreeuwde allerlei dingen die nergens op sloegen. Hij had een delirium.'

Antonina's stem daalt nu tot gefluister. 'En toen?'

'Zodra ze de graaf zagen, vielen ze mij aan. Ze rukten me van mijn paard, alle drie, en ze sloegen me. Ik vocht terug, maar ze rukten mijn jas uit en haalden het geld eruit.' Hij kijkt Antonina niet aan, maar bekijkt zijn hand, de hand die het glas vasthoudt. Antonina ziet de kapotte huid op zijn knokkels, die al blauw beginnen te worden.

'Ik heb met hen gevochten, mevrouw,' herhaalt hij. 'Ik zei dat ze het geld nu toch hadden, wat maakte het dan uit dat de graaf was gekomen? Ze waren vermomd, ik kon ze niet herkennen. Geef me de jongen, zei ik tegen hen, dan zijn we klaar. Jullie wilden het geld, en jullie hebben het. Geef me nu de jongen.' Ten slotte kijkt hij Antonina aan. 'Ze hebben mijn paard afgepakt. Ik ben hen achterna gehold, maar te voet was ik geen partij. Dus ben ik terug gehold naar de graaf, heb hem van zijn paard getrokken en ben achter hen aan gegaan. Maar ze waren al verdwenen. Ik heb een tijdje rondjes gereden, mevrouw, en ben toen teruggegaan naar waar de graaf lag en... en toen zijn we naar huis gegaan.' Het is stil in de keuken, met uitzondering van Rajsa, de kokkin, die met gestaag gedreun deeg staat te kneden. Op het fornuis staat iets te pruttelen, waardoor het deksel van de grote pan rammelt.

'Dus als Konstantin niet was gekomen, was Michail nu bij me

thuis geweest,' zegt Antonina langzaam. Ze brengt haar glas omhoog en drinkt, zonder haar blik van Grisja af te wenden.

Grisja neemt een flinke slok wodka. Hij gaat met zijn tong over zijn gespleten lip. 'Ik denk het, mevrouw. Ik denk het echt.' Hij kan de gravin niet langer aankijken. De smart op haar gezicht doet hem te veel aan een andere vrouw denken.

Alles wat er deze afgelopen dagen is gebeurd, brengt oude herinneringen bij hem boven.

Hij schenkt nog meer wodka in. Hij drinkt om de pijn van zijn verwondingen te verdoven en om het beeld van zijn moeder weg te spoelen.

4

*G*risja was in 1827 in Tsjita, een dorpje in de oostelijke provincie Irkoetsk in Siberië geboren als Timofej Aleksandrovitsj Kasakov. De dichtstbijzijnde grotere plaats naar het westen was de Boerjat-enclave Opper-Vdinsk.

Toen Grisja, of Timofej – Tima – zoals hij toen heette, Tsjita
verliet en naar het stadje Irkoetsk ging, maakte de tocht van achthonderd kilometer dat hij inzicht kreeg in zijn uithoudingsvermogen en veerkracht. Hij was vijftien jaar en hij vertrok van huis op
zijn paard Felja, met een geringe hoeveelheid roebels, zadeltassen
vol eten, twee zware jakharen dekens, de weinige kledingstukken
die hij bezat, een kleine verzameling boeken, zijn vaders crucifix
en zijn moeders Tibetaanse gebedsmolen, en een houten fluit die
hij van zijn broer Kolja had gekregen. Hij voerde eveneens een
veel zwaardere last aan schuldgevoelens met zich mee.

Het was juni, en op het ruwe, modderige pad naar Irkoetsk
kreeg Tima te maken met onweersbuien die met angstaanjagend
geweld over de steppen kwamen aangerold, en muggen die hem
bijna krankzinnig maakten wanneer hij onder de sterren sliep, opgerold in zijn dekens. Lopend, struikelend, ploeterend om op de
been te blijven, voerde hij Felja door moerassen en snelstromende
beken. Toen hij geen voedsel meer had, kocht hij het hoognodige
in de gehuchten waar hij doorheen reed.

Op een middag werd hij overvallen door twee haveloze kerels,

47

toen hij bij een smalle rivier stopte om Felja te laten drinken. Ze hadden het op zijn zadeltassen voorzien, maar hij wist hen met gemak van zich af te slaan. Toch voelde hij zich voor het eerst in zijn leven bedreigd, en daarom kocht hij in het eerstvolgende dorp een mes met een lang heft. Elke dag was hij dankbaar voor zijn paard, een don. Felja was behendig, met het immense uithoudingsvermogen van de Russische paarden die gefokt waren voor een bar klimaat en zware omstandigheden.

Toen hij ten slotte twee weken na zijn vertrek uit Tsjita in Irkoetsk arriveerde, bleef hij in een van de hoofdstraten staan en keek vol verbazing om zich heen.

Hij was van plan daar slechts één nacht te blijven, eten te kopen en dan verder te rijden. Hij moest gebruikmaken van het weer. Hij wist niet zeker hoever hij kon komen voordat de Siberische herfst inviel, maar als dit eenmaal het geval was, moest hij stoppen en werk zoeken. Hij zou in de wintermaanden gemakkelijk om kunnen komen wanneer hij door de eenzame steppen en beboste taiga van Siberië trok, in zijn poging het lage deel van de Oeral over te steken naar Europees Rusland.

Irkoetsk bracht Tima in verleiding met dingen waarvan hij in het kleine Tsjita in zijn stoutste dromen niets had gezien of gehoord, maar hij wist dat hij niet er kon blijven. Hij moest zo ver mogelijk naar het westen zien te komen en ook zo snel mogelijk. Nikolaj – Kolja – was ergens in Irkoetsk. Hij kon het risico niet lopen dat zijn broer hem zou zien.

Voor deze ene nacht in deze opwindende stad zette hij alle gedachten aan Kolja van zich af. Hij besteedde een paar van zijn zorgvuldig bewaarde kopeken om Felja te stallen. Hij kocht koolsoep en een bord met merg en erwten en dronk vier flessen goedkoop, zuur bier. Enigszins wankel liep hij naar de stal terug, met de gedachte die nacht bij Felja in het stro door te brengen als niemand hem eruit zette, terwijl hij zich afvroeg of Felja de haver had gekregen waarvoor hij had betaald of dat hij was opgelicht en zijn paard minderwaardig hooi had moeten verorberen.

Hij werd gewenkt door een jonge vrouw in een deuropening. Aangeschoten door het bier, verhit door de opwinding over de houten straten met hun olielampen en felgekleurde winkelpuien, liep Timofej naar haar toe. Hij liet zich door haar bij de hand nemen en naar binnen leiden, naar een kamer die met hangende dekens was afgeschoten. Timofej probeerde geen acht te slaan op het gekreun en gefluister in de warme, stinkende kamer.

'Hoe heet jij dan wel, *moj sladki?* Hé, lieverd?'

'Grigori,' zei hij, na een korte aarzeling. 'Grigori Sergejevitsj Narisjkin.' Hij combineerde de namen van drie oude vrienden van zijn vader. Hij wilde niet langer Timofej Aleksandrovitsj Kasakov zijn. Hoewel hij wist dat er heel weinig kans was dat iemand de naam van zijn vader zou herkennen, wilde hij toch een nieuw begin. Hij wilde niet langer – zelfs niet door zichzelf – worden beschouwd als de zoon van een revolutionair en de broer van de lieve, goedgelovige jongen die hij had bedrogen.

'Ach, Grisjenka, mooie jongen van me,' zei de vrouw. 'Wat een ogen heb jij. Alle meisjes moeten dol zijn op zulke ogen.'

'Hoeveel?' vroeg hij, terwijl hij probeerde zijn ademhaling gelijkmatig te houden. Hij was nog maagd, maar wilde niet dat dit meisje dat zou weten.

Ze noemde een prijs, en hij knikte en gaf haar het geld. Ze stopte de kopeken onder haar dunne matras en lachte even toen ze haar jurk uitdeed en Timofej boven op zich trok terwijl zij in haar veelvuldig verstelde hemd ging liggen.

Haar haar had een vreemde rode kleur en Timofej vond dat ze leuk lachte. Hij kon door haar hemd heen haar tepels zien, klein en roze, net als haar wangen. Hij was zo onervaren en opgewonden dat hij bijna direct klaarkwam zodra hij zijn broek had laten zakken en zich tegen haar aan had gedrukt. Ze slaakte een nijdige kreet, duwde hem opzij en trok haar hemd omlaag, terwijl ze mopperde dat hij haar had bevuild. Toen ging ze rechtop zitten en lachte zacht.

'De eerste keer?' zei ze, en Timofej deinsde achteruit voor de stank van rauwe uien in haar adem, terwijl hij de zilverachtige strepen op haar enigszins slappe buik opmerkte.

Hij ging onhandig naast het bed staan, vernederd en kwaad, vol woede over haar lach.

Ze wreef met een stinkende lap over haar hemd en wierp hem die toen toe. 'Hier, maak jezelf schoon. Je hebt voor een uur betaald. Ik ben moe. Ik ga de rest van de tijd slapen.' Daarna nestelde ze zich op haar zij, met haar gezicht naar hem toe. Binnen enkele tellen slaakte ze kleine, puffende geluiden tussen halfopen lippen door.

Timofej keek hoe ze sliep. Hij had haar het liefst geslagen omdat ze hem had uitgelachen. In plaats daarvan luisterde hij naar het gesmoorde, ritmische gekreun achter de deken die hem van het volgende bed scheidde, en hoorde het vochtige geklets van vlees op vlees. Na een paar minuten te hebben geluisterd, streek hij met zijn ruwe vingers over de karig bedekte tepel van de vrouw en klom toen boven op haar, terwijl hij haar hemd weer omhoog schoof. Ze maakte een geïrriteerd geluid toen ze in het schemerige licht naar hem tuurde.

Hij stootte in haar, zonder op te houden toen ze zei: 'Wacht even, laat me even... mijn haar zit vast...'

'Het spijt me,' mompelde Timofej terwijl hij probeerde zich niet op haar warme, uitnodigende zachtheid te richten en zijn best deed om geen onwillekeurige geluiden van genot te produceren.

Hij probeerde niet te denken aan de weg naar Tsjita terug of aan de weg die voor hem lag.

Hij probeerde niet aan zijn broer Kolja te denken.

Hij probeerde vooral niet aan de vrouw onder hem te denken. Deze keer bewoog hij zonder haast, vastbesloten zich niet weer te schande te maken.

'Nou, nu ben je erachter hoe je dat doet,' zei ze, toen hij klaar was en op de rand van het bed ging zitten. 'Blijf het gewoon op deze manier doen en gebruik die mooie glimlach van je. Kom je nog eens terug, moj sladki?' Ze wilde met haar wijsvinger over zijn wang strijken, maar Timofej deinsde terug voor haar aanraking. Hij ging staan, hees zijn broek op en stapte in zijn laarzen.

Hij ontdekte dat er onderweg in elk dorpje en in elk gehucht vrouwen waren die hij voor bijna niets kon krijgen. Sommigen bespeurden iets in hem – ze wisten niet precies of het onderdrukt geweld of gewoon onverschilligheid was – en waren op hun hoede. Sommigen voelden zich aangetrokken door zijn afstandelijke zwijgen en zijn donkere uiterlijk. Op zijn eenzame reis zocht hij de troost van een vrouw in het donker. Maar hij zorgde er altijd voor bij geen van hen emotioneel betrokken te raken. Hij wilde geen contacten.

Hij besloot in Krasnojarsk, ten noordwesten van Irkoetsk, de winter door te brengen. Hij kreeg werk bij het uitladen van hout. Het was een goed gevoel om zijn spieren weer te gebruiken na zoveel dagen op Felja te hebben gezeten.

Vanuit Krasnojarsk schreef hij twee brieven, die hij allebei naar de vriend van zijn overleden vader stuurde. De man was een decembrist, die met zijn vader had meegedaan aan de opstand van 1825 in Sint-Petersburg.

Eén brief was voor Timofejs moeder, die niet kon lezen. In de brief vertelde hij zijn moeder dat het hem in Irkoetsk niet was gelukt Kolja te vinden, en dat hij niet meer terugkwam naar Tsjita. Hij vertelde haar dat de vriend haar alles zou vertellen over het geld van de verkoop van de kuiperij – het familiebedrijf waarin Timofej samen met zijn vader had gewerkt, tot aan diens dood. Het was een florerend bedrijf geweest dat vaten maakte voor Tsjita en de omgeving. Het geld zou voldoende zijn om haar levenslang te onderhouden. *Ik omhels je en ik zegen je. Tima*, besloot hij.

In de tweede brief vroeg hij de vriend de kuiperij te verkopen en het geld aan zijn moeder te geven. Hij vroeg hem ook voor zijn moeder te zorgen als ze hulp nodig mocht hebben. *Ik kom niet naar Tsjita terug. Mijn leven ligt ergens anders,* schreef hij, en hij ondertekende met *Timofej Aleksandrovitsj Kasakov,* wetend dat dit de laatste keer zou zijn dat hij deze naam gebruikte.

In de loop van die winter, toen hij een tochtige hut deelde met tien mannen die snurkten, hoestten en winden lieten, hoorde hij verhalen over hun leven als gevangenen in verre *katorga's,* waar ze hout moesten hakken of, net als zijn vader, in de mijnen moesten werken. Van hen die waren vrijgelaten of ontsnapt begreep hij voor het eerst dat Siberië op zich al een gevangenis was en hij begon hevig naar het voorjaar te verlangen.

Op de dag dat de laatste korrelige bergen sneeuw in de schaduw onder de sparren begonnen te smelten vertrok hij en ging in de richting van de volgende grote plaats, Novosibirsk.

Terwijl Timofej – nu Grisja – over de glibberige, modderige voorjaarswegen trok, deed hij zijn best niet aan Kolja te denken. De meeste dagen lukte hem dit, maar af en toe zag hij een magere, blonde jongen en dan voelde hij een steek in zijn hart. Op een dag passeerde hij een man die over een smal weggetje sjokte terwijl hij op een eenvoudige houten *svirel* – een boerenfluit – speelde, en dit veroorzaakte eveneens een donkere pijn.

Als hij de nacht in een hutje in een dorp doorbracht en het niet kon vermijden aan zijn broer te denken en aan hoe hij hem had bedrogen, haalde hij het fluitje met TIMA – zijn vroegere naam – er onhandig op de zijkant in gekerfd tevoorschijn. Kolja had de fluit voor hem gemaakt bij wijze van cadeau. Hij kon er niet op spelen, maar zijn broer wel. Dan dronk hij een fles goedkope wodka opdat hij kon slapen zonder de bekende nachtmerrie. Als hij onderweg te veel aan Kolja moest denken, dreef hij Felja in galop om zijn gedachten te ontvluchten.

Hij was op een week ten oosten van Novosibirsk toen hij onderweg werd omringd door een groep woest uitziende mannen in grijs uniform. Ze ondervroegen hem en wilden zijn papieren zien.

Papieren? Welke papieren?

Papieren die aantonen dat jij de eigenaar van het paard bent, zeiden ze tegen hem. Je ziet er niet uit als het soort jongeman dat zich zo'n paard kan veroorloven als die goed doorvoede don. Je hebt hem gestolen, zeiden ze, en ze trokken hem van het paard. Hij verzette zich hevig, maar het enige wat het hem opleverde waren twee gebroken vingers en een pieptoon in zijn oor die tien dagen aanhield. Ze wierpen hem in de laadruimte van een wagen, bij drie andere mannen. De mannen in de wagen zeiden niets toen hij naast hen in de boeien werd geslagen. Maar terwijl ze de hele nacht en een groot deel van de volgende dag voorthobbelden en -bonkten, vertelde de man naast hem dat een nabijgelegen werkkamp een aantal mannen aan dysenterie had verloren. De lage regeringsfunctionarissen die zijn vingers hadden gebroken en hem tijdelijk doof hadden gemaakt, arresteerden die dag alle gezonde mannen die ze onderweg konden vinden, teneinde aan de vereiste hoeveelheid gekapt hout te kunnen voldoen.

Grisja verwenste zijn pech. Aanvankelijk was hij voornamelijk kwaad over het verlies van Felja, en hij hoopte dat de volgende eigenaar hem goed zou behandelen. Hij kon zich niet voorstellen dat deze onterechte arrestatie meer dan één of twee weken hard werken tot gevolg zou hebben, en dat hij dan weer op weg zou zijn, hoewel deze keer te voet. Hij was gewend aan hard werken. Toen hij bij het kamp arriveerde, diep in de naaldbossen, en de gekwelde uitdrukking op de grauwe, gegroefde gezichten van de andere mannen zag, en de kettingen waarmee ze aan hun kruiwagens en zagen waren vastgemaakt, voelde hij een doffe dreun van angst.

In de eerste weken kon hij alleen maar aan zijn vader denken. Zijn vader had, toen hij niet meer zo jong en sterk was als Grisja nu, meer dan een jaar zwaardere omstandigheden overleefd, verder naar het noorden, in de mijnen. Grisja was tenminste buiten, waar hij frisse lucht kon inademen. 's Zomers vonden de mannen in de dichte taiga bessen en soms wilde paddestoelen, ter aanvulling van de karige rantsoenen die hun werden toebedeeld na twaalf uur lang bomen kappen. Hij mocht alles houden wat hij had meegebracht, behalve zijn mes. In zijn tas had Grisja nog steeds een paar boeken, de crucifix en de gebedsmolen en de svirel van Kolja.

Gedurende de volgende winter zag Grisja hoe overal om hem heen mannen stierven van vermoeidheid, door de kou, door ondervoeding en ziekte. De hele nacht, elke nacht, waren er mannen die hoestten en kreunden en baden, maar Grisja weigerde te bidden. Toen zijn makker bij de trekzaag, doordat zijn vingers verdoofd waren van de kou, heel even zijn greep verloor, beten de scherpe, hoekige tanden tot diep in zijn dijbeen. Grisja moest hulpeloos toezien hoe de man doodbloedde in de sneeuw, en hij besefte dat hij niet langer in een god geloofde.

Met bidden kreeg je geen brood, geen extra deken of warme laarzen of bescherming tegen de tanden van de zaag. Hij vond dat de anderen hun tijd verdeden met het bidden om enig comfort. Terwijl hij leerde in het kamp te overleven, leerde hij tevens hoe dat erbuiten moest. Hij zou werken voor alles wat hij nodig had, of hij zou het stelen, alleen op zichzelf vertrouwend.

Toen het voorjaar naderde bedacht hij een plan, samen met twee andere mannen die iets ouder waren dan hij. Hij had nu negen maanden in het kamp gezeten en wist dat als hij niet snel zou vluchten, hij te veel verzwakt zou zijn. De drie mannen wachtten op de perfecte omstandigheden: een zoele nacht zonder maan, terwijl de bewakers dronken buiten hun hut zaten te ruziën. Ze doodden eerst de ene bewaker en toen de andere, en renden in de duisternis het dichte bos in. Wie van hen het mes, gemaakt van een gebroken zaagblad, over de stoppelige kelen van de mannen had getrokken, bleef hun geheim: ze waren allemaal schuldig. Ze gingen uiteen toen ze drie dagen van het kamp verwijderd waren – ze wilden niet door elkaar herinnerd worden aan wat ze waren geworden.

Grisja trok naar het westen, met zijn kleine tas op zijn rug gebonden. Hij doorkruiste de rest van Siberië lopend en meerijdend op wagens. Gedurende dat voorjaar en die zomer stal hij van alles uit tuinen en leefde dagenlang op de eerste voorjaarsuitjes en bolletjes knoflook. Hij stal uit de laadbakken van boerenkarren die graan vervoerden en uit de voederzak van paarden. Hij stal kleren die aan de waslijn hingen, hij stal een keer de laarzen van een slapende dronkenlap. Soms verkocht hij zijn gestolen waar voor een paar kopeken in het volgende dorp. Hij vocht zinloze ruzies met zijn vuisten uit, na te veel wodka.

Het enige wat hij zich nimmer toestond, het enige waarvan hij wist dat het de laatste stap zou zijn om hem werkelijk tot het beest te maken dat hij dreigde te worden, was een vrouw tegen haar wil nemen. Wanneer hij een vrouw begeerde maar haar niet genoeg kon betalen, haalde hij zijn schouders op en liep weg.

Toen de koude opnieuw inviel, passeerde hij de grenspaal tussen Siberië en West-Rusland. Hij moest aan zijn vader denken toen hij naar de ruwe, cilindervormige steen keek, meer dan een hoofd groter dan hij. Hoewel Aleksandr Kasakov zijn zoon nooit iets had verteld over zijn gruwelijke tijd in de mijnen, zei hij wel dat toen hun wagen met geketende gevangenen die grenspaal passeerde, op weg naar Siberië en weg van alles en iedereen die ze kenden en liefhadden, veel mannen – sterke en waardige mannen – hun handen voor hun gezicht hadden geslagen en hadden gehuild.

In tegenstelling tot zijn vader en die ongelukkige mannen reisde Grisja in de tegenovergestelde richting. Toen hij over zijn schouder keek, stond hij zich een laatste vaarwel aan zijn moeder en aan zijn verloren broer toe. Hij zwoer dat hij niet met schuldgevoelens zou leven, schuldgevoelens over wat hij hun had aangedaan, en de gevangenbewakers en alle mensen die hij onrechtvaardig had behandeld om te overleven. Het was de enige manier waarop hij zijn nieuwe leven kon gaan leiden.

Hij legde zijn hand op de koude stenen grenspaal, bedwong de oude neiging om een kruis te slaan, en stapte toen Europees Rusland binnen.

5

*D*okter Molov arriveert op Angelkov enkele uren nadat Antonina Grisja in de keuken heeft achtergelaten. Ze is in Konstantins kamer als hij wordt binnengelaten en ze staat naast hem wanneer hij naar Konstantins hart luistert en daarna langzaam een kaars voor zijn ogen heen en weer beweegt. Konstantin laat de dokter begaan.

'Gravin Mitlovskija,' zegt de dokter, terwijl hij de kaars neerzet en haar aankijkt. 'Mijn oprechte deelneming ten aanzien van de tragedie die over uw huis is gekomen. Er wordt over gesproken in alle dorpen en op de naburige landgoederen.'

Antonina knikt.

'De koorts,' zegt dokter Molov, 'wanneer is die begonnen?'

'Ik weet het niet. Misschien gisteren,' zegt Antonina, en ze moet slikken tegen de sterke knoflooklucht die uit de mond van de man komt. 'Zijn goede hand en zijn voeten zijn in koel water met azijn gebaad, maar de temperatuur gaat niet omlaag.'

De dokter buigt zich weer over Konstantin en begint het verband los te maken. Als de laatste laag linnen wordt weggetrokken en de stank in alle hevigheid door de kamer trekt, hapt zelfs hij even naar adem. Antonina drukt haar zakdoek tegen haar neus en mond.

'Dit had meteen goed schoongemaakt en gehecht moeten worden,' zegt dokter Molov. 'Hoeveel dagen is het geleden dat hij gewond is geraakt?'

'Vier.' Het is vier dagen geleden dat ze voor het laatst haar zoon in haar armen heeft gehouden.

De dokter schudt zijn hoofd, maakt zijn tas open en haalt er een klein leren etui uit. Wanneer hij Konstantin met warm water en desinfectans en een naald en draad heeft behandeld, loopt hij met Antonina naar de hal. Hij zegt dat hij de volgende morgen weer bij de graaf zal komen kijken. Er is verder niets wat vanavond nog kan worden gedaan. Hij is vanuit Pskov naar het landhuis gereden en hij zal die nacht op Angelkov doorbrengen.

Antonina knikt. 'Dank u, dokter Molov,' zegt ze, en ze loopt door de lange gang naar haar slaapkamer.

Tanja heeft gewacht tot de dokter en de gravin Konstantins slaapkamer verlaten. Ze komt binnen met een stapel handdoeken en lakens. 'Zal hij beter worden?' vraagt ze aan Pavel.

'De dokter heeft gedaan wat hij kan,' zegt Pavel, terwijl de vrouw het schone wasgoed neerlegt. Pavel weet van haar relatie met Konstantin. Iedereen in het landhuis weet ervan, met inbegrip van de gravin. Pavel kijkt naar haar. Ze lijkt heel veel op Konstantins eerste vrouw, met een donkere huid en scherpe beenderen, en ze heeft dezelfde leeftijd als de eerste gravin Mitlovskija. De graaf is een halfjaar nadat zijn eerste vrouw was bezweken aan een langdurige maagkwaal, begonnen aanspraak te maken op Tanja.

Tanja buigt zich over de graaf en streelt zijn wang. 'Kostja,' fluistert ze. Ze hoopt dat hij herstelt. Na dertien jaar is ze gewend geraakt aan de kleine geneugten die de wekelijkse extra roebels van haar heer haar verschaffen.

Hij verroert zich niet, en Tanja gaat zonder Pavel aan te kijken weer naar beneden, terug naar haar kamer in het stenen gebouw van twee verdiepingen, achter het landhuis, waar het personeel van Angelkov is ondergebracht.

In haar slaapkamer denkt Antonina na over hoe ze haar zoon nu terug had kunnen hebben. Dat had gekund, als Konstantin niet zo eigenwijs was geweest. Haar woede jegens hem is te hevig om haar te kunnen laten slapen.

De volgende morgen komt Antonina moeizaam uit bed met een duf hoofd en brandende ogen. De verschrikking van dit alles, de slapeloze nachten en te veel wodka eisen hun tol. Ze weet dat ze haar man moet verzorgen, maar ze ziet er zelfs tegenop de gang door te lopen. Ze houdt Tinka tegen zich aan en drukt haar gezicht in de warme vacht van het hondje. Als Lilja binnenkomt, zet ze Antonina behoedzaam in de stoel voor de kaptafel en steekt haar haar even losjes op. Ze zegt iets tegen Antonina terwijl ze haar gezicht met een warme, natte lap wast, maar Antonina kan niet goed volgen wat ze zegt. Het is alsof ze onder water is.

Als Antonina langzaam naar de deur loopt om naar Konstantins kamer te gaan, houdt Lilja haar tegen, doet een ochtendjas over haar nachthemd, en daarna een omslagdoek over haar schouders, die ze vastzet met een saffieren broche. Ze bukt zich om Tinka op te pakken, die probeert Antonina te volgen.

Grisja staat voor Konstantins deur. Hij buigt naar Antonina en doet de deur voor haar open. Antonina gaat naar binnen en loopt naar het bed, waar ze op haar man neerkijkt. Hij ligt er even onbeweeglijk bij als de vorige avond, hoewel zijn ogen nu dicht zijn. Er zit iets opgedroogds in zijn mondhoeken. Dokter Molov zit op een stoel naast het bed en houdt Konstantins gewonde hand vast. De randen van de wond, onder de verse hechtingen, zijn opgezet en roodachtig paars, staan gespannen tegen het draad. Door de hechtingen heen sijpelt een vloeistof, bloederig maar niet uitsluitend bloed.

'Is het slechter met hem?' vraagt Antonina. De woorden klinken afgemeten. Ze heeft geen speeksel en haar lippen zijn gevoelloos.

'Ja,' zegt de dokter. Hij kijkt naar haar op en fronst zijn wenkbrauwen. 'Hij is buiten bewustzijn.'

'Wat is er gebeurd?' vraagt ze. 'Waarom is hij zo?'

'Dat kunnen we nog niet zeggen.' De dokter wikkelt schoon verband om Konstantins donker wordende hand.

'We?' herhaalt Antonina. 'Hoe bedoelt u? Wat kunnen we niet zeggen?' Duurt het echt zo lang om zulke korte zinnen te zeggen, of is het haar slaperigheid die maakt dat haar stem zo dof en traag klinkt?

De dokter kijkt weer naar haar op. 'Gravin Mitlovskija,' zegt hij. 'Het is te vroeg om dit vast te stellen. Maar als de koorts voortduurt...' Hij zwijgt en maakt het verband vast. 'Heeft hij iets gedronken? Heeft hij geürineerd?'

Antonina ziet dat Konstantin een felle blos op zijn ongeschoren wangen heeft. 'Ik weet het niet.'

'Ik weet het ook niet,' zegt Pavel, vanaf het voeteneind van het bed.

'Waarom niet? Waarom heb je hem niets te drinken gegeven?' vraagt de dokter aan de bediende.

'Ik heb het geprobeerd, dokter, maar hij wil niet drinken.'

'Wil hij dat niet? Kom nou,' zegt de dokter scherp. 'Ben je echt niet tot zoiets eenvoudigs in staat?'

Bij de ongeduldige toon in zijn stem wordt Antonina's hoofd iets helderder. Ze weet hoe toegewijd Pavel aan Konstantin is, hij is al meer dan twintig jaar zijn kamerknecht, lang voordat zij naar Angelkov is gekomen. Hij is de afgelopen nachten niet van Konstantins zijde geweken. En nu spreekt deze dokter tegen de oude man alsof hij een klein kind is, berispt hem om zijn gebrek aan plichtsbetrachting.

Zij zou wel een kop warme, zoete thee lusten. 'Probeert u het dan maar, dokter Molov,' zegt ze. 'Probeert u zijn lippen open te krijgen en hem iets te laten doorslikken.'

De man kijkt haar fronsend aan. 'Gravin, ik benadruk slechts hoe belangrijk het is, in geval van bloedvergiftiging om...'

'Bloedvergiftiging?' Antonina wrijft over haar voorhoofd. 'Dat hebt u niet gezegd.'

'Ik heb voor dit moment gedaan wat ik kan.' De dokter gaat staan. 'Ik heb vandaag nog andere verplichtingen, maar ik zal morgen terugkomen. Het is van het grootste belang dat graaf Mitlovski vloeistof binnenkrijgt. Die moet het vergif eruitspoelen, mevrouw.'

Antonina knikt.

De dokter doet zijn tas dicht en zegt dan, op vriendelijker toon: 'Uw zoon zal ongetwijfeld worden teruggebracht. Het is een tijd van grote instabiliteit, het Emancipatie Manifest heeft het land in chaos gestort. Niemand weet wat de uitkomst zal zijn. De horigen, de onlangs vrijgemaakte mensen, hebben nog niet te horen gekregen hoe ze nu verder zullen worden behandeld, of hoe ze met hun vrijheid om moeten gaan. Er heerst angst, verwarring, en er doen te veel geruchten de ronde. Op sommige andere landgoederen hebben zich zelfs wat kleine opstanden voorgedaan. De schurken die uw zoon hebben ontvoerd, zullen weldra inzien...' Hij zwijgt.

Antonina wacht. Hoewel haar hoofd nu wat helderder is, heeft ze nog steeds het gevoel alsof ze uit een vreemde schemering naar buiten stapt. 'Zullen wát inzien?' vraagt ze ten slotte.

De dokter maakt zijn tas weer open en haalt er een flesje uit. 'Laudanum, mevrouw. Dit zal u voorlopig helpen alles te verwerken. Het is beter dan...' Hij zwijgt weer. 'Ik denk dat het u zal helpen.' Hij richt zich tot Pavel. 'Probeer er zo veel mogelijk vloeistof in te krijgen en blijf hem met koud water afnemen om de koorts omlaag te brengen.' Hij pakt zijn tas, knikt naar Antonina, en vertrekt.

Antonina laat zich zakken in de grote leren stoel. Ze doet haar ogen dicht en legt haar hoofd achterover, uitgeput, hoewel ze niets meer heeft gedaan dan door de gang lopen en de dokter aanhoren.

Als de dokter de deur van de slaapkamer achter zich dichtdoet, stapt Grisja naar voren. 'Zal hij beter worden?' Als de dokter niet meteen antwoord geeft, zegt Grisja: 'Ik ben de rentmeester, dokter Molov. Ik moet weten wat ik kan verwachten, omwille van het landgoed.' De dokter knikt en pakt Grisja dan bij de arm om hem bij de deur weg te leiden. 'Ik zal tegen u de waarheid spreken; ik kan zien dat zij van weinig nut is.'

'Hoe bedoelt u?' vraagt Grisja, terwijl hij neerkijkt op de kleine, opgeblazen man.

'De gravin. Is dit een milde vorm van hysterie? Gisteravond, en nu dit, vanmorgen... ze wekt de indruk niet helemaal bij haar positieven te zijn. Ik geloof niet dat ze de waarheid kan verdragen.' Hij knikt naar Grisja. 'Ik ben blij dat iemand hier de leiding heeft.'

'Gravin Mitlovskija heeft veel verdriet te verwerken gehad,' zegt Grisja. 'Maar hoe is het met de graaf?'

'Helemaal niet goed. Doordat de wond niet goed was verzorgd, is hij gaan ontsteken. Hij heeft een beginnende bloedvergiftiging in zijn arm. We willen niet dat die door zijn hele lichaam trekt.'

'Blijft hij in leven?'

De dokter haalt zijn schouders op. 'Het is nu in de handen van God,' zegt hij. 'We kunnen alleen maar afwachten.' Hij draait zich om en begint de trap af te lopen.

Grisja kijkt hem na.

Die nacht stuurt Antonina Pavel weg om hem een goede nachtrust te gunnen. Ze gaat naast Konstantins bed zitten met Tinka op haar schoot. Ze weet dat het voor haar geen zin heeft te proberen te slapen. Ze heeft in de loop van die dag een aantal lepels laudanum genomen. De combinatie van opium en alcohol heeft haar in staat gesteld op een afwezige manier de dag door te komen, en ze wilde niet loskomen uit het doffe, droomachtige gevoel dat de duistere vloeistof haar verschaft.

Ze zit nu in het donker, met haar hoofd in haar hand, haar elleboog op de brede armleuning van de stoel. De andere hand ligt op

Tinka's kop. Op een gegeven moment denkt ze dat ze Konstantin iets hoort mompelen.

Ze komt moeizaam overeind, met Tinka in haar ene hand, en knielt neer bij het bed. 'Zeg het dan,' fluistert ze. 'Als je kunt, zeg dan in godsnaam iets.'

Ze kan in het donker niet zien of Konstantin zijn ogen open of dicht heeft, maar ze hoort hem echt iets fluisteren. 'Wat is er? Wat probeer je te zeggen?' Ze legt haar hand op zijn schouder. Die voelt knokig aan, alsof hij vel over been is.

Dan hoort ze hem een naam zeggen.

'Grisja? Maar die is hier niet. Het is midden in de nacht. Waarom moet je Grisja hebben?'

'Grisja weet het,' zegt Konstantin. De twee laatste woorden klinken als een lange zucht.

'Wat weet Grisja? Wat weet hij? Ik heb met Grisja gesproken, hij heeft me alles verteld wat er is gebeurd.'

'Weet het,' herhaalt Konstantin, zo zacht dat Antonina haar oor bij zijn mond moet houden.

'Wat weet hij?' vraagt Antonina opnieuw, maar Konstantin zwijgt. Ze grijpt zijn schouder steviger vast om hem wakker te houden, maar het helpt niet. Hij is teruggezakt in een staat van diepe slaap of bewusteloosheid.

Antonina weet dat het vergif uit de wond hem zo ziek maakt, dat het misschien te voorkomen was geweest als hij had toegestaan dat de wond meteen goed was behandeld. Of als hij maar wilde drinken.

Eigenlijk is hij bezig zichzelf te doden. En door de manier waarop Konstantin altijd zijn leven heeft geleid – met bekrompen, hardnekkige volharding – weet ze dat hij ook nu wil voltooien wat hij is begonnen. Hij wil dood.

'Ik begrijp waar je mee bezig bent,' fluistert ze hem toe. 'Je kunt niet met je schuldgevoelens leven, en nu kies je de uitweg van de lafaard. Je hebt onze zoon verloren doordat je niet wilde luisteren, en nu laat je mij met de gevolgen zitten. Laat je mij achter om in mijn eentje te hopen, bij het raam naar Misja uit te kijken, te bidden tot mijn knieën bloeden. En zoals je me dwingt dit ondraaglijke gewicht op me te nemen, zo wil je ook de last van het weduwschap op mijn schouders leggen.'

Hij geeft natuurlijk geen antwoord en er zit voor Antonina niets anders op dan overeind te komen en weer in de stoel te gaan zitten.

De volgende morgen staat Antonina zichzelf geen laudanum meer toe. Ze moet helder en scherp zijn, hoewel ze later die morgen snel één glas wijn drinkt. Ze heeft Grisja laten roepen en ze heeft die wijn alleen maar nodig om haar handen stil te houden terwijl ze in Konstantins kamer op hem zit te wachten.

'Wat nu, Grisja?' zegt ze zodra hij arriveert, en ze ziet de blauwe plekken op zijn gekneusde gezicht. Ze zit op een stoel naast de haard, en Grisja gaat naast de schouw staan. 'Wat doen we nu?'

Grisja schopt behoedzaam wat as naar de vuurkorf toe. 'We zullen uiteraard naar Michail Konstantinovitsj blijven zoeken, mevrouw. We zijn gisteren allemaal op pad geweest en Ljosja en de anderen gaan vandaag verder. Ik heb hier veel zaken te regelen, maar ik heb de mannen opdracht gegeven zich in nog grotere cirkels in de gehuchten en dorpen te verspreiden. En we hebben de ontvoering bij de politie in Pskov gemeld.'

'Is er hoe dan ook enig nieuws, Grisja?' vraagt Antonina zacht. Ze heeft geen energie genoeg om haar stem te verheffen.

Grisja antwoordt niet meteen. 'Er heeft zich niemand gemeld om te zeggen dat hij de jongeheer heeft gezien,' zegt hij ten slotte. 'Maar de dorpsbewoners zijn bang. Ze zijn waarschijnlijk bedreigd en durven hun mond niet open te doen. En daarom zullen we blijven zoeken. We geven het niet op, mevrouw. En u weet dat uw zoon sterk is, en intelligent. U moet zich vastklampen aan die gedachte, mevrouw, dat alles goed met hem is. Alles is goed met hem,' herhaalt hij, nu luider.

Antonina knikt, maar ze lijkt niet overtuigd. 'Misschien hebben ze hem wel meegenomen naar de stad, naar Pskov. Of zelfs helemaal naar Sint-Petersburg.'

Grisja schudt zijn hoofd. 'Ik heb het sterke gevoel dat hij hier ergens in de buurt is, maar dat hij goed verborgen wordt gehouden. We zullen de hele provincie doorzoeken, mevrouw.'

'Zullen ze weer een brief sturen? Zullen ze om meer geld vragen?' Dit is wat Antonina zich sinds gisteren heeft afgevraagd. Ze had gehoopt dat Grisja het als eerste zou noemen, op zijn gebruikelijke, resolute manier. 'Nu mijn man de eerste poging heeft bedorven, komt er misschien nog een volgende kans.'

Verandert zijn blik nu iets, hoe subtiel dan ook? Antonina herinnert zich hoe Konstantin die nacht Grisja's naam heeft gemompeld.

'Het is beslist een mogelijkheid, mevrouw. Dit soort mannen... ze zijn corrupt en inhalig.'

Zijn antwoord bezorgt haar niet zoveel opluchting als ze had gehoopt. 'Dus we moeten gewoon maar afwachten?'

'En doorgaan met zoeken, mevrouw.'

Er valt een stilte waarin alleen het knetteren van het haardvuur te horen valt. Grisja staart in de vlammen.

'Vannacht, Grisja, heeft mijn man tegen me gesproken,' zegt Antonina.

Grisja reageert niet meteen. Dan draait hij zich bij de haard om en kijkt haar aan. 'Is hij bij bewustzijn gekomen?'

'Heel even.'

Grisja blijft roerloos staan.

'Hij heeft jouw naam genoemd. Het klonk alsof hij zei: *Grisja weet het.* Wat bedoelde hij daarmee, Grisja?'

Grisja geeft niet direct antwoord. 'Ik dacht dat ik een van hen herkende. Van de kozakken. Toen ze mij aanvielen, heb ik een naam genoemd.'

Antonina staat op uit haar stoel. 'Ken je hem?'

Grisja schudt zijn hoofd. 'Zoals ik zei, mevrouw, dacht ik dat even. Ik kon alleen zijn ogen zien, en toen ze me sloegen raakte zijn sjaal los en het was niet de man die ik dacht. Maar de graaf... Hij hoorde me een naam roepen. Dat moet hij hebben bedoeld.'

Antonina blijft voor haar stoel staan en kijkt Grisja diep in de donkere ogen. 'Dank je,' zegt ze ten slotte, wanneer er met een zware plof een blok in de haard valt. 'Je kunt nu wel gaan, Grisja.'

Grisja buigt en draait zich om. Eenmaal buiten de studeerkamer leunt hij tegen de dichte deur. Hoe negatief zijn gevoelens voor Konstantin Nikolevitsj ook zijn, hij wil niet dat de graaf sterft.

De ontvoering is niet zo verlopen als hij had verwacht.

En de dood maakte er geen deel van uit.

6

$\mathcal{A}$ls Grisja had geweten hoe vreselijk fout het allemaal zou lopen, hoe Soso hem zou misleiden, had hij er nooit mee ingestemd.

Hij weet nu – hoewel hij er nooit iets van heeft gemerkt in al de tijd dat hij Soso, Lilja's man, heeft gekend – dat net zoals hij graaf Konstantin haat, Soso hém haat. De graaf had geen idee van de duistere, intense woede die Grisja jegens hem voelde, gevoed door zijn hooghartige houding en de manier waarop hij van alles van hem verwachtte, door zijn terloopse eisen.

En nu ondergaat Grisja exact hetzelfde lot als Konstantin. Soso straft Grisja zoals Grisja Konstantin wilde straffen – door hem te chanteren, hem geld af te persen.

Toen Soso Grisja op een avond begin januari in de knechtenkamers uitnodigde voor een spelletje kaart, had Grisja op zijn hoede moeten zijn. Vanwege zijn hoge positie op Angelkov behandelden de andere mannen hem met behoedzaam ontzag. Hij was tenslotte degene die toezicht hield op alle horigen op het landgoed, die hun overtredingen of ongehoorzaamheden aan de graaf meldde en die hun straffen ten uitvoer moest brengen. Grisja wist dat hij de horigen nerveus maakte; wanneer hij in de buurt was, moesten ze op hun hoede zijn. Hij was geen man die veel behoefte had aan gezelschap van mannen of vrouwen, en hij had Soso nooit erg gemogen, maar de winter was dit jaar strenger dan gewoonlijk geweest en alle avonden waren lang, donker en ijzig. De gedachte aan een avond met kaarten en wodka leek hem onverwacht aantrekkelijk en dus was hij minder voorzichtig. Hij zei ja.

Tegen de tijd dat ze aan de tweede fles begonnen, had Soso het over zijn gloeiende wrok jegens de landeigenaar en noemde recente incidenten die hem nog steeds woest maakten: de verkoop van twee magazijnhulpen aan een ander landgoed, wat extra werk voor Soso betekende, en de vermaning en vernedering die hij had moeten ondergaan wegens een gemorste zak haver – die zelfs in mindering was gebracht op zijn loon.

'Hij doet alsof wij van minder belang zijn dan die verdomde paarden van hem,' tierde hij.

Grisja beaamde dit. Graaf Mitlovski was eigenwijs en wreed. Sommige landheren behandelden hun horigen vriendelijk en geduldig. Zo niet Mitlovski: voor hem waren ze, zoals Soso zei, weinig meer dan dieren. 'Hij denkt,' zei Soso, en hij smeet zijn kaarten neer, 'dat hij door ons met Kerstmis een paar roebels toe te gooien en ons een paar flessen wodka per jaar te geven – die vent heeft verdomme zijn eigen stokerij – zo ongeveer een heilige is.' Hij spuwde op de vloer.

Grisja dronk zijn glas leeg terwijl hij zijn eigen woede voelde groeien. 'Ik ben degene die Angelkov beheert, die ervoor zorgt dat hij de boekhouding begrijpt. Hij vraagt mijn mening in financiële zaken. Is het landgoed onder de vorige rentmeester ook zo succesvol geweest? Nee. Hij heeft veel aan mij te danken en toch gedraagt hij zich alsof ik degene ben die hém dankbaar moet zijn.' Hij zei niet dat de graaf zijn huis – en Grisja's eigen bed – gebruikte voor zijn afspraakjes met Tanja. Ja, het huis met de blauwe luiken was van de graaf, maar dat hij zich deze vrijheid veroorloofde betekende voor Grisja een walgelijke belediging.

Hij greep naar de fles om nog eens in te schenken en hief toen zijn glas. 'Op de eerlijkheid,' zei hij. Hoewel hij zich ervan bewust was dat de wodka zijn tong losser had gemaakt, voelde hij toch een zekere kameraadschap met Soso, zoals ze daar in de kille schemering van Soso's kamer in het bediendenverblijf zaten. Soso was een van de hardstwerkende horigen van Angelkov. Hij had de leiding over de voorraadschuren, zorgde ervoor dat ze op de juiste wijze met voedsel waren gevuld om het enorme landgoed ervan te voorzien. Grisja had hem gekend vanaf het moment dat hij tien jaar geleden met Lilja en haar broertje Ljosja op het landgoed was gekomen, vlak voordat de zoon van de graaf was geboren.

Grisja had onwillekeurig altijd een zekere bewondering voor de man gehad. Soso was een paar jaar ouder dan hij, sterk en onvermoeibaar. Hij werkte zonder klagen – meestal – en nu hij hem zo vrijelijk over de graaf hoorde praten, kreeg Grisja het gevoel dat Soso hem ineens voldoende vertrouwde om zijn hart bij hem uit te storten.

'De vrijheid is op komst en ik ben niet van plan na een leven van hard werken met lege handen te vertrekken,' zei Soso, terwijl hij zijn glas naar Grisja ophief. 'Als Mitlovski denkt dat hij dezelfde hoeveelheid werk van ons kan verwachten als we eenmaal vrije mannen zijn, heeft hij het mis.' Hij nam een slok. 'Ik werk aan een plan, iets wat ons – jou en mij – zal geven waar we recht op hebben. Iets om ons te helpen een nieuw leven te beginnen.' Hij staarde met gefronste wenkbrauwen naar Grisja, waarbij zijn ogen bijna onder zijn zware oogleden met korte wimpers verdwenen. Hij stopte zijn pink in zijn oor en draaide die rond. 'We zullen hem geld afhandig maken, veel geld. Je bent toch zeker niet van plan voor die klootzak te blijven werken?'

Grisja haalde zijn schouders op. 'Ik ben geen horige,' zei hij. 'Voor mij ligt dat anders.'

'Hij behandelt je wel zo. Ik heb het zelf gezien. Blijf je dat pikken? Hè? Doe je mee?'

Grisja gaf even geen antwoord en dacht aan Tanja die met de vuile lakens uit zijn slaapkamer kwam. 'Hangt ervan af,' zei hij ten slotte. Hij wist dat hij dronken was en hij veegde zijn mond met zijn mouw af. 'Waar denk je aan?'

'Ik heb het nog niet uitgewerkt,' zei Soso. 'Maar als ik weet dat jij meedoet, zal het een stuk gemakkelijker gaan. En ik heb wat vrienden... die zullen ons helpen.'

Grisja haalde zijn schouders op en vertrok. Hij liep wankel terug naar zijn eigen huis, verderop langs de weg.

De volgende dag herinnerde Grisja zich, met een zeer hoofd, het gesprek slechts als de dronken solidariteit van mannen die opgeblazen deden, vervuld van allerlei wraakgedachten.

Toen Soso bij hem kwam zodra de lijfeigenschap officieel was afgeschaft en vroeg of hij het allemaal had gemeend wat het afpersen van de graaf betrof, zei Grisja tegen de man dat hij er eerst nog eens over na moest denken.

'Ik heb je gezegd dat ik vrienden heb. Ik kan voor hen instaan, het zijn voormalige kozakken,' zei Soso.

Grisja wist niet of hij Soso kon vertrouwen en hij wist niets over die vrienden, Edik en Lev. Maar het bleek dat Soso al een plan had bedacht: ze zouden de zoon van de graaf ontvoeren. Hem ontvoeren, losgeld eisen, het geld krijgen, de jongen teruggeven. Zo simpel als wat. Het beviel Grisja niets. Hij zei tegen Soso dat hij een ander plan moest bedenken. Geen ontvoering. Hij wilde niet dat Michail Konstantinovitsj in gevaar zou worden gebracht. Door zijn positie op het landgoed had Grisja voortdurend toegang tot het huishouden. Hij had de jongen zien opgroeien. Misja leek veel op zijn moeder, zowel uiterlijk als innerlijk, en hij was sympathiek. Grisja mocht hem graag.

Hij wilde niet meedoen als Misja erbij betrokken werd.

Soso verzekerde hem dat de Mitlovski-jongen niet slecht zou worden behandeld en dat ze hem goed te eten en een goed onderdak zouden geven in die paar nachten dat hij werd vastgehouden. Dat was alles. Een paar nachten, en dan, als Grisja het losgeld bracht dat in een brief werd geëist, zou dit in vieren worden gedeeld, zei Soso. Ze zouden ieder meer dan genoeg hebben om alles te kopen wat ze nodig hadden om een nieuw leven te beginnen: een lapje grond of een klein bedrijf. Ze zouden nooit meer verantwoording hoeven afleggen aan een landheer.

Soso zei dat Edik, Lev en hij er klaar voor waren. Toch weigerde Grisja. Maar alleen Grisja kon ervoor zorgen dat de ontvoering gladjes verliep, verklaarde Soso. Alleen hij wist alles over het doen en laten van de graaf. Als Grisja niet meedeed, zouden ze het plan nog steeds uitvoeren, maar zouden ze misschien hun toevlucht tot geweld moeten nemen om het kind mee te krijgen. Er kon dan sprake zijn van bloedvergieten. Wie weet wat er met de jongen kon gebeuren? 'Lev en Edik blijven niet eeuwig wachten,' ging Soso verder. Het was nu Grisja's verantwoordelijkheid – wilde hij deze schuld op zich laden?

Schuldgevoelens. Zonder het te beseffen had Soso de juiste tactiek gekozen. En dus stemde Grisja ermee in Soso te waarschuwen wanneer de omstandigheden gunstig waren, wanneer er een mogelijkheid was om de jongen te grijpen. 'Maar,' zei hij tegen hem, 'ik wil beslist dat Michail Konstantinovitsj niets overkomt.'

Hij benadrukte eveneens dat de jongen weliswaar over enkele maanden pas tien jaar werd, maar heel intelligent was. Hoewel hij de kozakken niet zou herkennen, kende hij Soso wel. Hij had zijn hele leven vrij op Angelkov mogen rondzwerven en hij kende alle horigen van het landgoed. Er mocht niet de geringste aanwijzing zijn dat Soso – of hijzelf uiteraard – hierbij betrokken was.

Soso zei tegen Grisja dat hij dit begreep en ervoor zou zorgen. 'En hoe zit het met Lilja?' ging Grisja verder. 'Vertel je dit aan je vrouw?' Grisja wist hoe toegewijd de vrouw was aan haar meesteres en aan het kind. Hij zag het drietal heel vaak samen – Antonina, Lilja en Misja.

Soso schudde langzaam zijn hoofd. 'Lilja? Die zou ik hier echt niet mee vertrouwen. Zij zal er niets van weten.' Hij snoot zijn neus met zijn vingers. 'Niets,' herhaalde hij. 'Alleen wij vieren weten hiervan.'

De feitelijke ontvoering – Grisja had zich op de achtergrond gehouden, tussen de bomen toegekeken – was niet zo gladjes verlopen als Soso had beloofd. Grisja was kwaad over de verwonding van de graaf. Er was hem toch echt beloofd dat iedereen ongedeerd zou blijven. Dit was de eerste keer dat hij zich zorgen maakte dat de mannen zich niet aan het plan zouden houden.

Daarna was het van kwaad tot erger gegaan. Toen hij enkele dagen later het losgeld naar Soso en de anderen ging brengen, was Michail er geweest.

Het kwelde hem voortdurend, zoals het gezicht van het kind was opgeklaard toen hij op de open plek verscheen, waarbij de oude herinneringen uit Tsjita weer bij hem bovenkwamen. 'Grisja!' had Michail geroepen. 'Grisja! Neem me mee naar huis!'

Grisja had geknikt. 'Ja, ja, Michail, je gaat nu met mij mee terug naar Angelkov.' Hij reed naar Soso toe, die net als Edik en Lev zijn gezicht verborgen had gehouden.

Maar toen Grisja het pakket met geld uitstak, voordat de graaf verscheen, hadden de mannen hem omringd, hem van zijn paard getrokken en in elkaar geslagen. Het gebeurde zo onverwacht dat hij er niet op was voorbereid. Hij vocht terug, hoorde Misja zijn naam roepen, toen *papa* gillen, en daarna was er niets meer. Toen hij weer bij bewustzijn kwam, bleek zijn paard weg te zijn en lag de graaf naast hem op de grond, terwijl zijn arabier in het half bevroren struikgewas rommelde.

Hij was woedend op Soso en confronteerde hem later die dag daarmee. Soso liep met zware zakken graan in de voorraadschuur te sjouwen en haalde alleen maar zijn schouders op toen Grisja wilde weten waar Michail naartoe was gebracht.

'Je hebt je geld,' zei Grisja, 'het kan me niets schelen als je mij mijn deel niet geeft. Maar geef me de jongen.'

Met zijn deel van het geld was hij van plan geweest een laatste stuk goed land toe te voegen aan de wersten die hij reeds had gekocht. Hij was jaren geleden tot het inzicht gekomen dat hij iets van zichzelf wilde hebben. En dat had hij nu. Hij wilde een huis bouwen en enkele voormalige horigen van het landgoed in dienst nemen om voor hem te werken. Hij had Ljosja opgeleid om zíjn rentmeester te worden. Hij was van plan Angelkov te verlaten zodra dit akelige gedoe met die ontvoering achter de rug was. Het was hem niet om het geld te doen geweest. Het ging hem alleen om zijn woede op Konstantin te koelen. Nu vroeg hij zich af waarom hij zo wraakzuchtig was geweest. 'Geef de jongen terug,' zei hij, terwijl hij zijn vuist balde, hoewel hij zich verbeet van de pijn. Hij had twee gebroken ribben, en ondanks zijn bluf wist hij dat hij het niet tegen Soso kon opnemen.

'De anderen willen meer geld.'

'Meer? Ze hebben het bedrag gekregen dat we hadden afgesproken.'

Soso liet de zak met een grom vallen. 'Het is niet genoeg.'

'Stuur dan een nieuwe brief en vraag om meer losgeld. Maar denk niet dat ik dat zal afgeven zonder dat ik eerst het kind terug heb.'

Soso leunde tegen een stapel volle zakken en stak zijn pijp op. 'Een beetje meer geld is alles wat ze willen.'

'En waar is Misja?' vroeg Grisja hem.

'Hij is veilig. Geef me het geld, dan zorg ik dat jij de jongen krijgt.'

'Denk je echt dat ik jou meer geld zal geven als het kind al dood is? Denk je echt dat ik zo'n onnozele hals ben? Tenzij ik een bewijs krijg dat hij nog in leven is, komt er geen geld meer. Bezorg me een bewijs.'

'Ik zal met de anderen praten,' zei Soso, trekkend aan zijn pijp. Hij sloeg zijn armen over elkaar en keek Grisja aan. 'Ik zal met ze praten als ik zover ben.'

Toen besefte Grisja dat Soso hem exact in de positie had die hij wilde. Hij begreep dat het voor Soso ook niet alleen om het geld ging. Soso zou er plezier aan beleven om hem te laten wachten.

73

Een week na de ontvoering zit Antonina naast Konstantins bed. Hij verkeert in een diepe slaap, zijn lippen zijn gebarsten en vervellen, zijn wangen zijn ingevallen. Antonina vraagt zich af in hoeverre hij in staat is na te denken, iets te begrijpen, in zo'n koortsige toestand. Heeft hij verdriet om zijn zoon? Hij hield natuurlijk veel van het kind, ook al was dit niet de zoon zoals hij hem had gedroomd.

Zijn eerste huwelijk was lang en kinderloos geweest. Hij had gewild dat de zoon die Antonina hem schonk robuuster was. Hij spoorde de jongen aan risico's te nemen, op lastige paarden door de weilanden te rijden en om steeds weer in het meer op het landgoed te duiken. Konstantin dwong Michail te gaan schaatsen op datzelfde meer als het 's winters bevroren was, tot het gezicht van het kind bleek van uitputting was. Hij was trots op de jongen geweest om zijn muzikale prestaties, ja, trots dat Michail op vijfjarige leeftijd kon componeren. Maar voor Konstantin was dat niet genoeg.

'Is dat álles waar hij belangstelling voor heeft?' vroeg hij aan Antonina toen Michail zeven was. 'Het is niet normaal voor een jongen om meer om muziek te geven dan om de opwinding van de jacht, de paarden en honden, geweren en kruisbogen. Neem nou die jongen – de broer van Lilja – uit de stallen, Ljosja. Hij is net dertien en toch al zo handig. Grisja vertelde me vorige week nog dat hij drie sneeuwhoenders en een vos had geschoten.'

'Ljosja is zeven jaar ouder dan Michail. Je kunt hem niet met onze zoon vergelijken.'

Een paar jaar eerder had Konstantin gezien hoe Ljosja een trap kreeg van een paard. Gelukkig was het een klein merrieveulen en werd de jongen alleen door de rand van de hoef geraakt, anders was hij misschien ernstig gewond of zelfs dood geweest. Ljosja was even buiten bewustzijn. Toen hij bijkwam, met twee oude stalknechten die bij hem waren neergeknield, trok hij een pijnlijk gezicht, maar wilde meteen weer overeind komen. Konstantin hoorde later dat het kind een gebroken sleutelbeen en arm had gehad, maar hij had geen kik gegeven. Hij was onder de indruk geweest van de kracht en de stoïcijnse houding van de jongen.

'Michail zou vaker buiten moeten zijn in plaats van al die uren aan zijn lessen of achter de piano te zitten,' zei hij.

'Misja is uitzonderlijk muzikaal begaafd,' had Antonina verklaard. 'Dat weet je zelf ook.'

Konstantin gromde. 'Ik zeg niet dat de jongen zijn muzieklessen moet staken. Ik wil een zoon die met me meegaat om te rijden en te jagen en niet alleen maar deuntjes op de piano verzint. Ik wil dat hij carrière maakt in het leger.'

'In het leger?' Antonina was verbijsterd.

'De lichaamsbeweging zal hem goeddoen. Als hij dertien is, kan hij naar een van de adellijke kadettenscholen in Sint-Petersburg,' zei hij. 'Dat garandeert hem toegang tot een elitekorps van het Russische leger. Tegen de tijd dat hij twintig is, zou hij luitenant kunnen zijn en gestaag verder kunnen klimmen. Ik heb altijd gedroomd van een zoon die generaal wordt.'

Antonina wist dat kibbelen met Konstantin geen enkele zin had. Michail was pas zeven. Ze had nog een aantal jaren om haar man van gedachten te laten veranderen. Ze zou niet toestaan dat haar zoon zijn muzikale carrière zou inruilen voor een geweer, wat Konstantin ook mocht zeggen.

Ik veracht hem, denkt Antonina, als ze kijkt naar de man die sinds elf jaar haar echtgenoot is. Gedurende zijn hele egoïstische leven heeft Konstantin altijd gedaan wat hij wilde, ongeacht de prijs hiervan voor anderen. Nog erger dan Michail tegen haar wens mee uit rijden nemen, de dag dat hij werd ontvoerd, was dat hij de eisen van de kozakken niet had ingewilligd en daarmee de kans op een veilige terugkeer van haar kind had bedorven.

Ze stuurt Pavel weg en pakt een nagelschaartje van de kaptafel. Ze buigt zich over Konstantin, en ze zou het liefst de scherpe punten van de schaar in zijn lippen willen drukken om ze open te duwen, zodat de antwoorden die ze wil horen eruit zullen stromen. *Hoe hevig heb jij gevochten, als alleen je hand gewond is? Heb je je niet dood willen vechten voor je zoon?*

Ze gaat zich niet voorstellen dat Michail dood is. Hij is niet dood. Ze zou het weten als hij dood was. Het is haar zoon.

'*Je t'aime, Maman,*' zei hij altijd tegen haar wanneer ze hem in bed instopte. Antonina heeft hem vanaf zijn peuterjaren aangemoedigd de tweede taal van de Russische adel te spreken. '*Je veux beaucoup de baisers,*' ging hij dan verder, en zij antwoordde: 'Hoeveel? Hoeveel kussen wil je?'

Soms waren het er vijf, soms tien, soms twintig. Het was hun ritueel voor het slapengaan. Ze bedekte zijn wangen en handen met kussen en hij lachte en zei dat haar lippen kietelden.

Ze realiseert zich nu dat het niet de lippen van haar man zijn die ze open wil snijden. Ze wil zijn nek lek prikken, de punten van het schaartje in die schaafwond steken, in de traag kloppende slagader. Ze wil de voldoening smaken het bloed in de lucht te zien spuiten, een levensboog die uiteindelijk, mits deze lang genoeg mag spuiten, tot de dood zal leiden. Ze wil dit zo graag dat haar handen ervan beven.

Maar met welk doel? Ja, het zou natuurlijk wraak zijn, een absurde en onlogische vergelding voor Konstantins gebrek aan achting, voor zijn stommiteit. Antonina beseft ook dat er met zijn dood niets kan worden gewonnen. Het vermoorden van Konstantin zou een doodzonde zijn, waarmee haar lot in het hiernamaals zou worden bezegeld. Erger nog, het zou niets helpen om haar kind terug te krijgen.

Toch drukt ze de punt in zijn hals. Zijn ogen gaan open, alsof ze zijn naam heeft geroepen en hij kijkt naar haar op. Er ligt geen verbazing of angst in zijn ogen. Wat zij ziet, is hoop. *Doe het,* zeggen zijn ogen. *Dood me, Antonina Leonidovna. Ik smeek je.*

Zodra ze begrijpt dat dit is wat hij wil, haalt ze de schaar weg. Natuurlijk geeft ze geen gehoor aan zijn wens. Het bood slechts een tijdelijke opluchting om aan iets anders te denken dan aan Michails lieve kin, zijn gladde, hoge voorhoofd, zijn heldere, grijsgroene ogen. In plaats daarvan drukt ze de punten in de huid aan de binnenkant van haar onderarm, vlak onder de kanten manchet van haar mouw. Ze trekt er een harde streep mee, alsof het de punt van een pen is en haar huid het perkament. Terwijl ze dit doet, blijft ze Konstantin aankijken. Hij staart naar haar arm en zij kijkt omlaag naar de druppels bloed die langs de streep in haar huid opwellen.

Ze voelt geen pijn, en toch heeft de snee haar een duister soort opluchting bezorgd die ze niet onder woorden kan brengen. Ze gooit de schaar op de vloer en trekt zich terug in haar stoel.

De volgende dag bewegen er allerlei mensen in de slaapkamer, alsof het een bijenkorf is. Konstantin is niet langer de slome dar zoals Antonina hem wel eens zag, maar een nutteloze koningin. Net als in een bijenkorf hangen alle levens af van dat ene leven.

Dokter Molov heeft er een tweede arts bijgehaald. Antonina kent zijn naam niet en ze vraagt er ook niet naar. Samen tappen ze de graaf bloed af en zetten ze koppen. Door middel van een glazen buisje brengen ze vloeistoffen in zijn lichaam.

Vader Kirill, de priester van de kerk van het landgoed, is een permanente aanwezigheid geworden, in een stoel in de andere hoek van de kamer. Naast Lilja zijn er voortdurend te veel bedienden. Antonina blijft in haar donkere hoek in Konstantins hoge leren stoel, waarvandaan ze de voortdurende bedrijvigheid rond zijn bed gadeslaat. Tinka ligt op haar schoot.

Lilja had naar de snee aan de binnenkant van Antonina's arm gekeken en zwijgend het opgedroogde bloed weggewassen. Ze wikkelde er een reep linnen omheen, bracht haar soep en thee met jam. Ze wast regelmatig Antonina's gezicht en handen met een warme, vochtige doek en heeft een omslagdoek rond haar schouders gelegd, een deken over haar benen. Een paar keer per dag neemt ze Tinka behoedzaam van Antonina weg om haar buiten uit te laten. Ze geeft de hond eten en water en brengt haar weer terug.

Lilja is haar kamenier, maar ook haar gezelschapsdame, haar vriendin en Michails *njanja*, zijn kinderjuffrouw. Sinds Antonina naar Angelkov is gekomen en haar terug heeft gevonden, heeft Lilja al haar wensen opgevolgd, al haar behoeften aanvoelend nog voordat ze werden uitgesproken.

Antonina zegt nu niets, behalve dat ze om de paar uur, of misschien om de tien minuten, vraagt: 'Is er nog bericht van de kozakken gekomen?'

Niemand geeft antwoord. Na een tijdje kijkt niemand nog in haar richting als ze die vraag stelt, steeds opnieuw.

7

$\mathcal{D}$ie avond in de slaapkamer vraagt Lilja: 'Zal ik wat laudanum voor je pakken, Tosja?'
Antonina knikt.
Lilja komt met de fles en een lepel en Antonina doet haar mond open en slikt, drie keer.
'Nu een glas wijn,' zegt Antonina.
'Je moet geen wijn bij de laudanum nemen.'
'Ik wel,' antwoordt Antonina.
Lilja schenkt haar een klein glas in. Antonina drinkt het leeg, zittend op de rand van het bed, en geeft het glas dan weer aan haar kamenier.
Lilja helpt Antonina uit haar kleren en trekt een nachthemd over haar hoofd, maakt de talloze knoopjes vast. Ze helpt Antonina tusen de schone lakens te gaan liggen en draait de lampen laag, zodat slechts een vage gloed de duisternis verlicht. Ze zet de hoge ramen open, net voldoende om een frisse, koele voorjaarsbries de gordijnen te doen opbollen. Antonina voelt de nachtlucht in haar gezicht.
Ruikt Michail ditzelfde briesje? Ligt hij in een schoon bed?
Ze kijkt naar het dagboek op haar nachtkastje. Ze had eigenlijk niet naar Michails kamer willen gaan, omdat ze dacht dat als ze alles precies zo liet als het was geweest, dit zou helpen om hem naar huis te laten komen. Vanmiddag hield ze het niet langer uit

in Konstantins drukke slaapkamer met al het gefluister en alle on-aangename geuren. Ze wilde – moest – opeens dicht bij Michails spullen zijn.

Terwijl ze de deur opendeed, ontsnapte haar iets wat het midden hield tussen een zucht en een kreun. Ze keek rond – naar zijn bed en kleerkast, zijn boekenkast en schrijftafel, het lage krukje bij de haard, waar hij zo graag op zat, zijn jongensachtige verzameling stenen en potten vol dode insecten, de schilderijen die hij had gemaakt. Ze moest zich aan de post van de deur vasthouden. Toen ze niet langer duizelig was, deed ze de deur dicht en liep naar zijn bed. Ze ging erop liggen en begroef haar gezicht in het kussen. Maar de bedienden hadden het beddegoed verschoond en het enige wat ze kon ruiken, waren zeep en stijfsel. Ze stond op en liep naar zijn kleerkast, waar ze tunieken en jasjes uit haalde. Ze hield elk kledingstuk tegen haar gezicht en huilde. Ze liep met één tuniek – er zat een intktvlek op de manchet, dus ze wist dat dit kledingstuk aan de was was ontkomen – terug naar het bed. Ze ging er weer op liggen, drukte het hes tegen haar gezicht en ademde de geur in. Eindelijk kon ze hier, in deze ongewassen tuniek, haar zoon ruiken.

Na een tijdje stond ze op en ging aan zijn schrijftafel zitten. Ze streek met haar vingers over Michails leerboeken en stopte bij een dagboek met een zacht kalfsleren omslag. Ze moest denken aan zijn kleine leren compositieboekje met wat fuga's en nocturnes van Glinka die zij voor hem naar eenvoudiger toonsoorten had getransponeerd. Uiteraard kon hij de originelen inmiddels met gemak spelen, maar hij had het boekje bewaard en gebruikte het om zijn eigen melodieën in op te schrijven. Hij had het altijd bij zich, samen met een geslepen stukje houtskool, omdat, had hij tegen haar gezegd, hij nooit wist wanneer hij iets moois in zijn hoofd zou horen. Ze moest er opeens aan denken hoe hij het boekje van de piano had gegrist toen hij de muziekkamer uitholde. Zou hij het nog steeds bij zich hebben?

Ze pakte het in kalfsleer gebonden dagboek en streek met haar hand over het zachte kaft. Het was een cadeau dat hij dat jaar bij een kerstfeest in de buurt had gekregen. Toen hij het aan Antonina liet zien, zei ze dat hij zijn gedachten kon neerschrijven op die stevige, roomkleurige pagina's. Ze vertelde hem dat zij altijd een dagboek had bijgehouden, en dat het heel leuk is om op te schrijven wat je denkt of wat je je afvraagt.

Een week later zat Michail tegenover haar aan de ontbijttafel erin te schrijven terwijl zij las en van haar thee dronk.

Toen Konstantin binnenkwam, vroeg hij: 'Zijn dat je lessen, Michail?'

'Nee. Ik ben bezig mijn gedachten in mijn dagboek te schrijven, papa.'

Konstantin sloeg met zijn hand op de tafel. Antonina's thee klotste op het schoteltje. 'Mannen verdoen geen tijd aan zulke dingen, Michail. Dat is een bezigheid voor vrouwen. Leg dat weg.'

Heel langzaam legde Michail zijn pen neer.

'Doe dat boek dicht, zei ik.'

'Ik moet even wachten tot de inkt droog is.'

'Laat me je daar niet meer mee zien,' dreigde Konstantin, en hij vertrok zonder te ontbijten.

Toen de voordeur met een klap werd dichtgesmeten, pakte Michail zijn pen weer op en doopte die in de inkt.

Antonina dronk haar thee op.

Nu sloeg ze het leren dagboek open en haalde diep adem. Zijn handschrift. Zijn woorden. Zijn gedachten. Ze deed het boek dicht en legde haar hand over haar ogen. Ten slotte stond ze op, liet het dagboek op de schrijftafel liggen en liep naar haar kamer, die van Michails kamer werd afgescheiden door een grote voorraadkast voor het linnen. Ze pakte de wodka uit haar kleerkast en een glas van haar wastafel en liep ermee naar zijn kamer terug.

Ze schonk het glas in en nam een slok, en toen nog een, en ten slotte las ze de eerste pagina, van 8 januari 1861.

Mijn vriendin Oksana Aleksandrova heeft me dit boek voor Kerstmis gegeven. Mama heeft gezegd dat ik het moet gebruiken om op te schrijven waar ik over nadenk.

Mama heeft gezegd dat ik niet verlegen moet doen en dat ik moet schrijven over de dingen die me blij maken en over de dingen die ik niet leuk vind. Ze zei dat het privé was en dat niemand het ooit mag lezen.

Antonina stopte en nam nog een slok. Ze streek met haar vinger over de verkeerd gespelde woorden en de inktvlekken.

Mama zei dat het een goede oefening voor me zou zijn om in het Frans te schrijven, maar dat wil ik niet. Ik maak nog steeds te veel fouten met Frans. Monsieur Thibault zegt dat elke dag.

Ik vind het niet leuk om mijn lessen voor hem te maken. Ik krijg altijd inkt op mijn vingers en op de bladzijden en dan schudt hij zijn hoofd en kijkt verdrietig. En als het dan tijd is voor monsieur Lermontov om mij te horen oefenen, maakt hij allerlei boze geluiden met zijn tong en zegt dat mijn handen op de toetsen er niet uitzien als die van een voorzichtige jongen.

Vanaf vandaag zal ik proberen voorzichtiger te zijn.

Antonina dronk haar wodka op en schonk zich nog een glas in. Ze heeft de leraren niet meer gezien sinds de dag dat Michail is ontvoerd. Zitten ze nog steeds in hun kamer in het personeelsonderkomen, wachtend tot Michail thuiskomt, wachtend op het verzoek hun werk met hem te hervatten?

Er zijn pagina's uit het dagboek gescheurd. De volgende notitie was drie weken later.

Ik heb mijn best gedaan, maar ik ben nog niets netter. Monsieur Lermontov zal heel boos zijn als hij vandaag weer komt. Wanneer hij zo doet, krijg ik een naar gevoel in mijn buik, zoals wanneer ik te veel maanzaadbroodjes van Rajsa eet, en dan speel ik niet zo goed. Soms zegt hij het tegen papa, als ik niet zo goed speel, en als ik weet dat papa boos is, krijg ik nog meer pijn in mijn buik.

Maar als papa niet thuis is en hij zegt het tegen mama, knikt ze alleen maar naar hem. Als hij dan niet kijkt, trekt ze gekke gezichten naar mij. Mama wordt nooit boos op me.

Antonina viste een zakdoek uit haar mouw en hield die lang voor haar ogen. Daarna nam ze nog een slok en ging verder met lezen. De volgende notitie was van eind februari.

Ik vind dat ik een mooie kamer heb, maar hij is te groot en soms komen er geluiden uit de schoorsteen. Vorig jaar heb ik tegen Lilja gezegd dat ik te oud was om haar nog op de bank bij mijn voeteneind te laten slapen, maar soms zou ik 's nachts willen dat ze daar nog steeds was. Als ik nare dromen had toen ik nog heel klein was, droeg ze me altijd naar mama's bed en dan bleef ik 's nachts bij haar. Maar als papa 's ochtends uit zijn kamer binnenkwam en hij zag me daar, werd hij altijd boos op mama en zei dat ik geen baby meer was en dat ik in mijn eigen bed moest slapen. Papa noemt me een kleine soldaat en zegt dat soldaten niet bij hun moeder slapen en dat ze niet huilen.

Ik probeer niet te huilen omdat ik weet dat papa dan boos wordt. Maar ik wil helemaal geen soldaat worden. Mama heeft me verteld dat haar broer Viktor Leonidovitsj soldaat was en dood is gegaan. Ik wil niet doodgaan, zoals oom Viktor.

Als papa naar de stad ging toen ik nog een kleine jongen was, sliep ik altijd bij mama en Tinka. Soms bleef Lilja dan ook bij ons, en zij sliep dan bij mama op de bank, en als ik dan 's ochtends wakker werd en mama en Lilja hoorde praten en lachen, werd ik altijd blij. Mama noemt me geen soldaat. Zij noemt me altijd 'petit souris'.

14 maart

Ik heb vijf vrienden en vriendinnen: Andrej Jakovavitsj en Stepan Jakovavitsj (dat zijn broers), Oksana Aleksandrova en Joeliana Filipova. En dan is Ivan Abramovitsj er nog. Ik vind hem niet zo aardig, want hij is soms gemeen. Hij is blind aan één oog en mama zegt dat dat hem misschien verdrietig maakt en dat dat misschien de reden is waarom hij soms gemeen doet, dus moet ik toch aardig tegen hem doen. Die kinderen wonen allemaal op een ander landgoed en we kunnen alleen maar af en toe met elkaar spelen.

Thuis speel ik graag met Ljosja. Hij is veel ouder dan ik, maar hij is heel aardig. Hij is de broer van Lilja. Hij leert me hoe ik speciale knopen in een touw kan maken en hij vertelt me verhalen over de paarden. Hij werkt bij Fjodor in de stallen en soms, als ik piano heb gespeeld en mijn lessen af heb, mag ik van mama met hem naar de stal. Ljosja laat dan zien hoe ik mijn hand plat moet houden met een wortel erop, zodat Doenja de wortel op kan eten. Doenja's lippen zijn zacht, met haren erop, en ze kietelen mijn hand.

Ik probeer eraan te denken om geen Frans te spreken met Ljosja. Mama heeft gezegd dat dat niet beleefd is omdat de bedienden geen Frans spreken, en als we dat doen waar zij bij zijn, maken we dat ze zich buitengesloten voelen. Het geeft niet wanneer we alleen zijn, zegt mama. Maar papa spreekt wel Frans als er bedienden bij zijn.

Toen mama en papa me een keer meenamen op bezoek bij prins Oesolotsev, holden zijn jongens weg en verstopten zich en wilden niet met me spelen. Mama vond me toen en kuste me en zei dat ze het jammer vond dat ik niet mee mocht doen. Ze zei dat ze wist hoe verdrietig dat was, omdat zij zich ook wel eens buitengesloten voelt. Ik weet niet wie er maakt dat zij zich buitengesloten voelt. Ik zal nooit Frans spreken tegen Ljosja, want ik wil niet dat hij net zo verdrietig wordt als ik toen. Of als mama.

22 maart
De twee dingen die ik het liefste doe:
1. Iets met Ljosja.
*2. Pianospelen, maar niet met monsieur Lermontov. Wanneer ik
alleen speel of met mama, voel ik me vanbinnen heel rustig. Zelfs als
de muziek zegt dat het fortissimo moet zijn en ik mijn vingers heel
hard op de toetsen druk, voel ik me nog steeds rustig. Dan voel ik me
net zoals wanneer mama me knuffelt of zoals ik me voelde toen ik nog
heel klein was en Lilja 's avonds voor me zong terwijl ik in bed lag.*

*Ik heb altijd al pianogespeeld. Mama zegt dat toen ik nog maar een
baby was, zij me op haar schoot hield terwijl ze speelde. Ze zegt dat
ik de muziek die ze speelde zelfs nog voor mijn geboorte moet hebben gehoord, toen ik nog een engeltje was, en dat ik daarom zo kan
spelen. Ik herinner me niet dat ik een engeltje ben geweest, maar ik
herinner me wel dat ik klein was en op mama's schoot voor de piano
zat en dat mama mijn vingers op de toetsen legde. Ik herinner me
ook wanneer we voor het eerst een quatre-mains speelden. Mama
moest toen huilen, maar ze zei dat dat niet was omdat ze verdrietig
was. Ze zei dat mensen soms huilen wanneer ze heel erg blij zijn.
Maar ik denk dat alleen meisjes dat misschien doen. Ik heb nooit
willen huilen als ik blij ben.*

*Ik hoor altijd muziek in mijn hoofd en ik kan die muziek met mijn
vingers spelen. Dat is heel gemakkelijk, en mama is daar heel blij
mee. Dat vind ik het mooiste moment van de dag, als ik met Lilja in
de kinderkamer heb gegeten en dan naar beneden, naar de muziekkamer ga, om voor mama en papa te spelen. Het is de enige keer dat
ik ze allebei tegelijk zie glimlachen.*

*Papa glimlacht wanneer hij op de veranda staat en over de velden
uitkijkt, of wanneer hij me op het hoogste paard zet en ik de teugels
heel stijf vasthou en doe alsof ik niet bang ben. Hij glimlacht ook af
en toe wanneer Grisja met hem praat over de papieren die ze samen
aan papa's grote bureau in de studeerkamer bekijken.*

Mama lacht meer dan papa. Ze lacht om alles wat ik zeg of doe en ze glimlacht wanneer ze met Lilja of met de andere bedienden praat.

Soms, vooral wanneer het de hele dag regent en ik naar mama ga om haar welterusten te kussen en te zeggen 'je t'aime', glimlacht ze maar zijn haar ogen nat. Toen ik een keer vroeg waarom haar ogen nat waren, zei ze dat ze te lang naar de regen had gekeken. Ik geloofde haar omdat het vorig jaar was, toen ik nog niet zo oud was als ik nu ben. Ik weet nu dat dat niet kan. Het was waarschijnlijk omdat ze heel erg gelukkig was.

23 maart
Ik hoop dat ik een hond krijg voor mijn verjaardag of voor mijn naamdag. Ik heb een hondje gehad, een bolonka, net als Tinka, maar hij werd ziek en is doodgegaan. Dat was vlak voor Kerstmis. Ik was heel verdrietig, en mama zei dat zodra het voorjaar wordt en het mooi weer is, ik een ander hondje zal krijgen. Ik wil deze keer een grotere hond. Ik wil een echte jongenshond en dan noem ik hem Dani.

6 april
Waar ik het meeste bang voor ben:
  Soldaat worden.
  Het lawaai dat de wind af en toe in mijn schoorsteen maakt.
  Papa, wanneer hij een strakke mond heeft.
  Wanneer de honden op het erf 's nachts te lang blaffen.
  Dat er iets ergs met mama zal gebeuren terwijl ik niet bij haar ben.

Dit was de laatste notitie.

Toen Antonina niet meer kon huilen, liep ze met het boek naar haar slaapkamer terug. Nu, in het schemerdonker, streelt ze de omslag van het boek, denkt aan haar zoon en aan een hond die Dani heet.

'Tinka?' roept ze. Ze hoort de korte nagels van de hond aan de zoom van de beddesprei krabbelen. Met haar bijna twaalf jaren kan ze niet meer op het bed springen. Lilja pakt het kleine roomen-karamelkleurige keeshondje op en zet haar naast Antonina. De hond likt Antonina's hand en loopt dan naar het voeteneind van het bed; ze draait vier keer rond voor ze gaat liggen.

Antonina blijft stilliggen terwijl Lilja door de schemerige kamer heen en weer loopt, kleren opruimt en op de kaptafel flesjes in het gelid zet. Ze hoeft nergens naartoe, ze heeft niets te doen. Ze moet gewoon wachten. Wachten kost enorm veel energie, ze is doorlopend moe. Ze weet dat de mannen dezelfde paden doorzoeken, door dezelfde dorpen rijden. Ze vraagt nu niet meer met hen mee te mogen, ze heeft er de kracht niet meer voor.

Buiten haar deur hoort ze gedempte stemmen en veel voetstappen. Heel zacht zegt een mannenstem: 'Gravin Mitlovskija?' Misschien is het een dokter, of de priester.

Lilja loopt naar de deur, doet die open en zegt iets, doet dan de deur weer dicht en loopt terug naar het bed. 'Niets bijzonders,' zegt ze, terwijl ze op Antonina neerkijkt. 'Je moet proberen vrede te vinden, lieve Tosja.' Ze veegt Antonina's haar van haar voorhoofd en bukt zich dan om het gladde, warme voorhoofd te kussen. Haar lippen blijven een paar extra seconden op Antonina's huid. Antonina haalt beverig en diep adem.

'Hoe moet ik vrede vinden, Lilja? Hoe kan ik me ooit nog vredig voelen?' fluistert ze. 'Ik ben zo bang.'

Hierop gaat Lilja naast Antonina liggen en slaat haar armen om haar heen. Antonina drukt haar gezicht tegen Lilja's schouder.

'Ik zal je helpen,' zegt Lilja tegen haar. 'Ik zal er altijd voor je zijn.' Haar stem is nauwelijks hoorbaar, maar heel vastberaden.

Na een paar minuten wordt Antonina's ademhaling zacht en gelijkmatig. De laudanum begint te werken, geholpen door de wijn en de wodka die ze in Misja's kamer heeft gedronken. Lilja legt Antonina's hoofd terug, zodat ze het gezicht van de andere vrouw kan zien. Ze streelt Antonina's wang en buigt zich dan heel zachtjes naar haar toe om haar niet wakker te maken, en kust haar op de mond, waarbij ze de laudanum op haar eigen lippen proeft.

8

*D*e eerste keer dat Lilja Antonina kuste, was toen ze dertien jaar oud waren en zij een horige uit het dorp was op het landgoed van Antonina's vader.

Antonina was de dochter van prins Leonid Stepanovitsj Olonov en prinses Galina Maksimova Olonova. Het was niet eenvoudig om de verre verwantschap met de tsarenfamilie aan te tonen, want zoveel aristocraten beweerden dat. De Russische adel was in rangen verdeeld: groothertog was de hoogste titel, gereserveerd voor leden van de keizerlijke familie, en daarna kwamen duizenden prinsen, graven en baronnen.

Prins Olonov had een weelderig huis in Sint-Petersburg, maar hij bracht zijn tijd liever door op zijn uitgestrekte, comfortabele landgoed, dat was gebouwd als imitatie van een Engels landhuis. Het huis met de zuilenrij, in de provincie Pskov, had een indrukwekkende façade en afzonderlijke vleugels die door middel van corridors met het huis waren verbonden. Buiten waren er weelderige borders en lanen. Tot honderden wersten in alle richtingen waren er donkere bossen met berken en dennen, en golvende weilanden, vijvers en rivieren en vruchtbare akkers die allerlei gewassen voortbrachten: tarwe, maïs, zonnebloemen en suikerbieten. Prins Olonov bezat duizenden zielen, waarvan de mannelijke en vrouwelijke horigen op het landgoed of in de vele dorpjes in de omgeving woonden.

Antonina was de jongste van vier kinderen. Er waren drie jongens vóór haar en de jongste broer was al acht toen zij werd geboren. Lilja was de dochter van een hoefsmid en een landarbeidster. Ljosja, haar tien jaar jongere broer, was het enige andere in leven gebleven kind uit het gezin. Tussen Lilja en Ljosja waren er zes kinderen gestorven. Ze woonden in een van de negenentachtig eenkamer-izba's in Kazjra, het dorpje dat het dichtst bij het landhuis lag.

Op een middag in het begin van mei reed Antonina door het bos van haar vader, vergezeld door Kesja en Semjon. Zij waren in de afgelopen drie jaar haar bewakers geweest, aangezien ze haar vader had gesmeekt verder weg te mogen rijden dan de omheinde velden vlak bij het huis. Antonina hield stil om haar pony wat aan de zachte onderbegroeiing te laten snuffelen; het nieuwe gras begon weer op te komen na de lange winter. Kesja en Semjon bleven ver achter haar, zoals Antonina had bevolen. Ze ergerde zich aan hun voortdurende aanwezigheid en verlangde ernaar alleen te zijn, echt alleen, hoewel ze wist dat dit nooit zou worden toegestaan.

Antonina zat in haar zachte leren zadel terwijl haar pony in de stille middaglucht van het geurige gras knabbelde. Na een tijdje fronste ze haar wenkbrauwen, nam de teugels van de pony in om hem te laten ophouden met grazen en keek achterom. Ze gebaarde de twee mannen te blijven waar ze waren en reed toen langzaam in de richting van iets wat op gehuil leek.

Op een open plek lag een meisje op haar knieën met een bundeltje dat in een lap stof was gewikkeld tegen haar borst gedrukt. Terwijl Antonina stond te kijken legde het meisje het bundeltje heel behoedzaam in een ondiepe kuil die in de modderige, met dode bladeren bezaaide grond was gegraven, en begon de vochtige grond over de doek te vegen. Ze ging zo op in haar verdriet dat ze Antonina niet hoorde tot ze was afgestegen en een paar stappen in haar richting had gedaan. Toen er een droge tak onder Antonina's laars kraakte, schoot het hoofd van het meisje met een ruk omhoog.

'Wat is dat?' vroeg Antonina, terwijl ze tussen de slanke, kale berken bleef staan. 'Wat ben je daar aan het begraven?'

Het meisje sprong overeind en veegde haar handen aan haar schort af. Antonina zag hoe rood haar handen waren, met afgebroken nagels met vuile randen. Het meisje boog onmiddellijk diep, met haar gezicht bijna tot op de grond.

'Kom overeind,' zei Antonina, en het meisje ging weer recht staan. Hoewel ze de prinses niet durfde aan te kijken, was ze vol belangstelling voor haar vreemde kleding. Prinses Olonova, de dochter van de man die eigenaar was van haar en van haar broer, en van haar vader en moeder, van hun hut en het land dat ze bewerkten, was gekleed als een jongen: een broek en een tuniek met riem, laarzen en een kort jasje. Ja, de broek was van weelderig bruin fluweel, de witte linnen tuniek was verfijnd, met heel ingewikkelde steekjes aan de voorkant; de riem en de laarzen waren van zacht, soepel leer, het jasje van een dikke, donkergroene wol. Toch was dit niet de kleding van een prinses. Haar blonde vlechten waren losgeraakt en er plakten slierten haar – ze droeg helemaal geen hoed – door de transpiratie aan haar voorhoofd. Haar ogen waren groot en grijsgroen, haar mond was ook breed, haar neus misschien iets te lang. Ze keek een beetje stuurs. Heel even vond het dorpsmeisje dat ze er zelf, met haar enkellange rok en geborduurde blouse en schort en hoofddoek, schoner en netter uitzag dan de prinses. Ze vroeg stilletjes om vergeving, wetend dat ze die avond de zonde van haar trots in de kerk zou biechten.

'Ik vroeg wat je daar bezig was te begraven.'

Ten slotte keek ze heel even naar het gezicht van de prinses, één seconde maar. 'Dit is Romka. Hij was mijn hondje.'

Antonina liep naar de rand van het kleine graf. 'Wat is er met hem gebeurd?'

'Hij heeft rattengif uit de smederij van mijn vader binnenge-kregen,' zei het meisje. Ze hief haar hoofd op, hoewel haar ogen neergeslagen bleven. 'Ik wist niet dat mijn vader het vergif had neergezet.' Ze zuchtte beverig. 'Arme Romka. Hij heeft zo hard geschreeuwd aan het eind.' Ze veegde met de punten van haar vlechten de tranen van haar wangen.

Antonina hurkte neer en klopte op het lage heuveltje. 'Zullen we een gebed opzeggen?' vroeg ze, en ze keek op naar het meisje, dat roerloos was blijven staan. 'Zullen we dat doen?'

Het meisje knikte even en knipperde met haar ogen.

'Hoe heet je?' vroeg Antonina.

'Nevskaja, Lilja Petrova,' antwoordde ze.

'Je weet wie ik ben,' verklaarde Antonina, en ze ging weer staan.

Het meisje boog diep, met haar handen voor zich ineengeslagen. 'Natuurlijk weet ik wie u bent, prinses Olonova,' zei ze, en toen, met enige aarzeling, keek ze op. Ze was iets kleiner dan Antonina. Ze had donker, kastanjebruin haar en ogen die goudbruin waren. Haar huid was gekleurd door de voorjaarszon en de wind.

Antonina vond dat het meisje een mooie kleur ogen had.

'Ik heb u gezien wanneer u door Kazjra rijdt,' ging het meisje verder, alsof de prinses op een verklaring wachtte. 'Waar ik woon.'

'O,' zei Antonina, en ze keek haar onderzoekend aan. 'Hoe oud ben je?'

'Dertien. Precies drie maanden ouder dan u,' zei ze. 'Tot op de dag.'

'Hoe weet je wanneer ik jarig ben?'

Lilja's mond vormde een klein, onzeker glimlachje. Haar ogen waren nog steeds vochtig. 'Iedereen weet wanneer de prins en de prinses en hun kinderen jarig zijn,' zei ze. 'Elk gezin in het dorp krijgt een fles wodka op de geboortedagen en op de naamdagen.'

'Dat wist ik niet.' Antonina keek Lilja aan. 'Dus dan zijn we even oud. Heb je veel vriendinnetjes en vriendjes in het dorp?'

'O ja, prinses.'

'Wat doe je met hen?'

'Wat ik doe?' vroeg Lilja, die zich steeds ongemakkelijker begon te voelen. Ze was nooit eerder in de persoonlijke aanwezigheid van haar landheer of van leden van zijn gezin geweest, maar ze kende het belang van onderdanigheid jegens hen.

'Ja. Speel je met hen?' Antonina dacht aan de staljongens op het landgoed en aan de ingewikkelde spelletjes die ze speelden met varkensbotjes en stenen en stokjes. Maar ze hoorde niet tegen een van hen te praten, tenzij het was om bevelen te geven.

Lilja fronste haar wenkbrauwen. 'We werken samen op het land, prinses.' Ze was bang dat dit niet het goede antwoord was en ze probeerde iets te bedenken wat het meisje wél wilde horen. 'Als we even ophouden om water te drinken of om te eten, praten we. En soms, wanneer we naar huis lopen en we zijn niet al te moe, zingen we gezangen. Ik vind dat leuk, zingen.'

Antonina knikte.

Ze lijkt niet echt boos, dacht Lilja, en ze keek weer naar het graf. Ze wilde dat de prinses zou opstijgen en wegrijden. Ze maakte haar bang met al haar gevraag.

'Hield je erg veel van je hondje?'

'Maar natuurlijk, prinses.'

Er volgde een stilte.

'U zult wel veel honden hebben,' zei Lilja ten slotte, toen duidelijk werd dat zij iets moest zeggen.

'Mijn vader en mijn broers hebben honden om mee te jagen.' Antonina dacht aan de drie elegante, hooghartige barzois die op de roodfluwelen sofa of op het dikke, wollen kleed voor de haard lagen. Zij mocht de honden niet aanraken, hoewel haar vader ze dagelijks borstelde. In het voorjaar gebruikte hij een harde borstel van berenhaar om de zachte ondervacht, die in de koude maanden dikker was geworden, eruit te borstelen. Ze herinnerde zich dat ze als heel klein kind tegen haar vader had staan leunen en naar hem had gekeken wanneer hij tegen zijn honden praatte en voor hen zong terwijl hij ze onder handen nam.

Lilja likte langs haar lippen. Was het haar beurt om iets te zeggen? 'Maar u hebt zelf geen hond?' vroeg ze ten slotte.

Antonina schudde haar hoofd.

'Wat jammer,' zei Lilja. 'Ik krijg binnenkort een andere pup. Dat heeft mijn vader me beloofd.' Ze keek weer naar het grafje; ze wist niet waar ze anders moest kijken.

'Laten we dan het gebed voor Romka opzeggen,' zei Antonina, die nu naast haar ging staan. Lilja voelde een golf van opluchting. Dit was hoe het moest zijn: de prinses die besloot wat er moest gebeuren.

Ze bogen allebei hun hoofd en vouwden hun handen. 'Welk?' vroeg Antonina, en Lilja begon aarzelend: '*In Uw handen, o Heer, beveel ik de ziel aan van Uw dienaar Romka,*' en Antonina voegde zich bij haar in het Gebed voor de Doden, '*en smeek U hem rust te gunnen in de plaats van Uw rust, waar al Uw gezegende heiligen verblijven, en waar het licht van Uw aangezicht voor eeuwig schijnt.*'

Daarna ging Lilja verder: 'En ik smeek U, o Heer, om Romka genadig te zijn.'

'Amen,' zeiden ze allebei, en ze sloegen een kruis.

Lilja plukte wat wilde hyacinten en knielde neer om de paarse bloemetjes op de aarde te leggen.

Haar hoofddoek was op haar schouders gezakt en Antonina zag de witte hoofdhuid van Lilja door haar donkere haar heen terwijl ze zich over Romka's grafje boog.

'Wanneer ik de volgende keer naar het dorp kom, laat je me dan je nieuwe hondje zien?' vroeg Antonina.

Lilja krabbelde snel overeind, met gebogen hoofd. 'Ja, als u dat wenst, prinses.' Ze keek voorzichtig op. 'Maar… waarom?'

Antonina haalde haar schouders op. 'Ik weet het niet,' zei ze, en dat was waar. Ze wist niet wat maakte dat ze met Lilja wilde blijven praten, wat maakte dat ze eigenlijk niet weg wilde gaan.

Bij het gesnuif van een paard draaiden ze zich om en zagen Kesja en Semjon staan. Hoewel Antonina hun had opgedragen op een afstand te blijven, waren ze toch dichterbij gekomen en hadden Antonina's pony met zich meegevoerd. Ze waren voldoende dichtbij om het gesprek te horen.

Antonina schudde geërgerd haar hoofd. Maar ze begreep dat dit hun plicht was. Als haar iets overkwam, zouden Kesja en Semjon met hun leven moeten boeten.

Lilja boog haar hoofd weer, voelde zich nu nog ongemakkelijker. Die twee forse kerels zouden misschien denken dat het haar schuld was dat ze met de dochter van de landheer stond te praten. 'Heb ik toestemming om te gaan?'

'Ja.'

'Een goede dag dan, prinses Olonova,' zei Lilja, en ze boog diep voor ze zich omdraaide. Toen ze tien stappen door het bosje had gezet, riep Antonina haar na.

'Wanneer krijg je je nieuwe puppy?'

Lilja moest zich omdraaien en nogmaals buigen. 'Volgende week. Mijn vader heeft me vandaag een nest laten zien, ze zijn bijna gespeend. Hij zei dat ik er een mag uitzoeken.'

Antonina dacht aan haar eigen vader. Zou hij dit voor haar doen? Ze wist het niet. 'Dan kom ik volgende week naar Kazjra om het hondje te zien.'

Lilja maakte opnieuw een kleine buiging. 'Zoals u wilt, prinses,' zei ze.

Maar Antonina had nog iets op haar hart. 'Wíl je ook dat ik kom?' vroeg ze.

Lilja hees haar hoofddoek op en knoopte hem stevig onder haar kin vast. Ze keek over Antonina's hoofd naar de zachtjes wiegende takken met hun kleine knoppen. Haar ogen glipten langs Kesja en Semjon heen. Toen ze Antonina ten slotte aankeek stond haar gezicht strak, achterdochtig.

'Ik begrijp het niet, prinses,' zei ze, met een ongeruste blik in haar ogen.

Antonina trok haar schouders op. 'Wat begrijp je niet? Ik vroeg of je wilt dat ik naar Kazjra kom om je hondje te zien.'

'Maar... Maar... Als u wilt komen, zult u komen. Het is niet aan mij om te kiezen.'

Het was niet het antwoord dat Antonina wilde horen. Lilja zag dat ze prinses Olonova had geërgerd. 'Als dit is wat u wilt, prinses,' zei ze snel, terwijl ze haar maag ineen voelde krinpen, 'dan is dat natuurlijk ook míjn wens.' Ze hield haar adem in.

Antonina glimlachte.

Ja, haar neus was een beetje lang, vond Lilja, en haar wenkbrauwen waren veel donkerder dan haar haar, maar als ze glimlachte, verdween de strenge blik. Ze was echt heel mooi.

'Goed,' zei Antonina. 'Ik zal naar het dorp komen. Kijk maar naar me uit.'

Lilja slaakte heimelijk een zucht van opluchting. Ze had dus de juiste woorden gekozen. 'Misschien... misschien is het beter als ik hierheen kom met de pup, naar de open plek,' zei ze. 'En, prinses? Ik kan alleen op deze dag, op deze tijd.'

'Op zondagmiddag?'

'Ja, het is de enige dag dat ik niet werk en vrije tijd heb. Zondag, na de kerk.' Lilja kon zich niet voorstellen hoe haar vader zou reageren als de dochter van prins Olonov naar hun izba zou komen; dat zou vast narigheid geven. Hij zou het niet begrijpen.

Lilja begreep het zelf ook niet. Maar het was het bevel van de prinses. Ze glimlachte naar Antonina, een klein, geforceerd glimlachje.

Haar voortanden waren kort, de hoektanden waren langer en puntig, en Antonina zag een klein stukje roze tandvlees bovenin. Met haar enigszins schuinstaande goudkleurige ogen en scherpe hoektanden had Lilja Petrova het uiterlijk van een klein, achterdochtig maar intelligent dier.

Een vos. Ja, een vos.

9

Antonina woonde met haar vader en haar broers in het enorme en schitterende landhuis. Haar vader nam kinderjuffrouwen en gouvernantes in dienst om op haar te passen, en onderwijzers die haar leerden lezen en schrijven op basis van godsdienstige en bijbelse teksten: de psalmen en de getijdenboeken en de evangeliën. Ze was een vlugge leerling maar ze hield haar hoofd er niet lang bij, ze werd gemakkelijk afgeleid en staarde tijdens de lessen vaak verlangend uit de ramen.

Haar geliefde moment was achter de piano. Ze had haar eerste lessen op het kleine spinet in de hoek van de muziekkamer gekregen, maar ze was snel overgestapt op de prachtige rozenhouten, uit Parijs geïmporteerde Erard-vleugel, in het midden van de muziekkamer. Haar leraar, de bejaarde monsieur Fadiv, zei tegen de prins dat zijn dochter heel enthousiast was voor een kind van vier, en dat ze beslist talent had. Hij vroeg prins Olonov naar de muziekkamer te komen waar Antonina op een dik kussen boven op het pianobankje zat. De oude man speelde een vereenvoudigde versie van een sonate van Mozart, en Antonina speelde de melodie met gemak na, waarbij ze haar vingers verrassend wijd kon spreiden om de toetsen te bereiken.

Prins Olonov glimlachte trots naar zijn dochter, misschien vertederd, maar het feit dat ze muzikaal begaafd was, was van gering belang. Pianospelen was een vaardigheid die adellijke jongedames hoorden te bezitten. Tegen de tijd dat ze klaar waren om het hof te worden gemaakt, dienden ze over een goed in het gehoor liggend repertoire te beschikken. Ze konden op kleine soirees en bijeenkomsten spelen om familie, vrienden en hopelijk een toekomstige verloofde te plezieren. Hoeveel muzikaal talent een Russische adellijke dame ook mocht bezitten, het was slechts een vorm van amusement binnen de huiselijke kring. Professionele optredens werden overgelaten aan de orkestjes van horigen, die speciaal voor dit doel waren opgeleid.

Voor vrouwen van Antonina's stand maakten zingen, het voordragen van gedichten, naaldkunst, fraai schrijven, behendigheid in het kaartspel of verdienstelijk pianospelen allemaal deel uit van een totaalpakket, bedoeld om een geschikte aanbidder aan te trekken. In Antonina's geval was haar bruidsschat zo groot dat het niet uitmaakte of ze het gezicht van een paard had en piano had gespeeld alsof haar vingers houten stokjes waren. De mannen die haar om haar bezit wilden trouwen, zouden in rijen van drie op de stoep staan en Antonina's vader stelde zich voor dat hij haar in nog meer geld kon laten trouwen.

Hoe Antonina's vader ook over haar vaardigheden dacht, was voor haar toekomst van weinig belang. Ze maakte snel vorderingen in haar eenzame muzikale carrière en ze beleefde dagelijks veel genoegen aan haar uren achter de piano. Ze leerde met veel plezier de overweldigende akkoorden van Bach, die haar deden denken aan de geheimzinnig geurende wereld die ze uit de kerk kende. Ze was dol op de ingewikkelde loopjes van Beethoven en op de lichtere crescendo's en diminuendo's van Schubert die haar aan de geluiden uit de bossen deden denken. Maar haar favoriete componist was Michail Glinka, wiens muziek voor haar vervuld was van verfijnde nuances.

Als Russische aristocraat die in Milaan en Berlijn had gestudeerd, schreef Glinka zijn eerste Russische opera's in de jaren na Antonina's geboorte. Ze hield van de landelijke klanken in zijn muziek, vooral van die met de dalende kwarten die Glinka als de ziel van de Russische muziek beschouwde. Toen Antonina twaalf was, kon ze een aantal mazurka's en polonaises van hem uit het hoofd spelen, net als de langere, aangrijpender fuga's en nocturnes die voor haar kleine openbaringen van innerlijke emotie werden. Hoewel haar vader af en toe glimlachend luisterde wanneer ze speelde, kwam haar moeder nooit de muziekkamer binnen, tenzij als gastvrouw op een van haar eigen soirees.

Antonina's moeder prefereerde het leven in de stad. Gedurende de mooie zomermaanden verbleef ze af en toe bij haar man en kinderen op het land, maar wanneer de sneeuw het land bedekte, voelde ze er niets voor haar sociale kringetje in Sint-Petersburg te verlaten.

Prinses Olonova had haar man kinderen geschonken omdat dit haar plicht was, verder niet, en ze had hun verzorging en opvoeding overgelaten aan minnen en kinderjuffrouwen. Ze vond de drie jongens luidruchtig en irritant en ze roken vaak onaangenaam naar de velden en de stallen. Af en toe nam ze Antonina als baby in haar armen en streelde haar over haar haar alsof ze een pop of een troeteldier was. Toen het meisje ouder werd, verloor ze ook voor haar alle belangstelling.

Galina Olonova stond bekend om haar schoonheid. Ze was ook grillig en wispelturig. Ze bekommerde zich uitsluitend om de laatste nieuwtjes, om de kleren die ze droeg, en om het volgende feest. Alle aandacht van de prinses werd besteed aan haarzelf en aan haar eigen pleziertjes: winkelen, voor elk seizoen een nieuwe garderobe laten ontwerpen en naaien, het plannen van uitvoerige partijen die soms een week duurden, en de diverse vormen van vermaak die deze feestelijkheden verlangden, en de eindeloze reeks gasten die arriveerde en soms maandenlang bleef logeren in het schitterende huis in Sint-Petersburg, met uitzicht op de Neva. Ze besteedde ook een aanzienlijke hoeveelheid tijd aan haar romantische activiteiten. Ze had minnaars. Haar man wist ervan maar kneep een oogje dicht, want hij had zijn eigen verhoudingen.

Ze leidden een leven alsof ze niet met elkaar getrouwd waren, of beter gezegd, alsof ze ongetrouwd en vrij waren. Wanneer Antonina's moeder zo nu en dan voor een paar weken naar het landhuis kwam, wemelde het enorme huis van de mensen. Prinses Olonova organiseerde bals en muziekavonden en etentjes voor dertig of veertig mensen. Ze nodigde zelfs haar diverse minnaars op het landgoed uit. Ze had de muren en de deuren van haar slaapvertrek met lagen vilt onder het behang laten bekleden, zodat eventuele geluiden niet door de horigen in het huis konden worden gehoord. Ze maakte zich nooit ongerust dat haar man naar haar kamer zou komen. Dat was niet meer gebeurd sinds het moment dat ze ontdekte dat ze een baby verwachtte die Antonina zou blijken te zijn.

Haar man was discreter, en hij had een andere smaak. In tegenstelling tot zijn vrouw, die meestal mannen van haar eigen klasse uitzocht voor haar slippertjes – hoewel ze niet afkerig was van een snel rendez-vous met iemand die jong en knap was, wat zijn staat in dit leven ook mocht zijn – gaf de prins duidelijk de voorkeur aan vrouwen van een lagere klasse. Hij ging niet zo ver dat hij de horigen uit het huis voor zijn pleziertjes gebruikte. Als jongeman in het huis van zijn vader had hij het te vaak gezien. Zijn vader had de vrouwelijke horigen naar believen gebruikt en afgedankt. De prins was weinig meer dan een jongen geweest toen hij constateerde dat het een spel voor de oude man was: wanneer een fris uitziend meisje op het land zijn oog trok tijdens een van zijn rondes om te zien hoe in het voorjaar het zaaien en in het najaar de oogst vorderden, werd ze ontboden, kreeg een uniform en werd in het huis tewerkgesteld. Binnen enkele weken was ze volledig op de hoogte van de regels van het huis – en van haar plaats aldaar.

De jonge prins had gezien dat deze meisjes nooit lang bleven. Sommigen werden naar hun dorp teruggestuurd omdat ze de overgang niet konden verwerken van een leven in een hutje en op het platteland naar dat van een horige in de huishouding, en daar proberen te leren borden te serveren met volstrekt onbekende gerechten en dure zijden en linnen kledingstukken te strijken of kostbaar porselein af te stoffen en zwaar familiezilver te poetsen. Sommigen werden gewoon teruggestuurd omdat ze niet te hanteren bleken, voortdurend om hun moeder huilden en de oude prins teleurstelden in zijn lompe pogingen tot verleiding.

En als een meisje wel op de juiste manier reageerde en zich aanpaste aan het leven in het landhuis, werd zij eveneens ontslagen zodra ze de eerste tekenen van een zwangerschap vertoonde. Ze werd dan teruggestuurd naar haar dorp om daar in schande te leven, bedorven en onhuwbaar, met een buitenechtelijk kind.

De jonge prins Olonov wilde het niet zo rommelig en omslachtig aanpakken. Nee. Voor hem vormden de horige toneelspeelsters een perfecte oplossing.

Net als op veel andere grote, welgestelde landgoederen had prins Olonov zijn eigen orkest van horigen en zijn eigen toneelgezelschap van horigen. Hij gebruikte dit orkest voor eigen vermaak en verhuurde het ook aan andere landeigenaren die niet de middelen hadden om er een eigen orkest op na te houden. Hij had op het terrein een theater voor de voorstellingen. De orkestleden bestonden uitsluitend uit mannen, maar de toneelgezelschappen waren gemengd. De mannen en vrouwen die hun muziekpartijen of toneelrollen instudeerden, woonden op het landgoed en relaties tussen hen waren verboden. Een gezinsleven was hun niet toegestaan.

Terwijl de acteurs en actrices – die meestal op hun uiterlijk waren geselecteerd – als jongvolwassenen werden opgeleid, werden de muzikanten op een veel jongere leeftijd geselecteerd. Soms recruteerde een landeigenaar zijn horigen zelf, en anders stuurde hij een maestro op pad om jongens met muzikaal talent op te sporen. De uitverkoren jongens werden gekocht en bij hun familie weggehaald om klassiek muziekonderwijs te krijgen. Alle horigen in de toneelgroepen en orkesten wisten dat als ze hun eigenaar mishaagden door in aanwezigheid van gasten hun tekst te vergeten of vals te spelen, er een ramp zou volgen. Afhankelijk van het karakter, de stemming en de grillen van hun meester kon de horige óf zwaar worden gestraft met harde zweepslagen óf, nog erger, worden gedegradeerd naar een laag baantje op het landgoed óf naar een armzalige izba in het dorp worden gestuurd om op het land te werken. Het was voor een ervaren musicus een vreselijk lot om van zijn instrument te worden beroofd, wetend dat hij nooit meer de muziek zou maken die eens zijn leven was geweest. Binnen één enkele dag zouden de handen die een cello of een viool tot zo'n verfijnd crescendo hadden gebracht dat vrouwen erom moesten huilen, nog slechts de handgreep van een schoffel of bijl of ploeg of zeis kennen.

De actrice die niet aan de verwachtingen voldeed, verbeurde mooie kostuums en een leven op het podium ten overstaan van een waarderend publiek. Als ze werd ontslagen, zou ze wellicht de rest van haar leven bieten en aardappels moeten schillen in een vochtige keuken of ze zou net als haar mannelijke tegenspeler worden verplicht onmenselijk zwaar werk op het land te verrichten.

Veel actrices die voor hun dramatische en vocale opleiding in Moskou of in Sint-Petersburg hadden gewoond, waar ze een wat vrijer en enigszins bohémien bestaan hadden geleid, waren door de wol geverfd. Zij wisten hoe ze een man moesten amuseren en ze waren niet alleen bedreven in de seks maar ook in het voorkomen van de gevolgen hiervan. En mocht een van hen tegen prins Olonov iets fluisteren over een ongelukje – uiteraard geheel haar fout, voegde ze er dan aan toe – hoefde hij haar alleen maar een stapeltje roebels in de hand te drukken, waarna ze het probleem zelf afhandelde.

De prins ontmoette zijn liefjes in zijn zomerdatsja, op een aantal wersten van het landhuis, dat hij de hele winter door liet verwarmen. Het was een charmant en mooi ingericht huis, hoewel het niet de grootsheid en elegantie van het landhuis zelf bezat. Hij behandelde zijn vrouwen met enig respect, kocht mooie kleren en snuisterijen voor hen en organiseerde ingewikkelde intieme etentjes met de kostbaarste wijnen. Hij maakte hen op romantische wijze het hof, vleide hen om hun schoonheid, hun talent. Hij voelde een steek van trots als hij zijn liefje van dat moment zag optreden op het podium in zijn theater aan het eind van de larikslaan, waarbij hij steels naar het publiek keek om de reacties te zien. Sommige maîtresses hield hij meer dan een jaar, terwijl hij oprechte gevoelens voor hen ontwikkelde.

Uiteindelijk begonnen ze hem te vervelen en richtte hij zijn blik op een ander, recent aangekocht lid van het gezelschap. Hij vertelde zijn huidige minnares dan vriendelijk maar duidelijk dat haar tijd bij hem erop zat. In de meeste gevallen stemden de vrouwen in, wetend dat het geen zin had te protesteren. De enkele vrouw die weigerde mee te werken – om zich van een kind te ontdoen of de heerlijke geneugten van de datsja vaarwel te zeggen – verdween snel. Er werd daarna slechts fluisterend over haar gesproken, alsof alleen al het noemen van de naam van de opstandige vrouw een overeenkomstig lot teweeg kon brengen.

Toen Antonina opgroeide onder de hoede van hen die waren ingehuurd om in haar lichamelijke behoeften te voorzien en van hen die waren ingehuurd om haar verstand te ontwikkelen, raakte ze geïntrigeerd door haar oudere broers Viktor, Marik en Dimitri. Ze deed haar uiterste best om met hen mee te doen. Als klein kind liep ze er vaak even slordig bij als zij, met bemodderde laarzen en haren die aan de linten waren ontsnapt en in een onmogelijke warboel loshingen. De kinderjuffrouwen wanhoopten en probeerden haar in opdracht van hun meester te temmen. Ze hesen haar in mooie jurken en wurmden haar voeten in zachte satijnen of zijden muiltjes. Ze borstelden en krulden haar haar, in een poging, zoals de prins beval, zijn enige dochter wat vrouwelijkheid bij te brengen.

Antonina maakte het de vrouwen niet gemakkelijk om haar de rol van dochter van een prins te doen spelen. Ze woonde de dagelijkse gebeden in de kerk op het landgoed bij en luisterde elke zondag drie uur lang naar de aanroepingen van vader Vasili. Maar dit hielp evenmin. Ze toonde geen enkele blijk van de lieve en zachtmoedige geest die van een jongedame van stand werd verwacht. Ze zat graag bij de oude kokkin in de keuken of volgde de huishoudster met haar grote sleutelbos de vele trappen op en af. Van hen leerde ze boerenliedjes.

Antonina's broers behandelden haar alsof ze een puppy was en ze speelden met haar toen ze haar nog leuk en lief vonden en duwden haar weg toen ze ouder en veeleisender werd, en misschien minder inschikkelijk. Ze juichten haar toe wanneer ze zich groothield bij pijn en verdriet, en ze prezen haar omdat ze niet huilde toen ze uit de boom viel nadat zij haar hadden aangemoedigd erin te klimmen. Wanneer ze in het ijskoude meer aan de rand van het landgoed gingen zwemmen, droegen ze Antonina op diep adem te halen en hielden haar daarna onder water tot ze vlekken voor haar ogen kreeg. Ze ontdekte al snel dat ze haar pas loslieten, proestend en naar lucht happend als ze ophield met spartelen en slap werd. Ze knikten goedkeurend toen het geweer waarmee ze haar leerden schieten pijnlijke blauwe plekken op haar schouder achterliet.

Toen ze twaalf was, lieten ze haar samen met hen wodka drinken, en ze lachten uitbundig bij haar eerste tekenen van dronkenschap. Maar ze was niet van plan zich uit te laten lachen en oefende op eigen gelegenheid het drinken van de sterke, heldere alcohol. Er waren heel veel varianten: van karwijzaad en dille tot kers en salie en peer. Er stonden flessen vol van in haar vaders studeerkamer, in de eetkamer, de bibliotheek, de zitkamer – overal in het hele huis. Het was heel gemakkelijk om een glas – of twee of drie glazen – te nemen op middagen dat ze rusteloos was of zich verveelde. Ze leerde er niet van te proeven wanneer ze de vloeistof door haar keel liet lopen en op haar veertiende was ze in staat haar gedrag onder controle te houden terwijl ze het ene glas na het andere met haar broers meedronk. Aanvankelijk toonden ze verbazing en daarna ontzag voor hun zusje.

Hoewel haar ouders weinig aandacht aan haar besteedden, omdat ze opgingen in hun eigen bezigheden en wensen, beschouwde zij dit als een normale situatie. Ze had haar broers, en tot ze Lilja ontmoette had ze weinig behoefte gehad aan contacten met een meisje van haar eigen leeftijd.

De horigen die op het land werkten, vonden haar heel vreemd, zoals ze 's zomers in jongenskleren in volle vaart over stoffige wegen galoppeerde, met haar bewakers op de hielen, of behoedzaam haar weg zocht in de diepe, modderige voren die door de zachte voorjaarsregens of de woeste najaarsbuien waren veroorzaakt.

Hoewel ze zeer gesteld was op velen van de huishoudelijke horigen, maakten voor Antonina de boeren buiten het terrein deel uit van het landschap. Dubbelgebogen op het land of onder zware vrachten op de weg waren ze voornamelijk naamloos en gezichtloos.

De ontmoeting met Lilja veranderde dat.

Die tweede zondag bracht Lilja inderdaad de nieuwe pup mee, een gevlekt mannetje met een kleine witte ster onder aan zijn ruggegraat. Lilja had hem Sezja genoemd.

Aanvankelijk deed Lilja wat stijf en ongemakkelijk, maar ze ontdooide enigszins toen Antonina het uitschaterde om Sezja's capriolen.

Toen Lilja tegen Antonina zei dat ze weer naar huis moest, zei Antonina dat ze de volgende zondag terug moest komen. Lilja moest de prinses gehoorzamen. Het derde bezoek verliep gemakkelijker voor Lilja, en op de vierde zondag keek Lilja uit naar haar wekelijkse ontsnapping uit de verveling van de zondagen in het dorp.

Daarna zat ze vaak al te wachten tot Antonina arriveerde.

Gedurende het lange warme voorjaar en de hete zomer van 1845 leerde Antonina, via haar heimelijke vriendschap met Lilja, van alles over het ware leven van horigen. Aanvankelijk antwoordde Lilja langzaam en behoedzaam, bang iets verkeerds te zeggen, wanneer haar werd gevraagd wat ze op het land deed en hoe ze de winter doorbracht wanneer er buiten geen werk was. Lilja vroeg zich af of de prinses probeerde haar met een list uit te horen, om te weten te komen of haar familie en zij wel hard genoeg werkten. Toen ze begon in te zien dat Antonina oprecht geïnteresseerd was, verdween haar achterdocht. Lilja begon ook te genieten van Antonina's reacties op haar verhalen. Uiteindelijk ging Lilja de prinses ook vol smaak over haar eigen leven vertellen, en ze had elke keer een beetje pret wanneer ze de mond van de prinses open zag gaan of haar hoofd ongelovig heen en weer zag schudden.

Het verhaal dat zoveel indruk op Antonina maakte dat Lilja haar vreugde nauwelijks kon bedwingen, ging over iets wat het vorige jaar was gebeurd.

'Tja,' zei Lilja, terwijl ze wat gemakkelijker ging zitten op de omgevallen boomstam waarop ze meestal zaten, 'mijn moeder heeft een keer een kind gekregen op het land.'

'Je broertje – Ljosja – bedoel je die?'

'Nee, nee. Dit was pas vorig jaar, tijdens de oogst. Het was een meisje. Maar ze ging dood.'

Antonina keek haar onderzoekend aan, maar Lilja's blik was niet veranderd. Of ze nu vertelde hoe haar moeder en zij beurtelings Ljosja op hun rug bonden tijdens het werk – op de dagen dat hij te ziek was om naast hen te lopen en ze hem niet op één plek durfden te laten liggen uit angst dat hij door een maaiende zeis zou worden geraakt – of hoe ze de vorige avond vergiftigde ratten in haar vaders smederij had moeten oprapen en weggooien, haar gezicht leek altijd hetzelfde. Nu had ze Antonina over een dood babyzusje verteld, en ze keek helemaal niet bedroefd.

'Maar... waarom moest je moeder haar op het land ter wereld brengen?'

'Toen ze mijn vader vertelde dat de weeën waren begonnen, zei hij dat ze niet thuis mocht blijven. Binnenkort was het tijd voor de obrok – de betaling aan uw vader – en als ze niet werkte, raakten we nog verder achterop.'

Antonina slikte moeizaam. Ze wilde Lilja vragen wat obrok was. Waarom moesten Lilja's ouders haar vader betalen? Dat sloeg nergens op. Ze werkten voor hem.

'Dus toen ze de baby niet langer tegen kon houden en omdat er geen tijd was om een van de andere vrouwen te halen, moest ze zich aan mijn schouders vasthouden om het eruit te persen. Het kind viel op de grond. Maar het was al dood, het zag blauw. Ik heb de scherpe rand van mijn zeis gebruikt om de navelstreng door te snijden.'

Antonina's gezicht was strak gebleven.

'En daarna wilde het bloeden niet ophouden en mijn moeder kon niet lopen, dus moest ik hollen om mijn vader met een kar te laten komen om haar naar huis te brengen. Hij was erg kwaad. Hij miste al uren van werk, en ze kon nog eens twee dagen lang niet werken. Daarna werkte ze een week lang heel langzaam. Hij sloeg haar, maar daar ging ze niet sneller van werken.'

'Heeft hij haar geslagen?' herhaalde Antonina. 'Omdat ze een baby had gehad en niet kon werken?'

Lilja haalde haar schouders op, pakte Sezja beet en begon met haar knokkels over zijn kop te wrijven. 'Hij slaat haar altijd. En mij ook. Ljosja nog niet. Ljosja krijgt alleen maar af en toe een tik.'

Ze bleven zwijgend zitten en Lilja genoot van de verbijstering op Antonina's gezicht.

Antonina stelde zich een klein blauw baby'tje voor dat dood op de grond lag, tussen rijen wuivend blauw vlas met de blauwe lucht erboven. Alles was blauw. Het was een afschuwelijk treurig beeld, maar op de een of andere manier maakte al dat blauw het voor Antonina ook onwerkelijk. Ze voelde zich net als wanneer ze een mooie passage in een boek las. Ze nam Sezja van Lilja over en begroef haar gezicht in zijn flank, omdat ze niet wilde dat Lilja haar aan bleef kijken.

Na het aanhoren van Lilja's verhalen, elke zondag, zond Antonina een dankgebed naar de Heilige Maagd op, voor al het goeds dat haar ten deel was gevallen. Ze knielde in de hoek van haar slaapkamer die was gevuld met kaarsen en haar verzameling iconen die door vader Vasili waren gezegend, en was heel dankbaar.

Op een broeierige, bewolkte julidag, een paar maanden nadat ze Lilja had ontmoet, maakte Antonina bij de jacht haar eerste buit. Het was een edelhert, diep in het berkenwoud van Olonov, en Antonina's schot was zuiver geweest, ze had de hinde in de borst geraakt. Het dier zakte sierlijk op de knieën, de kop nog steeds verbaasd omhoog, maar toen Antonina erheen was gereden en was afgestegen, lag de hinde op haar zij. Antonina knielde naast haar neer terwijl ze de laatste adem uitblies, en ze trok haar handschoenen uit en streelde de zachte kop terwijl ze de ogen van het hert glazig zag worden en de tong, die enigszins naar buiten hing, zag verstijven.

'Een schitterend schot, zusje,' zei Viktor, en ze keek trots naar hem op. 'Vreemd is dat,' zei hij vervolgens, en Antonina fronste haar wenkbrauwen.

'Wat is er vreemd, Vitja?'

Hij bekeek de opgezette buik van de hinde. 'Het is daar veel te laat voor. De meeste kalfjes zijn al lang geleden geboren.' Antonina legde haar hand op de welving, en op dat moment voelde ze een

heel lichte beweging. Haar mond ging een eindje open toen ze opkeek naar haar broer.

Hij haalde nonchalant één schouder op. 'Het maakt niets uit. Ze
zijn binnen de kortste keren allebei dood. Kom, we zullen de anderen het dier laten schoonmaken en naar huis brengen. Vanavond
zullen we bij het eten een toost op je uitbrengen, op onze Artemis,
onze kleine jaagster.' Hij glimlachte vertederd.

Maar er was iets met Antonina gebeurd op het moment dat ze
het stervende wezen in de schoot van de moeder had gevoeld. Ze
dacht heel weinig aan haar eigen moeder, afgezien van de keren
dat ze haar bekeek wanneer ze in de rij stond bij een ontvangst, en
ze vroeg zich af of ze er echt zo uitzag als prinses Olonova toen
die nog veel jonger was – zoals haar vader haar ooit had verteld.

Toen Antonina de zwakke beweging binnen in de hinde had
gevoeld, moest ze aan Lilja denken, met de dode Romka in haar
armen. Ze dacht aan de blauwe baby die in het veld met vlas viel.
Ze dacht aan haar eigen moeder, die haar hand op haar gezwollen
buik legde, terwijl zij daarbinnen bewoog. En Antonina werd vervuld van een droefheid zoals ze nog nooit had meegemaakt. Ze
had een hinde en haar kalf gedood en voor het eerst miste ze haar
eigen moeder, die in haar slaapkamer in Sint-Petersburg bezig was
een royale hoeveelheid van de fijnste kaviaar in de mond van een
knappe jonge luitenant te scheppen.

Die avond bij het eten staarde Antonina naar het malse stuk varkenslende op haar bord. Hoe zou het nu met dat kleine hertje
zijn? Hing het aan een haak naast de ontweide moeder? Zou het
voor een toekomstig maal worden gebruikt? Ze werd overmand
door een golf van misselijkheid. Zonder haar vork en mes op te
pakken vroeg ze van de tafel te worden geëxcuseerd, zeggend dat
ze geen hap door haar keel kon krijgen. Haar vader vermaande
haar en zei dat ze moest blijven tot hij en haar broers en hun gasten klaar waren. Aan het andere uiteinde van de tafel zaten een be-

jaarde baron en barones die die week op bezoek waren. Ze waren beiden slechthorend en deden het grootste deel van de dag dutjes, om bij de maaltijden te komen opdagen en met verrassende eetlust toe te tasten.

Meestal gehoorzaamde Antonina haar vader. Deze keer zei ze met luide stem: 'Ik voel me niet goed. Het is mijn vrouwelijke probleem, papa.'

Het was heel choquerend om dit te zeggen, niet alleen in aanwezigheid van haar vader en broers, maar ook nog eens van de baron en de barones. En het was een leugen. Haar vrouwelijke probleem was nog helemaal niet gekomen, dat zou nog een paar maanden duren. Antonina zette zich schrap en wachtte tot haar vader haar een standje zou geven voor zulk onbeleefd en gênant gedrag.

Maar haar vader berispte haar niet. In plaats daarvan keek hij ongemakkelijk en blikte steels naar haar broers, alsof hij een uitleg verwachtte. Zij bogen allemaal het hoofd en sneden en kauwden vol energie, alsof geen van hen ooit varkenslende had gegeten. Alsof ze er nooit rekening mee hadden gehouden dat hun zusje een vrouw was.

De baron en barones schenen het kleine drama dat zich aan de andere kant van de tafel afspeelde niet te hebben opgemerkt, ze bleven hun aandacht gericht houden op hun maaltijd en glimlachten allebei vaag.

'Papotsjka?' zei Antonina. 'Mag ik naar mijn kamer gaan?' Ze stond op en drukte haar hand tegen haar buik om nog meer effect te sorteren, waarbij ze de jongere meisjes uit de huishouding imiteerde, wanneer die de huishoudster smeekten hun werk op bepaalde dagen van de maand wat lichter te maken.

Haar vader keek even in haar richting en veegde met zijn servet zijn snor af. 'Ja, ja, natuurlijk,' zei hij, en zijn ogen schoten over de tafel heen en weer alsof ze het zoutvaatje of de botervloot zochten.

Antonina ging in haar schemerige kamer op haar bed liggen en dacht aan de hinde en aan haar moeder.

Daarna ging Antonina niet meer met haar broers uit jagen. Haar enthousiasme om te doden was met dat ene incident bekoeld en ze liet zich niet bidden of smeken om nog eens mee te gaan. Ze werd zwijgzaam en bekeek de overdadig geklede en hevig geurende vrouwen die haar broers soms voor een avond uitnodigden.

Antonina, het kleine zusje van deze lange, knappe jongemannen, wilde zich niet langer in de salon bij gekwebbel laten betrekken of pianospelen als dat werd gevraagd, of gedichten declameren of een scène uit een toneelstuk opvoeren. Ze schudde haar hoofd met geheven kin. Ze wilde geen kunstjes doen, zoals de beren aan de ketting, die achter de wagens van Duitsers over de wegen sjokten.

Waar eens haar broers haar hadden gevleid, haar complimentjes hadden gemaakt over haar stoïcijnse houding en haar moed, over haar vaardigheden in het paardrijden en haar vermogen om wodka te drinken, zeiden ze aan het eind van deze avondjes dat ze hen te schande had gemaakt, noemden ze haar moeilijk, humeurig.

'En je kijkt zo chagrijnig,' zei Vitja tegen haar. 'Waarom glimlach je niet wat vaker?'

'Ik zal glimlachen wanneer er iets te glimlachen valt,' kaatste ze terug.

Na een tijdje merkte Antonina dat het gemakkelijker was om op haar kamer te blijven wanneer haar broers bezoek hadden. Ze hoorde nergens bij, ze was noch zo hard en afstandelijk als een man, noch zo zacht en bloemrijk als de vriendinnen van haar broers.

Op een van hun gezamenlijke zondagen vertrouwde Lilja Antonina toe dat als ze helemaal kon doen wat ze wilde, ze het liefst in een klooster zou gaan om een zuster te worden van de Barmhartige Jelizavita. De priester van het dorp had het ooit in een preek over deze deugdzame vrouwen gehad, waarbij hij beschreef hoe ze hun leven aan God hadden gewijd. 'Stel je eens voor om elke dag in een schoon, mooi huis te wonen, met kaarsen en iconen, de geur van wierook. Mijn eigen bed in een cel, mijn dagen gevuld met bidden en het dienen van God,' zei ze.

Antonina had al snel ontdekt hoe intelligent Lilja was. Als ze dat niet was geweest, zou ze geen belangstelling voor haar hebben gehad. Ze dacht aan Lilja's vermogen om zoveel bijbelverzen te leren door ze alleen maar te horen voorlezen door de priester – en dat was meer, dacht Antonina, dan je van háár kon zeggen.

'Mijn vader zegt dat het niet voor boerenmeisjes is, alleen voor de adel. En hij zei ook dat zelfs al zou ik zuster kunnen worden, hij dit niet zou toestaan. Hij zegt dat vrouwen de kerk aan mannen moeten overlaten en dat ze Gods werk doen in het baren van kinderen en het werken voor het gezin.' Ze haalde haar schouders op. 'Wat zijn uw dromen om te gaan doen?'

Antonina knipperde met haar ogen. 'Ik… eh… misschien pianospelen.'

Lilja had nog nooit een piano gezien. De enige muziek die zij hoorde waren de dissonerende klanken van de kerkklokken in het dorp. 'Staat uw vader dat ook niet toe?'

'O, ik speel wel overdag, elke dag. Maar ik zou graag voor veel mensen willen spelen, in een concert. Mijn ouders hebben me meegenomen naar concerten in Moskou en Sint-Petersburg.'

Lilja wist niet wat een concert was. Ze was nog nooit in een stad geweest en ze dacht dat ze daar waarschijnlijk ook nooit zou komen. Maar voor een prinses was alles mogelijk.

'Dat lukt u vast nog wel eens.'

'Nee. Dat mogen alleen mannen.'

Dit kon Lilja begrijpen.

Uiteraard kon Antonina niet aan haar vader vertellen dat ze elke zondagmiddag een paar uur doorbracht met de dochter van de hoefsmid van Kazjra. Ze kon haar broers niet vertellen dat Lilja en zij met de puppy naar een braakliggend stuk land aan de rand van het bos gingen om hem te leren een stok op te halen en één pootje uit te steken voor wat stukjes zwart brood. Hij blafte wanneer hij achter stokken aan holde, blafte wanneer hij achter zijn eigen staart aan zat, en blafte wanneer hij zijn kleine voorpoten op Lilja's laarzen legde en bedelde om te worden opgepakt.

Natuurlijk waren Kesja en Semjon er steeds bij, en na een tijdje stoorde hun aanwezigheid Lilja niet meer.

Kesja en Semjon vertelden nooit iets aan Antonina's vader. Het was hun taak om zijn dochter te behoeden voor onheil. De twee horigen zagen er geen kwaad in dat hun jonge meesteres spelletjes deed op een open plek in het bos of op een stoppelveld met een dorpsmeisje met hoofddoek en een onhandige, luidruchtige laikapup, een hond die was genoemd naar zijn geliefdste tijdverdrijf: blaffen. Ze vonden het heel merkwaardig en getuigend van weinig smaak. Maar ze vonden veel dingen van de prins en zijn gezin merkwaardig. Ze hadden één duidelijke taak: het bewaken van de jonge mademoiselle, en dat deden ze.

Antonina's vriendschap met Lilja duurde die zomer voort tot in de herfst. De problemen begonnen toen ze elkaar een halfjaar kenden.

10

Half oktober was de zondag bewolkt en somber, de lucht kil. Binnen tien minuten nadat Antonina en Lilja elkaar hadden getroffen, begon het te regenen. Lilja kromp ineen bij elke donderslag en bliksemflits.

'Ik moet gaan,' zei ze, en ze pakte Sezja op en drukte hem tegen zich aan. De hond beefde en jankte, en Lilja keek nerveus naar de lucht.

'Kom,' zei Antonina, en ze stak haar hand uit. 'Kom maar mee. Ik breng je terug naar het dorp.' Ze holden hand in hand naar haar paard. Semjon trok een zware regencape uit zijn zadeltas en hij steeg af om deze om Antonina's schouders te slaan. Ze hielp Lilja omhoog en ging zelf voor haar zitten. Het zadel was eigenlijk niet groot genoeg voor twee meisjes, maar ze waren allebei tenger en Lilja zat tegen Antonina's rug gedrukt.

'Hou je vast,' zei Antonina en Lilja sloeg haar armen om Antonina's middel, met de pup tussen hen in. Antonina dreef het paard tot een snelle draf. Binnen tien minuten waren ze aan de rand van het dorp.

'Alsjeblieft, Antonina Leonidovna, laat me hier afstijgen,' riep Lilja boven het gekletter van de regen uit. Ze was allang opgehouden Antonina prinses te noemen en soms noemde ze haar zelfs Tosja.

'Nee, nee, ik breng je regelrecht naar jullie huis,' zei Antonina. 'Welk huis is het?'

'Alsjeblieft, hier is het het beste,' zei Lilja, maar Antonina wilde niet luisteren. Ten slotte wees Lilja naar een modderig, verlaten weggetje. Het was er donker en nat en akelig. Alle houten deuren waren dicht en de ramen waren met luiken tegen de storm gesloten. Toen ze voor een van de hutjes stilhielden, met Kesja en Semjon achter zich, ging er een deur open. Een man en een vrouw keken naar buiten terwijl de regen vanaf het schuine dak op hen neerkletterde. Er was een jongetje, met vieze en blote magere benen onder een korte, gehavende tuniek, dat zich achter zijn moeder verschool en haar aan haar rok vasthield. Hij hoestte rochelend, met open mond. Hij was misschien twee of drie jaar oud – Antonina kon het niet met zekerheid zeggen omdat hij zo mager was. De moeder duwde hem nog verder achter zich, en het kind werd aan het zicht onttrokken, zodat zijn holle hoest het enige was wat op zijn bestaan wees.

De man en de vrouw keken haar vol ontzetting aan met open mond. Toen bogen ze vanuit hun middel terwijl de regen op hun rug plensde. Het kind hoestte en hoestte.

'Kesja,' riep Antonina. 'Kom haar er even vanaf helpen.'

Toen de man afsteeg en zijn armen omhoogstak om Lilja van het paard te helpen, zag Antonina hoe de vrouw in de deuropening, nog steeds dubbelgebogen, een kruis sloeg en haar vingers kuste.

'Zijn dit je ouders?' vroeg Antonina, hoewel ze begreep dat de man in de leren tuniek van een hoefsmid, met forse armen en dikke handen die zwartbesmeurd waren, ongetwijfeld Lilja's vader was.

'Ja, prinses,' zei Lilja, waarmee ze opnieuw de oude titel gebruikte terwijl ze naast het paard stond. Daarna boog ze zoals ze in lange tijd niet meer had gebogen. 'Mijn vader, Pjotr Ivanovitsj, en mijn moeder, Lipa Stanislavova.'

Lilja's vader sprak tegen zijn laarzen. 'Mijn welgemeende excuses, prinses Olonova. Wat mijn dochter ook mag hebben gedaan, ze zal het niet nogmaals doen. Ze zal slaag krijgen voor haar misdragingen.'

De regen begon nu minder te worden. Antonina fronste haar wenkbrauwen. 'Kijk me aan, Petja,' zei ze, waarbij ze de afkorting van zijn naam gebruikte zoals mensen als zij dat bij alle horigen deden. De man richtte zich op. Zijn mond hing nog steeds een eindje open, en Antonina zag aan de manier waarop zijn onderlip naar binnen viel, dat hij geen ondertanden had. 'Ze heeft niets misdaan.' Ze keek even naar Lilja.

De ogen van het meisje waren onnatuurlijk groot en haar blik was smekend, alsof ze wilde dat Antonina iets zou begrijpen. Met haar hand om Sezja's snuit, zodat hij niet kon blaffen, stond ze naast haar vader. Nu kneep hij zijn ogen half dicht, keek naar zijn vrouw, die nog steeds voorovergebogen stond, en daarna naar Lilja. Hij sprak op zo'n gedempte toon dat Antonina niet kon horen wat hij zei. Lilja schudde haar hoofd en antwoordde eveneens met dat onverstaanbare gemompel. De vader antwoordde met enige stemverheffing, alsof hij ergens tegenin ging. Ten slotte keek Lilja op naar Antonina.

'Mijn vader zegt dat u Sezja mag hebben.'

Haar vader siste iets, en Lilja richtte haar blik weer omlaag, naar de modder.

'Wat? Waarom wil hij dat ik hem krijg?'

'Ik heb hem verteld dat Sezja bijna door de beek werd meegesleurd.' Lilja bleef omlaagkijken terwijl ze luider en langzamer dan normaal begon te praten. 'Dat u hem door uw mannen liet pakken om hem te redden. Dat u ongerust was over Sezja; dat u ons daarom naar huis hebt gebracht.' Hoewel Antonina Lilja's gezicht niet kon zien, begreep ze uit de vreemde, stroeve stem dat Lilja Antonina smeekte haar niet te corrigeren.

Antonina begreep niet waarom Lilja die leugen had verteld, maar ze besefte dat het belangrijk was dat ze ermee doorging. 'O. O ja,' zei ze. 'Het was een gelukkig toeval dat wij juist voorbijkwamen toen de kleine Sezja uitgleed op de modderige oever. Ik ben alleen maar blij dat mijn mannen hem van een wisse dood hebben gered.'

Pjotr Ivanovitsj griste de pup bruusk uit Lilja's handen. Het dier jankte. Hij hield hem bij zijn nekvel beet en zwaaide hem naar Antonina omhoog, nog steeds met gebogen hoofd, hoewel Lilja nu opkeek. Antonina zag zijn dikke nek, met de streep vuil vlak onder de boord van zijn tuniek. 'U moet hem nemen, prinses. Onze dochter zegt dat u de hond aardig vindt, dus dan moet u hem hebben.'

Antonina deed haar mond open om te protesteren, maar bij de aanblik van Lilja's gezicht, zo bleek en angstig, knikte ze en pakte Sezja aan. 'Dank je,' zei ze, en ze zweeg toen. Ze had op het punt gestaan Lilja Petrova te zeggen, maar ze realiseerde zich nu dat het voor Lilja slecht zou aflopen als haar vader begreep dat ze meer over haar wist.

Zonder nog iets te zeggen wendde ze haar paard en reed het dorp uit, met Sezja stevig tegen zich aangedrukt. Tijdens de rit naar huis dacht ze aan Lilja's gezicht, dat zo bleek was, en aan de magere beentjes van het jongetje, met de veel te grote knieën.

Die nacht sliep Antonina met Sezja in haar bed. Ze had hem onder haar cape naar haar kamer meegenomen en hem een groot bord stevig rundvlees, overdekt met jus, gevoerd, dat ze na het eten uit de keuken had meegenomen. Die avond zette ze de pup tot twee keer toe op haar balkon en zag hem daar rondjes hollen en bedrijvig snuffelen alvorens bij een van de palen zijn behoefte te doen. De tweede keer keek hij door het hek heen, verstijfde en begon toen scherp te blaffen. 'Sst, sst, Sezja,' zei Antonina, en ze greep hem beet en hield zijn bek dicht, zoals ze Lilja had zien doen. Ze hurkte bij hem neer en zag Borja, de opperstalknecht, met een paard over het erf lopen. 'Je zult moeten leren om niet tegen iedereen hier te blaffen. Je zult moeten leren een braaf en rustig hondje te worden,' fluisterde ze in zijn warme oor.

Antonina viel in slaap met de pup in haar armen, maar op een gegeven moment werd ze zich ervan bewust dat hij onrustig bewoog en jankte. Ze streelde hem slaperig en mompelde iets tegen hem, waarna ze weer in slaap viel. 's Ochtends zag ze dat het diertje had overgegeven, waarbij hij op het voeteneind van haar zijden beddesprei een slijmerige massa van slechtgekauwd rundvlees had gedeponeerd.

De pup jankte nu luider, liep rondjes langs de rand van het hoge bed maar durfde kennelijk niet omlaag te springen. Antonina pakte hem op en liep snel weer met hem naar het balkon. Toen de pup huiverend, kennelijk met pijn, op een zielige manier neerhurkte om zich van het vette eten te ontdoen, besefte Antonina dat ze hem ziek had gemaakt met de overvloedige hoeveelheid rundvlees en jus.

'Arme Sezja,' mompelde ze, en ze streek de hond over zijn kop toen hij eindelijk klaar was en weer was gaan liggen, met zijn kop op zijn poten, terwijl hij, in Antonina's ogen, treurig door het balkonhek staarde.

De hond keek naar haar op en ze voelde een steek van berouw. Miste hij Lilja en zijn maaltijden van gedroogde broodkorsten, of misschien zijn nest van stro op de kachel?

'Ben je verdrietig, kleine man?' vroeg ze, en ze pakte hem op en drukte hem tegen zich aan. Hij spartelde om los te komen, en ze zette hem weer neer. Hij liep terug om tussen de spijlen van het hek door te kijken en dit maakte dat Antonina zich nog slechter voelde. Ze wist dat het niet aardig was dat ze hem van Lilja en van zijn thuis had beroofd, maar wat voor keus had ze gehad? Lilja was heel duidelijk geweest.

Toen haar kamenier haar had geholpen met haar jurk en haar haar had gedaan en de besmeurde sprei had weggehaald, zoals Antonina haar had opgedragen, liep ze met Sezja naar de salon, waar haar vader voor de haard zat te lezen.

'Kijk eens, papa,' zei ze, en ze hield Sezja in haar armen, met haar hand om zijn bek.

Zonder zijn ogen van zijn boek te nemen zei de prins, op afwezige toon: 'Wat is er, Tosja?'

'Ik heb een puppy. Kijk maar,' zei ze, en ze drukte haar lippen tegen de kop van de hond. Hij spartelde.

Haar vader keek op en haalde zijn monocle weg. 'Wat? Wat heeft dit te betekenen? Waar komt die vandaan?'

'Ik... ik heb hem in het bos gevonden. Hij was helemaal alleen, papotsjka, en hij had honger. Ik heb hem mee naar huis genomen. Ik wil hem houden.'

Haar vader stond op om het hondje van dichtbij te bekijken. 'Nee,' zei hij.

'Papa, waarom niet? Ik zal voor hem zorgen. Ik zal hem te eten geven en ik zal zorgen dat niemand last van hem heeft. We hebben al honden. Wat maakt één hond meer dan uit?' Ze keek naar de drie barzois. Ze waren rustig maar op hun hoede bij de geur van de pup, en hun lange neuzen waren opgetild van hun eveneens lange en verfijnde voorpoten. Drie paar ogen waren gericht op wat Antonina vasthield.

'Mijn wolfshonden zijn getrainde jachthonden. Ze hebben een doel. Ze worden goed behandeld omdat ze dat verdienen. Op het erf hebben we Duitse herders als waakhonden. Ook zij kennen hun plaats en weten wat er van hen wordt verwacht. Maar die hond heeft geen nut.'

Antonina keek weer naar de barzois. Het waren er altijd drie; als een van hen ziek werd of bij een jachtpartij werd gedood, liet haar vader hem zo snel mogelijk vervangen. De honden waren met zorg gefokt, met een sterk instinct om een bewegend voorwerp te achtervolgen. Hoewel ze op allerlei klein wild jaagden, waren ze bijzonder behendig in het achtervolgen van een wolf. Met zijn drieën, wist Antonina, konden ze een wolf vangen en bij zijn nekvel houden tot haar vader of haar broers of een van hun gasten arriveerde om hem te doden.

Antonina was altijd gewaarschuwd dat de barzois geen idee

hadden van simpel vermaak, zoals het ophalen van weggegooide voorwerpen, of wat stoeien. Ze waren afstandelijk en gracieus, zwijgzaam, en ook gevoelig, nerveus bij te veel drukte om hen heen. Ze begrepen niets van kinderen, met hun onverwachte bewegingen en lawaai, had haar vader uitgelegd. Als ze plotseling naar hen toe liep, konden ze haar misschien bijten. Ook al was ze niet langer een spontaan klein kind dat de honden onrustig kon maken, toch had ze niets met die dieren. Ze wist hun naam en dat was alles.

'Die straathond van jou is een vuilnisbakkenlaika. Het enige wat die ooit zal kunnen, is blaffen en een kar trekken. Hij heeft geen stamboom. Weet je wel dat deze honden – mijn honden – niet eens gekocht kunnen worden?'

Sezja rukte zijn bek vrij en kefte even. Alle drie barzois kwamen direct overeind en keken hun meester aan, vragend om toestemming. Sezja blafte opnieuw en spartelde, en Antonina zette hem op de grond. De barzois verstrakten en keken van hun meester naar de laika.

'Af,' zei hij, en ze lieten zich tegelijk op de vloer vallen, maar ze bleven op hun hoede terwijl ze naar de pup keken.

'Ze zijn gefokt door de tsaar,' ging haar vader verder, terwijl Sezja aan zijn laarzen snuffelde. 'Zijn honden worden ten geschenke gegeven aan landeigenaren die zich waardig hebben getoond, met grote stukken land en een overvloed aan zielen en alle belasting op tijd betaald. Au!' schreeuwde hij opeens, en hij gaf de pup een schop. Sezja had de neus van zijn leren rijlaars tussen zijn kleine, scherpe tanden genomen. 'Kijk maar. Hij vertoont nu al onvoorspelbaar gedrag.'

Hij wees met de laars met zijn rij kleine tandafdrukken naar Antonina terwijl zij neerknielde en Sezja vastgreep. 'Geen van mijn honden heeft zich ooit aan zulk gedrag schuldig gemaakt.'

'Papa, ik vraag u nooit om iets,' zei Antonina. 'Alstublieft?' Ze liet Sezja weer los en stond op, terwijl ze haar vader aankeek met omlaaggekeerde kin en haar ogen naar hem omhooggericht. Ze had deze tactiek eerder gebruikt, hoewel ze toen veel jonger was.

Haar vader keek haar vermoeid aan en knikte toen. 'Goed. Maar je moet hem in de stal houden.'

Antonina fronste haar wenkbrauwen. 'Maar hij is nog zo klein, papa. Hij zal zich daar heel eenzaam voelen. En misschien trapt er wel een paard op hem. Alstublieft, papotsjka. Alstublieft, laat hem bij me blijven tot hij wat groter is,' smeekte Antonina.

Sezja rende keffend naar de grootste van de wolfshonden, een reu. De oudere hond begon vervaarlijk te grommen, waarop Sezja zich prompt jankend op zijn rug liet vallen.

'Zie je nou wel?' zei de prins tegen Antonina. 'Het is een onderdanige straathond, die kleine laika. Hij heeft geen vechtlust, geen pit. Hij hoort niet thuis op een landgoed.'

Antonina pakte hem haastig op en Sezja liet een reeks piepjes horen, alsof hij zich bij haar beklaagde. 'Ik zal ervoor zorgen dat hij niet bij onze honden in de buurt komt, papa, echt waar.'

Maar de prins was onverbiddelijk. 'Nee. Iedereen zal zich ergeren aan dat geblaf. Hij hoort buiten. Breng hem naar Borja, in de stallen. Je mag naar hem toe wanneer je maar wilt. En daar blijft het bij, Antonina.'

Hij ging weer zitten en pakte zijn boek, terwijl zijn wolfshonden roerloos maar op hun hoede bleven. Buiten klonk het geluid van de wind in de bomen die het dichtst bij het huis stonden.

Antonina begreep dat haar vader niet te vermurwen viel. Ze liep met Sezja naar Borja, die een chagrijnig gezicht trok toen Antonina hem vertelde dat hij op de pup moest passen.

'Maak alsjeblieft de lege box in de hoek schoon en leg er voor hem wat vers stro in om op te slapen,' zei ze tegen hem. 'En ook een paardendeken. Ik zal hem elke dag komen voeren en met hem spelen, Borja. Het enige wat ik jou vraag, is ervoor te zorgen dat de deur van de box dicht blijft zodat hij er niet uit kan en door de paarden wordt vertrapt, of het erf op kan. En hou hem bij de waakhonden vandaan.'

Borja knikte, en Antonina wachtte terwijl hij het vieze stro eruit harkte en er een geurige, verse baal in gooide. Daarna maakte ze voor het hondje een bedje klaar in een warme, droge hoek van de box in de stal met het hoge dak.

Vier dagen later holde Antonina naar de stal om met Sezja te spelen, zoals ze dat de vorige drie dagen ook had gedaan. De deur van de box stond open.

'Waar is hij, Borja?' vroeg ze, toen ze de stalknecht aan het eind van de stal bezig zag een paard te roskammen. 'Waar is Sezja?'

Borja keek haar niet aan en hield ook niet op met het ritmisch borstelen van de welvende flank van het paard. 'Het spijt me, prinses,' zei hij, terwijl hij harder begon te borstelen. 'Ik heb geprobeerd hem in de gaten te houden. Maar hij is nog een pup. Hij bleef maar blaffen en janken. Het werd te gek. Ik heb hem er even uitgelaten – een paar minuten maar – omdat ik dacht dat hij tot bedaren zou komen als hij bij mij in de buurt was. Maar hij ontsnapte naar het erf...' Hij zweeg even om een andere borstel te pakken, en ging toen aan de slag met de manen van het paard.

Antonina bleef heel stil staan. 'En toen, Borja?'

Eindelijk keek hij haar aan. 'Het was een van de waakhonden, prinses. De pup deed vervelend. De Duitse herder werd nijdig en...' Hij draaide zich weer om. 'Hij heeft zijn nek gebroken – het ging zo snel dat het hondje niet heeft geleden.'

Antonina stak een hand uit om steun te zoeken, waarbij ze naar de rand van de box tastte. 'Is hij dood, Borja? Is Sezja dood?' Ze fluisterde zo zacht dat haar stem nauwelijks verstaanbaar was.

Borja knikte. 'Het spijt me, prinses. Ik heb mijn best gedaan, maar het is niet mijn werk om kinderjuffrouw te spelen voor een kleine laika.'

Antonina begon te huilen. 'Waar is hij? Het hondje, waar heb je hem begraven?'

Hierop schudde Borja zijn hoofd. 'Begraven? Het was een hond, prinses, geen kind.'

'Maar dan... Waar... Wat heb je met hem gedaan?'

Borja gaf even geen antwoord. 'Prinses Olonova. We verbranden de resten van dode dieren. Dat weet u.'

Antonina sloeg haar handen voor haar mond. Ze draaide zich om en holde terug naar het huis. Haar vader stond op de galerij voor het huis zijn jas dicht te knopen. De calèche met hun familiewapen stond op hem te wachten, met de koetsier op de bok.

'Hij is dood, papa,' riep Antonina, terwijl ze naar hem toe holde. 'Ziet u nou wel? Ziet u nou wel?' huilde ze. 'Ik moest hem van u in de stal doen, en nou is hij dood.' Ze sloeg met haar vuisten tegen zijn borst. 'Ik had het nog zó gezegd. Ik had gezegd dat hij er nog te klein voor was.'

Haar vader greep haar handen. 'Hou op!' schreeuwde hij. 'Hou onmiddellijk op. Wat heeft dit gedrag te betekenen?' Hij boog zich naar haar toe en zei op gedempte maar scherpe toon: 'Alle bedienden kunnen je zien. Schaam je je niet?' Zijn handen waren als ijzeren boeien om haar polsen. 'Aangezien jij je niet kunt gedragen op een manier die bij je positie past, ga je naar je kamer.'

Antonina keek hem huilend aan.

'Ga naar je kamer,' herhaalde haar vader, op uiterst gedempte toon. 'Je blijft daar tot ik weer thuis ben. Ik verbied je je kamer uit te gaan zolang ik vandaag weg ben. Begrijp je dat? Ja?'

Antonina knikte, verblind door tranen. 'Ik begrijp het,' snikte ze. 'Maar u begrijpt het niet. U hebt geen idee wat u hebt gedaan.'

'Ik begrijp één ding wel,' zei de prins. 'En dat is dat ik een koppige en ongemanierde dochter heb die er geen enkel blijk van geeft ooit een fatsoenlijke jongedame te zullen worden. Je stelt me in veel opzichten teleur, Antonina. Ga naar binnen. Ik spreek met je wanneer ik terug ben.' Hij liet haar polsen los en draaide zich om. De huisknecht hield het portier van de calèche open, met onbewogen gezicht.

Zonder om te kijken stapte prins Olonov in het rijtuig en de huisknecht sloot het portier. Toen de calèche wegreed begon er een ijzige regen te vallen, die binnen de kortste keren overging in natte sneeuw. Antonina keek huilend het rijtuig van haar vader na.

Antonina wist niet hoe ze het Lilja moest vertellen. Die zondag ging ze na de kerk niet naar hun gebruikelijke ontmoetingsplek in het bos.

Maar ze wist dat ze niet voor eeuwig weg kon blijven. Het was niet eerlijk tegenover Lilja als ze zomaar verdween. De volgende zondag, de eerste dag van november, smolten de eerste bergjes vroege sneeuw door onverwacht warm weer. Antonina reed langzaam het bos in, als altijd gevolgd door Semjon en Kesja.

Lilja was er. Antonina steeg af en liep naar haar toe.

Lilja kwam haar glimlachend tegemoet. Ze had op haar kaak een lange snee die met een korst was bedekt, en in haar nek zat een blauwe plek die geel begon te worden. Eén ooglid was paars verkleurd.

'Lilja,' zei Antonina, 'wat is er gebeurd?'

Lilja produceerde een scheef lachje. 'Ik ben toch zo onhandig,' zei ze. 'Ik hielp mijn moeder een vracht hout op de kar te laden, en toen ben ik eraf gevallen.'

Antonina bekeek de verwondingen. 'Doet je gezicht pijn?'

'Nee. Alles begint te genezen.'

Antonina haalde een stoffen zak uit haar zadeltas. 'Ik heb een pot aardbeienjam voor je meegebracht.'

Lilja pakte de pot aan en maakte hem open. Ze doopte er twee vingers in en likte die af. 'Mmm. Wat lekker. Ik zal het samen met Ljosja opeten. Hartelijk dank, Tosja.'

Antonina kon alleen maar aan Sezja denken. Lilja had nog steeds niet naar hem gevraagd. 'Hoe is het met zijn hoest? Heeft hij er nog last van?'

Lilja knikte. 'Van de zomer was het over, maar zodra het koude weer begint komt Ljosja's hoest terug. Mijn moeder geeft hem elke dag kompressen, maar toch ligt hij de hele nacht te hoesten. Ik heb je vorige week gemist. Ik heb gewacht.'

'Het spijt me dat ik niet kon komen.' Antonina liep naar de omgevallen boom. 'Laten we gaan zitten – ik heb veel te vertellen. Over Sezja,' voegde ze eraan toe, en ze probeerde te glimlachen. Haar gezicht deed pijn alsof haar eigen kaak gekneusd was.

Lilja zei niets, ze keek Antonina behoedzaam aan.

'Nou, ik moet je zeggen dat hij zichzelf heeft overtroffen in het leren van kunstjes,' zei Antonina. 'Gisteren nog lukte het hem eindelijk om rondjes te lopen op zijn achterpoten. Hij houdt zijn voorpootjes dan heel netjes omhoog en hij draait keurig pirouettes. Zelfs de dienstmeisjes klappen in hun handen als ze het zien.'

'Maar Antonina,' zei Lilja. 'Antonina, ik...'

Antonina negeerde haar. 'Heb ik je verteld dat hij op het voeteneind van mijn bed op een fluwelen kussen slaapt? O Lilja, je zou hem eens moeten zien. Het is net een kleine prins, zo knap en zo trots.'

Lilja was Antonina steeds blijven aankijken, en iets in haar blik maakte Antonina ongemakkelijk. 'Wat is er, Lilja?'

'Antonina Leonidovna,' zei Lilja, en ze keek naar haar handen in haar schoot, met nog steeds de pot jam erin, alsof ze zich geneerde. 'Sezja is meer dan een week geleden teruggekomen naar het dorp.'

Antonina slaakte onwillekeurig een kreet. 'Leeft hij nog?' fluisterde ze. 'Leeft Sezja nog? Is alles goed met hem? O Lilja, is alles goed met hem?'

'Hij moet een paar dagen in het bos hebben gezworven voor hij de weg naar huis kon vinden. Hij was heel mager en vies, zijn pootjes zaten onder de schrammen. Ik hoorde hem buiten janken toen ik in bed lag. Ik heb hem naar binnen gehaald en eten gegeven en schoongemaakt. Alles is nu weer goed met hem, Antonina. Mijn vader heeft me gestraft. Hij dacht dat je niet blij was met de hond en dat je hem daarom had weggestuurd. Ik kon niet geloven dat jij Sezja niet wilde hebben. Ik dacht dat hij moest zijn weggelopen.'

'Je vader… Hij heeft jou gestraft omdat Sezja is teruggekomen?' vroeg Antonina, terwijl ze naar Lilja's hals en kaak, naar haar oog keek. 'Je bent niet van de kar gevallen.'

Lilja had nog steeds niet opgekeken.

Antonina staarde naar Lilja's gebogen hoofd en sloeg toen haar handen voor haar gezicht. Ze gloeide van schaamte en verdriet.

'Antonina Leonidovna,' zei Lilja, 'wees niet boos op me.'

Antonina hief haar hoofd op. 'Boos op jou? Nee. Het spijt me dat ik tegen je heb gelogen over Sezja. Ik ben heel blij en opgelucht dat hij nog leeft. Ik kon het niet over mijn hart verkrijgen om het je te vertellen… Ik mocht hem niet in huis bij me houden. Mijn vader stond erop dat hij in de stal bleef. Maar ik ben elke dag naar hem toe gegaan, Lilja. Ik heb hem eten gebracht en hem geborsteld en met hem gespeeld, bijna elke dag in die eerste week. En toen vertelde de stalknecht me op een dag dat hij door een van de waakhonden was gegrepen. Hij zei dat Sezja dood was, Lilja. Ik was heel verdrietig. Niet alleen om het lijden van de arme Sezja, maar ook bij de gedachte dat ik het jou zou moeten vertellen. Ik kon het echt niet, Lilja, en daarom ben ik vorige week niet gekomen.' Ze begreep nu dat Borja niet had willen vertellen dat hij niet wist wat er met de pup was gebeurd. Misschien dacht hij dat ze hem niet langer aan zijn hoofd zou zeuren als hij zei dat het dier dood was. Of misschien had haar vader hem opgedragen de hond weg te sturen. Ze zou het nooit weten.

'Maar Lilja, het ergst van alles vind ik dat jij om mij bent geslagen. En dat de kleine Sezja om mij heeft geleden. Je weet dat ik hem nooit zou wegsturen. Je weet dat ik dol op hem was.'

Lilja schoof op de boomstam wat dichter naar haar toe terwijl ze even achteromkeek naar Semjon en Kesja. Ze zaten te praten en een pijp te roken en besteedden geen aandacht aan de twee meisjes. Lilja sloeg haar arm om Antonina's schouders. 'Huil niet, Tosja. Niet doen. Alles is goed. Het geeft niet. Ik ben blij dat hij weer bij mij is. Het kan me niet schelen dat mijn vader me slaat, dat ben ik wel gewend.'

Maar Antonina bleef huilen. 'En vandaag, toen ik wist dat ik naar je toe moest, was ik een lafaard. Ik wist niet hoe ik het je moest vertellen.'

Lilja had haar arm nog steeds om Antonina's schouders. 'Sezja heeft ons beiden verdriet gebracht.'

Antonina knikte. 'Het is nu weer goed. Jij hebt je hond terug. Hij is nooit van mij geweest. Ik ben blij dat hij bij jou is, daar hoort hij ook. En je moet tegen je vader zeggen dat je mij hebt gesproken. Vertel hem de waarheid: dat de hond is weggelopen.'

Lilja schudde haar hoofd. 'Ik kan niet tegen mijn vader zeggen dat ik jou heb gesproken. Dat kan echt niet.'

'Maar als je hem vertelt wat er is gebeurd, zal hij niet boos meer op je zijn.'

Lilja haalde haar arm van Antonina's schouders. Ze ging staan en keek op haar neer.

'Antonina Leonidovna,' zei ze, en iets in de manier waarop Lilja haar naam uitsprak vervulde Antonina van angst. Ze ging eveneens staan en keek Lilja aan.

'Mijn vader is zijn woede alweer te boven,' zei Lilja. 'En... ik heb heel erg genoten van onze ontmoetingen. Soms denk ik dat het een droom moet zijn. Hoe is het mogelijk dat jij zou willen...' Ze zweeg.

Antonina wachtte. Ze begreep wat Lilja probeerde te zeggen, maar ze had er geen antwoord op.

'Je hebt mijn vader gezien,' zei Lilja ten slotte. 'Hij zou nooit kunnen begrijpen dat jij vriendin met mij wilde zijn. Ik kan het zelf eigenlijk ook niet begrijpen. Het is niet volgens de natuurlijke orde van het leven zoals God die heeft bepaald, dat jij en ik vriendinnen zouden zijn. Als ik het probeerde uit te leggen zou het mijn vader alleen maar nog meer in verwarring brengen en hem nog bozer maken. Ik kan je niet langer ontmoeten,' ging Lilja verder. 'Dit is de laatste keer. Het is nu kouder. We kunnen in de winter niet buiten afspreken. En ik kan het risico niet lopen...' Ze tastte in de zak van haar schort en haalde er een kleine amulet uit. 'Alsjeblieft. Ik wil graag dat jij dit houdt als herinnering aan mij.'

Antonina pakte het aan. Het was een kleine, slecht uitgevoerde icoon van de heilige Nikolaj Tsjoedotvoret – Nicolaas de Wonderdoener, de barmhartigste van alle heiligen. Antonina wist niet hoe Lilja eraan was gekomen, maar ze besefte dat dit haar enige sieraad moest zijn en dat het heel moeilijk moest zijn om er afstand van te doen. Ze kreeg er tranen van in haar ogen. 'Dank je, Lilja Petrova,' zei ze. 'Ik zal het altijd bij me houden.' Ze trok een gouden ringetje, een eenvoudig gouden bandje met een granaatje in het midden, van haar vinger. En dan moet jij dit hebben, en bij je houden.'

Lilja keek ernaar, ze hield haar adem in en schudde toen haar hoofd. 'Dat kan ik niet, Antonina,' zei ze. 'Als mijn vader dit ooit zou ontdekken... Dank je wel, maar het gaat niet.'

Antonina begreep het. Ze schoof het ringetje weer om haar vinger. 'Zul je Sezja een kus van me geven?' Toen Lilja knikte, zei ze: 'Het spijt me heel erg dat jou dit alles is overkomen. Het spijt me dat we niet langer vriendinnen kunnen zijn. Maar misschien dat we op een dag, na verloop van tijd, weer...'

Lilja schudde haar hoofd. Ze ging naar Antonina toe en sloeg haar armen om haar hals. Ze omhelsde haar snel en stevig, borst tegen borst, wang tegen wang. 'Vaarwel Antonina Leonidovna,' fluisterde ze.

Antonina beantwoordde de omhelzing. Ze bleven even zo staan en toen bewoog Lilja haar hoofd en kuste Antonina teder op elke wang. Antonina boog haar hoofd naar achteren en keek Lilja in de ogen. Langzaam kuste Lilja Antonina op de mond. Haar lippen bleven even op Antonina's warme en zachte lippen rusten. Toen maakte ze zich van haar los, draaide zich om en holde weg. Haar hoofddoek lichtte fel op tussen de kale berken.

Antonina voelde zich na Lilja's onverwachte kus opeens heel vreemd, merkwaardig slap. Ze bleef een poos heel stil staan. Ten slotte keek ze neer op de icoon in haar hand en draaide hem om. Op de achterkant stond heel klein een getal gegraveerd: 962. Ze wikkelde hem zorgvuldig in haar zakdoek, stopte die in haar ceintuur en reed naar huis.

Ze ging rechtstreeks naar de hut van de smid van het landgoed en liet hem een gaatje in de icoon maken. Daarna reeg ze hem aan de ketting om haar hals.

Voor Antonina die avond ging slapen, kuste ze zowel de icoon als haar crucifix. Ze dacht terug aan het gevoel van Lilja's lippen op de hare. Ze kon zich niet voorstellen dat ze Lilja nooit meer zou zien.

11

ntonina miste Lilja. Lilja was een deel van haar leven ge-worden en elke zondag verlangde ze naar een ontmoeting met haar.

Ze werd rusteloos, vervuld van een zwaarte die maakte dat ze geen belangstelling had voor haar gebruikelijke winterpleziertjes. Ze had geen zin om te schaatsen of om naar de jaarlijkse winterfeesten op andere landgoederen te gaan, en haar boeken konden haar niet boeien. Ze vond als altijd troost in haar pianospel, maar alle werken die ze speelde deden haar aan Lilja denken. En aan haar kus.

Zeven weken nadat ze Lilja voor het laatst had gezien – met Kerstmis – keek prins Olonov Antonina met gefronste wenkbrauwen aan terwijl ze tegenover hem aan de ontbijttafel zat. Behoedzaam legde hij zijn vork en mes op zijn bord.

'Kom eens hier, dochter,' zei hij, en Antonina stond op en ging voor hem staan. Zijn borstelige grijze snor was vanaf zijn neusgaten besmeurd met twee oranjegele strepen, een bewijs van de eindeloze hoeveelheid sigarenrook die hij uitblies.

'Wat heb je hier om je hals hangen?' vroeg hij, terwijl zijn vingers over het figuurtje op het metalen ovaal naast haar crucifix streken.

'Dat is de heilige Nikolaj, de barmhartigste van alle heiligen.'

Haar vader schudde zijn hoofd. 'Ik weet ook wel wie het is. Maar waar heb je dit vandaan?'

Iets in zijn stem maakte dat Antonina op haar hoede was. Ze had nooit verwacht dat haar vader zou zien – of zich zou bekommeren om – wat zij om haar hals droeg.

'Ik vroeg je iets, Antonina. Waar heb je deze icoon vandaan?' 'Die heb ik van iemand gekregen,' zei ze, denkend dat dat voldoende zou zijn.

Zijn gezicht liep rood aan. 'Van wíé heb je dit gekregen? Van een van de horigen hier in huis?'

Ze kon geen antwoord bedenken, nu haar vader haar zo vreemd aankeek. 'Ik weet het niet.'

'Hoe bedoel je, "ik weet het niet"? Ben je nou echt zo onnozel?' Antonina was verbijsterd over zijn dreigende toon. 'Zeg op, Antonina Leonidovna.'

Antonina wilde niet nog meer problemen veroorzaken voor Lilja.

Haar vader ging staan en greep haar bij de schouders. 'Welke horige heeft je dit gegeven?'

Antonina's mond viel open. Ze deed hem weer dicht. 'Waarom denkt u dat het een horige was?'

Haar vaders handen drukten hard in haar schouders terwijl hij haar doordringend aankeek. 'Iedere nieuwe ziel op mijn landgoed krijgt dit bij de geboorte. De rentmeester vertelt me welk gezin het is, en dan wordt de naam van het kind genoteerd, met een eigen nummer. Als we nieuwe horigen kopen, krijgen die ook een icoon met hun nummer.' Hij reikte naar de amulet en trok die naar zich toe, zodat Antonina zich naar voren moest buigen. De ketting striemde in haar nek.

Hij draaide hem om en tuurde. 'Ik moet mijn monocle pakken om het getal te kunnen lezen,' zei hij, en Antonina's hart bonsde. 'Wat is het? Zeg eens wat voor nummer erop staat, Antonina.'

Antonina slikte moeizaam, ze legde haar hand over die van haar vader en duwde zijn vingers van de icoon, terwijl ze deed alsof ze de kleine inscriptie met 962 las. 'Ik heb hem gevonden, papotsjka, op het land, een hele tijd geleden, voordat het ging sneeuwen. Ik vond 'm wel leuk, dat is alles. Het getal is 511.'

Hierop stapte haar vader achteruit, en zijn gezicht ontspande zich. 'Heb je hem gevonden? Maar je zei toch dat je hem van iemand had gekregen?'

Antonina likte langs haar lippen. 'Ik… ik deed alleen maar alsof ik hem van iemand had gekregen. Alsof ik een vriendin had, papa.' Ze probeerde sip te kijken.

Het werkte. 'Tja, je hoort altijd de waarheid te spreken. Je kunt zien dat je me boos maakt. Als je eerlijk was geweest, was het voor mij niet nodig geweest om boos op je te worden.'

'Dat weet ik, papotsjka,' zei Antonina, en ze pakte haar vaders hand. 'Het spijt me,' zei ze, en ze drukte zijn hand tegen haar wang.

'Goed, dochter,' zei hij, en hij trok zijn hand weg. 'Je moet de icoon aan Kirill geven en vragen of hij hem teruggeeft aan de horige die hem heeft verloren – 511, zei je? Hij is bovendien helemaal niet mooi. Je hebt je eigen sieraden. Die icoon, een goedkoop prul zoals iedere horige op mijn bezit die heeft, is niet passend voor de dochter van een prins.'

'Ja, papa,' zei Antonina. 'Ik zal hem meteen aan Kirill gaan geven, papa.'

Ze neeg even en liep de kamer uit. Maar ze ging niet op zoek naar Kirill, de rentmeester. Ze liep naar haar slaapkamer, haalde de icoon van haar ketting en stopte hem diep weg onder de fluwelen voering in de bodem van haar sieradendoos.

Een paar dagen later ontbood haar vader haar in zijn werkkamer. Hij zat in zijn brede stoel achter zijn mahoniehouten bureau naar buiten te staren, naar de vallende sneeuw.

'Heb je de icoon aan Kirill gegeven, zoals ik had gevraagd?' zei hij, zodra ze de kamer binnenkwam, en Antonina's hart begon hevig te bonzen bij deze woorden. Ze keek naar haar vaders profiel: naar zijn lange, rechte neus, de lichte welving boven zijn wenk-brauwen.

Toen ze bleef zwijgen draaide hij zich met een ruk om in zijn stoel. Ze kon niets van zijn gezicht aflezen. Hij stak een hand uit. 'Is dit de icoon die je hem hebt gegeven?' vroeg hij, en Antonina slikte moeizaam.

'Pak aan,' zei hij tegen haar.

Ze liep naar zijn bureau en pakte het kleine metalen ovaal uit haar vaders hand.

'Draai om en lees het nummer voor,' zei hij.

Antonina begreep wat het nummer zou zijn. 'Papa, ik...'

'Lees het nummer op,' zei hij nogmaals, met kalme en harde stem.

Antonina draaide het om. '511,' fluisterde ze, terwijl ze naar de drie cijfers keek. Ze dansten rond, alsof ze tranen in haar ogen had. Ze knipperde om weer helder te kunnen zien.

'Moet ik je bedanken omdat je eerlijk bent geweest en de icoon aan Kirill hebt gegeven zoals ik had gevraagd?'

Ze kon haar vader niet aankijken.

'Natuurlijk niet,' zei hij. 'Je staat weer te liegen, Antonina Leonidovna. Kirill moest me spreken in verband met iets anders. Hij zei iets over je paard, niets belangrijks. Ik vroeg wanneer je hem voor het laatst had gesproken. Hij zei meer dan een week geleden. Dus heb ik hem zijn gegevens laten nakijken. Deze icoon van jou, 511, is van een horige in een klein gehucht hier in de buurt. Ik heb Kirill naar deze horige gestuurd: het is een oude vrouw, die elk moment dood kan gaan. Hij heeft haar icoon voor me meege-bracht. De icoon die jij nu in je hand hebt.'

De icoon lag als een stuk ijs in Antonina's hand.

'Zul je me nu de waarheid vertellen?'

Antonina sloot haar hand om de icoon.

'Ik moet de icoon hebben die jij droeg, Antonina. Ga hem on-middellijk halen.'

'Ik heb hem weggegooid,' zei ze op een brutale toon, om de lichte trilling in haar stem te verbergen.

'Hoe kan ik je geloven? Hoe kan ik ooit nog geloof hechten aan wat jij me vertelt?'

Toen Antonina geen antwoord gaf, ging haar vader verder: 'Begrijp je eigenlijk waarom ik zoveel belang hecht aan deze zaak, Antonina?'

Antonina schudde haar hoofd.

'Zeg op. Sta daar niet als een stom dier met je hoofd te schudden.'

'Nee, papa. Ik begrijp niet waarom die icoon zo belangrijk is. Of waarom u zo boos bent.'

'Dacht je soms dat ik niets wist? Ik heb je bedrog ontdekt. Eerst de hond, daarna de icoon... Je hebt contacten met een horige. Of niet soms, Antonina?'

Een seconde van stilte – de tijd voor twee snelle hartslagen – verstreek. 'Nee, papa. Ik heb geen contact met welke horige dan ook.' Deze vraag was gemakkelijker te beantwoorden. Lilja en zij waren geen vriendinnen meer. Ze keek haar vader recht in de ogen.

'Hoe oud ben jij, Antonina?' vroeg hij.

'U weet dat ik veertien ben.'

Daarop stond hij zo abrupt op dat zijn stoel met veel lawaai achteroverviel, en Antonina schrok zo hevig dat ze de icoon liet vallen. Ze had haar vader nog nooit zo kwaad gezien, niet op haar. Zelfs niet toen ze hem had geslagen omdat ze dacht dat Sezja dood was.

Hij liep om het bureau heen en pakte haar bij de bovenarmen.

'Dit kan niet zo doorgaan. Ik heb je te lang je gang laten gaan, je te veel vrijheid toegestaan. Je bent geen klein kind meer,' zei hij. 'Ik ben met je moeder getrouwd toen ze nog net geen zestien was. Jij zult nog in geen jaren aan een huwelijk toe zijn, met dank aan je moeder.'

'Ik wil ook nog in geen jaren trouwen,' zei Antonina.

'Dat is het punt niet. Het punt is dat jij niet weet hoe je je als een fatsoenlijke jonge vrouw moet gedragen. Ik wil niet dat jij door welke horige dan ook wordt beïnvloed.' Hij liet haar niet los. 'Waarom niet?'

'Waarom niet? Omdat zij niet zulke hersens bezitten als wij, Antonina. Zij zien de dingen anders dan wij. Ze kunnen onmogelijk net zo over de dingen denken als wij, ze zijn eeuwenlang door dezelfde families gefokt. Ze zijn onontwikkeld en ongeletterd. Ze worden geboren met minder intelligentie en minder vermogen tot emoties.'

Antonina trok zich een eindje terug. Haar vaders greep op haar armen deed haar pijn. 'Dat is niet waar, papa. Dat is helemaal niet waar.'

Haar vader staarde haar aan. 'En hoe kom je erbij om dat te zeggen? Denk je dat horigen over dezelfde vermogens beschikken als wij? Over dezelfde aanleg voor wiskunde en vreemde talen? Dat horigen een landgoed kunnen beheren? Een land kunnen besturen?'

'Dat heb ik niet gezegd.'

'Wil je zeggen dat zij net zo zijn als de adel? Dat ze net zo zijn als de nazaten van tsaren?'

'Ik... Ik wou alleen maar zeggen...'

Er klonk geblaf van de Duitse herders op het erf, daarna het geluid van paardenhoeven in de aangestampte sneeuw. Antonina keek even naar het raam, in de hoop dat haar vader zou vertrekken om te zien wie er was gearriveerd.

Hij negeerde het geluid van buiten en schudde haar opnieuw door elkaar, zodat ze gedwongen werd hem weer aan te kijken. 'En? Wat heb je daarop te zeggen, dochter?'

Antonina dacht aan Lilja, met haar intelligente gezicht, haar plotselinge glimlach. Ze dacht aan haar woorden: *de natuurlijke orde van het leven zoals God die heeft bepaald.* Ze dacht aan de treurige blik in Lilja's goudbruine ogen toen ze afscheid namen, de manier waarop haar magere armen zich aan haar hadden vastge-klampt.

'Je kent het leven als de dochter van een grootse adellijke familie, Antonina. Je moet weten hoe je dit leven in je eigen huis moet voortzetten, met je man en je kinderen.' Zijn mond werd strak. 'Je zult loyaal moeten zijn jegens je man. Je zult moeten weten hoe je met personeel omgaat. Je kunt geen vriendschap met hen sluiten. En, wat nog belangrijker is, je kunt geen genegenheid jegens min-naars van lagere stand betonen, en je echtgenoot bedriegen. Wie is het, Antonina? Wie is deze man?'

'Man? Papa, wat bedoel je?'

'Ik ben niet gek.' Zijn stem was luider geworden. 'Denk je soms dat ik niet weet hoe vrouwen zijn? Zelfs mijn eigen dochter? Alle vrouwen zijn verslaafd aan hun romantische ideeën.'

'Papa, nee! Ik...' Antonina's gezicht werd rood. Hoe kon haar vader zoiets van haar denken?

'Stil, Antonina Leonidovna. Zwijg,' schreeuwde hij, en hij liet zijn handen abrupt vallen.

Haar bovenarmen deden pijn; de volgende dag zouden er grote blauwe plekken op zitten.

Prins Olonov ging moeizaam achter zijn bureau zitten. Zoals Antonina's gezicht rood was geworden van schaamte over de op-merking van haar vader, zo was hij bleek geworden. Hij bekeek het boek dat voor hem op zijn bureau lag en streek met zijn vinger over het omslag.

'Ik ben mama niet,' zei Antonina toen, op fluistertoon.

Haar vaders vinger hield op met bewegen.

'Ik ben niet zoals zij, papa,' zei Antonina, luider. 'Ik zou me nooit zo gedragen als mama. Echt niet.'

Prins Olonov deed zijn ogen dicht en sloeg zijn hand ervoor. 'Ik zou je willen geloven, Antonina. Maar je hebt te veel leugens ver-teld, te impulsief gehandeld. Hoewel ik nalatig ben geweest, is er nog steeds tijd voor mij om jou het belang van fatsoenlijk gedrag bij te brengen. Er moet een soort straf volgen, of op zijn minst een tuchtiging.' Hij haalde zijn hand van zijn ogen en keek haar aan. 'Ik kan je onmogelijk zo door laten gaan met dingen geheimhouden, met liegen. Je moet je aanpassen. Je huwelijk en je toekomst hangen ervan af. Je moet in… in zuivere staat naar je echtgenoot kunnen gaan, Antonina.'

Hij draaide zich om en keek uit het raam, zodat hij haar niet aan hoefde te kijken. 'Het hoort de taak van je moeder te zijn om deze dingen met je te bespreken.' Hij schraapte zijn keel. 'Rusland begint te veranderen,' zei hij. 'We moeten vechten om het land zo te houden als het is, om ervoor te zorgen dat onze cultuur intact blijft. Sommige mensen, vooral zij die veel in het buitenland hebben gereisd, beginnen voorstellen te doen met betrekking tot politieke experimenten. Ze hebben het gehad over het punt van de horigheid, en het kwaad ervan. Maar horigheid is niet slecht, het is noodzakelijk.'

Zijn stem was tijdens de laatste zin gedaald.

'Waar zouden we zijn zonder de horigen, en zij zonder ons, Antonina? Waar zouden wij allen zijn zonder deze gevestigde orde? Zouden de horigen gelukkiger zijn zonder onze leiding, zonder onze steun? Nee. Ze zijn net als kinderen, en wij, de adellijke landeigenaren, zijn hun vaders. We behandelen hen goed wanneer ze zich aan de regels houden, en we bestraffen hen wanneer ze dat niet doen. Ze moeten het belang van het systeem begrijpen, net zoals jij dat moet begrijpen.'

Hij keerde zich weer naar haar toe en keek haar aan.

'De horigen bezitten niet het vermogen om hun leven zelfstandig te leiden, laat staan een land te leiden. Het is ons soort mensen, Antonina Leonidovna, mannen als ik, en de toekomstige vrouwen – jij, dochter – die het land zuiver zullen houden. Als jij je bezoedelt met een horige kan dat slechts tot de ondergang leiden.'

'Bezoedelen? Papa,' – ze sloeg haar ogen neer – 'ik heb niet…

ik heb niets verkeerds gedaan, papa.' Toen kwam de herinnering aan Lilja's lippen weer bij haar boven.

Er volgde een stilte. Antonina wist niet wie van hen beiden zich meer geneerde. Ze keek strak naar het patroon van het donker-rood-met-paarse tapijt. De gevallen icoon glinsterde naast haar rechtervoet.

Prins Olonov zuchtte, lang en diep. 'Ik zou je graag willen geloven, Antonina. Maar je hebt te vaak tegen me gelogen. Je moet me de naam noemen van de horige die je hebt ontmoet.'

Antonina keek op. 'Ik heb u de waarheid verteld, papa. Er is geen man.'

Haar vader bleef haar zo lang aankijken dat Antonina zich moest bedwingen om haar blik niet af te wenden.

Ten slotte knikte prins Olonov. 'Je bent koppig. Misschien verbeeld je je werkelijk dat je iets van oprechte gevoelens voor hem hebt. Je zult het me uiteindelijk vertellen.'

'Hoe zou ik dat kunnen, als er helemaal geen man is?'

Haar vader hield zijn hoofd scheef. 'Als je het op die manier wilt spelen, laat je me geen alternatief. We zullen hem weten op te sporen. Jij leeft in je sprookjesverhalen. Je denkt dat het liefde is en je zult loyaal jegens hem zijn. Wacht maar eens af. Een horige bezit niet het vermogen tot loyaliteit of tot ware liefde. Een horige zal spreken om zijn huid te redden. Ik heb dat maar al te vaak gezien. Wanneer ze de knoet op hun rug voelen, gaan ze allemaal zingen.'

Antonina dacht aan de blauwe plekken op Lilja's kaak en nek. Ze voelde iets kouds door haar ingewanden gaan. 'Hoe bedoelt u?'

'Je weet heel goed wat ik bedoel, Antonina. We zullen hier beginnen, bij het huis. Daarna gaan we naar Kazjra, dat is het dichtstbijzijnde dorp. We zullen iedere ziel ondervragen, we zullen horen wat mensen hebben gezien. Er is altijd iemand die iets ziet. Er bestaan geen echte geheimen. Er is altijd iemand die door middel van roebels of dreigementen kan worden overgehaald. Je denkt misschien dat het moeilijk zal zijn om deze man te vinden, Antonina. Geloof me, dat is niet zo.'

Antonina slikte. 'Doe dat niet, papa. Alstublieft.'

'Je moet zijn naam noemen. Anders zullen veel horigen eronder moeten lijden. Dan zullen we eens zien of deze jongeman echt zo geweldig is als jij denkt. Je zult teleurgesteld zijn. Dat kan ik je wel verzekeren.'

'U kunt dit niet doen, papa. Echt niet. U bent niet zo'n wrede man.'

Hierop keek prins Olonov haar zo lang en doordringend aan dat Antonina het niet langer kon verdragen. Ze legde haar gezicht in haar handen.

'Je hebt gelijk, Antonina,' zei haar vader ten slotte. Ook al was zijn toon anders, en zijn stem zachter, iets in deze verandering maakte Antonina nog banger.

Ze keek op en balde haar vuisten.

'Ik wilde zien of je eerlijk en oprecht tegen me kon zijn. Maar dat kun je niet. Het is heel eenvoudig. Het enige wat ik hoef te doen is het Semjon en Kesja vragen. Ze weten dat als zij niet de waarheid spreken over waar ze met jou zijn geweest en met wie jij contact hebt gehad, ze niet alleen bang moeten zijn hun positie te verliezen, maar dat het hun ook het leven zou kunnen kosten. Zij zullen de antwoorden geven die ik moet hebben.'

Antonina voelde zich verward, verhit en bang. Het gezicht van haar vader zweefde voor haar ogen als een vreemde, bleke rechthoek met slechts het donkere van zijn baard vermengd met wit.

'Je kunt niets voor mij verborgen houden, Tosja,' zei hij.

Ze tastte naar de stoel achter zich en ging erop zitten. 'Goed, papa,' zei ze. 'Goed. Ik zal alles vertellen. Maar het is geen man. Het is een meisje. Gewoon een boerenmeisje. Dat is alles. U vindt het vast niet erg dat ik met een boerenmeisje heb gepraat. Er school geen enkel kwaad in. Het is zoals ik u heb verteld, er was helemaal geen man – er is nooit een man geweest.'

'Een meisje?' herhaalde haar vader, en Antonina probeerde te glimlachen.

'Ja. Gewoon een meisje. U had gelijk. Het was haar puppy en zij heeft me die icoon gegeven. Ik heb haar al een hele tijd niet meer gesproken.'

'Wie is dit meisje?'

Antonina schudde haar hoofd. De beweging deed pijn. 'Dat is niet van belang. Ik heb u verteld dat we elkaar al enige tijd niet meer hebben gesproken. Ik wilde alleen maar...' Ze zweeg. Ze wist dat het geen zin had te proberen haar vader uit te leggen hoe Lilja en zij vriendinnen waren geworden, of waarom.

'Het is wel van belang.'

'Waarom?'

Haar vader stond op. 'Dat heb ik je al uitgelegd. En dit gedoe begint me de keel uit te hangen. Ik laat Semjon en Kesja komen.'

'Goed, papa,' zei Antonina, en ze sprong op. De plotselinge beweging bezorgde haar een stekende pijn in haar slaap. 'Ze heet Lilja Petrova Nevskaja. Ze is de dochter van de hoefsmid in Kazjra. Nu u dat weet... dat is toch alles wat u wilt, hè? Dat ik haar naam noem. Dat ik de waarheid spreek?'

Toen de prins geen antwoord gaf, stapte Antonina dichter naar hem toe. Ze keek naar hem op. 'U gaat haar toch zeker niet straffen, papa? Het is niet haar schuld. Het is mijn schuld. Ik heb haar gezegd dat ze me moest opwachten om met me te praten. Dat wilde ze eigenlijk niet. Dat wilde ze echt niet. Het is niet haar schuld. U moet haar niet straffen,' herhaalde ze. 'Beloof me dat u haar of haar familie niet zult straffen om wat ik heb gewild. Om wat ik heb gedaan.'

Ze keek haar vader strak aan en dwong hem in gedachten te knikken en te zeggen: *Ja, ja, dochter, ik begrijp het nu. Ik beloof je dat het meisje of haar familie niets zal overkomen.*

'Nee,' zei hij. 'Zoiets beloof ik niet.'

Die avond gingen de laatste woorden van haar vader – *zoiets beloof ik niet* – steeds weer door Antonina's hoofd, waardoor de hardnekkige pijn nog heviger werd. Ze kon niet slapen uit angst over wat er met Lilja zou kunnen gebeuren. Ze lag in het donker voor zich uit te staren naar het zwarte vierkant van haar raam.

Toen de morgen eindelijk aanbrak liep ze naar beneden, naar de ontbijtkamer. Haar vader zat aan de tafel een krant te lezen en eierpastei met koude rosbief te eten.

Antonina ging tegenover hem zitten. 'Goedemorgen, papotsjka,' zei ze behoedzaam.

Hij keek even naar haar. 'Goedemorgen.' Hij pakte een gouden belletje dat naast zijn bord stond en rinkelde ermee. Onmiddellijk ging de deur open en kwamen er twee bedienden in livrei met witte handschoenen aan binnen. De ene bracht een dienblad met een bord met een zilveren deksel binnen, zette dit voor Antonina neer en verwijderde het deksel met een zwierige beweging. De andere bediende schonk haar een kop thee in uit de samowar.

'Dank je,' zei Antonina zacht, en ze keek naar de pastei en het vlees. Haar maag kwam in opstand.

'Eet, Tosja,' drong haar vader aan. 'Eet ervan, nu de pastei nog warm is.'

Antonina pakte haar vork en stak deze in het met ei gevulde deeg. Toen keek ze naar haar vader. 'Papa.'

'Hm?' Hij bleef lezen. 'Papa,' zei ze nogmaals, nu luider, en ditmaal legde haar vader zijn krant neer en keek haar over de tafel heen aan met een kleine, ontspannen glimlach op zijn gezicht.

'Wat gaat er met Lilja gebeuren?'

'Lilja?' zei hij, alsof hij die naam niet de vorige middag uit haar mond had gehoord. 'O, de dochter van de hoefsmid. Daar is mee afgerekend.'

'Mee afgerekend?' herhaalde Antonina.

'Ja. De hoefsmid heb ik laten geselen. Om de vrouw te straffen heb ik het meisje en dat andere kind weggestuurd.'

Antonina slikte. 'Weggestuurd?' fluisterde ze.

'Ja. Het meisje en dat vieze kind.' Hij sprak terloops. 'Op zich vond ik die jongen niet van belang, maar op de valreep kreeg ik medelijden met het meisje. Eigenlijk had ik wel bewondering voor haar. Ze verwerkte het goed – maakte geen scène toen ze begreep wat er met haar ging gebeuren. Bij wijze van beloning heb ik haar broertje mee laten gaan.' Hij keek Antonina aan met opgetrokken wenkbrauwen. 'Ik ben niet zo hardvochtig als jij wel denkt, dochter.'

Antonina probeerde te spreken, maar haar mond was er te droog voor. Ze tilde haar theekopje op. Haar hand beefde en er vielen gloeiendhete druppels op de rug van haar andere hand. Ze had twee handen nodig om het kopje weer op de tafel te zetten. 'Papa, Ljosja, dat jongetje... hij is amper vier jaar oud. Hij is ziekelijk. Hij heeft zijn moeder nodig om voor hem te zorgen.'

Haar vader richtte zijn aandacht op het snijden van zijn vlees. 'Dat is niet mijn probleem. De straf is in overeenstemming met het misdrijf.'

Misdrijf, dacht Antonina. 'Waar hebt u hen naartoe gestuurd?'

'Dat zijn dingen die jou niet aangaan, Antonina. Je hebt een les geleerd: je daden hebben gevolgen.'

Antonina dacht aan het hutje in Kazjra, aan de moeder die gilde terwijl Ljosja, hoestend en huilend, uit haar armen werd gerukt en de vader misschien bewusteloos was door de geseling. Sezja die zonder ophouden stond te blaffen. En Lilja? Hierop sloeg Antonina haar handen voor haar gezicht. Lilja zou weten dat door Antonina dit met haar familie gebeurde. Dat Antonina haar naam had verklapt.

'Dus,' zei prins Olonov, terwijl hij haar over de tafel heen aankeek, 'zullen we het verder niet meer over deze ongelukkige situatie hebben. Wil je me alsjeblieft de peper even aangeven, Tosja?'

Toen Antonina zich niet verroerde, vroeg hij haar voor de tweede keer om de peper. Ze staarde hem over de tafel heen aan. 'Nu weet ik wat voor man u bent,' zei ze. 'U had het er gisteren nog over dat u voor de horigen als een vader moest zijn, en u zei dat zij als uw kinderen zijn. Zou u uw eigen kind ook zo behandelen? Zou u mij op zo'n manier behandelen, mij zoveel narigheid in mijn leven bezorgen, alleen maar om iets duidelijk te maken? Zou u dat doen?'

Het gezicht van haar vader was donkerder geworden, zijn lippen dunner. Antonina besefte dat ze hem woest maakte, maar ze kon zich niet bedwingen. Haar hoofd bonsde. Ze moest schreeuwen om zichzelf boven het zware gedreun uit te horen. 'U maakt hun lijden alleen maar erger. U bent een tiran.'

Stond ze te gillen? Hij stond op en liep om de tafel heen. Antonina bleef staan. Haar vader kwam naar haar toe, hief zijn vlakke hand.

Antonina sloot haar mond, dwong zich haar ogen niet te sluiten of ineen te krimpen. Ze wilde dat hij haar zou slaan. Ze wilde begrijpen wat de horigen begrepen. Ze wilde weten wat Lilja door haar vader had gevoeld. Ze telde de slagen – waarbij de dreun op haar hoofd samenviel met het kloppen in haar aderen – terwijl haar vaders gezicht een reeks uitdrukkingen onderging in die korte en toch eindeloze periode. Na vijf klappen balde hij zijn hand tot een vuist en liet die zakken. 'Wat zou je eigenlijk willen, Antonina? Wil je in een boerenhut gaan wonen? Ja? Zou dat je gelukkig maken? Ga dan. Ga bij de horigen wonen. Kijk eens hoe lang je dat volhoudt, bij de varkens slapen om warm te blijven, met je hoofd vol luizen en je lichaam onder de vlooien.'

Antonina kromp moedeloos ineen. Hij had uiteraard gelijk. Ze bezat niet de macht om iets te veranderen.

'Je hebt geen idee van wat dan ook, jij dwaas kind.' Hij draaide zich om en liep weg, met afhangende schouders, beide handen slap naast zijn lichaam, verslagen.

In de deuropening zei hij: 'Ga naar je kamer. Blijf daar tot morgen. Je krijgt geen maaltijden gebracht.'

Antonina reageerde niet.

'Begrijp je in welke positie je me hebt gebracht, Tosja? Ik kan je gebrek aan respect niet tolereren.'

Antonina kon geen woord uitbrengen. Ze keek hem na. Ze dacht aan Lilja en ze viel op haar knieën en bad dat het meisje in haar hart een manier zou vinden om Antonina te vergeven voor wat zij in haar familie en haar leven had aangericht.

12

*A*ntonina's naamdag was op 14 maart, niet helemaal winter meer, maar ook nog geen voorjaar in de regio Pskov.
Elke dag was het weer anders, alsof het niet duidelijk was welk
seizoen het was. Ter ere van Antonina's naamdag in het jaar dat
ze zeventien werd, kwam haar moeder naar het landhuis om een
groots feest aan te richten.

Het organiseren van partijen was Galina Maksimova's lust en
leven. In de herfst had ze twee *bals blancs* gegeven om Antonina
in de society van Sint-Petersburg te introduceren. Antonina had
daar, gekleed in het wit, met een aantal in aanmerking komende
mannen gedanst. De bals resulteerden in twee huwelijksaanzoeken,
maar geen daarvan had haar vader geschikt gevonden aangezien
de betreffende mannen niet invloedrijk of welgesteld genoeg waren geweest. En Antonina was opgelucht geweest. Er was één
jongeman geweest, een slanke militair met donker haar, van goede
familie, van wie Antonina dacht dat ze hem interessant vond en
hem misschien wat beter zou willen leren kennen. Ze meldde deze
belangstelling aan haar moeder, en de prinses nodigde de militair
uit voor een theevisite. Maar de jongeman stuurde een briefje met
excuses dat hij die dag bezet was. Hij had niet geprobeerd een
andere datum af te spreken. Prinses Olonova vertelde haar doch-

ter dat dit betekende dat hij geen belangstelling voor haar had. Antonina was hoogstens een klein beetje gepikeerd geweest over deze belediging van de militair.

Ze had haar moeder voor het laatst in Sint-Petersburg gezien, tweeënhalve maand geleden, toen ze met haar vader voor Kerstmis en Nieuwjaar naar de stad was gegaan, aangezien prinses Galina Maksimova tijdens de feestdagen geen zin had gehad in de kille eenzaamheid van het landhuis.

Antonina's broers waren allemaal het huis uit. De oudste, Viktor, zat in het leger en Marik was getrouwd, had een jong kind en woonde in een kleiner landhuis in een uithoek van het land van hun vader. De jongste, Dimitri, was naar Sint-Petersburg verhuisd en woonde bij zijn moeder. De prinses klaagde dat Dimi alleen maar belangstelling had voor gokken en dat hij alle kroegen in de stad frequenteerde. Antonina had tijdens de feestdagen in Sint-Petersburg gezien dat Dimitri nooit opstond voor halverwege de middag, met een bleek gezicht en kringen onder zijn ogen, zijn gezicht opgeblazen door de wodka en de vermoeiende nachten.

Haar moeder had haar gekust en gezegd dat ze in maart een groot feest zou organiseren voor haar enige dochter. De prinses was in een geweldige stemming. Antonina constateerde dat ze een grote en nieuwe ring met smaragden droeg.

De prinses hield haar belofte en arriveerde een week voor het geplande driedaagse feest, zodat ze alle evenementen nog even kon doornemen en ervoor kon zorgen dat het huis helemaal in orde was. Hoewel Antonina enkele jongelui van haar leeftijd van landhuizen uit de omgeving had uitgenodigd, en Marik en zijn vrouw en Dimitri aanwezig waren – Viktor kon geen verlof krijgen –, bleken meer dan honderd gasten haar moeders vrienden uit Sint-Petersburg te zijn. Zij zouden in de tientallen logeerkamers van het landgoed worden ondergebracht.

De theatergroep van de prins zou optreden en omdat hij het vorige jaar zijn orkest van horigen had verkocht – met als reden dat het genoeg was om één gezelschap te voeden en te huisvesten –, was het orkest van Jablonski ingehuurd.

De zestien mannen van het Jablonski-orkest hadden twee reisdagen nodig om het landhuis van Olonov te bereiken. Ze werden ondergebracht in de personeelskamers, waar hun na de reis een volle nacht slaap werd gegund. Daarna kwamen ze naar de balzaal om de stukken te repeteren die Galina Maksimova had uitgezocht. Antonina hoorde de eerste klanken van hun muziek en ging kijken naar de repetitie.

De mannen droegen de gebruikelijke tuniek met riem, een wijde broek en vilten laarzen, zoals die door de boerenbevolking werden gedragen. Antonina's blik ging steeds weer naar een violist, het jongste lid van het gezelschap. Hij leek van ongeveer haar leeftijd. Hij had een smal en gevoelig gezicht en krullend donkerblond haar. Door de afstand in de grote zaal kon ze de kleur van zijn ogen niet zien, maar zijn wenkbrauwen liepen in de buitenhoeken schuin omlaag, wat hem een enigszins melancholieke uitdrukking bezorgde.

Antonina schoof langs de muur voorzichtig dichterbij. In de zaal heerste veel bedrijvigheid van bedienden die stoelen klaarzetten en linten en kaarsen en bloemen uit de kas aandroegen. Ze leunde tegen een van de gladde, ronde pilaren die tot aan het hoge plafond reikten. Ze kon nu zien dat de ogen van de violist donkerblauw waren. Hij had verfijnde handen met lange, spits toelopende vingers, en een brede mond. Hij had bovendien een flinke blauwe plek op zijn linkerjukbeen, een verse, nog opgezet.

Hij liet zijn strijkstok zakken en sloeg een pagina van zijn partituur om. Antonina wendde haar blik af, voor het geval hij opkeek en haar zag staren. Ze keek naar de bewerkte kroonlijst boven een van de ramen. Toen ze opnieuw keek, speelde hij weer. Zijn ogen waren dicht, zijn gezicht straalde, zijn wimpers wierpen schaduwen op zijn wangen. Waar zou hij aan denken?

De eerste avond van de feestelijkheden, na het eten en voordat het orkest zou spelen, stond Antonina uit een hoog raam aan het eind van de salon naar buiten te kijken. Hoewel er veel gasten om haar heen liepen, stond zij daar alleen. In het donkere raam kon ze tegen het kaarslicht dat de ruimte achter haar vulde haar spiegelbeeld zien en de bewegende gestalten van anderen. Het was er warm en benauwd, met de twee haardvuren die aan beide uiteinden van de lange zaal bulderden en de geuren van de zware parfums en pommades van de gasten, met daaronder een transpiratielucht. Er waren te veel stemmen, er was te veel gelach terwijl de gasten champagne dronken in afwachting van het dansen.

Antonina voelde een stekende hoofdpijn achter haar ogen, teweeggebracht door de warmte, het lawaai en de spanning, en de geïmporteerde champagne. Ze had er veel van gedronken, maar ze vond het erg zoet. Ze gaf de voorkeur aan de schone, zachte smaak van wodka. Ze leunde met haar hoofd tegen de koele ruit en sloot haar ogen. Waar zou Lilja nu wonen? Weer in zo'n vochtige, koude boerenhut als de izba in Kazjra, of nog erger? Ze dacht aan de kleine jongen, Lilja's broertje, met zijn blote achterwerk en knobbelige knieën en vieze voeten, die zich aan de rok van zijn moeder had vastgeklampt. En ze dacht aan zijn akelige hoest. Zou hij nog in leven zijn? Was Lilja erin geslaagd voor hem te zorgen naast al het werk dat ze zou moeten doen?

Ze wilde niet aan die vreselijke tijd denken, het was meer dan drie jaar geleden. In plaats daarvan richtte ze zich op het orkest. Ze zouden zich weldra verzamelen om hun instrumenten te stemmen. Ze dacht aan de jonge violist met zijn gewonde wang.

Verschrikt deed ze haar ogen weer open toen een hand haar schouder vastgreep. In het raam zag ze dat het prins Chroetski was, een van de vele vrienden van haar moeder. Antonina was eerder die avond aan hem voorgesteld.

'Helemaal alleen, prinses?' vroeg hij, overbodig. 'Dat is niet gepast, een meisje alleen op de eerste avond van haar eigen feest.

Gaat u met me mee naar de balzaal om te dansen zodra de muziek begint? Ik kan zien dat u lichtvoetig zult zijn.' Hij glimlachte naar haar.

Zonder hem aan te kijken beantwoordde ze zijn glimlach met een heel kleine, beleefde beweging van haar lippen. Hij kwam nog dichterbij en drukte zijn knie heel subtiel tegen de achterkant van haar bovenbeen. Ze bewoog heel even, net genoeg om zich om te draaien en hem aan te kijken zonder zijn lichaam te hoeven aanraken. Prins Chroetski leek nog ouder dan haar vader: er staken haren uit zijn neusgaten en oren, hij had levervlekken op zijn handen, zijn linkeroog puilde enigszins uit, zodat ze niet zeker wist met welk oog hij haar eigenlijk aankeek.

'En? Mag ik een dans van u, mademoiselle?' zei hij. Zijn adem had een zware vislucht van de kaviaar.

Ze schudde haar hoofd. 'Nee, dank u, prins Chroetski. Ik denk niet dat ik vanavond zal dansen. Ik heb erge hoofdpijn, ik verdwijn zo naar mijn kamer.'

'Laat u uw eigen feest in de steek? Dat kan echt niet. Kom nou. Een glas champagne zal alles verdrijven, mijn lieve. Kom, neem een glas. U bent nu volwassen, tijd voor champagne.' Hij lachte terwijl hij sprak en Antonina zag een viseitje ter grootte van een maanzaadje tussen zijn grauwe voortand en hoektand zitten. Tijd voor champagne, had hij gezegd. Besefte hij niet hoe weerzinwekkend zij hem wel moest vinden? Zijn hand, die nog steeds op haar schouder lag, was warm en zwaar. Ze bewoog opnieuw, zakte even door haar knieën en draaide haar schouder net voldoende om zich uit zijn greep los te maken.

Hij hief een hand om een bediende met een blad Baccaratchampagneglazen te wenken.

'Dank u, maar ik moet nu echt gaan.' Terwijl hij zich uitstrekte om twee glazen van het dienblad te pakken, glipte ze weg en liep haastig de zaal door.

De prins volgde. Ze hoorde hem roepen: 'Prinses Antonina Leonidovna. Mademoiselle, alstublieft, loop niet van me weg. Ik wens alleen maar het genoegen van uw gezelschap. We hoeven niet te dansen als u dat niet wilt. Mademoiselle!'

Toen ze even over haar schouder keek, zag ze dat prins Chroetski haar op de hielen zat. Ze sloeg een hoek om en holde naar haar vaders studeerkamer. Ze glipte achter een beschilderd kamerscherm met oosterse klimranken en bloemen en duwde stevig tegen een paneel in de muur. Dit ging geruisloos open. Ze stapte naar binnen en deed het paneel achter zich dicht. Ze stond meteen in het donker. Ze stak haar hand uit, iets omhoog, naar rechts, en ja, ze waren er nog steeds: de kaars en de vuursteen. Het was lang geleden dat ze deze gang voor het laatst had gebruikt.

Haar broer Dimitri had haar toen ze vijf of zes jaar was voor het eerst de verborgen gangen in het enorme landhuis gewezen, en Antonina was opgetogen geweest en was nieuwsgierig op ontdekkingstocht gegaan. De deuren vielen bijna onmogelijk te ontdekken, zelfs als je wist waar je moest kijken. Als kind was ze uren zoet met het lopen door deze geheime gangen, om vervolgens opeens ergens op te duiken en het personeel te laten schrikken. Deze gang liep van de studeerkamer naar haar moeders slaapkamer. Hoewel Antonina was verteld dat ze om veiligheidsredenen waren gebouwd, voor het geval de familie gevaar zou lopen, kon ze zich niet voorstellen dat zoiets ooit zou gebeuren. Het huis was tenslotte vol trouwe bedienden en het hele terrein werd bewaakt door nog meer vertrouwde horigen en waakse honden.

Ze sloeg met de vuursteen om de kaars aan te steken. De ruimte rook muf en was behangen met spinrag. Onder haar muiltjes knerpten restanten van muizenkeutels. Ze ging op de tweede trede van de smalle, steile houten trap zitten, zonder zich om haar satijnen rok te bekommeren. Ze sloeg haar armen om haar knieën en legde haar voorhoofd erop. De champagne had een weeïge smaak in haar mond achtergelaten. Ze wachtte en luisterde naar de verre, gedempte stemmen en het gelach, met het voornemen over een paar minuten de kaars uit te blazen en terug te gaan naar haar vaders werkkamer. Prins Chroetski zou inmiddels wel iemand anders hebben gevonden om mee te flirten. Ze zou de studeerkamer uit gaan en over de sierlijke ronding van de centrale trap naar haar slaapkamer vluchten zonder te worden gezien.

Ze had het diner overleefd, er waren toosts op haar uitgebracht en ze was gefeliciteerd en gekust door haar familie en haar vrienden en vriendinnen en door de vrienden van haar ouders. Als het bal eenmaal was begonnen, zou niemand haar missen.

Ze hoorde de stem van haar vader, enigszins gedempt door de deur. 'Chroetski,' zei hij. 'Wil je geen champagne?'

'Ik was op zoek naar je mooie dochter, Leonid Stepanovitsj. Ik dacht dat ik haar hier naar binnen had zien hollen. Ik wilde haar mijn beste wensen overbrengen bij deze speciale gelegenheid. Ik heb je verzameling zwaarden staan bekijken: heel indrukwekkend, oude vriend.'

Antonina ging rechtop zitten en luisterde. Hun woorden waren duidelijk verstaanbaar door het dunne paneel.

'Ze is net een schaduw, dat meisje,' zei haar vader, 'ze glipt steeds weer weg. Alsjeblieft. Deze madeira heb ik onlangs laten komen. Drink je een glas mee?'

Ze hoorde het gerinkel van glas tegen glas en daarna rook ze de volle geur van sigaren. Wat irritant, ze zat nu echt in de val. Ze kon onmogelijk tevoorschijn komen zonder zichzelf in verlegenheid te brengen en haar vader boos te maken.

De kaars was nog maar een stompje, hij zou hoogstens nog vijf minuten blijven branden. Antonina had geen zin langer in deze stoffige, donkere ruimte te blijven. Ze dacht aan haar slaapkamer en aan het exemplaar van *Een alledaagse geschiedenis* van Gontsjarov dat op haar wachtte. Ze moest alleen de laatste hoofdstukken nog lezen en ze wilde heel graag al haar lagen kleding uittrekken: het zijden hemd, dan het strakgeregen korset, dat pijnlijk tegen haar ribben drukte om haar taille te vormen, de vele onderrokken en de zware baljurk van donkergroene satijn die volgens haar moeder de kleur van haar ogen zo goed deed uitkomen. De gedachte haar katoenen nachthemd aan te doen en onder de dikke wollen deken te kruipen en haar boek uit te lezen was zeldzaam aanlokkelijk. Morgen had ze weer zo'n vervelende societyavond voor de boeg. Afgezien van de muziek, die ze heerlijk vond, was het gewoon te veel eten en drinken, hetzelfde luidruchtige gelach, dezelfde gesprekken.

Haar vader en prins Chroetski voerden nu een oninteressant gesprek over grond en gewasopbrengsten. Ze vroeg zich af hoe lang ze zou moeten wachten eer ze hun glas leeg en hun sigaar opgerookt hadden en weg zouden gaan.

Natuurlijk! Antonina stond op en begon voorzichtig de trap te beklimmen die naar haar moeders slaapkamer leidde. Daarvandaan kon ze via de doolhof van gangen boven naar haar eigen slaapkamer hollen. Instinctief stapte ze over de vierde trede, waarvan ze wist dat die angstaanjagend kraakte, en liep verder naar boven. Toen ze bijna boven was begon de kaars te sputteren en lager te branden, maar hij ging niet uit.

In het schemerdonker tastte Antonina voor zich uit, en haar vingertoppen raakten hout aan. Ze duwde voorzichtig tegen de deur, die in haar moeders kamer als een paneel met behang was vermomd, in de hoop dat niet een van de bedienden, sinds de laatste keer dat hij was gebruikt, een kaptafel of een zware stoel voor de geheime deur had gezet. Hij ging gelukkig soepel en geruisloos open. Het was nog steeds koud weer en het hout was droog en gekrompen, niet scheefgetrokken en uitgezet, zoals in de warme en vochtige zomermaanden het geval kon zijn.

Antonina bukte zich om haar hoofd niet tegen de latei te stoten en stapte de lange kamer binnen. Toen ze zich oprichtte, hoorde ze een geluid.

Ze bleef even staan om haar ogen aan het schemerige licht te laten wennen. Er was een vaag schijnsel van de open haard waarin een hard blok eikenhout zacht lag te knetteren. Ze stond tegenover het voeteneind van het bed en zag een verwarde massa beddegoed. Aanvankelijk ontwaarde ze slechts een blote rug, lang en wit. Het volgende moment besefte ze dat het haar moeder was, door de rode bloem in haar dikke, blonde haar. Het was nog steeds opgestoken, hoewel iets ervan uit de kammen was gezakt en onder haar schouderbladen hing.

Antonina hield haar adem in terwijl ze zich oprichtte, met haar ogen op haar moeders rug gericht.

Galina Maksimova Olonova bewoog als in een langzaam, ontspannen ritme op haar favoriete paard, waarbij haar ruggegraat licht golfde bij elke voorwaartse en achterwaartse beweging. Antonina bleef als aan de grond genageld staan, niet zozeer door de vochtige, parelachtige gloed op haar moeders naakte rug, met het lage vuur dat er schaduwen op wierp, als wel door de aanblik van de handen rond het middel van haar moeder. De vingers waren lang en soepel, de nagels kort en schoon. Ze hielden haar moeder losjes vast, niet in de greep van bezitsdrang of hartstocht, maar vol zelfvertrouwen.

Antonina bleef roerloos staan met de kaars nog in haar hand.

Ze drukte haar lippen op elkaar en keek hoe haar moeder steeds sneller reed en nu, bij elke beweging, kreetjes begon te slaken. Er klonk geen geluid van de eigenaar van de handen, en voorzover Antonina kon zien bewoog hij zich evenmin. Het was haar moeder die de vlam was, die de hitte en de begeerte bracht, haar moeder die op een gegeven moment de handen van de man vastgreep en haar eigen handen er woest omheen sloeg, om hem te dwingen haar steviger vast te houden. Het volgende ogenblik liet ze de handen los en pakte haar eigen borsten beet, waarbij ze haar hoofd naar achteren wierp zodat de losse slierten haar tot halverwege haar rug golfden.

Het leek Antonina alsof haar moeder werkelijk alleen was, afgezien van die handen.

Toen was het voorbij, met een lange, schrille kreet, en na een paar seconden van stilte viel haar moeder voorover. Op dat moment was Antonina, over de gestalte van haar moeder heen, met haar haar als een lichte vracht op de borst van de man, in staat zijn gezicht te zien. Hij lag gedeeltelijk omhoog in een met zijde bekleed kussen. Ze keek naar hem, en hij keek op zijn beurt naar haar.

Het was de violist van het orkest, de jongeman met het gekneusde jukbeen. Hij keek haar aan terwijl haar moeder op hem lag en nu voldane geluidjes maakte.

Ze wist dat haar gezicht werd beschenen door het vlammetje van de kaars. Ze was zich bewust van de gladde, zijdeachtige warmte van de was die op haar hand drupte. De kaars brandde op, met een kleine steek van pijn door de warme talg die in de huid tussen Antonina's duim en wijsvinger viel. Ze werd zich bewust van een geur: niet alleen de sterke geur van haar moeders eau de toilette, maar ook van zweet, en van iets anders, iets muskusachtigs. De geur van seks, besefte Antonina instinctief.

De jongeman maakte geen geluid en verroerde zich niet. Hij wendde zijn blik niet af onder Antonina's staren. Zijn gezicht, dat zo expressief was wanneer hij speelde, bevatte niets van die vreugde en hartstocht. Er viel nu niets op te zien – geen genot, geen schaamte.

'Mijn mooie jongen, ik voel je – nog steeds stevig en klaar. Je bezit kennelijk een grenzeloze energie.' De prinses lachte laag en hees. 'Zelfs na ons gestolen uurtje van vanmiddag ben je nog steeds tot alles in staat. Wat ben je toch verrukkelijk, zoals ik al had gedacht.' Ze streelde zijn schouder. 'Toe, Valja,' zei ze, 'zeg me hoe mooi ik ben en dat je nooit eerder een prinses als minnares hebt gehad. Ik heb meer te bieden dan de onnozele dorpsmeisjes die zich aan jou moeten opdringen. Zeg me hoeveel meer ik ben. Zeg me dat, Valja.' De man was Antonina strak blijven aankijken, over de schouder van haar moeder heen. De prinses pakte zijn kin en draaide zijn blik naar haar toe.

Toen viel ze opzij, de violist met zich meetrekkend, zodat ze met de gezichten naar elkaar toe lagen. 'Zeg me alles wat ik wil horen voordat je moet gaan,' zei ze, en Antonina zag één slappe borst vallen toen de vrouw haar arm omhoogstak om het haar uit haar gezicht te vegen. 'Wat vervelend dat ze je beneden nodig hebben.'

Antonina liep achteruit, bijna zonder adem te halen, terug naar de doorgang, en deed de deur geluidloos achter zich dicht.

Ze voelde zich slap in haar benen. In het donker ging ze op de bovenste trede zitten. Haar hart bonsde hevig en haar gezicht was klam, ondanks de kou in de gang. Ze besefte dat ze zelf ook een geur verspreidde, iets zoets en warms, alsof dezelfde gladde, warme was die haar hand had bedekt nu door haar lichaam stroomde. Hoewel Antonina van weerzin vervuld was over haar moeder, was ze toch opgewonden door de aanblik van haar met die man. Maar alleen doordat ze plotseling besefte dat zíj dat wilde – dat ze precies dát wilde doen – met die jonge violist.

Ze sloop de trap weer af. Er klonken geen stemmen meer in haar vaders studeerkamer. Ze duwde het paneel open en liep haastig door de lege kamer. De gasten begonnen zich nu in de balzaal te verzamelen en ze holde de trap op zonder tegen iemand te hoeven praten.

In haar kamer deed ze de deur dicht en leunde er zwaar ademend tegenaan, niet alleen vanwege het hollen maar ook door dat wat ze zojuist had meegemaakt.

Aan het eind van de volgende middag voerde het gezelschap van haar vader een toneelstuk op, een liefdesdriehoek met enkele nogal voorspelbare grappen erin, maar Antonina vond het moeilijk om haar aandacht erbij te houden. De voorstelling werd gevolgd door hors-d'oeuvres en er werden spelletjes whist en *vint* georganiseerd. Na verloop van tijd werden de gasten op een uitvoerig diner onthaald, met nog meer champagne, waarna weer een bal volgde.

Antonina was van het diner weggeglipt toen de musici hun instrumenten gingen stemmen, om zich voor te bereiden op hun uitvoering. Net als bij de repetitie van een paar dagen geleden keek Antonina naar het orkest, deze keer enigszins verscholen omdat ze op een bankje met hoge rugleuning en gewelfde zijkanten zat. De zaal weergalmde van de kakofonie aan geluiden van toets-, snaar- en blaasinstrumenten.

Ze keek openlijk naar de jonge violist zoals hij daar zat, met zijn viool en strijkstok, zijn muzieklessenaar nog leeg voor zich. De cellist zei iets tegen hem en Antonina zag dat de violist klaarblijkelijk in gedachten verzonken was. De cellist moest hem op de schouder tikken voor hij opkeek naar de oudere man. Terwijl de violist sprak, keek Antonina naar de fraaie welving van zijn lippen en de glans van de kroonluchters op zijn haar. Ze dacht aan zijn handen op haar naakte heupen, zoals ze op de heupen van haar moeder hadden gelegen.

Antonina danste twee keer, eerst aan de arm van een vriend van haar broer een mazurka, samen met drie andere paren, en daarna een wals met een onbekende jongeman die haar zo licht vasthield dat ze zich niet ongemakkelijk voelde. Ze hield van dansen en ook al had ze weinig belangstelling voor haar danspartners, glimlachte ze toch onbewust toen ze een polka en daarna een quadrille danste.

Elke keer dat ze langs het orkest wervelde, ving ze de blik van de violist op. Toen ze een volgende polka met een luitenant in een te strakke broek afwees, met het excuus dat ze haar tenen even rust moest gunnen, ging ze met haar glas champagne bij een groepje ongehuwde jonge vrouwen van naburige landhuizen staan. Ze waaierden zich koelte toe en praatten opgewonden met elkaar, terwijl ze naar de dansende mensen keken en de charmes van bepaalde mannen bespraken. Terwijl Antonina glimlachte en instemmend knikte, probeerde ze de violist in het oog te houden.

Het orkest legde de instrumenten neer om zich voor te bereiden op het volgende nummer en Antonina zag dat haar moeder openlijk stond te flirten met de luitenant in de te strakke broek, waarbij ze zijn oor even aanraakte en jolig lachte, om vervolgens iets tegen zijn wang te fluisteren. De luitenant lachte smakelijk en sloeg zijn arm stevig om haar middel. Antonina keek naar de violist. Hij sloeg haar moeder ook gade, en zijn mond stond strak terwijl hij aan de slag ging met het harsen van de haren van zijn strijkstok.

Antonina schaamde zich voor haar moeder en ze was boos op haar omdat ze zo nadrukkelijk demonstreerde hoe vreselijk onbelangrijk de violist voor haar was.

'Moeder,' zei Antonina, en ze trok haar aan haar hand, zodat Galina Maksimova met tegenzin de luitenant achterliet. 'Ik wil graag dat het orkest *La Séparation* in f kleine terts van Glinka speelt. Dat is mijn lievelingsstuk.'

Haar moeder gebaarde in de richting van het orkest. 'Geef hun dan maar de opdracht.' Ze stonden vlak bij de violist. Antonina keek hem aan.

'Neem me niet kwalijk,' zei ze, en ze stapte op het lage podium. De violist legde zijn hars weg en ging staan. Antonina keek naar hem en toen naar haar moeder, waarbij ze hen koel en kalm opnam. 'Moeder,' zei Antonina. 'Ik geloof dat jullie elkaar al hebben ontmoet, nietwaar?'

Noch haar moeder noch de violist gaf antwoord, maar de jongeman boog naar Antonina. 'Ik ben Valentin Vladimirovitsj Kropotkin.' Hij richtte zich weer op en keek haar recht aan. Het was dezelfde blik waarmee hij haar over haar moeders schouder had aangekeken.

Antonina probeerde haar ademhaling onder controle te houden. 'Ik heb tegen mijn moeder gezegd dat ik graag wilde dat het orkest *La Séparation* in f kleine terts van Glinka zou spelen. Kunt u dat voor me spelen?' Nu ze zo dicht bij de violist stond, begon haar hart hevig te bonzen. Zonder op zijn antwoord te wachten keek ze weer naar haar moeder. 'Ik weet zeker dat u hem kunt overhalen alles te doen wat u wilt. Nietwaar?'

Galina Maksimova fronste haar wenkbrauwen, keek even naar de violist en toen weer naar Antonina. 'Hoe bedoel je, Antonina?'

'U begrijpt best wat ik bedoel, moeder. Hebt u hem niet al gevraagd te doen wat u wilt?'

'Mademoiselle, het is uiteraard geheel aan u,' zei Valentin, zonder acht te slaan op Galina Maksimova, zich richtend tot Antonina. 'Het is tenslotte uw feest. Ik kan de verandering met de maestro bespreken.'

Antonina's moeder hield een ober aan en pakte een glas champagne van het dienblad.

'Prinses Olonova, het zou mij een groot genoegen zijn ter ere van uw naamdag iets speciaals voor u te spelen. We hebben alle muziek van Glinka. We zullen het als finale spelen als u dat wenst.'

De klank van zijn stem beviel Antonina. Het beviel haar dat hij haar moeder negeerde. 'Ja. Dank u,' zei ze, zonder te glimlachen, 'Valentin Vladimirovitsj,' vulde ze aan, waarmee ze hem respect toonde door hem bij zijn volledige naam te noemen.

Toen het orkest om drie uur die nacht de laatste wals had gespeeld, maakten de gasten, nat van het transpireren, aanstalten de balzaal te verlaten.

De dirigent tikte luid op zijn lessenaar en riep: 'Dames en heren. Indien u mij toestaat hebben we nog één laatste nummer. Het is geen dans maar een speciale uitvoering voor de jonge prinses Antonina Leonidovna, als ons geschenk aan haar ter ere van haar naamdag.'

Hij keek naar Antonina en ze boog haar hoofd bij wijze van dank. De gasten bleven staan, soms nog pratend, en keken naar het orkest.

De dirigent draaide zich terug naar het orkest en hief zijn stokje.

Antonina glimlachte openlijk naar de violist. Hij glimlachte naar haar terug.

Ze drukte haar vingertoppen tegen haar lippen terwijl ze naar zijn gezicht keek, dat heel intens en expressief werd. Hij speelde samen met de pianist. Ze dacht opnieuw aan zijn handen die zo losjes op haar moeders enigszins vlezige heupen hadden gerust, en ze wilde ze op haar eigen blote huid voelen.

Toen de laatste noot van de nocturne was verklonken, begon iedereen enthousiast te klappen. Het hele orkest stond op en boog diep. Antonina keek nog altijd naar de violist. Toen hij zich weer oprichtte, bewoog hij zijn hoofd om een lok haar van zijn voorhoofd weg te zwaaien, en hij keek haar recht aan.

De gasten verlieten de balzaal, maar Antonina treuzelde nog wat toen het orkest de instrumenten begon in te pakken. Zoals ze had gehoopt, kwam de violist naar haar toe met een bundel bladmuziek in zijn hand.

'Ik heb de pianist gevraagd me toe te staan u een exemplaar van een aantal werken van Glinka te schenken,' zei hij. 'Hoewel ze veelgebruikt zijn, en u er misschien al een aantal van hebt, zult u misschien wanneer u speelt... ik neem aan dat u speelt?' vroeg hij, en toen Antonina knikte ging hij verder: '... zult u misschien nog eens terugdenken aan uw naamdag.'

Ik zal terugdenken aan jou, dacht Antonina.

'Mag ik er een opdracht aan u in schrijven?' vroeg hij, en ze knikte weer, blozend en verward.

'In de vestibule zijn pen en inkt,' zei ze, 'naast het gastenboek.'

'Als ik mag...?' vroeg Valentin, en Antonina draaide zich om en liep de enorme, galmende hal in, gevolgd door de violist.

Daar boog hij zich over de bovenste pagina en begon te schrijven. Terwijl ze wachtten tot de inkt was opgedroogd, las Antonina wat hij had geschreven: *Voor Antonina Leonidovna, op haar naamdag. Met veel bewondering en respect, Valentin Vladimirovitsj. 14 maart 1849.*

'Ik besef dat dit geschenk in geen enkel opzicht kan wedijveren met al uw andere geschenken,' zei Valentin, en hij gebaarde naar de tafel met de overdaad aan cadeaus die Antonina van haar gasten had ontvangen.

Ze pakte de pagina's op. 'Ik denk dat deze muziek het dierbaarste cadeau is,' zei ze, geschokt over haar eigen brutaliteit. 'Elke keer dat ik het speel, zal ik eraan terugdenken van wie ik het heb gekregen.' Zijn handschrift was heel verfijnd.

'Misschien dat u, na ons optreden bij de laatste lunch van morgen, me de eer wilt bewijzen voor mij te spelen,' zei Valentin.

Antonina glimlachte naar hem.

Ze zag niet dat haar moeder haar aandachtig opnam, met enigszins gefronst voorhoofd.

De bladmuziek van Glinka lag op haar kaptafel. Antonina dacht aan Valentin Vladimirovitsj terwijl ze in slaap viel. Ze sliep diep en werd blij wakker bij de gedachte hem die dag weer te zien.

Ze besteedde veel zorg aan de keuze van het pianowerk dat ze voor hem zou spelen.

Toen ze naar beneden ging, meed ze de gasten die in de enorme eetzaal zaten te ontbijten en glipte de kleine eetkamer binnen voor een kopje thee. Tot haar verbazing zaten haar vader en moeder daar samen zachtjes te praten in de zonverlichte kamer. Ze zwegen toen ze door de glazen deuren kwam. Antonina vroeg zich af waarom ze niet samen met hun gasten aan het ontbijt zaten.

Het was vreemd om hen zo samen te zien. Ze zagen er wonderlijk tevreden uit, vond Antonina. Alsof ze het voor deze ene keer helemaal eens waren over iets. Terwijl ze een zoet broodje at en een kopje thee dronk, hadden haar ouders het even over het succes van de vorige avond.

'Hoe laat zijn vandaag de lunch en de uitvoering?' vroeg Antonina, hopend dat de vraag nonchalant klonk. Ze reikte naar nog een broodje.

Haar moeder liet haar oogleden iets zakken. 'Ik heb het orkest weggestuurd. Ze zijn een uur geleden vertrokken.' Toen glimlachte ze naar Antonina, met een open, zorgeloze glimlach. 'De lunch is om één uur.'

Antonina trok haar hand terug van de schaal met zoete broodjes en deed haar mond open om te protesteren. Ze staarde naar haar moeder en deed haar mond toen weer dicht. Wat kon ze ertegen doen? Ze haatte haar op dat moment.

'Ik wil dat je meegaat naar mijn werkkamer,' zei haar vader toen. Ze stond op zonder haar moeder aan te kijken.

13

Antonina betastte de gladde, ronde globe op haar vaders bureau, zoals ze dat had gedaan vanaf de eerste keer dat ze als kind naar zijn werkkamer was gekomen. Hij zat in zijn krakende leren stoel achter het bureau.

Het was nooit een goed teken naar haar vaders studeerkamer te worden geroepen. Als klein meisje kreeg ze er standjes omdat ze brutaal was geweest tegen haar huisleraren of omdat ze zich voor haar kinderjuffrouw had verstopt. Toen ze ouder werd had ze er uitbranders gekregen omdat ze zonder toestemming op het lievelingspaard van haar broer had gereden en omdat ze zonder chaperonne stiekem in het meer was gaan zwemmen en omdat ze een eenvoudige daagse jurk van haar moeder als trouwjurk aan een jonge horige uit het huis had gegeven.

De vorige keer was het het gedoe met de icoon geweest.

Hoewel ze geen klein kind meer was, voelde ze zich wel zo wanneer ze voor haar vaders brede mahoniehouten bureau stond, dat uit Londen was geïmporteerd. Zou ze een reprimande krijgen omdat ze eergisteren had geweigerd met die vervelende prins Chroetski te dansen, of omdat ze had geprobeerd haar moeder te vernederen ten overstaan van de violist?

'Ga zittten, alsjeblieft, Tosja,' zei prins Olonov.

'Dank u, vader,' zei ze, en ze liet zich in de brokaten stoel zakken. De zitting was wat slap, hij moest nodig opnieuw worden gevuld. Ze realiseerde zich dat er al enige tijd geen nieuw meubilair en geen nieuwe stoffering was aangeschaft en dat de studeerkamer wat sjofel was geworden. De marineblauwe zijden gordijnen waren verschoten, doordat de zon strepen lichter blauw in de plooien had gebleekt. Een geborduurde zoom begon te rafelen.

'Je bent nu zeventien,' zei haar vader. Zijn voorhoofd glom vochtig en ze moest opnieuw denken aan die keer, meer dan drie jaar geleden, toen hij Lilja en Ljosja had verbannen. Het was koel in de kamer, er blies een frisse maartse bries door het raam achter het bureau, dat op een kiertje stond waardoor de verschoten gordijnen opbolden. Toen ging hij staan. Antonina stond eveneens op, uit respect. Zijn gedrag was verwarrend. Antonina kreeg op een vreemde manier bijna het gevoel dat zij hém ongemakkelijk maakte.

'En daarom heb ik een huwelijk voor je geregeld,' zei hij.

'Wat?'

Toen haar vader niet meteen antwoord gaf maar achter zijn bureau bleef staan, likte ze langs haar lippen en zei: 'Maar... met wie? En waarom? Waarom nu?'

'Het is tijd,' zei hij.

Antonina liep om zijn bureau heen en ging voor hem staan.

'Je gaat trouwen met graaf Mitlovski.'

Heel even dacht Antonina dat ze hem verkeerd had verstaan. 'Graaf Mitlovski?' Hij was op het feest voor haar naamdag geweest, Antonina had hem de afgelopen dagen een paar keer gezien, maar ze had niet meer gedaan dan zijn cadeau aanpakken en even voor hem nijgen. 'Nee... Nee, vader.' Haar stem werd luider. 'Het is een oude man!'

De prins tuitte zijn lippen. 'Hij is nog geen vijftig – zes jaar jonger dan ik,' zei hij. 'En het is een eerlijke man. Ik heb al eerder zaken met hem gedaan.'

'Zaken? Dus dit zijn ook zaken?'

Haar vader keek haar recht aan. 'Antonina, je bent oud genoeg om te begrijpen dat dit soort dingen – het samenvoegen van families – ter verbetering van alle betrokkenen is.'

'Hoe kan dit voor mij een verbetering zijn?'

De prins schudde ongeduldig zijn hoofd. 'Konstantin Nikolevitsj is een invloedrijk man. Hij heeft een groot landgoed in de buurt van de stad Pskov. Hij bezit vele wersten en veel zielen. De meeste vrouwen zouden dolblij zijn om met hem te kunnen trouwen. Er is een aantal geïnteresseerde weduwen geweest. Hij is bereid...' Hij zweeg. Toen hij weer sprak was het alsof hij zijn woorden zorgvuldig woog. 'Hij is al een aantal jaren weduwnaar, Antonina. Hij is op zoek naar een andere vrouw om zijn leven mee te delen – en zijn bezit. Zijn eerste huwelijk is lang en, volgens hem, gelukkig geweest, maar het heeft geen kinderen opgeleverd. Zijn vrouw is een groot deel van haar leven ziekelijk geweest. En hij zou graag kinderen willen hebben. De weduwen die hun wensen kenbaar hebben gemaakt, zijn niet jong genoeg om dit te verzekeren.'

'Hij wil dat ik hem een nest kinderen bezorg?'

'Doe niet zo dwaas. Hij vindt je aantrekkelijk en interessant, anders zou hij dit aanbod niet hebben gedaan.'

'Heeft híj dit aanbod gedaan? Niet u?'

Hierop keek de prins haar even strak aan en richtte zijn blik daarna op zijn bureau.

Antonina zag de kale plek op de kruin van zijn hoofd. Was graaf Mitlovski ook kaal? Nee. Hij had dik golvend haar, maar het was wel al grijs.

Ze probeerde zich iets te herinneren van de graaf, die een van de vele gasten van haar vader was geweest en soms voor een weekend of een hele week op bezoek kwam. Vaag herinnerde ze zich zijn vrouw met kastanjebruin haar, een starre en wat hooghartige vrouw met een magere gestalte. Ze had op haar wangen vage littekens van pokken, die ze met een dikke laag poeder probeerde te bedekken.

Op een dag was graaf Mitlovski alleen gekomen, met een zwarte band om zijn arm, zodat Antonina had geweten dat zijn vrouw was gestorven. Terwijl ze nu voor haar vader stond, herinnerde ze zich dat de graaf eens op een stormachtige middag in januari was gearriveerd, kort na hun meest recente nieuwjaarsfeesten in Sint-Petersburg, en een paar uur met de prins in zijn studeerkamer had doorgebracht voordat Antonina voor het avondeten werd geroepen. Ze hadden slechts gedrieën aan de lange, glimmende tafel gezeten. Die scène kwam nu in detail weer bij haar boven. Toen ze de eetkamer was binnengekomen om zich voor het diner bij haar vader en graaf Mitlovski te voegen, had de prins gezegd: 'En we zijn het eens over de zielen, de volle honderd?'

Graaf Mitlovski stond op, boog zich over Antonina's hand en kuste die luchtig. Terwijl hij een stoel voor haar uitschoof zei hij tegen de prins: 'De tijd voor zakelijke gesprekken is afgelopen, nu uw beeldschone dochter zich bij ons heeft gevoegd. Vindt u ook niet?'

'Zeker,' zei prins Olonov.

'Gaat u horigen verkopen, vader?' vroeg Antonina, en toen haar vader geen antwoord gaf, richtte ze zich tot graaf Mitlovski. 'Ik hoop het niet. Mijn vader vindt dat hij het recht heeft gezinnen te scheiden, wat veel verdriet veroorzaakt.'

Graaf Mitlovski deed zijn mond al open om antwoord te geven, maar Antonina's vader sprak als eerste. 'Alsjeblieft, Antonina Leonidovna. Toon in aanwezigheid van onze gast niet zo'n gebrek aan respect.'

Antonina liet zich de mond niet snoeren. 'Ik hoop dat u het niet eens bent met deze barbaarse praktijk, graaf Mitlovski.' Ze ging zitten.

De graaf ging ook zitten en de deur zwaaide open. De bedienden kwamen binnen met zilveren dienbladen met kommen soep en borden dungesneden ui en gezouten, ingemaakte komkommer; ze begonnen te serveren.

'Is dat zo, graaf Mitlovski?' drong Antonina aan. 'Want wanneer ik door de dorpen rijd en zie hoe…'

Op dat moment viel haar vader haar in de rede en zei met vlakke stem: 'De graaf is onze gast, lieve dochter, en hij heeft ons gevraagd tijdens het eten niet over zaken te spreken. Je zult uiteraard gehoor geven aan zijn wensen.'

Antonina schoof achteruit toen de bediende het zilveren deksel van de dampende soep voor haar lichtte. 'Ja, vader,' zei ze.

Ze waren klaar met het dessert, een taart met ingemaakte bessen, bekroond met een dikke laag slagroom, en de samovar was binnengebracht, toen prins Olonov Antonina vroeg een deel van Poesjkins *Jevgeni Onegin* voor graaf Mitlovski voor te dragen. 'Alleen maar het begin van hoofdstuk één, Antonina,' drong hij aan.

'Toe, vader,' zei ze, omdat ze geen zin had nog langer aan tafel te blijven. 'Ik weet zeker dat graaf Mitlovski al te vaak heel veel verzen van *Jevgeni Onegin* heeft moeten aanhoren. Dat moet heel vervelend voor hem zijn.'

'O, maar ik kan u verzekeren, Antonina Leonidovna,' zei graaf Mitlovski, 'dat ik dat graag zou willen horen. Het is lang geleden dat een jonge vrouw iets voor mij heeft voorgedragen.' Hij glimlachte, en hoewel zijn tanden enigszins verkleurd waren door thee en tabak, waren ze toch recht, en zijn glimlach was bijna charmant. 'Ik weet zeker dat u een heel aantrekkelijke stem hebt.'

'Ja, kom, Tosja,' zei prins Olonov, en hij keek haar dwingend aan.

Ze legde haar servet neer, ging staan en schraapte haar keel.

'Je haar, Antonina Leonidovna,' zei haar vader. Ze reikte omhoog en probeerde een paar lange slierten verdwaalde lokken in hun spelden te duwen. Tegen hun gast zei hij: 'U kunt er verzekerd van zijn, Konstantin Nikolevitsj dat hoewel het mijn dochter aan bepaalde vrouwelijke inzichten ontbreekt, ze heel inschikkelijk is.'

Antonina keek scherp naar haar vader, zowel kwaad als beschaamd. Haar vader had gelijk met betrekking tot haar gebrek aan belangstelling voor haar haar en voor de laatste mode, maar het tweede deel van de opmerking vormde een aperte leugen. Hij wist hoe koppig ze was.

'Je hebt een charmante blos op het gezicht van Antonina Leonidovna teweeg weten te brengen, goede vriend,' zei graaf Mitlovski, en ze balde haar vuisten en verstopte die in de plooien van haar rok.

De *ormulu*-klok tikte luid en er klonk het gekras van de klapdeur en even het gerinkel van porselein toen er een bediende binnenkwam met een dienblad vol kopjes en schoteltjes en een pot suikerklontjes. Antonina bleef wachten tot de man alles had neergezet, boog, en weer vertrok.

'Misschien wil jij de thee inschenken, dochter,' zei haar vader. 'We zullen die opdrinken terwijl jij voor ons declameert.'

Toen ze de kop-en-schotel voor graaf Mitlovski op het zware damasten tafelkleed had gezet, had hij onverwachts haar hand gepakt. 'Draagt u geen handschoenen bij het rijden, Antonina Leonidovna?' vroeg hij, en ze keek naar hem, toen naar haar vader, en daarna weer naar graaf Mitlovski. Wat een vreemde en nogal persoonlijke vraag. Hoe ongepast om haar zomaar aan te raken.

'Over het algemeen liever niet,' zei ze.

'Uw huid is helemaal ruw van de kou.' Hij keerde de hand om en bekeek de palm. 'Lieve hemel, eeltplekken van de teugels. U zou deze jonge handen beter moeten verzorgen.'

Iets aan de manier waarop hij haar hand vasthield, heel losjes, maar toch met een bezittersair, maakte haar nerveus. Ze trok haar vingers uit zijn hand en keek weer naar haar vader, op zoek naar... iets. Een vorm van steun, zelfs een blik, die haar zei dat ze het niet bij het verkeerde eind had door zich ongemakkelijk te voelen bij de ongewenste belangstelling van deze man. Maar haar vader had een kleine glimlach om zijn mond.

'Het spijt me vreselijk, graaf Mitlovski,' zei Antonina, 'maar ik kan niet blijven om voor u te declameren. Er is iets wat ik moet doen.'

Ze holde de eetkamer uit naar boven, naar haar kamer. Later die avond, toen de graaf zich had teruggetrokken, kwam haar vader naar haar toe om haar een reprimande te geven voor haar onwellevendheid. Hij hield opnieuw een verhandeling over fatsoenlijk gedrag. Hij vertelde haar ook dat het bijzonder belangrijk was dat ze in aanwezigheid van graaf Mitlovski uitstekende manieren aan de dag legde.

'Waarom maakt u zich zo druk over hem?' had ze gevraagd, maar haar vader had alleen maar zijn hoofd geschud, had zijn wenkbrauwen gefronst en was haar kamer uit gegaan.

Sindsdien had ze de vervelende gedachte aan de hand van graaf Mitlovski op de hare uit haar hoofd gezet. Ze had niet meer aan hem gedacht of de afgelopen dagen enige aandacht aan zijn aanwezigheid te midden van de andere gasten besteed. En nu vertelde haar vader haar dat ze met hem ging trouwen.

Haar vaders stoel kraakte toen hij weer ging zitten. Hij legde zijn handen op het bureau. 'De voordelen van dit huwelijk zijn heel groot voor jou, Antonina. Je zult een heerlijk leven kunnen blijven leiden, met de mooiste bezittingen, mogelijkheden tot reizen, en uitnodigingen voor alle belangrijke evenementen in elk seizoen. Het zal zijn dan als vrouw, niet als dochter. Begrijp je niet wat voor geweldige kans dit voor je is? Begrijp je niet dat je moeder en ik aan je toekomst denken?'

Antonina liep weer naar de andere kant van het bureau.

'Ik ga niet met hem trouwen. U kunt me niet dwingen.' Dit was natuurlijk niet waar. Prins Olonov dicteerde Antonina's leven. Hij kon haar wel dwingen.

Hij leunde nu achterover. 'Heb jij een man in gedachten, Antonina Leonidovna?' vroeg hij. 'Ik heb geen aanbidders bij ons op de stoep zien staan. De bals blancs die je moeder vorig najaar heeft georganiseerd, hebben niets opgeleverd. Ik heb niet de indruk dat jij veel belangstelling hebt om naar bals of muziekavondjes te gaan wanneer er uitnodigingen van andere landhuizen komen. Je hebt de laatste tijd feitelijk al zulke uitnodigingen afgeslagen. Moet ik geloven dat jij van plan bent hier te blijven, je tijd met beuzelarijen te verdoen tot... tot wanneer, Tosja? Ben jij niet een gewone vrouw die graag een eigen huis wil hebben, een man en kinderen?'

Antonina verroerde zich niet.

'Nou, dit is een interessante ontwikkeling, moet ik zeggen,' zei haar vader en hij pakte een sigaar. Hij knipte het puntje eraf. 'Voor deze ene keer heeft mijn dochter geen mening, Antonina Leonidovna Olonova heeft niets te melden.' Hij stak de sigaar aan en begon hevig te paffen.

Zijn dochter had er geen idee van hoe radeloos hij was, hoe ze binnenkort misschien helemaal niet meer aan de man kon komen. In de afgelopen jaren had prins Olonov de ernstige fouten die hij met zijn financiën had gemaakt nog verborgen weten te houden. Zijn uitgaven waren duizelingwekkend: de kosten van het beheer van het landhuis waren op zich al enorm, en daarnaast had hij nog eens het schitterende huis in Sint-Petersburg te onderhouden, samen met het gigantische uitgavenpatroon van de prinses. Hij vulde het inkomen van al zijn zonen aan en Dimitri had enorme speelschulden die hij had moeten vereffenen. De belastingen waren hoog en hij liep ver achter met betalen.

Hij zat diep in de schulden. Hij had opgemerkt dat graaf Mitlovski na het overlijden van zijn vrouw belangstelling had gekregen voor Antonina. Hij vertelde zijn oude vriend dat hij graag wilde dat Antonina Leonidovna zijn vrouw zou worden, maar dat hij met de verpletterende uitgaven waar hij voor stond niet langer in staat was de aanzienlijke bruidsschat op te brengen die bij zo'n huwelijk werd verwacht.

Konstantin Mitlovski had geknikt en tegen de prins gezegd dat hij dankzij hun oude vriendschap, en dankzij het fortuin dat hem in de afgelopen jaren had toegelachen, geen bruidsschat behoefde. Het geschenk van de levendige dochter van de prins was beslist voldoende om hem tevreden te stellen. Hij was zo gretig om een jonge en vruchtbare vrouw te hebben dat hij ermee had ingestemd een aantal wersten aan te kopen van een landgoed dat aan het bezit van de prins grensde. Hij zou die aan de prins ten geschenke geven, samen met de ruim honderd horigen die daar woonden. Het tanende fortuin van Olonov zou weer aangevuld worden.

Toen de prins dit bij zijn vrouw ter sprake bracht, stemde ze er volledig mee in. Antonina's moeder popelde om haar dochter in het huis van een andere man op te bergen. Ze moest niets hebben van Antonina's buien of grillige gedrag, ze was niet geïnteresseerd in het wel en wee van haar enige dochter. Ze maakte zich meer zorgen dat het meisje, hoewel geen conventionele schoonheid, toch een zekere charme bezat, en dat er onvermijdelijk vergelijkingen zouden worden gemaakt tussen een knappe vrouw die over haar hoogtepunt heen was en een die tot volle bloei begon te komen. In de afgelopen twee jaar had ze niet gewild dat haar dochter bij ontvangsten in het huis in Sint-Petersburg of op het landhuis naast haar stond.

Deze ongelukkige combinatie van financiële verliezen van prins Olonov en de egocentrische houding van zijn vrouw bezegelde Antonina's lot.

14

Antonina liet zich niet willoos het gearrangeerde huwelijk binnenvoeren. Ze protesteerde bij haar moeder, smeekte haar vader, en dreigde weg te lopen. Alle drie wisten ze dat ze blufte. Waar moest Antonina naartoe? Toch bracht ze al haar verbale tactieken in stelling om haar ouders duidelijk te maken dat ze niet met graaf Mitlovski wilde trouwen. Het mocht niet baten. Zowel de prins als de prinses besefte dat dit hun enige mogelijkheid was om door te gaan op de manier zoals ze gewend waren.

Bovendien, zeiden ze tegen elkaar, zou Antonina binnenkort moeilijk meer aan de man kunnen komen aangezien ze al bijna twintig was. Het zou heel wreed zijn om haar te veroordelen tot het leven van een oude vrijster die bij haar ouders of bij het gezin van een van haar broers woonde. Dat was een lot dat geen enkele vrouw wenste. Ze hielpen haar zoals alle bezorgde ouders dat zouden doen, zeiden ze in zeldzame harmonie tegen elkaar, terwijl ze hun hoofd schudden over de ondankbare houding van hun dochter.

Het huwelijk zou plaatsvinden in Pskov. Graaf Mitlovski wilde graag dat de plechtigheid werd gehouden in de grootse en schilderachtige Trinitatis-kathedraal, binnen de middeleeuwse muren van de citadel. Pskov was met het rijtuig slechts drie uur verwijderd van zijn landgoed Polnokove, en hij had geen zin om de bijna driehonderd kilometer verder naar Sint-Petersburg te reizen, zoals de prinses had gehoopt. Ze had gewild dat de voltallige society van Sint-Petersburg getuige zou zijn van het huwelijk van haar dochter met de rijke graaf Mitlovski, maar ze was het met haar man eens dat ze niet mochten kibbelen over welke suggestie van de graaf dan ook. Er zou niet nog eens zo'n aanbod komen voor hun wispelturige dochter.

Twee dagen voor de trouwerij, tijdens de laatste pasbeurt, morste Antonina een glas bordeaux op het voorpand van haar trouwjurk, een kostbaar geval dat door haar moeder was ontworpen en gemaakt door de beste naaisters die Pskov te bieden had. De robijnrode vloeistof maakte onuitwisbare vlekken op het lijfje en op de volumineuze rok, helemaal tot aan de zoom. Waarom ze tijdens het passen een glas bordeaux in haar hand had gehouden, was de naaisters een raadsel. Hoe ze zo onhandig had kunnen zijn om het volle glas over zich heen te gieten, was gewoon onvoorstelbaar.

Prinses Olonova had van woede staan gillen toen de wijn werd gemorst en daarna had ze Antonina in haar gezicht geslagen. De vele naaisters stonden met openlijke blikken van afschuw te kijken. Het was niet duidelijk wat hen het meest had geschokt: de verwoesting van de jurk waar ze meer dan twee maanden aan hadden gewerkt met het naaien van duizenden kleine cultivépareltjes op de hele rok en sleep, of het gedrag van deze zogenaamd beschaafde vrouw.

Antonina reageerde niet op de klap. Ze had zich tegenover haar moeder en de naaisters verontschuldigd, en verklaard dat de trouwerij nu helaas zou moeten worden uitgesteld aangezien er geen tijd was om een nieuwe jurk te naaien. Op een scherpe fluistertoon die nog steeds hoorbaar was voor alle naaisters zei haar moeder: 'Ga je niet nog egoïstischer en belachelijker gedragen dan je al hebt gedaan, en denk niet dat ik zo onnozel ben om niet te begrijpen waar jij mee bezig bent.' Vervolgens kocht ze de leidster van de naaisters op royale wijze om om de bijna voltooide trouwjurk van een andere jonge vrouw te gebruiken. Die was van prachtige tule, en hoewel niet zo schitterend als de oorspronkelijke jurk, was hij goed genoeg.

Hij paste Antonina niet – een te strak lijfje en te wijd in de taille – maar er was geen tijd meer om de jurk nog te vermaken.

Graaf Konstantin Nikolevitsj Mitlovski en prinses Antonina Leonidovna Olonova werden in september 1849 in Pskov in de reusachtige kathedraal in de echt verbonden. Terwijl de priester zijn eindeloze verhaal over beloften en plichten opdreunde, voelde Antonina zich opeens benauwd worden, ongetwijfeld door het strakke lijfje met zijn vele satijnen knoopjes. Ze dacht aan de jonge vrouw die door haar kinderachtige gedrag van haar trouwjurk was beroofd, en ze schaamde zich. Het was niet haar bedoeling geweest de trouwdag van iemand anders te bederven, alleen maar die van haarzelf.

Later zag ze de harde, tevreden blik van haar moeder toen ze haar dochter na de plechtigheid kuste en haar een vruchtbaar leven op het verafgelegen landgoed Polnokove wenste.

Haar vaders gezicht vertoonde enige onzekerheid, hoewel gesierd met een joviale glimlach.

Ze wilde niet denken aan wat de nacht zou brengen.

Graaf Mitlovski en de jonge gravin Mitlovskija brachten hun eerste gezamenlijke nacht door in de weelderige suite van een herberg met uitzicht over de rivier de Velikaja, die door Pskov stroomde.

Ze was door een dienstmeisje uit haar jurk en in het met linten bezette, hooggesloten nachthemd van ecru zijde met lange mouwen geholpen. Uitgeput door de spanning van die dag en de angst voor wat er ging komen, kroop Antonina in het grote bed en ging daar zitten, met haar haar nog opgestoken en ingevlochten met strengen kleine, glanzende pareltjes, in het uitvoerige kapsel waarin haar sluier bevestigd was geweest.

Ze was ervan overtuigd dat ze niet in slaap zou vallen, maar dat gebeurde bijna onmiddellijk nadat ze in de stapel kanten kussens achteroverleunde. Antonina schrok wakker toen er zacht op de deur tussen de twee aangrenzende kamers werd geklopt. 'Ja,' zei ze, en ze knipperde met haar ogen en schraapte haar keel. 'Ja,' zei ze, een beetje luider. 'Kom binnen.'

Konstantin kwam binnen en bleef enigszins schuchter naast het bed staan in zijn nachthemd, kamerjas en pantoffels.

'Lig je goed, liefste?' vroeg hij, en hij veegde zijn lippen en snor af met een zakdoek die hij uit de zak van zijn kamerjas haalde.

'Ja, dank je,' zei Antonina.

'Het was een mooie trouwerij,' zei hij toen, en hij stopte de zakdoek weer in zijn zak. 'Vind je niet?'

'Ja, heel mooi.'

'Ik dacht dat we morgen misschien naar het Klooster van de Grotten konden gaan, even buiten de stad, als jou dat schikt. Het is heel interessant. Uit heel Rusland komen er pelgrims naartoe om het te bewonderen.'

Antonina knikte, hoewel ze het liefst terug zou gaan naar haar eigen slaapkamer, omringd door de haar vertrouwde dingen: haar vele geschiedenisboeken, romans en gedichtenbundels, haar tekeningen van paarden die aan de muur hingen, haar atlas en memoires van ontdekkingsreizigers met afbeeldingen van exotische, verre oorden, en, vooral op dit moment, de platte fles met wodka die achter het kussen van de gecapitonneerde bank bij het raam verstopt was. Hoewel ze tijdens het eten twee glazen wijn had gedronken, had Konstantin de ober een teken gegeven dat ze niet meer mocht hebben.

Ze beefde heel licht, alsof er een koude bries door het openstaande raam naar binnen waaide en haar afkoelde. Het was een prachtige warme herfstavond. Er stond geen wind.

'Direct na het ontbijt zullen we teruggaan naar de Trinitatiskathedraal. Ik begin de dag altijd met gebed, net als jij, ongetwijfeld,' zei hij. 'Je zult mijn Kerk van de Verlosser, op Polnokove, vast mooi vinden. Ik sta op een dagelijkse ochtendmis voor de horigen uit het huis, en natuurlijk ook voor onszelf en voor bezoekers. Het is echt een heel mooie kapel. Ik heb de gebrandschilderde ramen uit Italië laten komen.'

Antonina gaf geen antwoord. Ze ging naar de zondagse mis op het landgoed van haar vader, en ze bad 's avonds voor haar iconen, maar dat was alles wat ze ooit had gedaan op het punt van naleven van godsdienstige plichten.

'En direct na de mis laten we ons door het rijtuig naar het park van Pskov brengen. Het is nog vroeg genoeg om de herfstkleuren op zijn mooist te zien. De volgende dag kun jij naar een naaister. Dat vind je vast wel leuk.'

'Maar ik heb niets nodig,' zei Antonina.

Konstantin glimlachte. 'Nodig? Ik weet hoe vrouwen zijn, liefje. Het is geen kwestie van nodig hebben. Je zult vast wel wat nieuwe kleren willen laten maken, en misschien wil je nog wat sieraden kopen voor we naar Polnokove teruggaan.' Toen knikte Antonina. Het leek haar het beste om in te stemmen, in elk geval voor vanavond, maar ze was echt niet van plan tijd in Pskov te besteden aan het zich laten aanmeten van nog meer jurken.

Ze had daar de afgelopen maanden in Sint-Petersburg al genoeg tijd aan besteed met haar moeder. Haar vader had Galina Maksimova berispt en gezegd dat de graaf een nieuwe garderobe voor zijn vrouw zou laten maken, en dat er geen reden was om nog meer uit te geven. Zoals gewoonlijk had prinses Olonova hem genegeerd en vrolijk kist na kist met nieuwe jurken en hoeden en muiltjes en handschoenen voor haar dochter gevuld. Het was de eerste keer, dacht Antonina, dat haar moeder het leuk leek te vinden om samen met haar iets te doen.

Alleen al de nachtkleding van Antonina vulde een hutkoffer. 'Er is wel iets wat ik heel graag zou willen,' zei ze tegen de graaf. 'Een hond.' Na al haar verdriet over haar korte tijd met Sezja had ze het onderwerp van een eigen puppy nooit meer ter sprake gebracht.

'Een hond? Natuurlijk. Je mag zelf kiezen welke hond je wilt hebben.'

'Dank je.' Ze glimlachte naar haar man.

Hij glimlachte terug.

Nu wachtte ze. Ze kon de was van Konstantins snor ruiken, en een vage geur van sigarenrook, wat haar aan haar vader deed denken.

Ze wilde aan niets anders denken dan aan slapen. Ze wilde met rust worden gelaten.

'Mag ik de lampen uitdoen, engel van me?' vroeg Konstantin.

'Ja,' zei Antonina, maar het klonk gesmoord, alsof er een laag stof op haar stembanden zat. Opnieuw schraapte ze haar keel. 'Ja, natuurlijk,' zei ze, wat duidelijker.

Toen alle lampen laag waren gedraaid en daarna uit, was de kamer in duisternis gehuld, met slechts een vaag streepje licht dat tussen de gordijnen voor de brede ramen naar binnen viel. Antonina deed haar ogen dicht en toen ze ze weer opendeed, zag ze Konstantin in haar bed klimmen.

Ze schoof zo ver mogelijk opzij en hield haar adem in terwijl hij het beddegoed opensloeg. Toen Konstantin op zijn rug ging liggen, deed Antonina hetzelfde. Haar nek was gespannen, haar enkel jeukte. De witte satijnen linten van haar trouwschoentjes hadden te strak gezeten. Hoewel ze het enkele momenten geleden koud had gehad, vond ze het nu te warm, maar ze wilde zich niet verroeren.

De stilte duurde voort. Ze dacht dat Konstantin misschien in slaap was gevallen. Ze luisterde naar zijn ademhaling, maar ze wist niet hoe die zou klinken als hij sliep. Ten slotte deed ze haar ogen dicht en voelde haar angst wegebben. Haar enkel jeukte nog steeds. Slaperig schoof ze haar hand omlaag om te krabben, en op hetzelfde moment was er een beweging en geritsel van beddegoed.

Konstantin vond haar gezicht in het donker en legde zijn lippen op haar mond.

Zijn snor kriebelde en de geur van de was was sterk. Konstantin bewoog zijn lippen, deed ze een eindje open. Zij hield haar lippen stevig gesloten en liet hem haar kussen. Meer dan wat ook was ze bang dat de geur van de was haar zou doen niezen.

Ten slotte hield hij op met kussen en bewoog zijn lippen naar ergens tussen haar wang en haar oor en legde toen voorzichtig zijn hand op haar borst. Ze verstijfde. Hij liet de hand daar lang liggen en kneep een beetje, alsof hij iets wilde onderzoeken, en toen hielden zijn vingers op.

'Mag ik?' zei hij, maar ze wist niet waar hij toestemming voor vroeg. Toen hij wachtte, zei ze: 'Ja.'

Langzaam ging hij boven op haar liggen. 'Is dat goed, liefste?' vroeg hij.

Het was helemaal niet goed. Hij was zwaar, maar Antonina zei opnieuw: 'Ja.'

Konstantin deed alles langzaam, aarzelend, alsof Antonina heel broos was, of alsof hij heel onzeker was.

Hij drukte zijn onderlichaam tussen haar benen, duwde ze uiteen en prutste wat om haar nachthemd tot vlak boven haar knieën op te trekken. Ze hield haar adem in toen ze het haar op zijn benen tegen haar benen voelde prikken. En daarna bleef ze roerloos liggen, nauwelijks ademend, alsof ze zich met haar ingehouden adem en haar starre lichaam kon beschermen. Zijn buik drukte haar dieper in het zachte matras terwijl hij ritmisch tegen haar aan bewoog en ze voelde ook de warmte van zijn huid tussen haar dijen, zelfs door de stof van hun nachtkleding die tussen hen lag heen. Dit wrijven tegen hun nachtkleding duurde eindeloos voort; ze hield haar ogen dicht en hapte snel even naar lucht wanneer ze haar adem niet langer kon inhouden.

Op een gegeven moment deed ze haar ogen open. Wat ze zag maakte dat ze ze meteen weer dichtdeed. Konstantins gezicht was zo dichtbij dat ze zijn gelaatstrekken kon ontwaren, ook al was het donker in de kamer. Zijn ogen waren dicht en hij had een uiterst geconcentreerde uitdrukking op zijn gezicht, alsof hij over een diepfilosofische kwestie moest nadenken. Op dat moment, in die donkere, vreemde kamer, werd ze opeens bang – niet zozeer voor Konstantin maar meer voor een gevoel van gevangen te zijn, voor deze gedwongen intimiteit met iemand die nagenoeg een vreemde voor haar was.

Er ontsnapte haar een ontredderde kreun van tussen haar opeengeklemde lippen en ze worstelde, duwde haar handen tegen Konstantins borst. Zijn ogen gingen open en zijn blik veranderde, werd weer vertrouwd. Hij rolde met een zware zucht van haar af.

'Het spijt me, Antonina Leonidovna,' zei hij zacht. Zijn verontschuldiging bracht haar in verwarring. 'We zijn allebei moe. Ik zal je laten slapen. Welterusten,' zei hij, 'mijn engel.' Het was de tweede keer dat hij haar op deze manier had aangesproken. Hij stond op en trok zijn nachthemd omlaag. Daarna schoot hij in zijn zware kamerjas en vertrok.

Antonina was aanvankelijk opgelucht dat ze niet waarlijk tot vrouw was gemaakt; de gedachte aan de daad met Konstantin had haar zorgen gebaard. Maar toen hij eenmaal weg was en zij alleen was en zich kon omdraaien om te gaan slapen, voelde ze een steek van teleurstelling. Ze had iets willen voelen. Ze had de huwelijksnacht verdragen op dezelfde manier als waarop haar broers haar als kind hadden gedwongen fysiek geweld te verdragen. Als ze haar gevoelens gedurende die lange, onaangename momenten zou moeten beschrijven, leek het nog het meest op onder water worden geduwd, adem inhouden en wachten om weer boven te komen.

Ze dacht aan haar moeder, die met zo'n kennelijke voldoening boven op de violist had bewogen. Ze dacht aan het gezicht van Valentin Vladimirovitsj toen hij haar over de schouder van haar moeder had aangekeken.

Ze vroeg zich af of Valentin ooit aan haar dacht.

Antonina vond het moeilijk om Konstantin de volgende morgen te begroeten in de afzonderlijke eetkamer die voor de jonggehuwden was gereserveerd, maar hij gedroeg zich alsof alles normaal was. Hij ondervroeg de ober over de versheid van het dungesneden kalfsvlees en glimlachte daarna over de tafel naar haar. Ze dwong zich zijn glimlach te beantwoorden.

Later, toen ze de mis hadden bijgewoond en door de mooie laan met sierbomen in het park van Pskov liepen, zei Konstantin: 'Als heer hoor ik dit misschien niet ter sprake te brengen, maar het spijt me dat het vannacht... zo is verlopen. Hoewel ik vermoed dat dit gedeeltelijk valt te wijten aan het feit dat jij nog zo jong bent.'

'Was het mijn schuld?' zei Antonina, en ze probeerde niet al te verontwaardigd te klinken. Er hing een pittige geur in de lucht van alle afrikaantjes die nog bloeiden.

'Je ziet er heel aardig uit, maar je bent te tenger, te blond. Ik heb liever een langere, steviger vrouw, zoals mijn overleden echtgenote.'

Antonina bleef staan, ze was zo verbaasd dat ze vergat zich gekwetst te voelen. Ze dacht aan zijn mannelijke, forsgebouwde vrouw.

Konstantin bleef eveneens staan en haalde een mes uit zijn zak. Hij maakte dit open en bekeek zijn vingernagels. 'Je bent nog niet erg interessant, Tosja.' Antonina verstrakte bij deze belediging. 'Hoewel ik weet dat je op de piano heel bedreven bent...' Hij zweeg even. '... ben je nog steeds onervaren en leeg.' Hij maakte de nagels van zijn linkerhand schoon, terwijl hij even terloops sprak alsof hij zojuist had aangekondigd dat hij niet van mierikswortel hield. 'Het valt te hopen dat je iets minder gewoontjes wordt wanneer je wat rijper bent.'

Antonina staarde hem aan terwijl ze gloeiend heet begon te worden, eerst langzaam, als bij een veenbrand. Maar toen sloegen de vlammen haar uit, als in een soort opluchting, en ze ging voor hem staan. 'Hoe kún je zoiets tegen me zeggen?'

Konstantin wierp haar een achteloze blik toe en spreidde toen zijn hand voor zich uit, om zijn nagels te bekijken.

'Jij denkt dat ik leeg ben? Léég?' Het woord klonk als een harde, staccato noot. Een voorbijwandelend paar keek hen aan en liep toen snel verder. 'Je bedoelt leeg als dom, als onnozel, met niet meer verstand dan een garnaal? Als je dat echt vond, waarom heb je mijn vader dan zo royaal voor me beloond? Waarom, Konstantin Nikolevitsj?'

Toen hij geen antwoord gaf, zei ze: 'Het spijt me dat jij er zo over denkt, echtgenoot. Dat mij op de een of andere manier blaam treft voor wat in bed kennelijk moeilijk was voor ons beiden.'

Hij stopte zijn mes weg. 'Zo is het wel genoeg, Antonina,' zei hij op gedempte toon. 'Fatsoenlijke mensen praten niet over dat soort intieme zaken.'

Maar Antonina was nog niet klaar. 'Jij bent degene die het ter sprake heeft gebracht. Ik kan mijn fysiek net zomin veranderen als dat standbeeld daar,' zei ze, gebarend naar een marmeren figuur in het midden van een cirkel met begonia's. 'Maar jij en ik weten allebei dat jij het volledig mis hebt ten aanzien van mijn intelligentie. Het is niet nodig om gemeen te doen, alleen maar omdat jij teleurgesteld bent.' En zachter ging ze verder: 'Voor wat betreft hoe ik me voelde toen jij vannacht boven op mij lag, zou je je misschien kunnen afvragen...'

Konstantins hoofd ging omhoog en hij kneep haar in haar onderarm. 'Ik heb je zojuist verzocht geen straattaal uit te slaan en toch blijf je maar doorgaan. Je bent gravin Mitlovskija. Je zult leren je op gepaste wijze te gedragen en je eigenwijze en kinderachtige houding te laten varen. Je bent geen klein kind meer. Je bent nu een vrouw, mijn echtgenote, en de nieuwe gravin van mijn landgoed,' zei hij, en hij liet haar arm los.

Antonina bedwong de neiging over de zere plek te wrijven.

Konstantin veegde zijn voorhoofd af met zijn handschoen. 'Antonina, ik geloof dat we allebei moe zijn van de afgelopen dagen. Laten we niet kibbelen op onze eerste dag als man en vrouw. Ik wil alleen maar dat we gelukkig worden. Laten we over leukere onderwerpen praten.' Hij glimlachte naar haar. 'Ter ere van jou verander ik de naam van mijn landgoed.'

Zijn opmerkingen over haar intelligentie staken haar nog steeds, maar ze zag dat hij probeerde het goed te maken, dat hij probeerde zijn ongeduld met haar niet hun dag te laten bederven.

'O ja? In wat?' Ze probeerde naar hem te glimlachen.

'Angelkov. Voor mijn engel.'

Ze glimlachte breder, pakte zijn hand en drukte die, hoewel het zware gevoel in haar binnenste niet minder was geworden.

Op Angelkov had Antonina meer dan een week nodig om wegwijs te raken in het huis en de tuin en de omringende gebouwen, en om zich de namen van het huishoudelijke personeel in te prenten. Haar man had een groot deel van zijn kapitaal verdiend met een eigen wodkastokerij die hij op zijn landgoed had, compleet met een kuiperij om de vaten te maken voor de drank die hij overal in de provincie en ver daarbuiten verkocht.

Voordat Konstantin en zij uit Pskov vertrokken, had ze Tinka gekozen uit een gespeend nest, en het hondje betekende een troost voor haar in haar nieuwe huis.

Antonina miste haar vader niet. De dingen waren veranderd sinds het incident met de icoon. Haar moeder, ach, met haar had ze nooit veel contact gehad. En wat haar broers betrof, die hadden de afgelopen jaren geen deel van haar leven uitgemaakt, een enkel bezoek daargelaten. De enige mensen die Antonina wel miste, waren enkele bedienden bij haar thuis. Toen ze vertrok, had ze hen op de wang gekust en roebels en iconen in de hand gedrukt terwijl ze afscheid van hen nam.

Afgezien van de spullen uit haar slaapkamer had ze haar vader gevraagd om één ding uit haar ouderlijk huis: de prachtige rozenhouten Erard-vleugel waarop ze sinds haar vierde jaar had gespeeld. Hij had hem naar Angelkov gestuurd en toen ze daar arriveerde stond hij voor haar klaar.

Konstantin gaf haar toestemming haar slaapkamer naar eigen smaak in te richten – een voormalige logeerkamer en niet, zei hij nadrukkelijk, de kamer van zijn overleden vrouw. Antonina pakte haar spullen uit, zette boeken in kasten, stalde haar kleine verzamelingen glas en porselein uit, en liet nieuwe beddespreien en gordijnen naaien in haar favoriete kleuren, groen en ivoor. Ze zat graag op de brede bank met kussens, die onder het grote raam was gemaakt, zodat ze van haar boek kon opkijken naar de tuin beneden, en verder, naar het landschap dat zich voor haar uitstrekte. In oktober lieten de bomen bijna van de ene dag op de andere hun blad vallen, en 's morgens was de lucht pittig doordat het had gevroren. Rajsa, de kokkin, die getrouwd was met Fjodor, de opperstalknecht, gaf gehoor aan haar verzoeken voor de maaltijd, en Olga, het hoofd van de huishouding, was vriendelijk en geduldig wanneer ze probeerde het leiden van een huishouden uit te leggen.

De enige bediende met wie Antonina moeite had, was haar kamenier, Varvara. De oudere vrouw was koel en achterbaks, en Antonina had voortdurend het gevoel dat ze werd bekritiseerd, ook al zei de vrouw nooit openlijk iets afkeurends. Antonina wist dat ze de kamenier van de eerste gravin Mitlovskija was geweest.

Overdag zag Antonina Konstantin niet, maar meestal aten ze 's avonds samen. Naast de stokerij was hij betrokken bij een aantal zaken die hem van Angelkov naar Pskov voerden, en soms helemaal naar Sint-Petersburg. En dus vulde ze haar dagen min of meer op dezelfde manier als op haar vaders landgoed het geval was geweest, met lezen, urenlang pianospelen, en paardrijden. Sommige avonden hadden ze gasten bij het diner – vrienden van Konstantin – en nam Antonina deel aan de levendige gesprekken en speelde ze na het diner whist en vint met de gasten. In veel opzichten was het alsof ze nog steeds haar oude leven leidde, afgezien van de nieuwe verantwoordelijkheden om te leren een huishouden te leiden: opdracht geven het huis schoon te maken en te onderhouden, menu's opstellen, uitnodigingen en visitekaartjes schrijven, en feestjes organiseren en coördineren. Toch was ze eenzaam op een manier zoals ze dat in het huis van haar vader nooit was geweest, besefte ze, omdat ze nu geen vage, ongedefinieerde, min of meer optimistische gedachten over een toekomst had.

Dit wás haar toekomst. Ze was een getrouwde vrouw, met een man die om de paar nachten vanuit zijn eigen slaapkamer door de lange, brede gang naar haar toe kwam.

Antonina bleef nog drie weken maagd, hoewel dat niet lag aan een gebrek aan pogingen van haar man.

15

Lilja had niet verwacht de prinses ooit terug te zullen zien na die december in 1845 toen Ljosja en zij door prins Olonov werden verkocht aan hun nieuwe landheer, graaf Konstantin Mitlovski.

Lilja en Ljosja werden weggevoerd achter op een *taljezjka*, een ruwe, open houten kar waarvan de wielen 's winters door glijders werden vervangen, en getrokken door een langharig paard met een rafelig hoofdstel en tuig van touw. Het was bitterkoud. De koetsier, een jonge kerel met een donkerrode wijnvlek over de helft van zijn gezicht, wierp Lilja en Ljosja een paar wolfshuiden vol vlooien toe tegen de kou. Lilja was dankbaar dat er ook twee geiten in de laadbak waren vastgebonden; hoewel ze erg stonken kropen Lilja en Ljosja dicht tegen ze aan om warm te blijven.

De koetsier droeg een jas en pet van wolfsvacht en zat over de leidsels gebogen, met zijn gezicht omlaag tegen de koude wind en de sneeuwbuien. Hij rookte een pijp of kauwde zonnebloempitten, waarvan hij de doppen in de wind uitspuugde. Soms belandden die op Lilja en Ljosja in het stro achter hem. Ljosja zat het eerste uur van hun reis zachtjes te huilen en hield toen op. Hij viel in Lilja's armen in slaap en ze bad dat hij zo lang mogelijk zou blijven slapen. Toen het donker werd reed de man de paard-en-wagen een stal met een lage zoldering binnen, die verwarmd werd door een kachel in een hoek. Toen hij een zak openmaakte en er een stuk donker brood uit haalde en dit aan Lilja gaf, keek hij haar doordringend aan. Daarna haalde hij een stuk gedroogde vis en twee gekookte aardappels uit dezelfde zak.

'Wil je hier iets van?' vroeg hij, en Lilja knikte. 'Misschien,' zei hij, en daarna at hij onder de ogen van Ljosja en haar een van de aardappels op. Ljosja hoestte en hoestte terwijl de man kauwde. Toen hij de tweede aardappel naar zijn mond bracht, begreep Lilja het. Ze knikte, en hij stopte.

'Als hij slaapt,' zei ze. De koetsier verdween. Ze gaf Ljosja het brood en keek toe hoe hij het opat. Ze nam hem in haar armen en neuriede tot hij in slaap viel.

De koetsier kwam terug met een lantaarn in de hand, en de zak. Ze stak haar hand uit. 'Eerst de vis en de aardappel.'

'Ik hoef die niet aan je te geven,' zei de jongeman.

'God ziet alles,' zei ze tegen hem, en ze sloeg een kruis. 'Je moet ons morgenochtend warme gierst en thee brengen.'

Hij sloeg eveneens een kruis en gaf haar toen de zak. Ze legde die naast Ljosja neer. Toen een van de geiten eraan begon te knabbelen, legde ze hem verder weg. Ze huiverde van de kou en van angst, maar Ljosja had meer nodig dan een droge korst brood. 'Breng je dat morgenochtend? De gierst en de thee?' vroeg ze, en de jongeman knikte.

'Snel dan,' zei ze, 'en maak hem niet wakker.' Ze deed haar buitenste omslagdoek af en legde die zachtjes over Ljosja zodat zijn hoofd was bedekt. Ze ging languit in het stro liggen, en toen de koetsier haar nam, beet ze in zijn stinkende jas om niet te gillen en haar broertje wakker te maken. Ze was pas veertien, en Ljosja vier.

De reis duurde nog twee dagen. Elke avond, zodra Ljosja uitgeput van het hoesten in een diepe slaap was gevallen, gaf Lilja zich aan de koetsier in ruil voor fatsoenlijk eten en een extra deken. Het dorp waar de prins hen naartoe had gestuurd, was een rommelige verzameling hutjes met rieten dak langs een weg. Ze werden afgezet voor een izba die veel leek op die welke ze hadden achtergelaten, een krot van één kamer, gebouwd van blokken hout die gedicht waren met in teer gedoopte jute. De man en vrouw die naar de deur kwamen, verwensten hun tegenspoed. Ze hadden een jaar geleden hun drie kinderen aan een ziekte verloren, en hoewel ze hun dood betreurden, hadden ze het ook als een zegen van de heiligen beschouwd. Nu hoefden ze tenminste niet meer te zien hoe hun kinderen leden door het gebrek aan eten en door de ellendige omstandigheden. De man en de vrouw konden langere uren werken en zo meer eten hebben. De gebeden die ze sindsdien hadden opgezonden, waren dat God niet zou beschikken dat de vrouw nog meer kinderen kreeg.

Dus toen Lilja en Ljosja voor hun deur werden afgezet, waarbij hun kleine zak met extra kleren naast hen werd neergesmeten, schudden de man en zijn vrouw nijdig hun hoofd.

'We zijn niet verantwoordelijk voor die jongen,' zei de man tegen Lilja.

Lilja knikte. 'Ik zal voor hem zorgen.' Ze sloeg een arm om Ljosja's schouders en hij klampte zich aan haar vast met beide armen om haar rok, bibberend van angst in de koude lucht, zijn lippen paars van de kou. 'Ik zal werken en helpen eten in huis te brengen. Het enige wat ik vraag is een dak tegen de regen en de sneeuw.' Ljosja was de tweede dag in de hobbelende kar opgehouden met naar zijn moeder te vragen. Lilja had hem verteld dat ze haar nooit weer zouden zien, en dat zij nu zijn moeder was. 'Ik ben Lilja, en dit is Ljosja.'

'Wij zijn Masja en Osip,' zei de vrouw en ze draaide zich om en liep de izba weer in. Osip volgde. Lilja hield Ljosja's hand vast terwijl ze de zak oppakte. Zonder naar de koetsier om te kijken liep ze met haar broertje hun nieuwe thuis binnen en deed de deur achter zich dicht.

Miste Lilja haar ouders? De smid en zijn vrouw hadden haar nooit enige genegenheid geschonken, ze waren uitgeput door al het harde werken en alle teleurstelling. Ze zou toch graag terug naar huis willen, waar ze alles en iedereen kende. Tijdens de tocht van haar oude krot naar dit nieuwe had ze tegen zichzelf gezegd dat ze zich nooit meer aan een plek zou hechten, aangezien ze elk moment ergens anders naartoe kon worden gestuurd. Het enige wat ze nooit zou laten gebeuren, was dat ze zou worden gescheiden van Ljosja, de enige familie die ze had.

Af en toe dacht ze dat ze bereid was voor hem te sterven.

Lilja was eveneens treurig bij de gedachte dat ze nooit meer een glimp van Antonina Leonidovna zou opvangen. Ze had nog nooit iemand meegemaakt die de hele tijd zo lekker rook. Gedurende de tijd van hun vriendschap had ze elke zondag haar gezicht en handen en armen tot haar ellebogen schoongeboend en haar haar opnieuw gevlochten. Haar ouders dachten dat ze zich oppoetste voor de kerk. Ze was blij dat ze niet hoefde uit te leggen waarom ze haar veelvuldig verstelde daagse rok en blouse verwisselde voor haar zondagse kleding, een nieuwere, schonere versie van dezelfde kleren.

's Nachts, wanneer haar ouders lagen te slapen op de lange, brede kachel – 's winters warm en 's zomers koel – en Ljosja en zij op rafelige dekens op de vloer lagen, dacht ze uitsluitend aan Antonina.

Wanneer Antonina in de warmte van de zomer haar mouwen opstroopte, wierp Lilja heimelijk blikken op haar armen. De haartjes erop waren klein en licht, bijna onzichtbaar, en Lilja was ervan overtuigd dat ze zijdezacht zouden zijn.

Ze dacht ook aan Antonina's lippen, en hoe die hadden gevoeld toen ze ze kuste. Lilja had hun vriendschap beëindigd, maar dit had haar niet beschermd. Ze wist niet waarom Antonina haar vader over hun vriendschap had verteld, maar ze wist wel dat dat de reden was waarom Ljosja en zij werden weggestuurd.

Toen prins Olonov luidruchtig hun izba was binnengestapt, gevolgd door zijn mannen, was ze van de bank opgesprongen. 'Lilja Petrova?' zei hij, en ze slikte.

Het was alsof ze hier op had gewacht. Ze had een zonde begaan door de prinses lief te hebben en ze besefte dat God haar op de een of andere manier zou straffen. Alles werd heel stil in haar toen ze zag wat er daarna gebeurde. Zelfs toen haar vader het uitschreeuwde toen hij werd gegeseld, en haar moeder en Ljosja van angst en verwarring huilden, kon zij hen niet horen.

In hun nieuwe thuis op het landgoed Polnokove zorgde Lilja op dezelfde manier voor Ljosja zoals ze dat in hun izba in Kazjra had gedaan. Elke nacht sliep ze naast hem en maakte hem wakker wanneer ze hem in zijn slaap voelde bewegen, om hem naar de emmer naast de deur te helpen, waarbij ze hem vasthield terwijl hij een plas deed. De enige keer dat ze hem niet bijtijds wakker had gemaakt, had hij de stapel vodden waarop ze sliepen nat gemaakt. Dit had haar een harde klap van Masja bezorgd toen er een vieze lucht door het hutje met het lage plafond trok.

's Morgens veegde ze zijn gezicht af en streek zijn donkere haar glad met haar vochtige handen. Ze maakte warme kompressen voor hem en legde die elke avond op zijn smalle borst, tegen de hoest. Ze verstelde zijn kleren en zocht vervanging wanneer iets te klein werd. Huiverend, gewikkeld in al haar omslagdoeken, ging ze dan in het holst van de nacht op de stoep van de kerk zitten op de dag dat de maandelijkse liefdadigheidsmanden zouden arriveren. Ze was de eerste om iets van winterkleding te grijpen – laarzen, sokken en jassen die door de landeigenaar naar de dorpen werden gestuurd.

Lilja's leven op het nieuwe landgoed leek in veel opzichten op dat wat ze in Kazjra had geleid. Osip en Masja waren niet wreed maar afgestompt. Ze waren, net als Lilja's ouders, uitgeput door een leven van hard werken zonder een andere beloning dan de hoop op een beter bestaan in het hiernamaals.

Gedurende die eerste ijzige wintermaanden, waarin er alleen een witte uitgestrektheid op het land lag, sneed Osip houten lepels terwijl de zoetige, muffe lucht van zijn goedkope tabak de izba vulde. Masja maakte met een spoeltje verfijnd kantwerk van frivolité. Ze leerde Lilja hoe ze dit moest doen en Lilja overtrof de vrouw al snel in snelheid en vaardigheid. Sommige mooie stukken die Lilja en de vrouw maakten, werden voor liturgische gewaden aan de kerk geschonken, andere, grotere stukken, werden verkocht op de wekelijkse markt in het volgende, grotere dorp, samen met de lepels van Osip.

In het voorjaar stonden ze op bij het aanbreken van de dag om tarwe en maïs, zonnebloemen, suikerbieten en vlas te zaaien. Net als de andere kinderen die te oud waren om te worden gedragen maar te jong om te werken, liep Ljosja voortdurend achter Lilja aan. Ze gingen naar huis zodra het donker werd, maakten een eenvoudig maal klaar en zeiden weinig.

Gedurende die eerste zomer diende de dorpsbewoner Josif Igorovitsj, Soso genaamd, bij de landeigenaar een verzoek in om met Lilja Petrova te mogen trouwen. Zijn eerste vrouw was een chagrijnig, lui mens geweest en was gestorven na vier jaar huwelijk en evenzovele miskramen. Er waren tien maanden verstreken sinds ze aan tyfus was bezweken en hij zocht iemand om zijn eten te koken en 's nachts zijn bed te verwarmen. Er waren geen andere vrijgezelle meisjes in het kleine gehucht, dus toen Lilja arriveerde hield hij haar een tijdje in de gaten om zeker te weten dat ze een harde werker was. Toen hij hoorde dat het kind dat altijd bij haar was haar broertje was, was hij niet blij met de gedachte een mond extra te moeten vullen. Aan de andere kant kon hij niet al te kieskeurig zijn.

Toen zijn verzoek om met de onlangs aangekochte horige te mogen trouwen werd ingewilligd, stond hij voor de deur van de izba en zei tegen Osip dat hij na de oogst ging trouwen met het meisje dat bij hen woonde.

'Dan zul je het kind erbij moeten nemen,' zei Osip.

Soso keek de schemerige hut in. Lilja was opgehouden met worteltjes op de houten tafel te snijden en ze staarde hem aan. De jongen zat op zijn knieën onder de tafel.

'Goed,' zei hij. Osip stak zijn hand uit en Soso schudde die.

Lilja bekeek Soso. Hij was lang en had een brede borst, zijn woeste donkere haar was geknipt in een weinig flatteus bloempotkapsel onder zijn pet. Zijn kleren waren schoner dan die van de meeste dorpsbewoners, en in plaats van de grove sandalen die van de schors van lindebomen waren gemaakt, droeg hij leren laarzen. Lilja vermoedde dat hij zijn zondagse kleren had aangetrokken, en ze was blij dat hij de moeite had genomen zich zo netjes mogelijk aan te kleden om zich als haar toekomstige echtgenoot te komen voorstellen.

Hij glimlachte, en hoewel hij zelfverzekerd leek, begreep Lilja uit de enigszins beverige glimlach dat hij nerveus was. De schone kleren en de glimlach waren voldoende. Ze zou binnenkort toch met iemand moeten trouwen. Ze schatte dat hij tien jaar ouder was dan zij, maar hij had tenminste geen nest vol kinderen met luizen, waar zij ook nog eens voor zou moeten zorgen. Zonder te aarzelen knikte ze instemmend.

Daarna kwam Soso om de paar avonden naar de hut. Hij zei niet veel, en Lilja vond hem wat saai. Soms bracht hij een ingepakte vis mee, of een zak gekookte eieren. Bij één bezoek hurkte hij voor Ljosja neer en haalde een stukje kandijsuiker voor hem uit zijn zak.

Terwijl hij dit aan de jongen gaf, schonk Ljosja Soso een van zijn zeldzame glimlachen, en Lilja dacht dat hij misschien de kwaadste niet was.

Lilja en Soso trouwden een maand na haar vijftiende verjaardag. Soso was zesentwintig. Samen met Ljosja nam ze haar intrek in het hutje van één kamer, waarin Soso met zijn eerste vrouw had gewoond. Het had dezelfde oven van klei op een lemen vloer, dezelfde ruwe tafel en banken tegen de muren als elke izba. De enige versiering was een kleine plank voor talgkaarsen die op feestdagen werden aangestoken, en een metalen icoon van de Heilige Maagd in een lijst.

In hun huwelijksnacht ontdekte Soso dat zijn nieuwe vrouw niet ongerept was. Hij stopte, keek op haar neer en sloeg haar hard op beide wangen, waarna hij verderging. Er werd nooit over gepraat.

Hij behandelde Ljosja met onverschilligheid, vriendelijk noch wreed. Hij werd soms kregelig om de aandacht die Lilja aan haar broertje besteedde, maar hij vond ook dat hij bofte dat hij met zo'n aardig uitziende, hardwerkende vrouw was getrouwd. Net als haar broer glimlachte ze zelden, maar als ze het deed voelde hij iets van trots.

Hij stelde zich voor dat hun leven altijd zou blijven zoals het nu was. Lilja en hij zouden op het land werken, en Ljosja zou binnenkort oud genoeg zijn om zijn steentje bij te dragen. Ze zouden zelf ook kinderen krijgen, maar niet te veel die in leven bleven, hoopte hij, want dat zou Lilja van haar werk houden en bovendien waren het meer monden om te eten te geven.

16

ntonina was een maand gravin Mitlovskija toen ze Lilja voor het eerst zag. Het was begin oktober, een ongewoon warme en vochtige dag.

Antonina reed langzaam, met een stalknecht achter zich aan, over een weggetje tussen de goudkleurige velden. De boeren waren bezig tarwe te oogsten en sommige landarbeiders waren gestopt voor hun middagmaal van gekookte aardappels en rauwe ui en sneden donker brood.

Antonina zag een jonge vrouw die haar hoofd achterover hield om te drinken, terwijl het water over haar kin en in haar hals stroomde.

De vrouw drukte met de muis van haar hand de kurk weer op de veldfles en hield toen haar hand boven haar ogen terwijl ze opkeek naar de gestalte op het paard. Het zou een gast van de landeigenaar zijn. Er reed niemand over dit modderige pad tussen de akkers, ver bij de hoofdweg vandaan, behalve de landeigenaar en zijn gasten.

'Lilja,' zei de vrouw, en Lilja liet de veldfles vallen. Hij stuiterde op de grond en bleef aan haar voeten liggen.

Ze keek Antonina recht aan, glimlachte niet, en boog ook niet. Om haar heen bogen alle mannen en vrouwen, met ritselende rokken en tunieken.

'Laat ons alleen,' zei Antonina, en de arbeiders verdwenen met hetzelfde geritsel tot alleen Antonina en Lilja overbleven met de stalknecht en zijn paard op enkele meters afstand.

Ten slotte glimlachte Antonina naar Lilja, hoewel Lilja zag dat het enigszins onzeker was.

'Waarom bent u hier, prinses Olonova?' vroeg ze, zich bewust van haar met zweet doordrenkte blouse, haar rafelige hoofddoek. Ze probeerde ook te glimlachen. 'Bent u bij de graaf op bezoek?' Het was niet de glimlach die Antonina zich herinnerde. Deze was moeizaam, alsof Lilja was vergeten hoe ze haar mond moest bewegen. 'Nee,' zei ze. 'Ik ben niet op bezoek. Werk je hier?' vroeg ze, terwijl ze afsteeg.

'Ja. Ik woon al bijna vier jaar op dit landgoed,' zei Lilja, en Antonina voelde een steek van verdriet.

'Heeft mijn vader je hierheen gestuurd?'

Lilja knikte.

Er viel een stilte, waarin de vrouwen elkaar aankeken, ieder verdiept in haar eigen gedachten. Ten slotte vroeg Antonina: 'Ljosja?' Ze was bang dat het kind misschien was gestorven.

Lilja was blij dat ze het over iets anders kon hebben. 'Hij begint lang te worden, hij is nog steeds mager, maar is nu net zo gezond als de andere jongens.'

'Mooi. Dat is heel mooi,' zei Antonina. Weer een stilte. 'Hoe is het met jou?' Dit was een holle vraag. Ze was zich er terdege van bewust dat Lilja er niet goed uitzag. 'Het is vandaag erg warm,' ging ze verder.

Lilja veegde haar voorhoofd af met de binnenkant van haar arm. 'Ja, een warme dag voor oktober, prinses,' stemde ze in, met diezelfde onwezenlijke glimlach.

'O Lilja, ik moet niet langer met prinses worden aangesproken,' zei Antonina. 'Ik... ik ben gravin Mitlovskija.'

Lilja zette grote ogen op bij dit nieuws. 'Bent u met de landeigenaar getrouwd?'

'Vorige maand, om precies te zijn,' zei Antonina. Lilja was heel mager, haar gezicht zag grauw. Ze had grote kringen onder haar ogen, alsof ze in lange tijd niet had geslapen. Haar gezicht en de voorkant van haar blouse waren doorweekt van transpiratie.

Toen Lilja hier net was had ze de landeigenaar af en toe gezien, samen met zijn hooghartige vrouw. Ze kon zich niet voorstellen dat Antonina met zo'n oude man was getrouwd. 'We wisten natuurlijk dat hij was hertrouwd. We hoorden dat het met een jonge vrouw van een ander landgoed in de regio Pskov was. Dit huwelijk... Was het uw wens?'

Lilja besefte dat ze brutaal was, maar tot Antonina duidelijk maakte dat ze niet zo informeel wenste te worden aangesproken, zou ze vragen wat ze wilde weten.

'Het was het beste voor alle betrokkenen,' zei Antonina, en daarop zag ze iets in het gezicht van Lilja zachter worden.

'Dus geen huwelijk uit liefde?'

Het was alsof met Lilja's abrupte vraag de afgelopen vier jaren wegvielen en Antonina weer bij haar vriendin was. Ze schudde haar hoofd.

'En ben je...' Lilja zweeg en likte langs haar lippen. 'Bent u blij met uw man?'

'Het is nog te vroeg om over zulke dingen te spreken, Lilja.'

Er verscheen een kleine rimpel tussen Lilja's donkere wenkbrauwen. 'Ik ben ook getrouwd.'

'Is je man goed voor je?' vroeg Antonina, en ze richtte haar blik nu op de gebogen ruggen van alle landbouwarbeiders.

'Soso – Josif Igorovitsj – is sterk en hij werkt hard.'

'Nou, ik hoop dat hij ook vriendelijk is, Lilja Petrova. Je hebt vriendelijkheid verdiend.'

Er viel weer een stilte tussen hen, deze keer een ontspannen stilte, en toen vroeg Lilja: 'Hebt u al een eigen hond?' Bij deze onverwachte vraag voelde Antonina zo'n opluchting dat ze in de lach schoot en Lilja zelf maakte een gesmoord geluid dat voor lachen kon doorgaan.

'Inderdaad. Ze heet Tinka en ze is nog een pup. Ze is heel lief. Ze loopt overal achter me aan en als ik ga zitten wil ze bij me op schoot.'

'Dat is leuk,' zei Lilja.

Antonina keek naar Lilja's pijnlijk magere gestalte. 'Heb je kinderen?'

Alle levendigheid week uit Lilja's gezicht. 'Nee, mevrouw. En nu moet ik weer aan het werk. Ik houd de anderen op.'

'Natuurlijk.'

Lilja pakte haar sikkel. Antonina voelde zich gekwetst bij dit opzettelijke vertoon van weer aan het werk te willen – te moeten – terwijl Antonina wilde dat Lilja tegen haar praatte.

'Tot ziens, mevrouw,' zei Lilja, en ze bukte zich om weer aan het werk te gaan.

Elke keer dat Konstantin in die eerste maand van hun huwelijk naar Antonina's slaapkamer kwam, ging hij in het donker naast haar in het bed liggen en kuste hij haar hand. Daarna streelde hij haar haar en gezicht, en ging ten slotte, na nog wat gerommel met zijn nachthemd, boven op haar liggen. Maar het was steeds hetzelfde liedje als die eerste keer in Pskov. Hij was niet bij machte de taak te volbrengen.

Zij kneep altijd haar ogen dicht en hield haar adem in, tot hij op een avond zei: 'Mijn lieve engel, alsjeblieft. Je moet iets van tederheid tentoonspreiden.'

In zijn stem klonk voor het eerst iets van echte treurigheid door. Hij had Tanja de vorige avond bezocht – zoals elke week sinds hij een halfjaar na de dood van zijn eerste vrouw met haar was begonnen. Vóór dit tweede huwelijk had hij nimmer het probleem ervaren dat hij nu bij Antonina had. Tanja deed hem aan zijn eerste vrouw denken, in leeftijd en in uiterlijk, en dat was voldoende. Met de eerste gravin had hij genoten van de fysieke kant van het huwelijk en hij voelde zich sterk en viriel bij haar, Irina Denisovitsj, en daarna bij Tanja. Maar dit meisje… Iets in de manier waarop zij zich gedroeg, maakte dat hij zich oud en machteloos voelde.

Antonina wist dat ze een plicht had jegens haar man. Uit alles wat ze in haar romans had gelezen, had ze begrepen dat het huwelijksbed de plaats was waar de liefdesdaad werd verricht. Maar ze voelde geen liefde voor Konstantin en ze kon zich op geen enkele manier het verenigen van hun lichamen als aangenaam voorstellen. Ze dacht vaak aan haar moeder en Valentin. Wat voelde haar moeder dat ze zich zo vrij gedroeg? Het was duidelijk dat ze de jonge violist niet liefhad en toch weerhield dat haar er niet van te genieten van wat ze deden.

Antonina wist wat er werd verwacht, en dat dit zou moeten gebeuren als ze kinderen moesten krijgen – de reden waarom hij met haar was getrouwd.

'Weet je niet… Is er niets wat ik kan doen, Antonina?' zei Konstantin, met iets van wanhoop in zijn stem terwijl hij van haar af rolde. In plaats van weg te gaan duwde hij twee kussens tegen het hoofdeinde en ging ertegenaan zitten, met zijn armen over elkaar geslagen.

Antonina kwam overeind en deed hetzelfde, waarbij ze in het donker met haar schouder tegen de zijne leunde.

'Ik weet dat je jong en speels bent,' zei hij ten slotte, 'en ik heb mezelf dan ook geen moment wijsgemaakt dat je blij bent dat je met mij bent getrouwd. Ik weet zeker dat je niet verwacht had hier terecht te komen. Zoals dit.'

Hij sprak de waarheid. Antonina kon hier niets op zeggen.

'Maar Tosja,' zei hij zodra hij begreep dat ze niet van plan was zijn woorden te betwisten, 'ik wil een kind, een zoon, een erfgenaam. Het was de grootste teleurstelling van mijn leven dat mijn eerste vrouw geen kinderen kreeg. Nu is er een kans. Is er dan niets wat jij aantrekkelijk aan me vindt?' vroeg hij. 'Helemaal niets?'

Dat 'helemaal niets', dat op een moedeloze toon werd gezegd, wekte bij haar iets van medelijden. Ze voelde zich in geen enkel opzicht tot hem aangetrokken. Ze had meer dan genoeg van de vastberadenheid waarmee hij al deze nachten tevergeefs tegen haar aan had liggen schurken. Maar iets – misschien de verslagenheid in zijn stem – maakte dat ze medelijden met hem kreeg.

'Ik vind het leuk wanneer je me tijdens het diner dingen vertelt over het landgoed en wanneer je gezicht laat zien dat je graag naar me luistert wanneer ik pianospeel.' Ze schraapte haar keel. 'Ik weet dat je niet meende wat je zei, die eerste dag na de trouwerij – over dat ik leeghoofdig zou zijn. Dat meende je toch niet echt, hè, Konstantin?' Op de een of andere manier was het belangrijk dat deze man, haar echtgenoot, haar intelligent zou vinden.

Hij gaf geen antwoord maar keek naar het nachtkastje. 'Wat is dit voor een boek?' vroeg hij, en hij pakte het op.

'*Eugénie Grandet*, door Honoré de Balzac.'

'Zou je me willen voorlezen? Gewoon, voor eventjes maar,' zei hij en hij gaf haar het boek en deed de lamp toen aan. Dit verzoek deed Antonina plezier. Wanneer ze las was ze ergens anders, op een veilige plek. Ze sloeg het boek open waar ze was gebleven en las hardop voor in het Frans.

Na tien minuten kuste Konstantin haar op de wang en stond op. 'Ik ben nooit zo'n lezer geweest. Getallen zijn mijn sterke punt. Slaap lekker.'

'Dank je wel, lieve echtgenoot,' antwoordde Antonina, wetend dat het Konstantin plezier zou doen als ze hem zo aansprak.

Toen hij weg was voelde ze een sprankje van iets wat in de buurt van blijdschap kwam.

In de vierde week van hun huwelijk kwam Konstantin binnen terwijl Antonina's kamenier bezig was haar haar voor de nacht te vlechten. 'Steek het alsjeblieft snel op,' zei Antonina zacht, en de kamenier deed dit door de dikke vlechten rond Antonina's hoofd te winden en met haarspelden vast te zetten.

Buiten haar kameniers had niemand Antonina's haar los gezien sinds haar veertiende, toen ze het niet langer met linten naar achteren gebonden droeg. Het reikte nu tot aan haar middel, en ze maakte zich zorgen dat Konstantin zou vinden dat ze met loshangend haar te jong leek.

Hij had een rood doosje bij zich, dat met een witte strik was dichtgebonden. Ze probeerde haar teleurstelling over zijn komst te verbergen. Ze was moe. Ze had de hele middag gereden, was in bad geweest en wilde nu het liefst de lamp uitdoen en haar vermoeide spieren zich laten ontspannen. Ze had niet de energie voor dat gepruts met nachtkleding, dat eindeloze geschurk zonder enig succes en tot slot, met tastbare teleurstelling, het zwijgende vertrek van Konstantin uit haar bed en het stilletjes dichtdoen van de deur wanneer hij naar zijn eigen kamer vertrok.

Hij ging in zijn kamerjas in een stoel bij de haard zitten. Toen de kamenier weg was gestuurd, ging Antonina staan, en dat deed hij ook. Hij stak het doosje naar haar uit.

'Wat is dit?'

'Ik zag het gisteren, toen ik in Pskov was, en toen moest ik aan jou denken.'

'Dank je wel,' zei Antonina, en ze pakte het van hem aan en maakte de strik los. In het pakje zat een muziekdoosje van prachtig gepolijst kersenhout met een deksel met inlegwerk van parelmoer. Ze draaide aan het koperen sleuteltje en er klonk een kleine sonate van Mozart. Ze moest denken aan het orkest van horigen. Dat had op haar feest, meer dan een halfjaar geleden, deze sonate gespeeld. Ze dacht aan Valentins handen rond het naakte middel van haar moeder, en ze voelde een zachte warmte, laag in haar onderlijf.

Ze zette het muziekdoosje, dat nog steeds speelde, op een tafel. 'Wat mooi. En wat attent van je, Konstantin.'

Hij knikte en draaide de lamp op de kaptafel uit. Het enige licht kwam nu van de haard en van een kaars naast het bed.

Antonina keek hem onderzoekend aan.

'Laten we dansen,' zei hij.

'Hier, in mijn slaapkamer?' Antonina glimlachte. 'Zo laat op de avond?'

Hij gaf geen antwoord maar ging in de houding staan, met uitgestoken armen, en daarop stapte Antonina in de cirkel van zijn omhelzing.

Hij voerde haar op de maat van de muziek door de kamer, waarbij hij behendig het meubilair ontweek. Het vuur in de haard wierp flakkerende schaduwen op de muren. 'Ik weet nog wanneer ik je voor het eerst heb zien dansen,' zei hij. 'Het was op een feest in het huis van je ouders. Je was toen een jaar of dertien, veertien. Je was een leuk kind.'

Antonina keek hem aan. Hij was maar iets langer dan zij, geen indrukwekkende lengte, maar hij had een trotse houding.

'Daarna heb ik je een paar keer gezien toen je ouder was. Hoe licht je je bewoog, en toch behoedzaam, alsof je elk moment bij je partner weg zou kunnen hollen.'

Antonina schoot in de lach bij deze beschrijving. 'Afhankelijk van degene met wie ik danste, heb ik me misschien inderdaad als een wild dier uit donker Afrika gevoeld, klaar om uit mijn gevangenschap te ontsnappen.' Ze draaiden nog een rondje door de kamer. 'Ik heb een boek over Afrika, Konstantin, met tekeningen van de meest verbazingwekkende dieren en van vreemde mensen met een donkere huid. Ik zou daar wel eens naartoe willen. Denk je dat we ooit helemaal naar Afrika zouden kunnen gaan?'

'Afrika? Wat een grappig meisje ben je toch.'

Haar gezicht betrok. 'Noem me alsjeblieft geen meisje. Ik ben je echtgenote. Een vrouw.'

'Je hebt gelijk,' zei hij, en hij liet haar los zodat ze het muziekdoosje weer kon opwinden. 'Je bent een intelligente en veelzijdige vrouw.'

Alsjeblieft. De excuses waar Antonina bijna een hele maand op had gewacht. Hij nam haar opnieuw in zijn armen. In de vage schemering leken de rimpels rond zijn ogen en mond zachter, en

Antonina zag opeens hoe hij er als jongeman moest hebben uitgezien. Dit beviel haar en ze kuste hem op de lippen, een kleine, lichte kus. 'Dank je, Kostja,' zei ze, en bij het gebruik van dit verkleinwoord boog hij zijn hoofd en kuste haar vol hartstocht.

Antonina hield haar ogen dicht en stelde zich voor dat het Valentin was die zijn lippen op de hare drukte. Ze zag het gezicht van de violist zoals hij haar vanaf het bed over haar moeders schouder had aangekeken.

Ze stelde zich voor dat zij boven op hem zat, net zoals ze dat van haar moeder had gezien, en ze beantwoordde Konstantins kus. Aangemoedigd bewoog hij zijn lippen naar haar wang en toen naar haar hals, terwijl hij haar tegen zich aan drukte. Ze deed haar ogen nog steeds niet open en stelde zich voor dat Konstantin de jonge, knappe Valentin Vladimirovitsj was.

'Zie je wel, mijn engel?' zei hij tegen haar hals. 'Het is niet zo moeilijk.' Teder leidde hij haar naar het bed. Toen de achterkant van haar bovenbenen het matras raakten, tilde Konstantin haar met gemak op en legde haar neer.

'Ja, man,' fluisterde ze terug, terwijl ze haar ogen dicht hield en Konstantin het muziekdoosje weer hoorde opwinden. Ja, Valja, dacht ze.

Met haar ogen nog steeds dicht fantaseerde ze dat het Valentin was die nu haar borsten streelde, door het dunne nachthemd heen, en haar tepels werden hard. Ze stelde zich zijn verfijnde handen en sterke maar toch slanke lichaam voor, en het was Valja die haar nachthemd oplichtte en zich over haar heen plaatste terwijl zij haar armen om zijn rug sloeg en hem naar zich toe trok.

En eindelijk was Konstantin in staat bij haar binnen te gaan, heel langzaam.

'Ik wil je geen pijn doen,' fluisterde hij.

'Het geeft niet,' zei ze, en in gedachten dwong ze hem stil te zijn.

Er volgde een korte, snijdende pijn. Antonina kneep haar lippen opeen om niet te gillen. Weldra werd de pijn minder en ging over in een vaag ongemak terwijl Konstantin zijn ritme eindeloos voortzette, waarbij zijn ademhaling steeds zwaarder werd. En toen begon hij sneller te bewegen, met een grommend geluid in zijn keel. Hij stopte, huiverde en slaakte een gesmoorde kreun. Hierna bleef hij zo zwaar op haar liggen dat ze zich even afvroeg of hij was gestorven. Toen bewoog hij weer en ging van haar af, stapte uit het bed.

Ze haalde moeizaam adem terwijl ze het beddegoed zorgvuldig over zich heen legde en haar knieën optrok. Ze voelde zich schraal en verlangde naar een warm bad.

Konstantin stond nog steeds naast het bed. De kaars was nu bijna opgebrand en ze zag hoe hij zijn nachthemd gladstreek en zijn haar en baard fatsoeneerde. 'Dank je, liefste,' zei hij. 'Is alles goed met je?'

'Ja, met mij is alles goed,' antwoordde ze, en hierop glimlachte hij.

'Mooi,' zei hij. 'Het was een succesvolle nacht.'

Ze knikte. De stilte werd pijnlijk.

'Zal ik dan maar weer naar mijn eigen kamer gaan?' In zijn stem klonk iets van tegenzin. Dacht hij dat hij hier bij haar zou blijven? In haar bed zou slapen? Ze zou echt niet kunnen slapen met hem naast zich. Ze had nooit samen met iemand geslapen, en ze kon het zich niet voorstellen.

'Ja, natuurlijk,' zei ze. 'Je moet het comfort van je eigen bed hebben, Konstantin.'

Hij maakte onmiddellijk een diepe buiging, alsof hij haar zojuist na een levendige mazurka naar haar stoel had teruggebracht. '*À demain*,' zei hij met iets van een glimlach.

Om hem een plezier te doen antwoordde Antonina: '*Oui, mon cher. À demain.*'

Zodra de deur dicht was stond ze op, trok haar besmeurde nachthemd uit en wierp het over de rugleuning van een stoel. Ze schonk water uit de lampetkan in de waskom. Daarna waste ze zich, langzaam en zorgvuldig, met het koele water terwijl ze nadacht over wat er zojuist was gebeurd. Ze trok een schoon nachthemd aan en spreidde een handdoek van de wastafel over het laken, om de vreemde, natte plek die daar was achtergebleven te bedekken. Ze vond het een vreselijke gedachte dat de kamenier de volgende morgen dit en haar vieze nachthemd zou zien.

Was dit nu wat in de romans liefde werd genoemd?

Met haar violist zou het vast anders zijn.

Toen ze weer in bed kroop, drupte de kaars met een zacht gesis.

De volgende morgen was Konstantin erg in zijn sas met zichzelf. Hij lachte vrolijk om de kleinste dingen en behandelde Antonina met ontspannen genegenheid. In de week daarna kwam hij nog drie keer naar haar slaapkamer, en elke keer bedankte hij haar en zei tegen haar dat hij blij was met hun succes.

Toen hij de vierde avond op haar ging liggen duwde Antonina hem weg en hij rolde opzij. 'Heb ik je pijn gedaan, liefste?' vroeg hij.

'Nee,' fluisterde ze, en ze duwde tegen zijn schouder tot hij op zijn rug lag. Ze sloeg één been over hem heen en wilde schrijlings op hem gaan zitten.

Konstantin ging zo snel rechtop zitten dat Antonina opzij viel. 'Wat doe je nu?' Hij klonk geschokt.

'Ik dacht dat het misschien...' Antonina zweeg, ze steunde op een elleboog en keek haar man aan. Dat het misschien wat? Elke keer dat Konstantin naar haar toe was gekomen, had ze zich voor hem weten te openen door zich voor te stellen dat ze met Valentin was. Deze keer had ze zich willen verbeelden dat het Valentin was in de houding waarin ze hem met haar moeder had gezien.

Konstantin schudde zijn hoofd, met diepe rimpels op zijn voorhoofd en rond zijn mond. 'Je stelt me teleur. Nee, het is meer dan dat. Dit is walgelijk. Welke fatsoenlijke vrouw zou zich zo platvloers kunnen gedragen? Je gedrag is smerig.'

Antonina tastte naar haar haar om te voelen of het niet was losgeraakt. 'Ik wist niet dat het verkeerd was. Ik dacht dat ik je daar misschien een plezier mee zou doen.'

'En hoe, vraag ik je, kun je zoiets zelfs maar bedénken? In al mijn jaren met mijn eerste vrouw Irina – een goede en beschaafde vrouw – nam zij haar echtelijke plichten met stille aanvaarding op zich.' Hij schudde nogmaals zijn hoofd en dacht aan Tanja, die eenvoudig was maar zich toch zedig gedroeg. Zijn stem steeg. 'Ik begin nu aan je onschuld te twijfelen. Misschien is dit de reden waarom je vader je zo graag getrouwd wilde hebben.'

Antonina voelde dat ze een kleur van woede kreeg. 'Je weet heel goed dat ik ongerept was toen ik met je trouwde, Konstantin Nikolevitsj. Ik vind het ongelofelijk dat jij zulke dingen van me denkt terwijl ik jou alleen maar een plezier wilde doen.'

'En wie heeft jou geïnstrueerd op welke wijze je een man kunt plezieren? Was dat soms je moeder? Iedereen weet wat voor reputatie zij heeft.'

Antonina's mond werd droog. 'Ga weg,' zei ze met een lage en harde stem. Hoe had Konstantin de waarheid kunnen raden? 'Laat me met rust.'

'Dat zal me een groot genoegen zijn,' zei hij, en toen hij de kamer uitging sloeg hij de deur met een klap dicht.

Na die nacht negeerde Konstantin Antonina dagenlang. Hij gebruikte Grisja's huis om vaker dan anders met Tanja naar bed te gaan, tot woede van Grisja, terwijl Tanja blij was met de extra roebels.

Toen besefte Antonina dat ze zwanger was van het kind dat Misja zou zijn.

17

Antonina zag Lilja pas weer toen ze in het eerste stadium van haar zwangerschap was. In december, toen de kale akkers met sneeuw waren bedekt, reed Antonina door een van de dorpjes. Ze zag een groep vrouwen die door de hoofdstraat haar kant uit liep, met gevlochten manden met brandhout op hun rug, en ze herkende Lilja.

Lilja keek op, met de zwakke winterzon op haar gezicht. 'Goedendag, mevrouw,' zei ze. De andere vrouwen bogen.

Lilja boog niet. Ze leek iets dikker te zijn geworden, hoewel dat misschien kwam door de gewatteerde jas en de dikke omslagdoek. Ze zag er niet meer zo uitgeput uit als de eerste keer dat Antonina haar had gezien. Haar ogen stonden helder en haar wangen waren rood van de koude decemberlucht.

Antonina wilde haar over haar zwangerschap vertellen. Ze had het Konstantin verteld en ze had haar vader een brief gestuurd. Het huishoudelijk personeel was uiteraard op de hoogte, voor hen kon niets verborgen blijven. Varvara was getuige geweest van haar ochtendmisselijkheid en ze had onmiddellijk begrepen dat de gravin een kind verwachtte.

Antonina had veel vragen voor Lilja over de afgelopen vier jaren. Meer dan wat ook wilde ze om vergeving smeken, en haar vertellen wat zich in haar vaders studeerkamer had afgespeeld. Maar ze waren geen meisjes meer. Ze waren nu getrouwde vrouwen en zoals Antonina eerst de dochter was van de man die de eigenaar was van Lilja, was ze nu getrouwd met de man die haar bezat. Ze kon niet nog eens verlangen dat Lilja haar vriendin werd. En het was duidelijk dat Lilja niet meer dezelfde gevoelens jegens Antonina had als destijds. Hoe zou ze ook kunnen? Antonina had haar verraden en haar en haar broertje weggerukt uit haar thuis en bij haar ouders vandaan.

Ze knikte naar Lilja en de vrouwen en reed door.

Een paar maanden later zei Konstantin tegen Antonina dat ze een min en een kinderjuffrouw voor de aanstaande baby moest zoeken. Hij had haar een lijst gegeven van geschikte vrouwen die op naburige landhuizen hadden gewerkt, en hij verwachtte dat ze een van hen zou kiezen.

Maar Antonina reed in een trojka over de besneeuwde wegen naar het dorpje waar ze Lilja voor het laatst had gezien. Ze vroeg een boer op straat waar ze Lilja Petrova, getrouwd met Soso, kon vinden. Ze werd naar een hut aan het eind van het dorp verwezen. Toen de koetsier haar uit de trojka hielp, zei ze hem dat hij op haar moest wachten. 'Gaat u de hut alleen binnen, mevrouw?' vroeg hij. 'Helemaal alleen?'

'Ja,' zei ze tegen hem, en ze liep naar de deur en klopte aan. De koetsier volgde haar ongerust. Toen de deur door een jongen werd opengedaan, wist Antonina dat dit Ljosja moest zijn. Ze glimlachte. 'Is dit het huis van Lilja?' vroeg ze, en Lilja's gezicht verscheen achter de schouder van haar broertje. Ze keek even heel bang.

'Mag ik binnenkomen, Lilja?' vroeg Antonina, en toen Lilja knikte, keerde Antonina zich tot de koetsier en zei hem in de trojka op haar te wachten. Ditmaal deed hij wat hem gezegd werd, maar hij keek niet blij.

'Is dit Ljosja?' vroeg Antonina terwijl ze de hut binnenstapte.

De jongen boog. 'Ja, mevrouw,' zei hij. Zijn stem was hoog en helder. Ze keek in de donkere kamer om zich heen en zag een tuniek, een rok en twee paar sokken die hingen te drogen aan een touw dat langs het plafond was gespannen. Er was een fornuis met een borrelende pan met iets wat naar boekweitpap rook. Afgezien van een tafel met strengen dun, wit garen en een houten spoeltje, waren er twee banken en een icoon die boven het fornuis aan de muur hing. Verder niets.

'Ik wil je niet van je werk houden,' zei Antonina, met een blik naar de tafel.

'Ik maak kant om wat extra kopeken te verdienen,' verklaarde Lilja, nog steeds met die gespannen blik.

Antonina kwam dichterbij. 'Mag ik het bekijken? Je kunt overeind komen, Ljosja.' De jongen richtte zich op en ging naast zijn zusje staan.

Lilja hield het uiteinde van de strook kant omhoog.

'Het is beeldschoon,' zei Antonina. 'Heel verfijnd. Ik heb zelf nooit frivolitéwerk kunnen maken.' Ze vroeg zich even af of het wel verstandig was om hier zelfs maar aan te denken, maar ze ging toch verder. 'Ik kom je om een gunst vragen.'

'Een gunst?'

'Ja. Ik verwacht een kind, en dan zal ik over een paar maanden een kinderjuffrouw nodig hebben.' Voordat Lilja iets kon zeggen ging ze verder. 'Ik weet dat jij geen kinderen hebt gehad, en mijn man zal het niet goedkeuren als ik een vrouw zonder ervaring in dienst neem, maar ik zal...'

'Ik heb kinderen gehad,' viel Lilja haar in de rede.

'Maar je zei van niet.'

'Ze leven niet meer.'

Antonina kreeg een brok in haar keel en ze legde haar handen op haar buik. Ze voelde zich opeens licht in haar hoofd. 'Ik moet even gaan zitten,' zei ze. Lilja kwam naar haar toe, ze sloeg haar arm om Antonina en hielp haar naar een bank.

Lilja kwam voor het eerst dichtbij genoeg om Antonina's geur in te ademen. Het was nog steeds rozenolie.

'Wat is er met je kinderen gebeurd?' vroeg Antonina, toen ze eenmaal zat.

Lilja haalde diep adem. 'Ik heb dochters gehad. Een tweeling. Ze zijn gestorven, de ene toen ze nog geen maand oud was, de andere drie weken later.'

'Dat wist ik niet...'

'Hoe kon u dat ook weten? De laatste – ze heette Klara, de andere Lena – was nog maar een paar weken overleden toen we elkaar tijdens de oogst ontmoetten.'

'Moge God hun ziel genadig zijn,' mompelde Antonina, en ze sloeg een kruis. 'Maar je zult vast nog meer kinderen krijgen.'

Lilja's ogen stonden vreemd vlak. 'Ik zal me zeer vereerd voelen kinderjuffrouw te mogen zijn van het kind dat u draagt. Er is echter één voorwaarde.' Haar stem stokte, nu ze besefte dat ze het had tegen de vrouw wier man haar eigenaar was.

Antonina leek niet uit het veld te zijn geslagen. 'Wat is die voorwaarde?'

Lilja zweeg even. Waarom beloonde God haar zo royaal? Had ze zulke zegeningen wel verdiend?

'Gaat het om je man?' vroeg Antonina. 'Ik ga jullie natuurlijk niet scheiden. Ik zal de rentmeester vragen hem werk te geven. Met het vee, of in de voorraadschuren. Jullie krijgen een kamer in het onderkomen voor het getrouwde personeel.'

Lilja haalde diep adem. 'O... Soso,' zei ze, alsof ze nu pas aan hem dacht. 'Ja, hij zal blij zijn met een betere baan. Maar het is me om Ljosja te doen, mevrouw.' Ze keek naar de jongen naast zich. 'Ik wil hem niet in het dorp achterlaten. Ik ben de enige moeder die hij zich nu herinnert.'

Aha. Dat is het. Antonina onderging een enorme golf van schuldgevoelens en van verdriet. 'Uiteraard moet hij ook meekomen. Hij is jouw familie. Ja, breng hem mee. Hoe oud is hij nu?'

'Acht. Hij leert snel en hij is heel rustig. Een goede jongen.' Lilja zei dit even trots alsof ze inderdaad zijn moeder was.

'Werkt hij op het land?'

Lilja knikte. 'Maar' – ze haalde diep adem – 'hij houdt ook van paarden, mevrouw.'

Antonina keek naar de jongen. Hij staarde haar aan maar zei niets.

'Dan geef ik hem een baan als staljongen, om de boxen uit te mesten, de zadels te oliën, enzovoort. Als hij ouder wordt kan hij opklimmen, als hij zo intelligent en snel is als jij zegt.'

'En woont hij dan…?'

'Bij jou en Soso. Ljosja?' zei ze, en ze richtte zich direct tot de jongen. 'Wil jij een baantje in de stallen?'

De jongen boog nogmaals. 'Ja, mevrouw.'

'Dat is dan afgesproken,' zei Antonina tegen Lilja. 'Hij komt met je mee.'

'Weet u zeker dat de graaf dit goed zal vinden?'

Antonina haalde haar schouders op en schonk hun een plotselinge, stralende glimlach. Opeens was ze weer het meisje dat Lilja zich uit het bos herinnerde. 'Ik ben de gravin. In bepaalde opzichten kan ik doen wat mij goeddunkt.' Ze zou wel een antwoord weten te bedenken als Konstantin haar vroeg waarom ze een vrouw uit het dorp in dienst had genomen en het nodig vond om haar gezin ook werk op het landgoed te geven.

Lilja sloeg haar magere armen om zich heen en glimlachte naar Antonina. 'Het is als een droom die waarheid wordt, Tosja. Echt waar. Ljosja, kun je je voorstellen hoeveel geluk wij hebben?'

Bij het horen van de verkleinvorm van haar naam, die Lilja zo vanzelfsprekend had gebruikt, voelde Antonina een golf van blijdschap. Ze had haar vriendin terug en ze had ook een manier gevonden om enige compensatie te bieden voor alles wat Lilja en haar broertje was aangedaan.

Misschien zou het haar ooit worden vergeven.

Binnen een maand hadden Lilja, Soso en Ljosja hun intrek genomen in de personeelskamers. Soso kreeg werk in de voorraadschuren, waar het voedsel voor het landgoed werd bewaard, en Ljosja was, zoals beloofd, een van de jongste staljongens geworden.

Ook al werd de baby pas over twee maanden verwacht, toch wilde Antonina dat Lilja zoveel mogelijk bij haar in de buurt was. Al snel zaten de twee jonge vrouwen net zo te lachen en te praten als ze dat bijna vijf jaar geleden hadden gedaan.

Antonina wilde Lilja zo graag om zich heen hebben dat ze Varvara overplaatste naar een andere baan en Lilja eveneens de rol van kamenier gaf. Antonina was opgelucht, nu ze niet steeds Varvara met haar afkeurende blik om zich heen hoefde te hebben. Ze wist dat ze nooit in de plaats van de overleden gravin zou kunnen treden, niet alleen voor Varvara maar ook, besefte ze nu, voor Konstantin.

Lilja leerde snel welke lagen kleding Antonina droeg, en hoe ze haar daar stuk voor stuk in moest helpen. Uiteindelijk was ze, na instructie van Antonina, ook in staat haar haar zo op te steken als Antonina het wenste. Het was eerst moeilijk voor haar, en soms moesten ze allebei lachen om haar moeizame pogingen. Maar een vrouw die fraai frivolitéwerk kon maken, kon ook leren hoe ze het ingewikkelde kapsel van een adellijke dame moest doen.

Op een avond hielp Lilja Antonina te baden voor het haardvuur in haar slaapkamer, en teder gleed ze met haar hand over Antonina's dikke buik. Er stak een voetje door de strakke huid omhoog. Ze liet haar hand er even op rusten terwijl ze naar Antonina glimlachte, en dit gaf Antonina de moed om naar de geboorte van haar dochters te vragen. Antonina schaamde zich voor haar onwetendheid ten aanzien van bevallingen en had niemand anders om ernaar te vragen.

Lilja, met haar hand nog steeds op Antonina's buik, antwoordde niet meteen.

'Lilja?'

Lilja keek eerst naar Antonina en daarna naar haar hand die langzaam de huid van de andere vrouw streelde. 'Je huid is zo zacht,' fluisterde ze.

Antonina haalde haar schouders op. 'Mijn lichaam voelt alsof het niet meer van mij is. Wil je alsjeblieft tijdens de bevalling bij me blijven, Lilja?'

Lilja haalde haar hand weg en pakte een warme, droge handdoek. 'Kom, het wordt tijd om naar bed te gaan.'

Terwijl ze Antonina overeind hielp, zei ze: 'Je zult sterk zijn, dat weet ik zeker. Als ik het kon overleven, met alleen een oude vrouw uit de izba naast ons om me te helpen terwijl ik op een deken boven op de kachel lag te bevallen, zal het voor jou vast veel gemakkelijker zijn, Tosja. Je zult de dokter en een aantal vrouwen hebben om te helpen. En je zult mij natuurlijk ook hebben. Ik zal er altijd voor je zijn. Altijd.' Ze droogde voorzichtig Antonina's schouderbladen af en wreef toen steviger over het onderste deel van haar rug.

'Ja, dat voelt heerlijk. Je aanraking is heel troostvol,' mompelde Antonina, en Lilja deed haar ogen even dicht.

Later, toen Antonina in bed lag en Lilja Antonina's wijde jurk in de enorme kleerkast hing, streek ze even over een van de vele prachtige, strakke jurken die daar hingen.

'Ik weet zeker dat je blij zult zijn als je die weer aan kunt trekken.'

Antonina knikte. 'Dat denk ik ook. Maar ik kan me niet voorstellen dat ik daar ooit weer in zal passen.' Ze klopte op haar buik en lachte met ongecompliceerde vrolijkheid.

Lilja deed alsof ze de jurken recht hing en boog zich in de grote kast om haar gezicht in de zachte zijde en satijn te drukken en rozen te ruiken.

18

$\mathcal{N}$a de ontvoering van Misja slaapt Lilja in de slaapkamer van de gravin op de bank in de nis bij het raam, en elke dag probeert ze Antonina aan te moedigen zich te laten wassen. Als Antonina instemt gaat Lilja langzaam en voorzichtig met het warme washandje met zeep over Antonina's lichaam. Ze weet dat het Antonina pijn doet als ze te stevig wordt aangeraakt. Een paar keer per dag brengt ze haar in verleiding met haar favoriete gerechten en zoete thee. Ze brengt de eerste sneeuwklokjes en hyacinten binnen. Elke avond laat ze Antonina in de gemakkelijke stoel bij de haard zitten terwijl zij het beddegoed verschoont. Soms, wanneer ze Antonina in bed heeft gestopt, gaat ze naast haar liggen, neuriet tegen haar, streelt haar over haar rug, haar voorhoofd, haar haar, tot Antonina min of meer in slaap valt.

Lilja. Wat een goede en trouwe vriendin. Soms lijkt het wel of dit vreemd gelukkige dagen voor haar zijn, ondanks Misja's afwezigheid. De graaf ligt in verdoofde toestand in zijn kamer. Ze heeft Antonina helemaal voor zich alleen.

In Konstantins slaapkamer heeft Olga schalen met fijngehakte knoflook neergezet in een poging de koorts omlaag te brengen. Maar het gaat steeds slechter met Konstantin en hij mompelt en schreeuwt en ijlt terwijl de wond op zijn hand ettert en stinkt.

Antonina zit enkele lange nachten bij hem terwijl hij koude rillingen heeft en dan weer stil blijft liggen, zwaar hijgend, alsof hij veel wersten heeft hardgelopen. Af en toe kreunt hij. Pavel verzorgt hem heel behoedzaam en neemt hem uur na uur met verkoelende natte doeken af.

Ook al ligt Konstantin zo stil dat hij bijna levenloos lijkt, toch knijpt hij zijn lippen stijf op elkaar wanneer Pavel een lepel of een beker tegen zijn mond houdt. Het lijkt wel of zijn lippen met blauwe zijde aan elkaar zijn genaaid.

Wanneer de dokter het verband van Konstantins hand haalt, schudt hij zijn hoofd. 'Ik vrees dat de situatie kritiek wordt, gravin Mitlovskija,' zegt hij. 'Er is nog steeds geen urine geproduceerd?'

Antonina schudt haar hoofd.

'Zijn nieren kunnen elk moment stoppen met functioneren. We moeten hem om de paar uur wodka met melk geven.'

'Maar dat weigert hij.'

'Dan zal ik het proberen. De wodka met melk, en ook de kinine en de tinctuur van ijzerchloride,' zegt hij en hij wendt zich af van haar starre blik, zoekt in zijn tas en haalt er flesjes en potjes uit.

'En als dit niet helpt?'

Konstantins hand, ziet ze, is nog meer gezwollen en de huid rond de wond is felrood met donkerrode en paarse strepen die naar zijn pols en onderarm lopen. Ze staart ernaar, zonder te beseffen dat het vergif zich een weg baant in het lichaam van haar man.

Mijn zoon. Krijgt hij te eten? Is hij warm genoeg? Roept hij om me?

De dokter volgt haar blik. 'Het is niet mogelijk de infectie tegen te houden, tenzij…' Hij zwijgt. 'Nog niet. Voor dit moment gaan we proberen hem het medicijn met dwang toe te dienen.' Hij kijkt even naar Olga, die warm water heeft binnengebracht. 'Waar is uw priester?' vraagt hij, en Olga slaakt een gesmoorde kreet.

De oude vrouw snapt het medische gepraat van de dokter niet, maar ze begrijpt wel wat de aanwezigheid van een priester betekent.

'Het is wel goed, Olga,' zegt Antonina. 'Laat vader Kirill maar halen.'

Olga vertrekt en mompelt: 'De gebeden van de Vader zullen meneer vast wel genezen.' Haar ogen gaan even naar de dokter, die een lange, dunne slang in de hand heeft. 'Op gebeden kunnen we altijd vertrouwen,' zegt ze, met een nadrukkelijke blik.

Antonina verontschuldigt zich niet voor haar bediende.

De kinine en de chloride blijken niet te helpen. Dan haalt dokter Molov een jampot vol maden tevoorschijn. 'Soms helpt dit,' vertelt hij Antonina. 'Ik zal ze in de open wond leggen. Ze zullen alleen het dode weefsel opeten en het levende intact laten. Misschien kan dit het verspreiden van de infectie tegengaan. Maar ik wil dat u beseft dat dit de laatste poging is.'

Antonina wendt haar blik af van de krioelende maden. 'De laatste poging voor wat?' zegt ze. 'Als die maden niet werken, wat dan?'

'Gravin Mitlovskija,' zegt dokter Molov, 'er is gangreen in de wond ontstaan. Er bljft dan nog slechts één mogelijkheid over om het leven van de graaf te redden.'

'Ja?' zegt Antonina, hoewel de dokter vindt dat ze niet echt geïnteresseerd lijkt.

'Amputatie, voordat de infectie nog verder het lichaam binnendringt. Over een dag zal duidelijk zijn of de maden effect hebben gehad.'

De amputatie vindt twee dagen later plaats.

Konstantin ligt rusteloos te woelen en de stank in de slaapkamer is nog heviger geworden. Dokter Molov heeft een houten kist met gereedschap opengemaakt: diverse tangen en messen, en ook een kleine zaag met een ebbenhouten handvat.

'Ik zal de graaf met chloroform in slaap brengen,' zegt dokter Molov. 'De damp ervan onderdrukt het zenuwstelsel. Maar het is moeilijk om de juiste balans te vinden. Niet genoeg, en er zal pijn zijn. Maar te veel kan leiden tot... nou ja, zoals ik al zei, het is een wankel evenwicht. Voor alle zekerheid heb ik twee mannen nodig om hem vast te houden, voor het geval hij de amputatie begint te voelen.'

Hij doet de kurk van een hoge, smalle fles. Antonina is voldoende dichtbij om een enigszins zoete geur te ruiken. Opeens ziet ze dat er een emmer met zaagsel naast het bed op de vloer staat. Waarom zaagsel? Is dit voor de geamputeerde arm? Die zal vlak onder de elleboog worden afgezaagd, heeft de dokter haar verteld. Antonina's mond is droog. Het is alsof ze van de inhoud van de emmer heeft gegeten.

De dokter zegt: 'Pavel, ga jij aan de ene kant van hem staan, en jij aan de andere... Grisja, is het toch?'

Grisja kijkt naar Antonina. 'U kunt er beter niet bij zijn, mevrouw.'

'Jullie hoeven hem nog niet vast te pakken,' instrueert de dokter de mannen die in positie zijn gaan staan. 'Wees gewoon voorbereid.' Hij tilt Konstantins hoofd op en beweegt de fles onder zijn neus. Konstantin draait zijn gezicht met een ruk opzij, maar even later lijkt het of het narcosemiddel hem opwindt. Hij kijkt om zich heen, nu met wijd opengesperde ogen, en mompelt iets onverstaanbaars. Het volgende moment zakt hij weg in iets wat een staat van bewusteloosheid lijkt.

'Goed,' zegt dokter Molov, en hij rolt zijn mouwen op. Hij haalt het verband van Konstantins hand en Antonina bedekt haar neus en mond tegen de stank van de zwarte, verrot uitziende hand met de gezwollen vingers, waarvan de nagels zwart zijn en diep in het opgezette vlees liggen.

'U kunt nu echt beter gaan, mevrouw,' zegt Grisja nogmaals, en ze kijkt hem dankbaar aan en vertrekt.

Zelfs in haar kamer kan ze Konstantins gekrijs horen. Ze slaat haar handen voor haar oren en begint te ijsberen. Eindelijk wordt het stil. Ze staat voor het raam naar buiten te kijken. Er wordt op de deur geklopt. Als ze opendoet, vertelt Grisja haar: 'U mag naar hem toe.'

Ze gaat naar Konstantins kamer. Zijn ogen zijn dicht, maar hij ligt met zijn hoofd heen en weer te draaien alsof hij een nachtmerrie heeft. Het beddegoed is tot aan zijn hals opgetrokken. Pavel en de dokter zitten aan weerskanten van het bed. Er valt niets te zien van het drama dat enkele uren geleden heeft plaatsgevonden. Het raam staat open en er waait een koele, frisse bries naar binnen.

Ze kijkt neer op het gezicht van Konstantin, dat wasachtig en vochtig is. Ze knikt naar de dokter en gaat weer naar haar kamer terug.

De dag na de amputatie vertelt dokter Molov Antonina dat haar man uit zichzelf iets heeft gegeten en haar naam heeft genoemd. Hij zegt er niet bij dat graaf Mitlovski in zijn ijlkoortsen veel vaker om een zekere Tanja heeft geroepen. De tweede dag na de amputatie zegt hij: 'De koorts is verdwenen en de hechtingen lijken zo goed als onder deze omstandigheden kan worden verwacht. Het herstel zou nu goed moeten verlopen, maar het grootste probleem zal zijn dat de graaf zijn linkerhand moet leren gebruiken.'

Antonina vindt het moeilijk om naar Konstantin toe te gaan. Als ze naast het bed gaat zitten, doet hij zijn ogen dicht of staart naar het raam, en hij negeert haar wanneer ze vraagt of hij pijn heeft en of ze iets voor hem kan doen. Na verloop van tijd gaat ze niet naar zijn kamer maar vraagt Pavel hoe het met de graaf is. Zijn antwoord is altijd hetzelfde: *Zo goed als onder deze omstandigheden kan worden verwacht, mevrouw.* Hij vertelt haar dat de tinctuur van chloroform vermengd met opiaat die de dokter heeft achtergelaten, haar man helpt de pijn te verdragen.

Een maand na de ontvoering komt Grisja naar Antonina in de muziekkamer, waar ze op een stoel naast de piano zit, met haar handen slap in haar schoot. Hij vertelt haar dat hij vindt dat ze, met haar instemming, hun dagelijkse zoektochten moeten opgeven. Ze hebben alle horigen in een straal van meer dan tweehonderd werst ondervraagd, vertelt hij, maar zijn gezicht blijft wazig voor Antonina, zijn stem klinkt als van verre. De ontvoering is aan de politie in Pskov gemeld en die autoriteiten hebben ook het betreffende kantoor in Sint-Petersburg op de hoogte gesteld. Er heeft zich niemand gemeld die iets kon zeggen over de komst van een onbekend kind of om verslag te doen van iets ongewoons dat werd gehoord of gezien.

'Er lijkt weinig anders te zijn dat we nog kunnen doen,' besluit Grisja, en hij steekt zijn hand uit alsof hij haar wil aanraken, maar stopt dan. Ze kijkt alsof ze zojuist verpletterend nieuws te horen heeft gekregen, een verbijsterde blik vol ongeloof.

'Er moet nog meer zijn dat we kunnen doen. Dat móét, Grisja,' herhaalt ze. 'We kunnen niet zomaar ophouden met zoeken naar hem. Dan is het alsof... alsof hij...' Ze kan even niets meer uitbrengen.

'Ik weet het,' zegt hij zacht. 'Maar het landgoed moet ook blijven draaien. Wilt u dat ik in mijn eentje verder ga met zoeken?'

'Ja. Laat de anderen weer aan hun werk gaan, maar ga jij alsjeblieft verder met zoeken,' zegt ze. Ze draait zich om, loopt de muziekkamer uit naar haar slaapkamer, waar ze op het bed gaat zitten. Ze wordt door zo'n inktzwarte wanhoop overvallen dat ze voor het eerst nadenkt over manieren om dood te gaan. Ze kan het niet verdragen dat haar zoon moet lijden.

Ze weet geen enkel lichtpunt te vinden, op één na: er is geen lichaam gevonden. Ze zal niet geloven dat haar zoon dood is tot ze zijn lichaam ziet.

De stilte in het huis is wurgend. De bedienden sluipen op hun tenen rond en hun stemmen klinken gedempt. Het voorjaar – het is nu mei – is uitzonderlijk regenachtig geweest. De bomen lopen uit in schitterende kleuren, maar de grond is zompig en de lucht verzadigd van vocht. Misschien is ze wel bezig te verdrinken: ze kan niet ademhalen. Antonina is blij dat de dagen zo bewolkt zijn, het licht is van geen enkel nut voor haar.

Er valt niet zinnigs te zeggen, er zijn geen bijbelteksten die troost bieden. Lilja blijft bidden en probeert Antonina over te halen hetzelfde te doen.

'Je moet bidden, Tosja. Kom, kniel naast me neer,' zegt ze elke dag. 'God zal je helpen te begrijpen waarom hij dit pad voor jou heeft gekozen. Hij zal je troost bieden.'

Antonina schudt haar hoofd. Ze hééft gebeden. Dat doet niets om haar verlichting te brengen of om Michail naar huis te brengen. Als vader Kirill om een onderhoud vraagt weigert ze hem te ontvangen.

Elke morgen zet ze de met wijn bespetterde bladmuziek van Glinka – de muziek van de violist Valentin – op haar rituele wijze op de lessenaar van de piano. Ze kent alle stukken uit haar hoofd, en toch troost het haar als ze speelt om de eerste pagina met de opdracht te zien.

Wanneer ze het repertoire heeft doorgenomen, loopt ze door het huis: de kleine zitkamer, de eetkamer, de serre, de bibliotheek, de studeerkamer, de biljartkamer, de wapenkamer, de salon. Ze raakt alle mooie, zinloze, voorwerpen aan: de glazen ornamenten, de zwarte schaduwportretten in lijstjes, de ruggen van de boeken in de kasten, de blaadjes van de bloemen uit de kas, de marmeren en houten tafelbladen.

'Er is geen lichaam gevonden,' fluistert ze tientallen keren per dag. Ze raakt de bruinverkleurde bladeren van een sierpalm aan en fluistert: 'Geen lichaam.' Daarna de zware glazen hoeken van de inktpot, en opnieuw hetzelfde gefluister. Het personeel voelt zich ongemakkelijk met haar in de buurt – als ze een kamer binnenkomt buigt iedereen en verdwijnt daarna.

Maar ze moet die twee woorden blijven herhalen. Ze vormen

haar troost. Het lichaam van haar zoon is niet ontdekt. Daarom bestaat de kans dat hij nog in leven is. En om die reden zal ze blijven hopen.

Misschien is Michail nog in leven. Ze zal de zoektocht naar hem niet opgeven.

De enige manier waarop ze de dag kan doorkomen, is met wijn of wodka, ook al doet haar hoofd pijn, doet haar lichaam pijn. Het is alsof haar zenuwuiteinden zich naar het oppervlak van haar huid hebben verplaatst. Door bij haar wijn of wodka laudanum te nemen voordat Lilja haar 's avonds onderstopt, heeft ze in elk geval een aantal uren vergetelheid.

Antonina loopt bedachtzaam achter dokter Molov aan naar Konstantins slaapkamer.

'Ook al is de graaf nog niet zichzelf, gravin, toch zal dit mijn laatste visite zijn. Hij heeft mijn zorgen niet langer nodig en hij is aan de beterende hand, maar hij beseft niet wat er de afgelopen weken allemaal is gebeurd.' De dokter trekt zijn wenkbrauwen een eindje op. 'Hij had het over de Novemberopstand van 1830, tegen de Polen. Hij denkt dat hij tijdens de gevechten gewond is geraakt. Heeft de graaf ooit in het leger van de tsaar gediend?'

'Nee.'

'Tja, zijn lichaam heeft een zwaar trauma doorgemaakt. Ik denk dat de helderheid vanzelf terug zal keren. Voorlopig is het beter hem niet overstuur te maken met de waarheid of met schokkend nieuws.'

Antonina is wonderlijk bang om Konstantins kamer binnen te gaan; ze heeft haar man de afgelopen week niet bezocht. Tot haar grote verbazing ziet ze hem, als ze eindelijk naar binnen gaat, rechtop zitten met gekamde haren en een geschoren gezicht. Hij is vreselijk vermagerd, hij is een oude, oude man geworden. Dat wat over is van zijn rechterarm zit in het verband.

'Ah, Antonina,' zegt Konstantin.

Ze gaat naast het bed zitten. Ze kan het niet opbrengen naar de verbonden stomp te kijken.

'Ik neem aan dat alles goed met je is,' zegt haar man, en ze probeert te glimlachen bij deze normale opmerking. Bij zijn volgende woorden beginnen haar lippen te trillen. 'Het is fijn om weer thuis te zijn. Breng mijn jongen binnen. Ik wil graag dat hij ziet dat zijn papa weer thuis is van het front.'

Antonina kijkt naar dokter Molov. Pavel houdt de jas van de dokter omhoog en de dokter heeft één arm in een mouw.

'Kostja, onze Misja...' Ze kijkt opnieuw naar de dokter, en hij schudt zijn hoofd. 'Hij is druk bezig met zijn lessen. Hij zal later naar je toe komen.'

'Goed,' zegt Konstantin. 'Na het eten dan,' voegt hij eraan toe, en hij doet zijn ogen dicht.

Antonina loopt met de dokter de kamer uit, de trap af.

'En u, mevrouw? Kunt u slapen?'

'Een beetje.'

'U moet proberen op krachten te blijven. Uw man heeft u nu meer nodig dan ooit.'

Antonina krijgt de indruk dat hij haar de les leest. 'Ik wil graag nog wat laudanum.'

Hij aarzelt, haalt dan een fles uit zijn tas. 'Maakt u er spaarzaam gebruik van, mevrouw.'

Ook al geneest de wond van de amputatie, toch blijft Konstantin pijn en jeuk voelen in zijn ontbrekende arm. Hij ligt eindeloos te klagen en te pruilen en te eisen dat hem zijn chloroformtinctuur wordt toegediend.

Pavel gehoorzaamt. Toen de graaf zijn eerste fles ophad en Pavel hem vertelde dat er niet meer was, werd hij zo geagiteerd, begon zo te schreeuwen en te spartelen dat Pavel meer dan een uur nodig had om hem te kalmeren. Konstantin beval hem nog meer van die oplossing te bemachtigen, gaf hem wat roebels uit de kleine kluis in zijn slaapkamer, en noemde hem de naam van een man in Pskov die hem kon verschaffen wat hij maar wilde.

Op een middag zit Antonina naast zijn bed, en omdat ze de indruk heeft dat hij eindelijk helder genoeg is, begint ze over Michail. 'Kostja, je herinnert je toch wel wat er met onze zoon is gebeurd? Dat hij werd ontvoerd?' Haar stem klinkt zacht in de slaapkamer die Konstantin niet wil verlaten.

'Ik weet het.' Hij zit verloren in het haardvuur te staren. 'Hij is dood, onze zoon.'

'Nee! Nee, Kostja, hij is niet dood.'

'Hij is dood. Hoe lang is het geleden dat hij is meegenomen?' Antonina slikt. 'Zes weken.'

Konstantin kijkt haar aan. Zijn pupillen zijn groot. 'Geloof jij dat hij nog in leven is? De kozakken hebben hun geld. Ze hebben hem gedood en zijn uit Pskov vertrokken. Het is afgelopen. Alles is afgelopen. Pavel!' schreeuwt hij, en de man komt tevoorschijn met de fles.

'Hij is niet dood, Konstantin,' fluistert Antonina.

'Laat een grafsteen voor hem houwen en zet die op het kerkhof achter de Kerk van de Verlosser,' beveelt Konstantin. 'Zet hem naast die van mijn Irina.'

'Hou op met dit soort gepraat! Hou op. Ik wil het niet horen.' Antonina holt zijn kamer uit. Ze slaat de deur van haar slaapkamer dicht en doet hem op slot, alsof ze daarmee de woorden van Konstantin kan buitensluiten.

Ze gaat op het bed zitten en kijkt naar haar fles laudanum op de kaptafel. Als ze die neemt met een bromidetablet, zal ze 's nachts kunnen slapen. Soms krijgt ze er akelige, paniekerige dromen van. Antonina loopt dan door het struikgewas te rennen, zoekend, terwijl haar huid door scherpe doorns wordt opengehaald. Wanneer ze 's ochtends wakker wordt, is het moeilijk om helder te denken, dan prikken haar ogen en bonst haar hoofd. Haar keel blijft droog tot halverwege de dag.

Ze staat op en neemt een paar lepels laudanum. Na een tijdje brengt dit haar in een dromerige en wazige toestand, maar ze krijgt er wel dorst van. Ze drinkt wat uit de karaf wijn op haar kaptafel. De wijn voelt dik en warm op haar tong. Ze drinkt tegenwoordig steeds vroeger op de dag, niet omdat ze zich dan beter voelt, maar om haar handen niet zo te laten beven, en tegen de misselijkheid die ze vaak heeft wanneer het te lang geleden is dat ze iets heeft gedronken. Lilja zegt tegen haar dat ze misselijk is doordat ze niet heeft gegeten, maar Antonina heeft moeite om eten door te slikken.

Ze zit op haar bed met de karaf wijn in haar hand, midden op die donkere middag terwijl de meiregen tegen de ruiten klettert. Noch de laudanum, noch de wijn of de regen kan Konstantins woorden wegspoelen. Het enige wat ze wil is niet te hoeven denken. Ze breekt een aantal van de afschuwelijke witte bromidetabletten stuk en spoelt ze met opnieuw een glas wijn naar binnen. Ze neemt ook nog een paar lepels laudanum.

Ze gaat op de rand van het bed achterover liggen, wanhopig verlangend naar rust en vrede. Dan voelt ze het: warme vleugels die over haar heen vegen. Wat een zachte, vederlichte verlossing – en ze is opgelucht. Eindelijk zal ze in haar oude, onbekommerde slaap vallen. De diepe slaap die ze kende toen haar zoon in zijn bed lag, in zijn kamer naast de hare. Ze ademt erin, nodigt de vleugels uit haar mee te voeren.

Het volgende moment heeft ze een vreemde, ongemakkeljke sensatie en is het moeilijk om lucht te krijgen. Er zit een grote en angstaanjagende vogel op haar borst. Ze kan – wil – haar ogen niet opendoen omdat ze bang is een scherpe snavel te zien. Ze zegt tegen zichzelf dat het een droom, een nachtmerrie is, en ze probeert zich te bewegen, maar dat gaat niet. Ze hoort kort, snel gehijg, alsof de vogel zich tot vlak bij haar gezicht buigt.

Of misschien is het haar eigen ademhaling.

Ze zegt tegen zichzelf dat gedachten aan de vogel en zijn snavel onzin zijn. Het zijn de pillen, de laudanum en de wijn. Er borrelt langzaam een besef in haar op, misschien van paniek, als ze probeert te bedenken hoeveel pillen ze heeft verbrokkeld, hoeveel laudanum ze heeft geslikt. Stel dat ze doodgaat?

Ze probeert haar zware oogleden open te doen, niet langer bang voor een denkbeeldige vogel, maar voor de dood. Stel dat ze doodgaat en dat Misja morgen, of overmorgen, of de volgende week wordt teruggebracht naar Angelkov? Zou hij dan te horen krijgen dat zijn moeder zo zwak was dat ze zich van het leven heeft beroofd? Ze kan de gedachte niet verdragen dat hij dat van haar zou denken: moederloos te zijn door haar deerniswekkende zwakheid en zelfmedelijden. Ze worstelt nu nog heviger om te kunnen bewegen, ze vecht met alle wilskracht die ze kan oproepen tegen het zware gevoel in haar ledematen. Het is alsof ze onder een dikke, natte, zware laag zand ligt. Er stijgen zwakke geluiden uit haar keel op. Ten slotte doet ze haar ogen open en rolt van de rand van het bed. Ze voelt zich langzaam vallen, sierlijk, door warm water, en de verleiding om daar te blijven, te drijven, maakt dat ze haar ogen weer dichtdoet. Ze strijdt tegen de verdoving, en op de een of andere manier – kost het één minuut of tien? – is ze op handen en knieën. Ze steekt haar vinger in haar keel en begint te kokhalzen tot ze wijn, pillen en laudanum uitbraakt in wat eruitziet als een bloederige plas op haar lichte tapijt. Er zit niets stevigs in.

Ze zakt trillend in elkaar, opgerold op haar zij op de vloer. Ze ziet zichzelf in de schuine passpiegel naast de kleerkast. Haar lippen zijn wijnrood gekleurd. Ze probeert ze af te likken, maar haar tong is te droog.

Er wordt op Antonina's dichte deur geklopt, en ze hoort Lilja's zachte stem: 'Mevrouw? Mevrouw?' Haar stem wordt luider. 'Gravin Mitlovskija. Alstublieft. Doe de deur open.'

Antonina hoort hollende voetstappen, dan stilte. Binnen enkele minuten zijn de voetstappen terug en klinkt er gerinkel van sleutels en wordt het slot opengedraaid.

'Tosja,' hijgt Lilja, wanneer ze de deur achter zich dichtdoet. Ze staart naar Antonina's mond en naar de rode plas op het tapijt. Ze kreunt en slaat een kruis.

Ze pakt een vochtige doek en knielt naast Antonina neer. Voorzichtig veegt ze haar kin af, maar de vlek is daar opgedroogd. Lilja's neusvleugels trillen. 'Is het alleen maar wijn?' vraagt ze, en ze snuift, waarna ze nog een kruis boven Antonina maakt. 'Goddank, ik dacht dat het bloed was.'

'Ik weet niet wat ik moet doen, Lilja,' zegt Antonina zwak. 'Ik kan het niet verdragen. Dit verdriet.'

'Laat me je overeind helpen,' zegt Lilja, en ze steekt haar handen onder Antonina's oksels en helpt haar overeind.

Als Antonina eenmaal staat leunt ze zwaar met haar hoofd tegen Lilja's schouder. Lilja streelt haar over haar rug. Die is klam. 'Je bent ziek, lieverd,' zegt ze. 'Je moet slapen.' Ze kust Antonina's haar. 'Kom, dan leg ik je in bed. Zullen we je jurk uitdoen?'

Antonina schudt van nee.

Lilja helpt haar in het bed, trekt het beddegoed over haar heen. 'Ik wil water,' fluistert Antonina, en ze duwt de dekens weg. Lilja brengt haar haastig een glas water uit de kan. Ze houdt het glas tegen Antonina's rode lippen. Wanneer Antonina genoeg heeft gedronken, zet Lilja het glas neer en gaat op het bed zitten, waarna ze met haar duim voorzichtig over de vlek op Antonina's mond veegt. Ze wrijft haar duim heen en weer, steeds langzamer, tot Antonina haar hand zwakjes wegduwt.

Lilja zegt: 'Je moet bidden, Ninotsjka. Bidden. Ik doe het de hele dag. Ik hou niet op met bidden dat God ons kind bij ons terug zal laten komen.'

Antonina knippert met haar ogen. 'Je bedoelt míjn kind.'

'Ja, natuurlijk, Tosja. Maar ik mis hem ook erg. Elke dag verlangen mijn armen ernaar hem vast te houden. Ik wil zijn stem horen en zijn muziek.'

Antonina vindt enige troost in het delen hiervan. 'Geloof jij dat

Michail nog in leven is? Dat God al die tijd over hem heeft gewaakt en hem heeft behouden? Dat ik hem ooit weer zal zien?' Haar tong is nog steeds onwillig, elk woord een worsteling.

Ze verwacht en wil en verlangt dat Lilja zal zeggen: *Ja, ja, natuurlijk zal God hem weer veilig in jouw armen brengen.* Als íémand dit zal geloven, is het Lilja wel. Ze wordt steeds godsdienstiger sinds ze haar nieuwe positie in het grote huis heeft ingenomen. Ze houdt zich afzijdig van vlees en melk en eieren gedurende de vijf weken van Sint-Petrusvasten in mei en juni. Ze vast eveneens gedurende twee weken in augustus, voor Maria Hemelvaart, gedurende zes weken voorafgaand aan kerstavond, en daarna voor de duur van de zeven weken van de vastentijd. Buiten de gebruikelijke vastenperioden onthoudt ze zich ook op elke woensdag, de dag van het verraad van Judas, en elke vrijdag, de dag van het sterven van de Verlosser, van het eten van zulke zaken. Ze vraagt Antonina haar mee te nemen op haar bezoeken aan Pskov, een stad vol schilderachtige kerkjes uit de vijftiende en zestiende eeuw, en ook vol kloosters tot uit de twaalfde eeuw. Lilja ligt urenlang op haar knieën in de Trojtski Sobor, de kathedraal van de Drie-eenheid, en Antonina ziet dat het Lilja moeite kost om weg te gaan als ze haar komt halen. Na Lilja's gebeden in de Trojtski of in een andere kathedraal van de stad, vertoont haar gezicht een dag lang een uitdrukking van vervoering. Antonina heeft nooit Lilja's jeugdwens, non te worden, vergeten.

Tot haar verbazing krijgt Lilja's gezicht een kleur, en ze slikt even voor ze antwoord geeft. 'Dat is wat we móéten geloven, Tosja. We mogen nooit ophouden te geloven dat het goede zal gebeuren.'

Wat een vreemde opmerking van Lilja, denkt Antonina, hoewel haar hoofd nu bonst. *Het goede.*

'Mijn arme Ninotsjka,' zegt Lilja. 'Mijn arme meisje.' Ze buigt zich naar voren en overdekt Antonina's wangen met kussen, kust haar voorhoofd en haar ogen.

Antonina schuift weg. 'Ik wil nu slapen,' zegt ze, en ze draait zich op haar zij, met haar rug naar Lilja.

'Ik zal bij je blijven tot je in slaap bent gevallen,' zegt Lilja. 'Misschien ga ik van nu af aan hier slapen, in je kamer. Ik zal een brits neer laten zetten.'

'Nee,' mompelt Antonina. 'Je moet bij je man blijven, in de personeelskamers.'

Er volgt een stilte. 'Soso woont niet meer op het landgoed, Tosja,' zegt Lilja. Ze probeert haar opluchting over het vertrek van haar man niet in haar stem te laten doorklinken. 'Hij is vertrokken toen de horigheid werd afgeschaft, op zoek naar iets anders.'

Antonina is vreselijk moe. 'Ga jij algauw naar hem toe? Vertrek jij hier ook, om bij hem te zijn?' Haar stem is nu heel zacht.

Lilja houdt haar adem in. Hoe kan Antonina denken dat zij haar ooit in de steek zou laten? 'Mijn plaats is hier, bij jou.' En opnieuw probeert ze Antonina te omhelzen.

'Nee, Lilja. Ik wil alleen zijn. Ga alsjeblieft weg.'

Op Lilja's gezicht ligt een mengeling van verwarring en gekwetstheid die Antonina niet kan zien. 'Maar Tosja, ik wil alleen maar...'

'Lilja...' Antonina's stem is nu sterker. 'Ik heb toch nee gezegd?'

'Zoals u wilt, mevrouw,' zegt Lilja stijfjes. Ze pakt de laudanum, de slaappillen en het restant van de wijn en vertrekt, waarbij ze de deur met een stevige klik achter zich dichttrekt.

19

*H*oewel dokter Molov Antonina heeft verzekerd dat de amputatie een succes was en dat de genezing volledig is, baart het gedrag van Konstantin iedereen steeds meer zorgen. Hij zit in zijn kamer en zegt de vreemdste dingen. Hij weigert zijn kamer uit te komen. Op sommige dagen huilt hij, op andere schreeuwt hij. Hij laat Tanja komen, maar als ze arriveert denkt hij dat ze Irina is die hem komt kwellen, en dan stuurt hij haar weer weg. Hij roept om Irina. Hij vraagt niet naar Antonina.

Soms praat hij over zijn dode zoon, maar meestal herinnert hij zich niet dat hij een zoon heeft.

Op Antonina's verzoek heeft Grisja het algehele beheer van het landgoed op zich genomen. Hij komt naar Konstantins werkkamer om diverse incidenten aan haar te melden, of om haar te vragen reparaties te betalen. Terwijl hij spreekt, kijkt ze hem aandachtig aan alsof ze zich hevig moet concentreren om zijn verzoeken te begrijpen. Andere keren geeft ze hem achteloos een stapel roebels uit Konstantins kluis zonder de schriftelijke verantwoording die Grisja haar geeft te bekijken.

Konstantin heeft dit soort zaken altijd behandeld. Het zegt Antonina allemaal niets. Elke keer dat ze de zware kast open-maakt, gaat ze ervan uit dat er roebels in zullen liggen, ook al heeft ze geen flauw idee hoe die daar zijn gekomen.

In de eerste week van juni rijdt er een man het erf op. Antonina heeft opdracht gegeven iedere vreemdeling die bij het landhuis arriveert aan haar te melden, in de hoop dat er bericht over Misja zal zijn. Er rent een knecht naar het huis om haar de komst van de man te melden.

Het is de derde keer sinds Michail is ontvoerd – nu meer dan twee maanden geleden – dat dit is gebeurd. De eerste twee keer bleek het iemand te zijn die was gestopt om naar de weg te vragen.

Vandaag reageert Antonina niet zo alert als eerder. Ze gaat langzaam in haar bed rechtop zitten wanneer de boodschap in haar slaapkamer is doorgegeven. Lilja zet het raam open; het is halverwege de middag en het ruikt muf in de kamer, nu het warmer wordt.

'Is hij naar het huis gekomen?' vraagt Antonina. 'Heeft hij expliciet naar mij gevraagd?'

'Nee,' antwoordt Lilja. 'Hij schijnt over de akkers te zijn gekomen en hij heeft het achterpad naar de stallen genomen.'

'Ik moet naar hem toe,' zegt Antonina, en ze zet haar blote voeten op de vloer.

'Help me, Lilja.' Ze reikt naar het voeteneind van het bed om haar gaasachtige ochtendjas te pakken.

'Tosja,' zegt Lilja. 'Ik zal wel even gaan vragen wat hij wil. Blijf jij maar hier.'

'Nee. Nee, ik moet erheen. Misschien is het een van de ontvoerders, met een nieuwe brief om losgeld.' Terwijl ze deze woorden zegt voelt Antonina geen hoop. Ze heeft de hoop opgegeven. Ze wacht gewoon tot elke dag voorbijgaat.

Soms drinkt ze thee met citroen, of eet wat brood met jam. Meestal ligt ze op haar zij uit het raam te kijken naar het uitlopen van de blaadjes aan de bomen. Zo nu en dan gaat ze rechtop zitten om uit het glas op het tafeltje naast het bed te drinken. Ze heeft geen zin meer in de dikke, zware wijn en drinkt nu uitsluitend wodka. Hoewel Konstantin zijn stokerij vorig jaar heeft gesloten omdat deze volgens hem niet voldoende opbracht, is er nog een voorraadschuur vol met zijn eigen speciale merk, klaar om te worden verkocht. Er staan veel, heel veel flessen in de kelder van het huis. De wodka is helder en fris.

Soms zit er een kleine nachtegaal op de takken van de boom voor haar raam te zingen, met een buitelend crescendo.

'Antonina Leonidovna,' zegt Lilja, op een toon alsof ze het heeft tegen een kind dat lang ziek is geweest, 'je moet je niet te veel inspannen. En als je echt naar beneden wilt, laat mij dan alsjeblieft helpen je fatsoenlijk aan te kleden. Het is niet goed als het personeel de vrouw des huizes in deze staat ziet. Alsjeblieft, laat me je helpen met aankleden, en je haar...' Het laatste woord blijft in de lucht hangen. 'Laat me je haar doen.'

'Daar is nu geen tijd voor,' zegt Antonina, maar als ze eenmaal staat, moet ze haar ogen sluiten en zich aan het bed vasthouden.

Lilja slaat haar arm om Antonina's rug, en ze voelt haar ribben vlak onder haar huid zitten. 'Je moet een warme jurk aantrekken. En doe in elk geval iets op je hoofd.'

Antonina loopt, met Lilja in haar kielzog, over het zonnige erf waar ze Grisja met een vreemdeling ziet staan praten. Omdat ze niet kan wachten tot ze bij hen is, roept Antonina naar Grisja. Hij draait zich om met een verschrikte uitdrukking op zijn gezicht.

Hij kijkt even naar Antonina's fluwelen hoed, die diep over haar voorhoofd is getrokken. De kraag van haar zachte wollen jas is omhooggeslagen rond haar gezicht. Het is een warme dag, en toch is ze gekleed alsof het kil is. Haar huid heeft een ongezonde matheid. Hij heeft haar de afgelopen dagen niet gezien. Elke keer dat hij liet weten zaken betreffende het landgoed met haar te willen bespreken, kreeg hij te horen dat ze rustte en niet wilde worden gestoord. Hij moest het zelf maar afhandelen.

'Wat is er, Grisja?' zegt Antonina, zodra ze hem heeft bereikt. Ze kijkt op naar zijn gezicht en dan naar het gezicht van de andere man. Hij is heel fors, met een woeste grijze baard. Hij zet zijn pet af en buigt voor haar; zijn grijze haar blijft in vettige pieken overeind staan. 'Wat wil hij? Waarom is hij hier?' Ze kijkt weer naar Grisja, probeert de blik in zijn donkere ogen te doorgronden.

De man richt zijn hoofd op en kijkt haar brutaal aan.

'Hij heeft een boodschap,' zegt Grisja.

'Een boodschap?' herhaalt Antonina, alsof ze niet weet wat dit woord betekent.

'Van uw zoon. Hij heeft iets van Michail bij zich.'

Antonina verroert zich niet, knippert zelfs niet met haar ogen. Grisja beseft hoe ziek ze is. Hij vraagt zich af of ze heeft begrepen wat er zojuist is gezegd.

'Mevrouw?' zegt hij zacht. 'Gravin Mitlovskija? Hebt u het gehoord? Er is een bericht van Michail Konstantinovitsj.'

Antonina richt zich wat meer op en grijpt de vreemdeling bij de arm. 'Heb je hem?' zegt ze. 'Heb je mijn zoon?'

'Nee, nee, mevrouw. Ik ben alleen maar het bewijs komen brengen. Ik ben er op geen enkele wijze bij betrokken, ik ben slechts de boodschapper. Zou ik hierheen komen en mezelf in gevaar brengen als ik erbij betrokken was?' Hij kijkt even naar Grisja.

'Heb je hem gezien?' Antonina's stem is luider dan wekenlang het geval is geweest. 'Was alles goed met hem? Waar is hij?' Ze draait zich met een ruk naar Grisja. 'Ga hem zoeken. Haal mijn jongen terug, Grisja.'

Grisja zegt scherp tegen de man: 'En, Lev? Heb je ons nog meer te vertellen? Kun je ons zeggen waar we het kind kunnen vinden?'

Wanneer de man die Grisja Lev noemt niets zegt, schreeuwt Antonina: 'Ben je voor geld gekomen? Dat kan ik je geven. Ga mee naar het huis, dan zal ik je meer geld geven en dan gaat Grisja met je mee om mijn zoon op te halen. Alsjeblieft, o alsjeblieft.' Ze huilt, ze loopt van Grisja naar Lev, trekt aan hun mouw, aan de voorkant van hun jasje, hun handen. 'Alsjeblieft,' roept ze weer.

Lev kijkt van Grisja naar Antonina. 'Ja. Ik ben voor meer geld gekomen. Zodra ze het geld hebben, zullen ze het kind teruggeven. U kunt weten dat hij nog in leven is door wat ik heb meegebracht,' zegt hij, en hij gebaart naar Grisja.

'Wat heeft hij meegebracht, Grisja?'

'Ik zal het u laten zien, mevrouw, maar blijft u alstublieft kalm. We zullen naar het huis gaan en dan zal ik het u daar laten zien.'

'Laat het me nu zien,' smeekt Antonina. Eist Antonina. 'Geef het me, Grisja.'

Grisja haalt een stuk opgevouwen papier uit zijn tuniek. Hij geeft het aan Antonina. Ze bekijkt de muziekpartij aan de ene kant en leest dan de korte tekst op de andere kant. Ze laat zich op haar knieën in de modder vallen en kust steeds weer de verkreukelde pagina; ze wiegt heen en weer terwijl ze het papier tegen haar borst drukt. Haar lippen bewegen, ze bidt. Er stromen tranen over haar wangen en ten slotte wordt ze stil. 'Hij leeft nog,' fluistert ze. 'Mijn Misja leeft nog.'

Lilja helpt haar overeind.

Antonina haalt diep adem, veegt haar wangen af. Ze recht haar schouders en kijkt weer naar de man die Lev heet. 'Vertel me nu waar je dit hebt gekregen.' Ze houdt de pagina omhoog. 'Vertel me dat onmiddellijk.'

Lilja ziet weer het oude vuur in Antonina's ogen, een blik die er lange tijd niet is geweest.

Lev kijkt even naar Grisja. 'Mevrouw de gravin, ik ben hier niet direct bij betrokken. Ik ben de boodschapper,' herhaalt hij, 'en ik krijg mijn instructies door middel van briefjes. Ik spreek niemand.'

'Ik geloof je niet. Grisja, geloof jij deze man? En wie is hij trouwens? Waar komt hij vandaan?'

In de stilte die volgt krast een kraai vanuit de takken van een lindeboom. 'Er zit voor ons weinig anders op dan te doen wat hij vraagt, mevrouw,' zegt Grisja. 'We zullen hem het geld geven. Ik zal hem niet laten gaan tot ik zeker weet dat hij ons niets meer te vertellen heeft. Dat hij de waarheid spreekt. Spreek jij de waarheid?' vraagt Grisja. Dan legt hij zijn handen plat op de borst van de man en geeft hem een duw.

Lev valt op de grond en kijkt omhoog, vernederd en toch uitdagend.

'Ik denk dat ik hem kan overhalen ons nog meer te vertellen,' zegt Grisja, en hij zet een voet op Levs borst en drukt hem plat op de grond.

Lev ligt in de modder met Grisja's voet op zijn borst, zijn ogen tot spleetjes geknepen. Hij kijkt omhoog naar Grisja, tot die hem aan zijn arm overeind hijst. 'Maakt u zich geen zorgen, mevrouw. Als er nog meer te weten valt, zal ik het er wel uit weten te slaan.'

'En hoe zit het met het geld?' vraagt Lev, niet in het minst uit het veld geslagen.

'Wat is de eis deze keer?' vraagt ze hem.

'Het is hetzelfde bedrag als de eerste keer, mevrouw,' antwoordt hij, na een korte aarzeling.

'En wanneer wordt mijn zoon teruggebracht?'

Lev haalt zijn schouders op. 'Ik ben alleen maar de boodschapper,' zegt hij, vreemd kalm ondanks Grisja's dreigementen.

Daarop sleurt Grisja hem naar de stal. Hij kijkt om naar Antonina. 'Gaat u naar het huis, mevrouw. Ik zal hem laten geselen tot hij me vertelt wat hij weet, en dan breng ik u verslag uit.'

Met de boodschap van haar zoon tegen haar borst geklemd loopt Antonina resoluut en vastberaden naar het huis terug, naar de werkkamer van Konstantin. Ze haalt zijn kluis tevoorschijn en doet de sleutel in het slot. Zorgeloos haalt ze er een stapel roebels uit, waarbij ze ziet – zonder zich erom te bekommeren – dat de kluis bijna leeg is. Ze wikkelt de stapel biljetten in haar zakdoek en geeft die aan Lilja, die er haastig mee naar buiten, naar de stal loopt.

Ze geeft hem aan Grisja, die voor Lev staat. Lev leunt tegen de muur van een box.

'Laat ons alleen, Lilja,' zegt Grisja, en de vrouw verdwijnt haastig.

Toen Lev onverwachts het erf op reed, met de brief van Michail, geschreven op de achterkant van een stuk bladmuziek van Glinka, werd Grisja overmand door een geweldig gevoel van opluchting. De jongen was niet dood. Daar was hij dankbaar voor. Soso had hem al die tijd laten wachten om hem een lesje te leren.

Hij had niet verwacht dat de gravin naar het erf zou komen toen Lev er was, ze waagde zich zelden nog buiten. Het compliceerde de zaak, haar vreugde over de brief van haar zoon.

'Ik hou het geld nog even,' zegt hij tegen Lev. 'Je denkt toch zeker niet dat ik het zomaar aan je meegeef?'

'Maar jullie hebben nu het bewijs dat de jongen nog in leven is.'

'Ja, maar je krijgt het geld niet voordat je het kind terugbrengt, begrepen? Er komt geen geld tenzij Michail Konstantinovitsj terug is.'

Lev had hem met zoveel haat aangekeken dat Grisja zich afvroeg of hij zojuist het lot van het kind had bezegeld.

'Dat zal nog wat tijd nemen,' zei Lev ten slotte. 'Als je me het geld niet geeft, zal dit alleen maar betekenen dat jullie weer moeten wachten. En wie weet hoe lang deze keer.'

Grisja wist dat Lev op Soso's bevel handelde. 'Waar is Misja?'

'Hij is nog in leven, zeg ik je. Dat is toch zeker het enige wat van belang is?'

Toen Grisja geen antwoord gaf, zei Lev: 'Ik zal laten weten wanneer en waar je het geld moet brengen, en als je dat doet, krijg je de jongen van me terug.'

Grisja deed een stap dichterbij. 'En moet ik jou geloven?'

'D'r zit niet veel anders op, hè?' zei Lev. Daarna draaide hij zich om en liep de stal uit. Grisja zag hem opstijgen en wegrijden. De jongen begon kennelijk lastig te worden. Hoe lang zouden ze hem nog kunnen houden?

Antonina zit achter Konstantins bureau en bekijkt nogmaals het briefje van Michail. Het is een pagina uit Michails muziekboek, het boekje dat hij uit de muziekkamer weggriste op de dag dat hij werd ontvoerd.

Het briefje is met houtskool geschreven en er staan enkele woorden op neergekrabbeld in Michails kenmerkende handschrift. Terwijl ze met haar vingers over de tekst strijkt, galoppeert Lev bij het landhuis vandaan, door de pas ingezaaide velden.

Hij is ongedeerd.

Lieve mama en papa,
Mijn excuses voor wat er in het bos is gebeurd omdat ik mijn paard niet kon wenden. Ben je boos op me, papa? Krijg ik nog steeds een puppy voor mijn verjaardag, mama? Je hebt me beloofd dat ik een hondje zou krijgen wanneer het mooi weer werd. Ik bid elke dag dat ik thuis zal zijn met mijn verjaardag, aan het eind van deze maand. Dit is alles wat ik mag schrijven.
Misja

Michail is 28 juni jarig.
'Achtentwintig juni,' fluistert Antonina.

Antonina gaat naar Konstantins kamer om haar man het briefje te laten zien.

Hij slaat het weg. 'Dat is een list. Hij is dood,' zegt hij.

'Konstantin, het is zijn handschrift, op een pagina uit zijn eigen muziekboek.'

'Dit kan al lang geleden geschreven zijn.'

'Nee. Hij zegt... Kijk maar. *Ik bid elke dag dat ik thuis zal zijn met mijn verjaardag, aan het eind van deze maand.* Zijn verjaardag is aan het eind van deze maand, Kostja. Hij moet het in de afgelopen dagen hebben geschreven. Hij komt weer bij ons terug, Kostja. Ik heb de man meer geld gegeven, en nu zal hij worden teruggebracht.'

'Ben je nou helemaal gek geworden?' Konstantin gaat staan en slaat Antonina met de rug van zijn enige hand in het gezicht. Hij verliest zijn evenwicht maar weet op de been te blijven. De onverwachte klap is pijnlijk, maar ze zegt uitdagend: 'Hij komt naar huis.' Dan laat ze haar man alleen en gaat naar haar kamer om een koude, natte doek op haar kapotte en zwellende lip te leggen.

De dag nadat Antonina het briefje van Michail heeft gekregen, staat ze vastberaden op van haar verkreukelde bed. Ze voelt hoop, echte hoop, en ze wil opeens naar de kerk. Ze wil God danken omdat hij naar haar gebeden heeft geluisterd.

Ze kleedt zich aan en glipt het huis uit, het erf over. Ze wil zelfs niet dat Lilja meegaat. Ze loopt door het kleine stukje bos vlak bij het huis en arriveert bij de Kerk van de Verlosser van Angelkov. Achter de kerk is een kerkhof waar lelietjes-van-dalen uitbundig bloeien, en de seringen beginnen ook al, met hangende pluimen van mauve en witte bloemen die in een lichte bries heen en weer deinen. Er klinkt geritsel in de hogere eikenbomen. Zelfs met dit mooie weer en de bloeiende bomen en bloemen ziet het kerkhof er droefgeestig uit. Er heerst iets van wanorde, misschien zelfs chaos. Veel grafstenen zijn scheefgezakt na het natte voorjaar, de ongelijkmatige grond is hobbelig, de graven zijn overwoekerd door brandnetels en ruig gras. De horige die hier ooit voor zorgde, is waarschijnlijk een van degenen die het landgoed hebben verlaten. Vader Kirill is haar niet komen vragen iemand anders deze taak te geven. Of misschien kwam hij daar wel voor, maar was het een van de keren dat ze weigerde hem te ontvangen.

Omdat het een zachte dag is, staat de deur van de kerk open. Er zijn maar enkele banken langs de achterwand, voor de oudsten en gebrekkigen om op te zitten gedurende de diensten van twee of drie uur. Alle andere gelovigen staan of knielen. De gebrandschilderde ramen van heiligen en de Heilige Maagd met kind, die Konstantin uit Italië heeft laten komen, verspreiden een warme gloed en toveren kleuren op de vloer. De rijen en rijen rode glazen kandelaars zijn op serene wijze troostvol, hoewel er vanmorgen slechts één kaarsje brandt. Antonina houdt een lontje in de vlam ervan en steekt een kaars aan voor haar zoon.

De kerk bezorgt haar een onmiddellijk gevoel van troost. Ze steekt nog meer kaarsen aan, ziet hoe de vlammen kortstondig flakkeren en dan regelmatig gaan branden. Antonina heeft het kerkje voor zich alleen, afgezien van een man in een stoffige overall die boven haar hoofd op een steiger bezig is de sierlijst langs de rand van het hoge, gewelfde plafond opnieuw te schilderen. Het enige geluid dat hij maakt is een vaag geschuifel wanneer zijn laarzen bewegen over de ruwe plank waarop hij staat.

Antonina vergeet hem wanneer ze languit op de vloer ligt, met gespreide armen en haar voorhoofd tegen de koude steen gedrukt. Ze blijft bijna een uur zo liggen, om God te danken dat hij haar zoon in leven heeft gehouden. En dan krijgt ze een visioen. Misschien wordt het veroorzaakt door haar gebrek aan eten en goede nachtrust, maar ze ziet in het donker, achter haar gesloten oogleden, iets zachts en wits.

Het is een troostvol, zwevend visioen.

Ja, het zou weer een vogel kunnen zijn, niet zo een als ze zag toen ze te veel laudanum had genomen. Dit is een witte vogel, met kleine veren en vriendelijke ogen. Het is misschien wel een engel. Antonina wil geloven dat er een engel boven haar zweeft.

In het visioen wordt ze opgetild door de engel of de vogel. Er komt een warme, heerlijke kalmte over haar. Ze heeft in lange tijd niet zo'n kalmte gevoeld, zelfs niet voordat Michail werd ontvoerd. Wanneer heeft Antonina zo'n vrede gevoeld? Misschien wel niet sinds ze een onschuldig kind op het landgoed van haar vader was. Misschien is ze alleen maar bezig in een natuurlijke, diepe slaap te vallen. Het is heel lang geleden dat ze voor het laatst vredig heeft geslapen. Wat het ook mag zijn, de duidelijkheid van dit visioen doet haar huilen. Haar tranen druppen op de stenen vloer. In haar hoofd ziet ze de engel, of de vogel, heen en weer vliegen, heen en weer, in een vredig ritme. Ten slotte blijft hij roerloos boven haar hangen, het lijkt wel of de gevleugelde gestalte is gevangen in een opwaartse stroom van geurige lucht die afkomstig is van de brandende kaarsen.

Hij blijft een onduidelijke tijd boven haar hangen: seconden, minuten. Antonina weet het niet. Dan bewegen de vleugels, langzaam, bijna loom.

Antonina wil niet dat de gestalte wegvliegt. Ze wil dat deze boven haar blijft, haar zegent. Maar de vleugels bewegen sneller en sneller, en ze hoort ze fladderen, en vreemd genoeg is het geluid nu niet in haar hoofd maar erbuiten. Zonder enige waarschuwing wordt ze naar de werkelijkheid teruggehaald. Er klinkt een schelle, menselijke kreet die maakt dat Antonina verward haar ogen opendoet, en op hetzelfde moment klinkt er een klap. Er schampt iets langs haar hand. Ze krimpt ineen, haar schouders zijn gespannen, en in de stilte die volgt, blijft ze versuft liggen.

'Het spijt me, mevrouw, mijn diepste verontschuldigingen,' hoort ze boven zich. 'Er was een zwaluw... Er zit hier een nest. Ik schrok ervan, en toen viel ik bijna. Ik probeerde me vast te grijpen... het paneel brak af... Het spijt me echt vreselijk.' In de stem van de man klinkt paniek.

Antonina komt op haar knieën overeind. Rechts van haar ligt een berg wit en verguld gips dat in scherpe stukken is gebroken. Ertussen ligt een kleine, vergulde cherubijn, misschien acht centimeter lang. Waarschijnlijk was dit wat haar hand heeft geraakt. Hij ligt daar, onbeschadigd afgezien van een kleine scherf aan het uiteinde van een glanzende vleugel.

Ze raapt hem op en gaat staan, ze legt haar hoofd in haar nek en kijkt naar de man in overall die over de rand van de steiger leunt. 'Het spijt me geweldig, mevrouw,' roept hij weer naar beneden.

Antonina knikt naar hem, maar houdt de cherubijn stevig vast. Ze weet wat het betekent – deze baby-engel die uit de lucht op haar is neergevallen. Ze heeft steeds uitgekeken naar een teken, hoe klein ook, naar iets om zich aan vast te klampen. Eerst was er het briefje van Misja, toen het visioen, en nu dit. Haar gebeden zijn verhoord.

Net zoals de cherubijn op haar is neergevallen, met één vleugel slechts lichtgehavend, zo is Antonina er nu zeker van dat haar zoon bij haar zal worden teruggebracht.

Op weg naar haar kamer passeert ze Olga op de trap.

'Hoe gaat het vanmorgen met u, mevrouw?' vraagt Olga, kijkend naar Antonina's kapotte lip.

'Prima,' zegt Antonina. Ze houdt haar hand met de plafondengel verborgen in de plooien van haar rok. Ze wil naar haar kamer om na te denken over alles wat er gebeurt. Maar als ze daar komt, treft ze haar man.

'Wat doe je daar?' vraagt ze.

Hij zit over haar schrijftafel gebogen. De laden staan open en overal liggen papieren op de vloer. Er is een inktpot omgevallen. Tinka staat te bibberen achter de stoel naast de haard.

'Ik zoek mijn geld. Je steelt van me,' zegt hij scherp. Zijn mouw zit over zijn ontbrekende arm vastgespeld.

'Konstantin, hou op,' zegt ze. 'Natuurlijk steel ik niet. Ik ben je vrouw.' Ze blijft voorzichtig staan waar ze is, vlak bij de deur.

'Iedereen steelt van me. Ik heb Pavel ontslagen, de rottige nietsnut. Hij bleek mijn rijlaarzen aan te hebben.'

Antonina kijkt even naar zijn voeten; ze zijn bloot. 'Konstantin,' zegt ze zacht. 'Wacht maar. Ik zal...'

Hij duikt op haar af met een paars aangelopen gezicht. Een seconde lang staat ze verstijfd van schrik, dan rent ze de gang in, roepend om Pavel, om Lilja, om wie dan ook om haar te helpen. Konstantin komt haar achterna, grijpt haar bij de schouder. Zijn adem stinkt, zijn pupillen zijn groot en zwart. Er is lawaai en verwarring, met bedienden die gillen, daverende voetstappen op de trap, Tinka's wilde geblaf. En dan is er Grisja, die zijn armen om

Konstantin heen slaat zodat de oude man Antonina los moet laten, terwijl hij al spartelend probeert haar met zijn blote voeten te raken.

Grisja weet, geholpen door Pavel, Konstantin naar zijn kamer terug te krijgen. Antonina volgt hen met haar hand voor haar mond. Terwijl Grisja Konstantin stevig vasthoudt, beweegt Pavel een fles onder Konstantins neus heen en weer. 'Diep inademen, meneer. Toe, diep inademen, net als anders,' zegt Pavel.

Konstantin haalt diep adem en wordt dan kalm genoeg om in een stoel te worden geduwd. Hij zakt in elkaar, met zijn mond open en zijn ogen dicht.

'Wat is er met hem aan de hand?' vraagt Antonina. 'Wat mankeert hem?'

'Ik weet het niet, mevrouw,' zegt Pavel. 'Maar het is nu weer goed met hem. Ik zal ervoor zorgen dat hij niet weer zo opgewonden raakt.'

'Gaat u hier maar weg,' zegt Grisja, en hij pakt haar arm vast. Hij brengt haar naar haar slaapkamer. Antonina trilt hevig, en Grisja helpt haar in haar stoel bij de haard. Hij schenkt een glas water in, maar als hij haar dat brengt, schudt ze haar hoofd.

'Wodka,' zegt ze, 'in mijn kleerkast.'

Grisja's donkere krullende haar zit in de war, zijn wangen zijn verhit door de worsteling met Konstantin. Hij bekijkt haar opgezette, kapotte lip even voor hij de dubbele deuren opendoet en met een vragende blik naar haar jurken kijkt.

'Achterin,' zegt ze. 'Daar is een plank met een fles.'

Hij doet wat ze vraagt en schenkt een glas voor haar in.

'Neem er zelf ook een,' zegt ze, maar hij schudt zijn hoofd. 'Wat moeten we met hem beginnen, Grisja?'

'Ik zal de dokter laten halen.' Maar hij gaat niet weg. 'Mevrouw, het spijt me heel erg dat dit alles is gebeurd. Het spijt me geweldig.'

'Het is niet jouw schuld.' Ze neemt een slokje wodka, heel voorzichtig, in verband met haar kapotte lip. 'Ik ben heel blij dat ik jou heb om op te vertrouwen. Zonder jou zou ik het landgoed niet kunnen beheren.' Ze neemt nog een slokje. 'Hij zei dat hij Pavel had ontslagen, Toe, zeg alsjeblieft tegen Pavel dat hij moet blijven.'

Lilja verschijnt in de deuropening. Ze lijkt geschokt Grisja in de slaapkamer aan te treffen. 'Mevrouw,' zegt ze. 'Ik was in de kas om wat rozen voor u te plukken. Is alles goed met u?'

'Ja,' zegt Antonina. 'Wil je alsjeblieft de rommel opruimen? De inkt... er zitten vlekken op het kleed. Laat Tinka eerst maar even uit, ze is vreselijk geschrokken.'

Lilja tilt het bibberende hondje op en gaat ermee de kamer uit, terwijl ze nog even achteromkijkt naar de rentmeester.

'Dank je, Grisja. Jij kunt ook wel gaan,' zegt ze tegen hem. 'Het gaat nu wel weer.' Ze drinkt het glas wodka leeg.

Grisja bukt zich om iets uit de rommel op te rapen. 'Mevrouw?' zegt hij, terwijl hij weer gaat staan en de cherubijn voor zich uit houdt. Het beeldje heeft nu nog maar één vleugel.

In alle tumult is ze de engel helemaal vergeten. Ze zet haar lege glas neer en pakt hem aan. 'Hij is kapot,' zegt ze, en dit kleine feit is voldoende om haar tranen in de ogen te bezorgen.

Grisja kijkt van de engel naar de vloer. 'Alstublieft, mevrouw. Kijk, hier is de vleugel. Ik zal hem repareren. Geeft u hem maar aan mij, dan maak ik de vleugel er gelijk weer aan.' Hij steekt zijn hand uit.

Antonina kijkt naar hem op met betraande ogen.

'Hij kan gemakkelijk gerepareerd worden, mevrouw,' zegt hij. Zijn stem is troostvol, en Antonina krijgt opeens zin om haar wang tegen zijn uitgestrekte hand te leggen. Ze heeft Grisja gekend vanaf het eerste moment dat ze op Angelkov is gekomen. Grisja is betrouwbaar en capabel. Wanneer hij voor haar blijft staan, ligt er iets in zijn donkere ogen wat Antonina niet eerder heeft gezien. Alsof hij verdriet voelt. Om haar?

'Grisja,' zegt ze, terwijl ze hem de engel teruggeeft.

Hij wacht.

'Grisja,' herhaalt ze en deze keer zegt hij zacht: 'Ja, mevrouw?'
'Ik weet niet meer wat ik moet doen.'

Hij wrijft met zijn duim over de cherubijn en zegt: 'Dat weet ik, mevrouw.'

'Zul je me helpen?' vraagt ze. 'Jij beheert Angelkov nu al. Maar Konstantin...' Ze grijpt met trillende vingers naar haar voorhoofd. 'Het zoeken naar Misja. Ik weet niet wie anders...'

Grisja komt dichterbij en legt zijn hand op Antonina's schouder.

Lilja komt binnen met Tinka. Ze schraapt nadrukkelijk haar keel.

Grisja haalt zijn hand weg. 'Ik zal alles doen wat ik kan, gravin Mitlovskija.' Hij buigt en vertrekt.

Antonina kijkt naar zijn rug, naar zijn rechte schouders, wanneer hij bij haar vandaan loopt.

Lilja kijkt naar haar mevrouw.

20

Toen Grisja in 1844 in Moskou arriveerde, was hij een heel andere persoon dan de jongen die uit Tsjita was weggereden. Hij was bijna twee jaar ouder en hij maakte korte metten met zelfmedelijden of spijt.

Hij had geleerd dat als je je ergste angsten onder ogen ziet en die overleeft, er nooit meer iets is om bang voor te zijn. Als gevolg hiervan was hij nergens bang voor. En omdat hij nergens bang voor was, beschouwde hij zichzelf als onaantastbaar.

Er was niets wat hem opgetogen of bedroefd maakte.

Hij vond werk bij een kuiperij aan de rand van Moskou, waar hij de volmaakte vaten bouwde zoals hij dat onder zijn vaders leiding had geleerd. Na een jaar hoorde hij van een beter betaalde baan en verhuisde hij naar een kuiperij in Sint-Petersburg. Maar hij was nog steeds ongedurig. Toen zich een nieuwe mogelijkheid voordeed, ditmaal op een landgoed in de provincie Pskov, dacht hij dat dat misschien was wat hij zocht. Met goede referenties van zijn werkgever, gehuld in nieuwe kleren en met een paard dat hij van zijn gespaarde loon had weten te kopen – hij noemde het paard Felja, zoals hij vanaf dat moment elk paard dat hij bezat zou noemen – reed hij naar het landgoed dat toen als Polnokove bekendstond, en werd in 1846 door graaf Mitlovski in dienst genomen.

Vanaf het eerste begin verachtte hij de graaf, zoals hij iedere man – behalve zijn vader – had veracht die hem bevelen gaf. De graaf en zijn pokdalige vrouw gedroegen zich alsof ze goud uitdeelden aan hun personeel, wanneer ze iedereen met Kerstmis in een rij lieten staan en ieder een fles wodka gaven, dezelfde wodka waar Grisja de vaten voor maakte. Ze kregen eveneens allemaal een zakje met kopeken, de mannen een reep leer voor een nieuw vest of nieuwe riemen, en de vrouwen een grote lap stof. Met Pasen stond Grisja, met gebalde vuisten, in de rij toen het personeel opnieuw als kleine kinderen werd opgesteld om geverfde eieren en *paschi*, de hoge taarten van zoete kwark met boter en rozijnen, in ontvangst te nemen.

Hiervoor werden ze geacht dankbaar te buigen en oneindige trouw voor te wenden. Met zijn taart onder zijn ene arm probeerde Grisja alle herinneringen aan het paasfeest in Tsjita te bedwingen – hoe hij daar met zijn vader en broertje de mis had bijgewoond in de orthodoxe kerk van de decembristen. Pasen was altijd zijn favoriete feest geweest.

Nu was dat bedorven.

Een jaar na Grisja's komst was de vrouw van de graaf gestorven. Binnen luttele maanden legde de weduwnaar het aan met Tanja, de wasvrouw, die veel op de gravin leek, tot aan de littekens van de pokken op haar gezicht toe. Het jaar erop hertrouwde Mitlovski. De tweede vrouw was weinig meer dan een meisje, zag Grisja toen ze uit het rijtuig stapte, met in haar arm een heel klein hondje met een knalroze lint om de hals. Het voltallige personeel uit het huis en uit de stallen, ruim zestig in totaal, was naar de voorkant van het huis geroepen en stond opgesteld langs het pad dat van de oprijlaan naar de stoep van het huis leidde. Ze bogen allemaal diep.

De graaf leidde het meisje over het knerpende grindpad naar de bovenste trede van de stoep. 'Ik stel jullie de nieuwe gravin Mitlovskija voor,' verklaarde hij. 'Kom overeind en kijk naar haar.'

Het personeel gehoorzaamde.

'Teneinde haar welkom te heten in haar nieuwe thuis heb ik de naam van het landgoed van Polnokove veranderd in Angelkov.'

Het personeel zweeg.

De nieuwe echtgenote begon haar begroeting met het kussen van de icoon van de Heilige Maagd, die door de huishoudster omhoog werd gehouden, en te glimlachen en te knikken naar de bediende die het brood en het zout ter verwelkoming aanbood. En hoewel ze uiterlijk kalm leek terwijl ze het personeel van het landhuis begroette, langs ieder van hen liep, naam en functie op een lichte maar eerbiedige toon herhaalde, zag Grisja, vlak voor hij zijn hoofd boog en haar 'Grisja, vatenmaker', hoorde zeggen, de onzekerheid in haar ogen.

Hij veronderstelde dat de graaf de wasvrouw nu wel met rust zou laten, maar hij realiseerde zich algauw dat hij het mis had.

De nieuwe vrouw bracht een frisse wind met zich mee en toen ze een kind baarde, tien maanden na haar komst, veranderde Grisja's leven ingrijpend.

Hij had gravin Mitlovskija in het eerste jaar dat ze op Angelkov was, een paar keer gesproken. Ze was op een keer naar de vatenmakerij gekomen om hem te vragen een mand voor Tinka, haar hondje, te maken. 'Ze heeft een fluwelen mand, maar die is helemaal versleten. Ik dacht dat jij misschien een nieuwe kon maken, Grisja. Kun je dat?' Ze vroeg hem die van geschaafde duigen te maken, en ze zei dat ze hem zelf van een bekleding zou voorzien.

'Zeker, mevrouw,' had hij gezegd en terwijl hij boog constateerde hij dat ze zwanger was. Herinnerde ze zich echt zijn naam of had ze dat aan een van de bedienden gevraagd? 'Hebt u een bepaalde houtsoort in gedachten?'

'Kijk maar wat voor hout jou het beste lijkt.' Ze keek om zich heen naar de voltooide vaten, pakte een geschaafde duig en bracht die naar haar neus. 'Wat ruikt het hier lekker.' Ze legde de duig weer neer en lachte even, alsof ze zich geneerde voor haar opmerking. Ze had een hoge, leuke lach. Grisja voelde zich wonderlijk blij, ook al besefte hij, door de manier waarop ze haar hand op de welving onder haar wijde jurk legde, dat ze waarschijnlijk gewoon blij was met het kind dat ze verwachtte.

Hij had de hondenmand gemaakt en hem bij het huis afgeleverd, zonder te verwachten haar nogmaals te zien. Een week later was ze terug. 'Ik wilde je even komen zeggen dat Tinka heel blij is met haar nieuwe mand,' zei ze, en ze drukte de hond tegen zich aan. 'Je bent er dol op, hè Tinka?' Ze kuste de neus van het dier. 'Bedankt voor je vakkundigheid, Grisja,' zei ze, terwijl ze van de hond naar hem keek.

'Het was me een waar genoegen, gravin Mitlovskija,' had hij, buigend, gezegd.

Ze vertrok niet meteen, ze keek in de kuiperij om zich heen, raakte planken en gereedschappen aan alsof ze niets anders te doen had. Ze pakte *De dochter van de stationschef* op, dat hij op een kruk had laten liggen. 'Is dit van jou?'

Grisja verwenste zijn dwaasheid om het boek zo in het zicht te laten liggen. Zou ze nu denken dat hij niet werkte wanneer hij dat hoorde te doen en zou ze hem laten straffen? 'Ja. Ik lees tijdens het nuttigen van mijn middagmaal.'

'Zijn er op Angelkov veel horigen die kunnen lezen?' vroeg ze, enigszins verbaasd.

'Ik ben geen horige, mevrouw. Ik ben een vrij man.'

'O. Ik heb *De dochter van de stationschef* vorig jaar gelezen,' ging ze verder. 'Het is heel droevig, hè? Maar ik was blij dat Doenja zich niets van haar vader aantrekt en wegloopt met de man van wie ze houdt.' Ze sloeg onmiddellijk een hand voor haar mond. 'Het spijt me. Heb ik de afloop nu verklapt?'

Grisja schudde zijn hoofd. 'Ik heb het al eerder gelezen,' zei hij. 'Ik heb het hele werk van Poesjkin minstens twee keer gelezen.'

'Ik vind het zo leuk dat hij veel boeken hier in onze provincie heeft geschreven nadat hij uit Sint-Petersburg was verbannen. En ik heb mijn nieuwe merrie naar haar vernoemd – naar Doenja, het meisje in het boek,' ging ze verder. 'Dus jij leest graag?'

'Ja, mevrouw.'

'De bibliotheek op Angelkov is pover bedeeld, maar ik probeer de kasten te vullen. Ik heb veel van mijn eigen boeken meegebracht, en als ik in Pskov ben koop ik er nog meer.'

Grisja maakte een beleefd geluid. De gravin bracht hem wonderlijk van zijn stuk met haar amicale gebabbel. Hij hoopte maar dat Mitlovski zijn vrouw niet kwam zoeken.

Op dat moment wendde ze zich van hem af. 'Tot ziens,' zei ze, 'en nogmaals hartelijk dank.' Terwijl ze wegliep, viel het zonlicht op het ingewikkelde vlechtwerk van haar blonde haar, en Grisja dacht aan de graaf en haar. Heel even probeerde hij zich voor te stellen dat het meisje even zorgeloos met de oude man lachte.

En hij besefte dat met geld werkelijk alles in deze wereld te koop was.

De volgende keer dat hij haar zag, was na de geboorte van de erfgenaam van het Mitlovski-fortuin.

De jonge moeder had een wandeling over het erf gemaakt, gevolgd door de kinderjuffrouw met de warm ingepakte baby. De gravin was naar de stallen gekomen om een jong veulen te bewonderen. Toen ze bij de zwarte arabier met de hoge benen had gekeken, had geglimlacht en vriendelijke geluidjes had gemaakt, maakte ze een onverwachte omweg. In plaats van via de hoofdingang te vertrekken, liep ze door de achterdeuren naar buiten, naar het plein waar de geselbank stond.

Ze verscheen op het moment dat de rentmeester, een beer van een vent die Gleb heette, zijn knoet hief. Hij stond op het punt een horige die de graaf had mishaagd door een stier onhandig te castreren, te geselen. De onfortuinlijke man was met ontbloot bovenlijf en met zijn gezicht omlaag vastgebonden op de bank die rechtop tegen de muur van een bijgebouw was gezet. Grisja liep heel toevallig over het plein op weg naar de smid om een gebroken dissel te laten repareren.

Grisja was vaak boos dat de graaf geen aandacht besteedde aan de manier waarop Gleb zijn werk uitvoerde. De rentmeester mocht in een klein maar net houten huisje met een voortuin wonen. Grisja zag daar soms Glebs forse vrouw over de rijen groenten gebogen staan. In het twee verdiepingen hoge stenen huis voor het personeel deelde hij een kamer met drie mannen uit de koeienstallen, met de immer aanwezige stank van mest die in hun huid was getrokken.

Gleb haalde de natgemaakte zweep met zijn repen leer die elk een metalen bal aan het uiteinde hadden, over de blote rug van de horige. De man gilde op een hoge en vreselijke manier, en toen zijn kreet wegstierf, hoorden degenen die toekeken nog een kreet. Ze waren allen geschokt de nieuwe, jonge gravin te zien met een gezicht dat wit was weggetrokken en met haar hand tegen haar hals.

Om onduidelijke redenen draaide ze zich om naar de kinderjuffrouw, griste de baby uit haar armen en drukte hem tegen zich aan, alsof het kind de volgende was die moest worden gestraft. 'Stop!' schreeuwde ze tegen Gleb, die de knoet boven zijn hoofd had geheven voor de volgende slag. 'Stop, zei ik,' herhaalde ze. 'Ik wil dat je die man losmaakt.'

Gleb liet de knoet zakken en keek Antonina woest aan.

'Met alle respect, mevrouw de gravin, maar ik ben u geen verantwoording schuldig. Uw man is degene die mij bevelen geeft, en het is uw man voor wie ik negen lange jaren heb gewerkt. Ik zou u willen voorstellen, mevrouw, dat u ervoor zorgt niet meer op de geselplaats te komen.'

Antonina keek om zich heen als om steun te zoeken. Ze zag Grisja en deed haar mond open.

Hij schudde, bijna onmerkbaar, zijn hoofd, en hij was blij dat ze zo verstandig was om in te zien dat het verkeerd zou zijn om hem bij deze woordenwisseling te betrekken. 'Juist,' zei ze, en ze keek Gleb weer aan. 'Ik zal je onbeleefdheid tegenover mij aan de graaf melden. Daar kun je zeker van zijn.' Ze stak haar kin in de lucht, draaide zich toen abrupt om en vertrok.

Grisja zag het ernstige gezichtje van de baby over haar schouder.

De graaf was opgetogen over de komst van zijn zoon. Na de geboorte van het kind had hij ter ere van deze gebeurtenis een feest gegeven voor iedereen op het landgoed. Het feest duurde drie dagen, compleet met twee avonden vuurwerk. Zijn blijdschap maakte hem goedgeefs, en hij schonk ook nu een fles wodka en wat kopeken aan al zijn zielen – meer dan duizend – die in de omringende dorpen woonden en op het land werkten. Hij droeg zijn zoon rond en liet hem aan iedereen zien, hoewel de baby niet mocht worden aangeraakt. De bedienden in het huis waren het erover eens dat ze de graaf nog nooit zo breed hadden zien glimlachen.

Michail Konstantinovitsj was slechts twee maanden oud toen Antonina getuige was van het geselen en dit aan haar man meldde.

'Dat is de gewoonste zaak van de wereld,' had Konstantin gezegd. 'Dat heb je thuis toch zeker ook wel gezien, of je hebt er in elk geval van geweten. Hoe moeten we onze kinderen anders vlijtig laten werken?'

'Het zijn je kinderen niet,' zei ze, met de baby op haar schoot, terwijl ze dacht aan de vuurrode striem op de rug van de man, die al vol littekens zat.

Konstantin, die naast haar op het bankje zat, schudde zijn hoofd, kriebelde zijn zoon onder zijn kinnetje en lachte naar hem. 'Je begrijpt best wat ik bedoel,' zei hij, zonder Antonina aan te kijken. Hij pakte een handje van Michail en bekeek de kleine, volmaakte nageltjes. 'Ik moet als een vader voor hen zijn, om hun de dwalingen van hun gedrag duidelijk te maken en hun te leren hun fouten nimmer te herhalen.'

Ze herinnerde zich hetzelfde argument van haar vader nog duidelijk. 'Ik mag die rentmeester niet. Hij is grof en brutaal. Hij behandelde me met geen enkel respect. Ik wil hem niet langer op het landgoed zien.' Ze dacht terug aan de vadsige buik van Gleb, terwijl hij de knoet liet neerkomen, en aan het speeksel op zijn kin terwijl hij over het erf naar haar schreeuwde.

Eindelijk wendde Konstantin zijn blik af van zijn zoon. 'Wat wil je dan dat ik doe, engel van me? Een goede rentmeester is moeilijk te vinden. Ze moeten kunnen lezen en de boekhouding bijhouden. Gleb is niet handig met lezen, je weet dat ik er zelf geen geduld voor heb. Maar hij is goed met cijfers. Een rentmeester moet gezag hebben over de anderen, en hij moet eerlijk zijn.'

'Die bruut eerlijk? Die indruk maakt hij niet op mij.' Met de baby nog steeds op haar schoot ging ze op Konstantins knie zitten. Hij keek een beetje onthutst, maar stond het toe. 'Alsjeblieft, man,' zei Antonina, en ze kuste hem op de wang. Hierop verschoof Konstantin wat, zodat Antonina weer naast hem zat.

'Ik ben inderdaad al enige tijd om diverse redenen niet tevreden over Gleb. Maar het zal niet zo gemakkelijk zijn om iemand te vinden die zijn plaats kan innemen.'

Antonina drukte haar mond tegen Michails zachte hoofdje, voelde zijn bloed onder haar lippen kloppen. 'Wat dacht je van de kuiper? Die donkere,' zei ze, in een opwelling. 'Grisja. Hij is veel jonger en sterker dan Gleb. Ik weet dat hij kan lezen, want ik heb hem met een boek gezien.'

'Hij is goed in zijn werk,' zei haar man.

'Zou een kuiper niet gemakkelijker te vervangen zijn dan een rentmeester?'

'Hij zegt niet veel,' zei Konstantin. 'Maar hij straalt wel iets sterks uit.' Hij stond op, ongeduldig. Hij had een afspraak met Tanja. 'Misschien kan het geen kwaad om eens met hem te praten,' zei hij.

Antonina glimlachte naar hem. Hij voelde zich onwillekeurig gecharmeerd door haar glimlach.

'Dank je, lieve man,' zei ze. En toen: 'Ik geloof echt dat Misja met de dag meer op jou gaat lijken. Kijk eens naar zijn nobele voorhoofd.'

Konstantins borst werd zichtbaar breder.

'Ga je nu meteen met Grisja praten?' vroeg ze. Konstantin zei dat hij dat zou doen. Daarna pakte hij zijn zoon op en tilde hem met een stralend gezicht hoog in de lucht.

Michail was zonder veel problemen geboren, het was slechts langdurig en pijnlijk geweest voor Antonina, zoals dat met de meeste eerste bevallingen het geval is.

Ze weigerde haar kind aan een min af te staan. In plaats daarvan voedde ze hem zelf, tot ergernis van haar man, die dit beneden haar stand vond.

Als vrouw van een landeigenaar was het haar taak kinderen voor haar man te baren. De zorg en opvoeding dienden aan anderen te worden overgelaten: aan minnen en kinderjuffrouwen en gouvernantes en huisleraren. De ouders werden slechts geacht de verslagen aan te horen over de gezondheid van de kinderen en naarmate ze groter werden nieuwverworven vaardigheden te aanschouwen, zoals de beheersing van de Franse en Duitse taal, de eerste aarzelende pogingen op muziekgebied, het paardrijden, boogschieten en geweerschieten voor jongens, het borduurwerk voor meisjes.

Maar Antonina was gefascineerd door haar zoon. Vóór Michail had ze nog nooit een baby vastgehouden. In de eerste weken van zijn leven, toen ze leerde hem te voeden en te verzorgen, had ze alle belangstelling voor iets anders verloren. Was dit normaal? vroeg ze aan Lilja.

Lilja wist het niet. Als ze Michail in haar armen hield, herinnerde ze zich wel hoe het had gevoeld bij haar eigen baby's, maar ze waren allebei ziekelijk geweest en hadden steeds gehuild. Toen ze een paar dagen oud waren, was ze weer op het land gaan werken, met het ene kind op haar rug gebonden en het andere voor haar borst. 's Nachts was ze zo uitgeput dat ze huilde wanneer ze hen voedde, en probeerde hen zoet te houden zodat hun gehuil Soso niet wakker maakte en hij kwaad werd. Ze was Ljosja heel dankbaar; hij hielp altijd, wiegde het ene huilende kind in zijn armen terwijl zij bezig was met het andere. Hij verrichtte ook simpele taken, zoals het roeren in de *kasja* die op het fornuis stond, zodat die niet aanbrandde, en het verzamelen en binnenbrengen van mandjes gedroogde mest om het vuur in de haard brandende te houden.

Ze ervoer nu bijna iets van treurigheid als ze Antonina's blijdschap zag. Ze wenste dat ze met haar baby's iets van deze voldoening had gekend. Ze had hun kleine gezichtjes en pluizige haar bekeken. Degene die het laatst was gestorven, was net begonnen te lachen, en Lilja wist nog goed hoe dit haar altijd een schok van blijdschap had bezorgd. Maar het was erg moeilijk voor haar geweest om het werk op het land en in de izba te doen en er tegelijk voor te zorgen dat Soso tevreden was. Na de begrafenis van het tweede kindje kon ze voor het eerst in vele maanden een hele nacht doorslapen. De volgende morgen werd ze wakker met een zwaar gevoel van verdriet, maar ook met opluchting.

Ze besefte dat dit voor Antonina heel anders was, wanneer ze haar in het grote, schone bed met Tinka aan haar voeten zag liggen lezen en theedrinken met haar baby naast zich. Ze zag dat Antonina op slag haar boek weglegde en haar theekopje neerzette wanneer het kind ook maar een kik gaf, om hem op te pakken en zijn gezichtje met kussen te overdekken. Lilja begreep wat Antonina zou willen horen, en dus zei ze tegen haar mevrouw dat het ja, heel normaal was dat Antonina zo van haar kind was gaan houden, zoals de natuur het had bedoeld. 'De liefde voor een kind is misschien wel de enige ware liefde die een vrouw in haar leven kent, mevrouw, afgezien van de liefde voor God.'

Antonina had haar aangekeken. 'Ja, de liefde voor je kind en voor God.' Ze wilde Lilja niet vragen of ze dacht dat het mogelijk was om zo'n intense liefde voor een man te voelen.

De meeste avonden dat Konstantin óf vrienden ontving óf weg moest omdat hij zaken van het landgoed moest regelen, liet Antonina Lilja bij zich blijven terwijl ze Michail de laatste voeding gaf.

Lilja wist, net als de rest van het personeel, dat Konstantin zijn avonden soms met de wasvrouw doorbracht.

Op een avond, toen de baby drie maanden oud was, lag Antonina in bed met hem in haar arm. Hij had net zijn voeding gehad en sliep, met nog steeds getuite lippen. Antonina lag te lezen, met een boek in haar andere hand.

Lilja zat in een stoel vlakbij kleine steekjes te maken in een kanten jurkje voor Michail.

Antonina liet het boek op de beddesprei vallen. 'Mijn ogen zijn moe. Ik wil dat je me voorleest, Lilja.'

Lilja keek haar aan en haalde haar schouders op. 'Je weet dat ik niet kan lezen.'

'Ik zal het je leren,' zei Antonina. 'We beginnen over een paar weken, als Misjenka een regelmatiger patroon heeft gekregen.' Ze kuste zijn hoofdje.

'Zoals je wilt, Tosja,' antwoordde Lilja, en ze ging verder met haar naaiwerk. 'Ik wil met alle plezier leren lezen als jij dat van me verlangt, hoewel ik er in mijn leven nooit de noodzaak van heb ingezien.'

'Je móét gewoon leren lezen, Lilja,' zei Antonina met aandrang, met een gebaar naar het stapeltje op haar nachtkastje.

Lilja keek weer op van het babyjurkje. 'Mijn leven laat me geen tijd voor zulke dingen.'

'Dan zal ik je meer tijd geven. Ik zal een van de andere vrouwen wat laten overnemen van wat jij voor me doet, zoals dat naaiwerk.

Zo krijg je tijd om te lezen. Je kunt heel veel over de wereld te weten komen als je leest.'

Lilja bleef steekjes maken. Ten slotte zei ze: 'Het is voor mij niet nodig om meer te weten dan wat ik nu weet.'

Antonina boog zich naar voren, maar voor ze antwoord kon geven, ging Lilja verder: 'Wat voor nut zou het voor mij hebben om meer te weten wanneer mijn wereld hier is, Tosja? Zou het me niet ongelukkig maken te weten wat er buiten de modder van de dorpen is, voorbij de beken en rivieren, voorbij de grenzen van het landgoed, wanneer ik nooit méér zal hebben dan dit?' Ze keek Antonina recht aan.

De slapende baby snuffelde even, trok zijn wenkbrauwen op, en Antonina leunde weer terug in de kussens. 'Maar Lilja, misschien komt er een tijd, komt er een dag, dat er meer mogelijkheden zijn. Je weet hoe er wordt gesproken over voorstellen tot afschaffing van de lijfeigenschap. Als het daar ooit van komt...'

Lilja stak haar hand op en Antonina zweeg. 'Ik heb liever niet dat je over zulke dingen met me praat, Tosja. Ik geef de voorkeur aan het leven zoals ik dat nu leid. Ik zou liever niet...' Ze fronste haar wenkbrauwen, alsof ze boos was op zichzelf, of misschien op Antonina.

'Je wilt je niet voorstellen hoe je méér zou kunnen hebben dan wat je vandaag hebt. Je hebt geen andere dromen?' Antonina vroeg zich af of Lilja nog steeds aan het klooster dacht.

Lilja beet de draad met haar tanden door en stak de naald weer in het speldenkussen. 'Dít is mijn droom. Dit is waarvan ik heb gedroomd. En nu heb ik het.' Met het jurkje nog steeds in haar handen keek ze Antonina aan. 'Begrijp je? Ik heb alles wat ik wil, hier, in deze kamer, Tosja.'

Antonina was van slag door de intensiteit van Lilja's blik, maar toen begon de baby opeens te huilen en richtte ze haar aandacht op hem.

Grisja wist dat hij zijn nieuwe bestaan aan Antonina te danken had. Toen de graaf hem in zijn werkkamer ontbood om hem te vertellen dat er een mogelijkheid bestond om Glebs werk als rentmeester over te nemen, was Grisja verbijsterd geweest.

Het was de meest begeerde positie voor een vrije man zonder titel en zonder land.

'Mijn vrouw denkt dat jij een eerbiediger en evenwichtiger rentmeester zou kunnen zijn dan Gleb,' zei de graaf. 'Het is goed om op een landgoed veranderingen aan te brengen. Onder een nieuwe leiding presteren de horigen soms beter. Het salaris is veel hoger dan wat ik je als kuiper betaal,' ging hij verder. 'Ben je geïnteresseerd?'

'Ja, graaf Mitlovski. Ik kan u verzekeren dat ik zulke verantwoordelijkheden uitermate serieus zou nemen.'

Konstantin knikte. 'Mijn vrouw vertelt me dat je kunt lezen.'

'Russisch en Frans.'

'Frans?'

Grisja vroeg zich af of hij te ver was gegaan. 'Een beetje maar,' loog hij. 'En ik zal boekhoudlessen nemen, mocht dat nodig zijn.'

'Ja, ja. Ik ga geen ander werk voor Gleb zoeken tot jij hebt bewezen dat je deze baan waardig bent,' zei de graaf. 'Je hebt een proeftijd van twee weken.'

Grisja besefte dat de volgende twee weken niet gemakkelijk zouden zijn, nu Gleb wist dat zijn vrouw en hij misschien naar een ander landgoed zouden worden overgeplaatst, ten gunste van Grisja. Aan de andere kant was het graaf Mitlovski die Glebs toekomst bepaalde, niet hij. Al snel bewees hij de graaf dat hij niet alleen meer bedreven was in boekhouden dan Gleb, maar dat hij ook minder klaagde. Hij behandelde acute problemen met horigen naar eigen goeddunken, zonder de graaf lastig te vallen met allerlei kleinigheden.

Twee weken later nam hij zijn intrek in het leuke huis van de rentmeester; hij verfde de luiken onmiddellijk blauw, net als van het houten huis in Tsjita waar hij was opgegroeid. In plaats van groenten plantte hij kersen- en appelbomen in de tuin. Hij bouwde kasten voor de boeken die hij uit Siberië had meegebracht en voor de boeken die hij daarna had verzameld, en ook voor de boeken die de gravin hem leende, met de gedachte dat een bepaalde schrijver hem vast wel zou bevallen.

Hij sliep voor het eerst van zijn leven alleen, afgezien van toen hij door Siberië had gereisd en onder de blote hemel had geslapen.

Toch bleef hij een intens gevoel van rusteloosheid met zich meedragen. Hij dacht dat dit kwam doordat hij nog steeds onderworpen was aan de grillen van een andere man. Hij beschouwde Konstantin qua intelligentie als zijn mindere, en dit was eveneens moeilijk te verdragen. Toen Grisja een jaar rentmeester was, zei de graaf tegen hem dat hij er genoeg van kreeg met Tanja door het huis te moeten sluipen en dat hij zich niet wilde verlagen door naar haar kamer in het personeelsverblijf te gaan. Hij wilde Grisja's huis één keer per week kunnen gebruiken. Grisja was verbijsterd en vervuld van afschuw. Maar wat kon hij zeggen? De graaf bezat hem niet, maar het huis wel.

Deze factoren speelden ongetwijfeld een rol in Grisja's onrust. Maar eenzaamheid maakte er ook deel van uit.

Na zo hard zijn best te hebben gedaan om niets te voelen, was Grigori Sergejevitsj Narisjin niet in staat te beseffen dat hij eenzaam was.

Antonina sprak dagelijks een dankgebed uit omdat ze Lilja weer had gevonden. Ze vond het wel jammer dat hun vriendschap verborgen moest blijven. Alleen wanneer ze in haar slaapkamer met zijn tweeën waren, konden Lilja en zij als vanouds met elkaar praten. Daar kon Lilja haar Tosja noemen in plaats van mevrouw en kon ze spreken met iets van haar oude openhartigheid. Af en toe, als Lilja spontaan om Misja's capriolen moest lachen, vond Antonina dat ze bijna op het meisje leek zoals ze in het bos was geweest.

Ze vroeg zich wel eens af hoe Lilja's leven buiten haar slaapkamer eruitzag, maar Lilja liet duidelijk merken dat ze niet over Soso wilde praten. Ze sprak wel vaak vol trots over Ljosja, ze vertelde Antonina hoe sterk hij werd en dat hij in de stallen steeds meer verantwoordelijkheden kreeg.

Op een morgen, toen Lilja glimlachte terwijl ze Misja's blonde haar met de palm van haar hand gladstreek, had Antonina gevraagd: 'Hoe zit het met jou, Lilja? Hoop je nog meer kinderen te krijgen?'

Lilja hield op met glimlachen, hoewel ze met haar hand over Misja's hoofd bleef strijken. 'Ik hoop het niet. Ik wil er niet meer.'

'Echt niet?' Ze legde haar hand op Lilja's arm. 'Je zult altijd mijn kamenier blijven, ook al krijg je meer kinderen. Dat beloof ik je,' zei ze. 'En ik wil dat jij opnieuw dit geluk beleeft, net als ik met Misja.'

Toen Lilja niets zei, drong Antonina aan: 'Je bedoelt vast niet dat je geen kinderen meer wilt. Hoe zit het met Soso? Wil hij geen zoon, net als alle mannen?'

Lilja haalde haar schouders op, en het gesprek was afgelopen.

Lilja was blij dat Antonina wilde dat ze 's nachts bij haar bleef toen de baby nog klein was. Toen hij ouder werd en Antonina haar vertelde dat ze terug moest naar haar kamer met Soso, in de personeelsvleugel, zocht Lilja nog steeds voorwendsels om tot laat te blijven. Ze had nog even weinig zin in gemeenschap met Soso als toen ze pasgetrouwd waren. Ze probeerde ervoor te zorgen dat als ze terug was in hun kamer, Soso al diep, snurkend, in slaap was en zich niet omdraaide en boven op haar klom.

Ze wist dat hoe minder vaak ze zich per maand moest onderwerpen, des te minder de kansen waren dat ze ooit weer met een kind werd opgezadeld. Ze vond het vreselijk om haar benen voor hem wijd te moeten doen.

Antonina wist niet dat net zoals zij van Valentin Vladimirovitsj droomde om zich in haar echtelijke plichten te schikken, op de avonden dat haar man zwaar op haar ging liggen, Lilja zich de lange, blanke hals van de gravin voor de geest haalde.

21

*H*et is nu begin september. Michails verjaardag was eind juni voorbijgegaan zonder enig bericht. Steeds weer ondervraagt Antonina Grisja. *Wat heeft die Lev gezegd toen je hem hebt gegeseld om antwoorden te krijgen? Waarom ben je hem niet gevolgd om te zien waar hij naartoe ging? Je had de wacht kunnen houden, zijn huis in de gaten kunnen houden. Hij had het losgeld. Daar moet toch iemand voor naar hem toe zijn gekomen?*

En net zoals Antonina hem lastigvalt met steeds weer dezelfde vragen, heeft Grisja dezelfde antwoorden. *Ik heb niet meer uit hem weten te krijgen. Hij trekt van het ene dorp naar het andere, hij heeft geen thuis. Hij is alleen maar de boodschapper, anderen zijn de daders. Hij weet verder niets. We moeten geduld hebben, mevrouw.*

Geduld? Hoe moet ze nog geduld kunnen opbrengen?

Het leven in het landhuis is steeds moeilijker geworden. Konstantin is een armzalige afspiegeling van zijn vroegere zelf. Hij sluipt door het huis, schreeuwt tegen de bedienden, spreekt hen aan bij de verkeerde naam en beschuldigt hen van diefstal en insubordinatie. Ze proberen bij hem uit de buurt te blijven en slaan een kruis wanneer ze hem zien. Behalve Tanja is geen enkele vrouw bereid zijn kamer binnen te gaan om schoon te maken, en hij weigert zich door de dokter te laten onderzoeken. Pavel is de enige die hij bij zich in de buurt duldt, maar hij wil niet dat zijn lijfknecht hem wast of hem schone kleren aantrekt. Zijn haar is lang en vettig, er zitten etensresten in zijn baard. Hij zweert dat zijn zoon dood is en soms doolt hij over het kerkhof, op zoek naar zijn graf.

In de loop van de zomer zijn hun naaste buren, prins en prinses Bakanev, drie keer naar Angelkov gekomen. Elke keer maakt Antonina excuses dat de graaf ligt te rusten, biedt ze iets te eten en te drinken aan en probeert ze de roddelpraatjes van de prinses te volgen terwijl ze hoopt dat Konstantin tijdens het bezoek niet boven begint te schreeuwen. Andere landeigenaren in de provincie hebben brieven vol medeleven over Michail geschreven, informatie ingewonnen over de gezondheid van de graaf, en uitnodigingen aan Antonina gericht. Ze schrijft beleefd terug dat het een moeilijke tijd is en dat ze graag later een keer langskomt.

Na een tijdje worden de uitnodigingen minder.

Steeds meer voormalig horigen verlaten Angelkov, niet alleen omdat de afschaffing van het lijfeigenschap hen heeft bevrijd van elke verplichting of verantwoordelijkheid ten aanzien van hun voormalige eigenaar, maar ook omdat deze eigenaar gek geworden is. De roebels in de geldkist zijn op en Antonina kan hun niets betalen. De meesten willen liever proberen een eigen bestaan op te bouwen dan in de spookachtige sfeer van Angelkov te blijven wonen.

Wanneer ze stuk voor stuk naar Antonina komen om te zeggen dat ze willen vertrekken, neemt Antonina afscheid en bedankt hen voor hun trouwe dienst. Ze geeft hun een klein cadeau mee: voor de meisjes en vrouwen een van haar eigen mooie omslagdoeken of een schildpadden kam of een flesje reukwater; voor de mannen iets van Konstantin: een paar zakdoeken met monogram of een linnen overhemd.

Ze maakt een kruis op hun voorhoofd. Sommige vrouwen huilen, dan houdt ze hun hand even vast, probeert te glimlachen en wenst hun het allerbeste.

Het huis lijkt groter, leger en stiller, op Konstantins sporadische uitbarstingen na. 's Avonds, als de wind gaat liggen, kan Antonina het verre geluid horen van de boeren die op het land werken: hun geroep en gefluit, het gestage ritme van hun sikkels. Het blijft lang licht en ze werken tot het donker wordt.

Zij die op Angelkov blijven, degenen die besloten hebben dat ze liever voor een dak boven hun hoofd en de zekerheid van voedsel werken, hebben grote moeite om de oogst uit de moestuin binnen te halen. Rajsa meldt Antonina dat ze het misschien niet allemaal binnenkrijgen voor de eerste vorst. Ze heeft niet genoeg hulp bij het werk in de keuken: het zouten van de komkommers en die in enorme, met pekel gevulde potten doen; het plukken van het fruit in de boomgaard om jams en compotes van te maken of als conserven in te maken; het rooien van aardappels en andere knolgewassen om ze in zakken te doen en in bakken in de koele, donkere kelders op te slaan; het zouten en roken van varkensvlees en ribstukken; het drogen van paddestoelen – al het werk dat nodig is om het huis te bevoorraden voor de winter. Rajsa is een lange, forse vrouw met stevige armen en sterke handen. Ze is opgewekt van aard. Nu vertoont haar gezicht voortdurend zorgelijke rimpels.

Terwijl Angelkov begint af te brokkelen zonder de honderden handen om het op effectieve wijze te beheren, hoort Antonina dat de horigen buiten het landgoed steeds meer macht krijgen.

De wereld zoals zij die kent, begint te verdwijnen. Er rest haar niets anders dan een nieuwe manier van leven te zoeken.

Voor Lilja is het leven ook veranderd.

Samen met Ljosja werkt ze in de tuin om de laatste koolrapen te rooien. Ongeacht vroegere taken verricht iedereen die beschikbaar is nu het noodzakelijke werk.

'Lilja,' zegt Ljosja, terwijl ze allebei gaan staan om wat water te drinken, 'wat denk je dat er gaat gebeuren?'

'Hoe bedoel je?'

'Hoe lang zullen de graaf en de gravin nog op Angelkov kunnen blijven?' Hij gebaart naar het huis. 'Zonder voldoende personeel om het te onderhouden zal alles slechter worden en in verval raken. Ze zullen vast wel bezig zijn plannen te maken om te vertrekken, om ergens anders te gaan wonen.'

Lilja kijkt hem onderzoekend aan. 'De gravin heeft me daar niets over verteld. En wat de graaf betreft...' Ze haalt haar schouders op. 'Hij is even nutteloos als wanneer hij dood zou zijn. Hoe dat zo? Weet jij soms iets?'

'Nee,' zegt hij, maar Lilja ziet dat hij ongemakkelijk doet.

'De gravin zal een manier vinden om een deel van het oude personeel weer in dienst te nemen, ook al duurt dat even,' zegt ze. 'De dingen zullen weer net zo worden als eerst.' Niet helemaal. Niet zonder Misja. Niet met de graaf in deze staat. Maar Antonina en zij zullen er samen aan werken om een deel van het leven op Angelkov weer op te bouwen. Zij tweeën, samen.

Ljosja strijkt met zijn hand over de handgreep van de spade en schudt zijn hoofd. 'De dingen kunnen nooit meer hetzelfde zijn, Lilja. Dat weet jij ook.'

'Toch wel,' houdt Lilja vol. 'Met jou hier, als altijd, en met mij...'

Ljosja valt haar in de rede. 'Ik ben van plan om te trouwen, zusje.'

Lilja laat haar spade vallen en kijkt hem met open mond aan. Ze slaakt een hees geluid, alsof ze probeert te lachen. Haar gezicht is bezweet door de warme najaarslucht. 'Trouwen? Met wie wil jíj trouwen?' vraagt ze. 'Waar heb je het over?'

'Ik ga trouwen met Anja Fomovna.'

Lilja knippert met haar ogen en denkt na. 'Anja Fomovna? Toch niet dat bleke meisje uit het dorp? Met haar?'

'Ja.'

'Praat geen onzin. Ze is echt niet goed genoeg voor jou.'

Ljosja wist dat zijn zusje dit bericht niet goed zou opvatten en hij had ertegen opgezien om het haar te vertellen. Hij had de afgelopen weken geprobeerd het juiste moment te vinden, en had ten slotte ingezien dat er geen goed moment zou zijn. 'Dat mag je niet over haar zeggen,' zegt hij. 'Je kent haar helemaal niet.'

'Ik weet dat ze een boerenmeisje is. Ik heb je niet grootgebracht om met een boerenmeisje te trouwen.' Lilja's stem is luider, kwaad.

'Hoe bedoel je? We zijn zelf ook boerenmensen, Lilja. Met wie vind je dat ik dan moet trouwen?'

Lilja's stem wordt zachter, haar boosheid is even snel verdwenen. 'Ik heb… ik heb er gewoon niet aan gedacht dat jij zou trouwen.'

'Je beschouwt me nog steeds als je kleine broertje, maar ik ben bijna twintig. Het wordt tijd om mijn eigen leven te beginnen, mijn eigen gezin, mijn eigen familie.'

Daarop grijpt Lilja hem vast. 'Ik ben jouw familie, Ljosja. Ik.'

Ljosja pakt haar hand en glimlacht. 'We zullen altijd familie zijn, Lilja. Je bent mijn zusje en je weet hoe dankbaar ik je ben. Maar het wordt tijd voor me om een vrouw te hebben. Jij hebt Soso; hij zal je toch zeker wel binnenkort laten komen?'

Lilja staart hem weer aan. 'Soso? Ik ben blij dat hij is opgehoepeld. Maar… hebben jullie al een datum afgesproken? Is die trouwerij achter mijn rug om geregeld?'

Ljosja laat haar hand los. 'Jij gaat niet naar je man als hij alles op orde heeft om je te ontvangen?'

'Ik hoop dat zwijn nooit meer te zien. Dit hier is mijn thuis. De gravin heeft me nodig. Maar ik vroeg je wat… Is de trouwerij al geregeld?'

'Nee. Maar ik ben het afgelopen jaar vaak bij Anja thuis, in de izba van haar familie, op bezoek geweest en ze wil me graag als man hebben, Lilja. Ik heb ook met haar vader gesproken. Het enige wat ik jou nu vraag is je zegen, en daarna zal ik met de gravin praten om haar te vragen of Anja bij mij in het onderkomen voor de getrouwde bedienden mag komen wonen. Misschien kan ze Rajsa dan voorlopig in de keuken helpen.'

'Hoe bedoel je… voorlopig?'

'Tot we weggaan.'

Lilja moest even slikken. 'Weggaan van Angelkov? Waar gaan jullie dan naartoe?'

'We zullen met Grisja meegaan.'

'Grisja?' Lilja beseft dat ze haar broer steeds herhaalt, maar ze is zo verbaasd, misschien wel geschokt, dat ze moeite heeft om het allemaal te volgen.

'Hij gaat zijn eigen bedrijf opzetten en dan word ik zijn rentmeester.'

'Grisja, landeigenaar? En hoe zal dat allemaal in zijn werk gaan?'

'Hij bezit al grond,' zegt Ljosja kalm. Hij ziet geen reden om deze feiten niet aan zijn zusje te vertellen. Grisja heeft hier sinds februari en sinds de aankondiging van de vrijlating met hem over gesproken.

Lilja's gedachten gaan razendsnel. 'Bezit hij land? Waar?'

'Hij heeft een stukje land van prins Bakanev gekocht.'

'Hoe kon hij dit doen?'

'Lilja, je weet dat Grigori Sergejevitsj vele jaren in een betaalde baan voor de graaf heeft gewerkt. Hij heeft geen vrouw, geen gezin – alles wat hij verdiende, heeft hij gespaard.'

Lilja pakt Ljosja's handen vast. 'Doe nu nog niets, broertje van me. Alsjeblieft. Ik smeek het je. Praat niet met de gravin en praat niet meer over weggaan. Voorlopig nog niet.'

Ljosja ziet paniek in haar gezicht, hoort het in haar stem. En er is nog iets anders, iets verontrustends. Ze is té wanhopig, ze grijpt zijn handen te heftig en te bezitterig vast. Hij heeft medelijden met haar. Ze heeft te hard gewerkt, denkt hij.

Antonina is erin geslaagd niet opnieuw weg te zakken in de intense duisternis van de eerste maanden na de verdwijning van Michail. Ze moet voortdurend aan hem denken, maar het is nu met een soort verdoving. Ze wil nog steeds niet geloven dat hij dood is, ook al is er geen bericht meer van hem gekomen, heeft Lev zich niet meer gemeld.

Het is ook net alsof ze weduwe is geworden. Konstantin wordt steeds verwarder en zwalkt 's nachts door het donkere huis rond, zwaaiend met de lege mouw van zijn nachthemd. Soms doet ze haar ogen open en ziet hem opeens naast haar bed staan, waar hij op haar neerkijkt. De eerste keer dat dit gebeurde, begon ze te gillen en kwam Pavel toegesneld om de oude man weer naar zijn slaapkamer terug te brengen. De keer daarna zei ze gewoon tegen haar man dat hij weg moest gaan, en dat deed hij.

Ze heeft gezien hoe Pavel hem met een lepel voert, alsof hij een hulpeloos klein kind is. Hij heeft nog steeds de chloroformtinctuur nodig, beweert Pavel, hoewel zij zich afvraagt of hij echt nog wel pijn heeft na drie maanden.

Antonina probeert elke dag zo goed mogelijk door te komen. Aangezien Angelkov haar nu nodig heeft op een manier die niet bestond toen er nog horigen waren – soms zelfs te veel – om al het werk te doen, heeft ze iets wat ze nooit eerder heeft gekend: een voornemen om dingen te doen.

En zolang ze genoeg wodka heeft, weet ze elke nacht twee of drie uur slaap te krijgen en houdt ze het vol.

Antonina ontvangt een uitnodiging voor een muziekavond ten huize van prins en prinses Bakanev. Ze is van plan om niet te gaan. Ze zullen er begrip voor hebben. Het is pas vier maanden geleden. Voor Antonina voelt het als vier jaar. Ze kan zich niet goed meer herinneren hoe haar leven vroeger was, hoewel ze zich wel al het geluk met Michail herinnert: hij las verhalen voor, zowel in het Russisch als in het Frans, zijn enthousiasme waarmee hij over zijn dierkundelessen sprak, en de prachtige dieren die hij op alle continenten had ontdekt, zijn toenemende begrip voor de aarde door zijn geografielessen, zijn tekenlessen bij zijn leraar, en altijd, altijd het luisteren naar zijn pianospel.

Ze heeft Lilja om mee te praten, maar Antonina begint haar oude vriendin een beetje vervelend te vinden. Hoezeer ze haar best ook doet, ze kan Lilja niet overhalen 's nachts naar haar eigen kamer in de personeelsvleugel te gaan. Lilja blijft graag stilletjes bij het haardvuur in Antonina's slaapkamer zitten om ingewikkeld kantwerk te maken. Op Antonina's aandringen heeft ze leren lezen en schrijven toen Misja een baby was, hoewel ze het langzaam en aarzelend deed. Af en toe leest ze in het boek met psalmen.

Ze zou een stille troost voor Antonina kunnen zijn, ja, maar Antonina vond het heel vervelend dat ze het Lilja zo nadrukkelijk moest vertellen als ze alleen wilde zijn. Ze vond het vervelend, zoals Lilja haar gekwetst kon aankijken, alsof Antonina nooit mocht vergeten wat er zo lang geleden op het landgoed van Olonov was gebeurd.

Van dat vroegere leven is niets meer over. Haar vader is twee jaar na de geboorte van Michail aan een hartziekte overleden en het landgoed is verkocht. Antonina's moeder verhuisde korte tijd later met een Franse minnaar naar Parijs. Af en toe schreef ze Antonina, en toen hielden de brieven op. Ze weet niet of haar moeder nog in leven is. Viktor is gestorven nadat hij in de Krimoorlog bij de Slag aan de Alma zware verwondingen had opgelopen, en haar jongste broer Dimitri is, voorzover zij heeft kunnen nagaan, verdwenen in een nevel van alcohol en een leven vol losbandigheid. De middelste broer Marik woont nog steeds met zijn vrouw en vier kinderen op zijn eigen kleine landgoed in het noorden van Pskov, maar Konstantin en hij hebben een aantal jaren geleden bij een familiefeest onenigheid gekregen. Geen van beiden wilde excuses aanbieden en Marik heeft alle banden met zijn zwager verbroken, en ook met zijn zusje.

Ondanks het gemis van haar familie – of misschien juist daardoor – besefte Antonina dat ze geluk had een eigen huis, een man en een kind te hebben, en ze verweet zichzelf dat ze niet dankbaar

genoeg was. Ze wist dat ze haar uren kon vullen met de gebruikelijke bezigheden van andere vrouwen van haar stand: er waren eindeloos veel redenen om andere landhuizen te bezoeken en enkele
dagen of weken te blijven logeren, er was allerlei volwassen gezelschap dat ze op Angelkov kon uitnodigen om 's middags mee
in de tuinen te wandelen, 's zomers mee te gaan varen of 's winters
trojkaritten mee over de blinkende sneeuw te maken. Er konden
avondjes zijn met whist en met muziekuitvoeringen. Maar Antonina had weinig zin in mensenmenigten om zich heen. Hoewel ze
besefte dat ze zich meestal heel goed zelf wist te vermaken, of met
Michail, was er toch nog iets anders, een knagend gevoel van onrust, alsof het leven aan haar voorbijging. Dat ze werd meegesleurd in die stroom zonder echt gevoel voor richting of macht,
op zoek naar iets om zich aan vast te klampen. Of misschien wel
iemand.

Lilja moedigt Antonina aan om de uitnodiging van de Bakanevs
aan te nemen. 'Je bent naar geen enkele partij geweest sinds...' Ze
zwijgt even. 'Sinds enige tijd. Misschien is het goed voor je om
weer eens wat oude vrienden te zien.'
     Antonina bekijkt de vanillekleurige kaart die Pavel haar heeft
gebracht. Ze zit aan de piano. 'Vrienden?' zegt ze, en ze kijkt Lilja
aan. 'Het zijn niet mijn vrienden, het zijn Konstantins vrienden.'
     'Maar toch,' zegt Lilja. 'Zou het niet heerlijk zijn om weer eens
een van je mooie jurken aan te trekken, misschien die van kastanjebruine tafzijde? Die staat je zo mooi.'
     Antonina neemt nog een slok wodka alvorens een arpeggio te
spelen. Haar vingers struikelen over de toetsen, het arpeggio mislukt. Ze probeert het nog eens, en begint dan aan een rondo uit
een sonate van Haydn. Ze denkt aan de menigte in satijn en zijde
en fluweel gehulde lichamen in een oververhitte kamer, felverlicht
door kroonluchters en walmende olielampen. Aan de lucht van
parfum en sigaren. De gezichten die haar vol medelijden aankijken,

het gezucht, de handdrukken vol medeleven. En daarna zullen de goedbedoelende mensen zich van haar afwenden, opgelucht dat ze hun plicht jegens dat arme ding hebben gedaan, vrij om zich aan hun glazen champagne te wijden en aan de zilveren dienbladen met hors-d'oeuvres van steur en kaviaar, de spanning over de muziek die zal worden gespeeld.

Dan denkt Antonina aan de lange avond op Angelkov die voor haar ligt. Ze zal een lichte maaltijd nuttigen en zich terugtrekken in haar slaapkamer. Ze zal tegen Lilja moeten zeggen dat ze alleen wil zijn. Ze zal wat lezen, drinkend uit haar glas, tot haar ogen prikken en de wodka haar slaperig heeft gemaakt, en dan zal ze bidden om slaap, bidden om verlichting van de nachtmerries over Michail.

Ze wil er niet meer aan denken. De Haydn voelt niet goed. Ze stopt en begint aan Chopins *Prelude* in b kleine terts. Na de eerste tien maten kan ze het niet meer verdragen. Ze denkt aan het genoegen dat ze altijd beleefde aan het luisteren naar mooie muziek op de muziekavonden waar ze altijd zo dol op was.

Ze reikt naar haar glas maar stoot het om. Gelukkig stroomt de wodka langs de zijkant van de piano en niet op de toetsen. 'Ik zal Noesja halen om het schoon te maken,' zegt Lilja, en ze pakt het lege glas.

Antonina kijkt neer op de toetsen. Ze weet dat het waar is wat Lilja heeft gezegd: ze is te veel alleen. Ze moet nodig weg van Angelkov, weg van Konstantin en zijn schokkende gedrag, weg van al die glazen wodka.

'Misschien ga ik toch maar wel, Lilja,' roept Antonina haar na. 'Niet die kastanjebruine zijden jurk. Haal mijn zwarte tafzijden jurk maar tevoorschijn.'

22

*B*innen enkele minuten in de salon van de Bakanevs beseft Antonina dat het een vergissing is geweest om weg te gaan van Angelkov.

Ze heeft zich nooit thuis gevoeld op dit soort feestjes, nooit geweten waar ze over moest praten, afgezien van het beantwoorden van vragen over haar man of het vertellen over de streken van haar zoon. Elke keer dat ze zich bij een groepje voegt, wordt het pijnlijk duidelijk dat niemand over Konstantin of Michail zal beginnen. Dit soort avonden is niet geschikt om zulke onaangename onderwerpen ter sprake te brengen.

Dus glimlacht ze en knikt, accepteert zo minzaam mogelijk de opmerkingen van al degenen die haar vertellen hoe blij ze zijn haar te zien. Ze ziet er goed uit, krijgt ze steeds weer te horen, hoewel ze weet dat dit niet waar is. Ze voelt zich ongemakkelijk in haar zwarte tafzijde, met de zwarte veren in haar haar. Ze heeft zich gekleed alsof ze echt een weduwe is – alweer zo'n vergissing.

Ze beantwoordt simpele vragen over het landgoed, het vertrek van de horigen en ze stemt in met de opluchting over de koelte in het najaar na de hitte van de zomer.

Ze drinkt de glazen champagne die haar worden gepresenteerd, hoewel ze voor het eten bedankt. Tijdens de muziekuitvoering staat ze achter in de zaal. Ze geniet van de muziek, kijkt naar de acht mannen zonder hen te zien, ze zijn als een zwerm bewegende zwarte vogels die prachtige geluiden voortbrengen. Maar aan het eind van hun laatste reeks, als de pianist de eerste akkoorden van *La Séparation* van Glinka inzet, is het alsof ze in een vijver met ijskoud water is geworpen.

Ze ziet Michail, met zijn kleine compositieboekje tegen zich aan geklemd toen hij zijn vader achterna holde.

Met bevende hand zet ze haar glas neer en kijkt naar de violist. Ze is weer in het huis van haar vader, waar ze luistert naar Valentin Vladimirovitsj die met de pianist samenspeelt nadat hij met haar moeder de liefde heeft bedreven.

Hij weet dat hij die vrouw in het zwart voor het laatst heeft gezien op een van de grote landgoederen die verspreid lagen in het noorden van Pskov. Toen Valentin nog eigendom was van de rijke prins Sergjoes Denisovitsj Jablonski bepaalde de prins wanneer, wat en voor wie zijn met zorg samengestelde orkest ging spelen. Voor het publiek in de diverse weelderige salons en balzalen betekende het orkest van horigen een avond van aangenaam amusement. Voor Valentin was het zijn leven: de onmetelijke vrijheid van de muziek, gecombineerd met zijn gevangenschap als bezit van Jablonski.

Nu is dat alles veranderd. Hij is vrij man en hij kan kiezen waar hij wil spelen, met wie en voor wie. Ja, sinds de vrijlating is in Rusland alles veranderd.

En zij, de vrouw, is ook veranderd. Haar gezicht is smaller, bijna doorschijnend in zijn bleekheid, en er is iets met die ogen… Ze ziet er ouder uit, besluit Valentin, maar niet ouder op de natuurlijke manier door het verstrijken van de tijd, van de… wat is het, tien jaar of meer?… sinds hij haar heeft gezien. Nee, dit is iets diepers. Hij heeft deze blik eerder gezien, hoewel meestal niet op het gezicht van de adel. Hij heeft die gezien op het gezicht van de boeren, degenen die tot voor kort horigen waren, degenen wier leven is veranderd zonder dat ze er zelf macht over hadden. Dus is haar iets overkomen, iets wat meer is dan alleen tijd. Helemaal in het zwart vormt ze een donkere schaduw in deze ruimte vol schitterende kleuren, hoewel de jurk haar blanke huid benadrukt, zodat haar hals en handen oplichten.

Valentin verplaatst zijn blik heel even in haar richting wanneer de orkestleden hun instrumenten opnemen en inzetten. Hij laat zijn strijkstok zakken wanneer de altviool inzet en de melodie voert, en hij kijkt haar openlijk aan wanneer hij het zich eindelijk herinnert. Het was op het landgoed van Olonov, het was haar naamdag. Ze stond achter in de zaal. Vandaag is het al net zo: ze blijft achterin, in tegenstelling tot de andere vrouwen die op beleefde wijze de beste plaatsen op de eerste rijen proberen te bemachtigen.

Op haar eigen feest had ze ongeïnteresseerd geleken terwijl het orkest speelde, en ze had naar de barokke rand rond het hoge plafond gestaard alsof ze de details van die weelderige zaal grondig wilde bestuderen. En toch herinnert hij zich ook de enkele beweging van haar wenkbrauwen, de manier waarop haar hoofd bewoog als een dier dat vlakbij een ongewoon geluid hoort. Dat had haar verraden. In tegenstelling tot het koele, afstandelijke uiterlijk dat ze toonde, luisterde ze met de opperste concentratie. Hij leefde met muziek, had zijn hele leven al met muziek geleefd, en hij herkende degenen die er ook mee leefden. De andere jonge vrouwen in hun ritselende avondjurken hadden met smachtende blik naar de musici zitten kijken. Ze hielden hun hoofd lieftallig scheef, en hun vochtige lippen waren enigszins geopend, alsof ze verwachtten hun namen te horen gefluisterd door de snaren van de violen en de cello's, of zacht uit de mondstukken van de blazers te horen komen.

Ze dachten alleen aan zichzelf. Ze maakten geen deel uit van de muziek. De muziek drong niet door tot in hun bloed, stroomde niet door hen heen om de sensatie van een plotselinge, duizelingwekkende koorts te veroorzaken, eerst te heet en daarna te koud.

Valentin kijkt naar de vrouw achter in de zaal en probeert zich te herinneren wat hij zo lang geleden op haar gezicht heeft gezien. Valentin houdt van vrouwen, van alle vrouwen, en hij heeft een geweldig geheugen voor hen. Hij heeft met ontelbaar veel vrouwen geslapen, maar hij herinnert zich alle details van ieder van hen.

Met deze vrouw heeft hij niet de liefde bedreven, maar... aha. Het was haar moeder geweest, prinses Olonova. De dochter... wat herinnerde hij zich van haar? Er lag een verlangen op haar gezicht, maar niet het verlangen van de mooie, oppervlakkige *devoesjka's*. Haar verlangen was niet de behoefte om te flirten en een goede huwelijkspartner te vinden; haar verlangen gold iets heel anders. Er had geen listigheid in gelegen, ondanks de intelligente blik in haar ogen. Waren ze blauw of groen? Misschien grijs? Ze hadden een wisselende, afwijkende kleur, waarvan hij vermoedde dat die van de ene tint in de andere kon overgaan al naar gelang je haar ogen bij kaarslicht of in het zonlicht zag, of ze opgewonden of moe of treurig waren. Hij had ogen als die van haar eerder gezien, hoewel slechts één keer, in het gezicht van een oude vrouw. Hij wist niet of ze zijn njanja was of gewoon een vreemde die in zijn kinderjaren op een bepaald moment voor hem had gezorgd. Net als veel herinneringen uit zijn vroegste jaren was de oude vrouw als iets uit een droom.

De vorige keer dat hij deze vrouw had gezien, had ze hem, ten slotte, recht in de ogen gekeken terwijl hij speelde, en hoewel hij besefte dat hij zich hoorde te schamen over hoe zij hem met haar moeder had gezien, was dit niet het geval. Na die laatste avond, toen ze elkaar hadden gesproken – hij herinnert zich dat hij haar heeft gesproken – had Valentin op een smalle brits in de bedompte kamer die hij met de eerste fluitist en de cellist in de personeelsvleugel deelde, aan haar liggen denken.

Hij vond het prettig om aan een vrouw te kunnen denken wanneer hij speelde. Het vervulde hem met begeerte wanneer hij zijn kin dieper op zijn viool legde en zijn ogen sloot. Hij voelde hoe de begeerte in zijn spel kwam. Dit verlangen schiep een hartstocht die door zijn armen naar zijn vingers ging en in zijn strijkstok trok. En dan gleed de stok soepel, bijna glad van wellust, over de snaren. Het bloed stroomde warm door zijn aderen, door zijn ledematen en naar zijn liezen, en hij raakte opgewonden terwijl hij speelde, maar het was een opwinding van de zinnen, niet van het lichaam. Wanneer hij speelde en aan een bepaalde vrouw dacht, was het alsof zijn hart groter en steviger werd, alsof het wachtte op... op wat? Vervulling? Een soort bevrediging, verlossing? Verlossing van wat? Soms brandden zijn gesloten ogen van een verlangen naar iets wat hij niet doorgrondde.

Hij wist dat hij aan haar zou denken, aan die prinses Olonova. En dat deed hij, gedurende de weken die volgden, wanneer hij zijn ogen sloot om voor een zaal vol vreemden te spelen, hoewel ze zich nooit meer onder zijn publiek had bevonden.

En na al deze tijd is ze hier. Hoe heette ze ook alweer... Het was een prachtige naam, iets elegants, maar hij kan het zich niet herinneren.

Valentin is moe. Hij heeft een reis van drie dagen in een tochtige *britsjka* achter de rug, van Sint-Petersburg naar het provinciestadje Pskov, waar hij 's middags met een groep op het verjaardagsfeest van een barones had gespeeld. Daarna had hij er drie uur over gedaan om hier te komen, in het huis van prins en prinses Bakanev. Hij had slechts tijd gehad om in de keuken van de personeelsvleugel een kom vissoep te eten, met een stuk donker brood, en wat bittere, lauwe thee naar binnen te gieten voor de twee uur durende repetitie, waarna hij nog net tijd had om zijn avondkleding aan te trekken. De soiree begon om acht uur. Het was nu na middernacht. Morgen zou hij met een nieuwe baan beginnen, voor de prins en prinses. Hij zou muziekleraar zijn voor hun twee nichtjes die met hun ouders uit Smolensk op bezoek waren tot minstens na Nieuwjaar.

Is zijn leven als vrij man erg verschillend van zijn bestaan als horige musicus? Toen de vrijlating werd aangekondigd, had prins Jablonski zijn musici toestemming gegeven hun instrument en bladmuziek mee te nemen terwijl hij hen liet gaan. Anderen waren niet zo gelukkig, velen moesten hun geliefde instrument en bladmuziek achterlaten toen ze door hun voormalige eigenaars werden vrijgelaten.

In Sint-Petersburg was het voor Valentin gemakkelijker dan voor sommige anderen: hij genoot de bescherming van madame Golitsyna, een welgestelde emigrante uit Frankrijk, die met een Russische graaf getrouwd was geweest. De weduwe – die twaalf jaar ouder was dan Valentin – had hem onder haar hoede genomen. In ruil voor zijn gezelschap en bepaalde gunsten liet ze hem bij zich logeren wanneer hij in de stad was en kocht zij de kleding die hij nodig had om in op te treden.

Valentin ontdekte al jong, in zijn eerste jaar in het orkest van Jablonski, toen hij vijftien was, dat hij vrouwen iets te bieden had. Dat hij deze gave kon gebruiken om iets te bemachtigen van wat hij van het leven verwachtte. Sinds de eerste schitterend geklede en geurende vrouw hem na een optreden naar een koets met gordijntjes bracht en hem leerde hoe hij het haar naar de zin kon maken, waarbij ze hem na afloop een tasje met roebels gaf, heeft Valentin zijn charmes weten te gebruiken. Het maakte zijn leven als horige musicus veel interessanter, en de incidentele betalingen in de vorm van roebels of een mooi kledingstuk of dure sigaren stonden hem een aangenamer bestaan toe.

Als vrij man speelt Valentin nu wanneer hij kan op soirees in Sint-Petersburg, maar wanneer er weinig werk is, moet hij klusjes op het land aannemen. Dat betekent ongemakkelijke reizen en lange uren – alles zonder het comfort van thuiskomen voor een warme maaltijd en een warm bad bij madame Golitsyna.

Ja, hij wordt nu voor zijn werk betaald, maar het is slechts een schijntje.

Desalniettemin knielt hij elke morgen en avond neer om God te danken dat hij een jongeman is in deze voorspoedige tijd. Hij is niemand meer verantwoording schuldig en hij hoeft niet langer in angst te leven dat zijn viool hem in een opwelling door prins Jablonski zal worden afgenomen. Hij hoeft niet bang te zijn dat hij voortaan altijd op het land zal moeten werken, dat hij de kinsteun nooit meer zal voelen, of de lichtheid van de strijkstok.

Ja, Valentin Vladimirovitsj is God en tsaar Alexander II dankbaar, maar hij moet het nu volledig van zijn eigen vindingrijkheid hebben. Hij is altijd op de uitkijk naar de volgende gelegenheid – of naar de volgende vrouw – om een beter leven voor zichzelf te scheppen.

Vanavond ziet Valentin dat de vrouw die op het landgoed van Olonov nog een meisje was, is binnengekomen nadat het orkest heeft gestemd. Ze schuift heel licht de achterkant van de salon binnen, alsof haar beenderen poreus en licht zijn, juist op het moment dat de pianist zijn vingers boven de toetsen heft en de violisten hun strijkstok boven de snaren houden en de fluitisten hun instrument naar de mond brengen. Ze beweegt als een veertje dat van de borst van een treurende duif valt. Hij weet dat haar voetstappen geen geluid maken bij het lopen. Was ze haar moeders slaapkamer niet zo geruisloos binnengekomen dat hij van haar aanwezigheid was geschrokken?

Net als eerst gaat ze niet zitten maar blijft ze staan, met haar handen voor haar zwarte tafzijden middel, alsof ze die elk moment in gebed zou kunnen verheffen. Ze richt haar blik op de fraaie draperieën met franjes die voor de ramen hangen, en ze blijft zo staan, volmaakt roerloos, op haar wenkbrauwen na. Hij herinnert zich dat ze het orkest had gevraagd *La Séparation* in f kleine terts te spelen. Hij kan zich een vrouw altijd weer voor de geest halen, net als een stuk muziek.

Hij zal het orkest dit vanavond opnieuw voor haar laten spelen, en misschien zal ze hem aankijken en hem herkennen. Hij wil dat ze weet dat hij zich haar herinnert.

Hij buigt zich naar voren en geeft de rest van het orkest het bericht door dat ze de nocturne van Glinka als laatste nummer zullen spelen.

'Moeten we de wijziging in het programma aankondigen?' vraagt de pianist hem.

Valentin schudt zijn hoofd. Het kan hem niets schelen als het publiek geïrriteerd is. Het enige waar hij zich om bekommert, is de aandacht trekken van die Olonova, of hoe ze nu ook mag heten, ze zal wel al jaren getrouwd zijn. Aan de andere kant suggereert haar zwarte kledij dat ze weduwe is.

Hij heft zijn strijkstok en wacht tot de pianist inzet. Hij kijkt naar haar terwijl de zoete noten van de nocturne aanzwellen, en wanneer hij zijn stok op de snaren zet, knippert ze alleen maar heel even met haar ogen en kijkt hem dan recht aan. Hij voelt een golf van blijdschap. Het volgende moment beseft hij dat het is alsof ze hem niet ziet. Haar ogen schitteren, koortsachtig en te fel. Hij kan het groen zien, zelfs op deze afstand. Maar er ligt geen herkenning op haar gezicht.

In plaats daarvan is het iets wat op verdriet lijkt. De melodie zwelt langzaam aan, met golven van lichte noten, de snaren van zijn viool trillen gespannen, en haar gezicht weerspiegelt de ontroering van de muziek. En dan is ze weg. Ze verlaat de salon wanneer de laatste, aangehouden noten zijn verklonken.

Antonina wil naar huis. Ze besefte dat hij het was, hoewel niet voordat het stuk van Glinka werd ingezet. Maar ze wil met niemand praten, ze voelt zich volledig kapot. Ze rent de brede gang van het riante huis van de Bakanevs in op zoek naar... naar wat? Ze kan geen lucht krijgen.

Een bediende ziet haar voorbijrennen, met één hand tegen haar hals, en hij schiet haar te hulp. Hij neemt haar mee naar de garderobe, hoewel Antonina zich aanvankelijk niet kan herinneren wat ze aanhad. Als ze ten slotte naar de zwartfluwelen cape wijst, vraagt ze de bediende haar calèche te waarschuwen. Dit alles neemt eindeloos veel tijd in beslag. Ze loopt naar buiten, naar de veranda, om de frisse najaarslucht in te ademen en haar gloeiende gezicht te laten afkoelen.

Valentin legt zijn viool in de kist en loopt haastig de salon uit, waarbij hij minzaam glimlachend probeert iedereen te ontwijken die hem de hand wil schudden of hem wil bedanken voor de mooie uitvoering. Hij verwacht niet echt de vrouw nog te zullen zien, ze was zichtbaar ontredderd en is waarschijnlijk inmiddels vertrokken. Hij loopt naar de veranda om een sigaret te roken. Er staan daar nog meer mannen te roken en zachtjes te praten.

En zij staat er ook.

'Neemt u mij niet kwalijk,' zegt hij, en hij loopt naar haar toe en buigt. 'We hebben elkaar al eens ontmoet. Een aantal jaren geleden. Op het feest ter ere van uw naamdag, geloof ik. Madame...?' Hij wacht tot ze zich voorstelt.

'Gravin Mitlovskija,' zegt ze, en ze steekt haar hand uit. 'Ja. Ik herken u. Het spijt me, ik ken uw achternaam niet. Maar het is Valentin Vladimirovitsj, geloof ik?'

Hij glimlacht, opgewekt en blij, en hij brengt zijn lippen van haar gehandschoende hand weer omhoog. 'Wat een geheugen,' zegt hij. Hij is vergeten dat hij haar een muziekpartij heeft gegeven, met zijn naam erop.

Ze trok haar hand terug. 'U hebt allen prachtig gespeeld. *La Séparation* is een lievelingsnummer van me.'

'Dat weet ik,' zegt hij, en Antonina knippert verward met haar ogen en prutst aan de handgreep van haar avondtasje. Herinnert hij zich die avond dan nog net zoals zij?

'Ik sta op mijn calèche te wachten,' zegt ze.

'Dan woont u hier in de buurt, vermoed ik, als u vannacht niet blijft logeren.'

'Ja.'

'Juist ja,' zegt hij. Ze is niet bepaald toeschietelijk. 'Nou, misschien zien we elkaar dan nog wel eens, wanneer u met uw man op bezoek komt. Ik zal de komende maanden hier blijven om de nichtjes van prinses Bakanev muziekles te geven.'

Antonina hoort de vraag in zijn stem wanneer hij 'uw man' zegt, en ze strijkt met haar hand over de wijde rok van zwarte tafzijde. 'We gaan niet veel op bezoek. Mijn man is ziek.'

'Wat verdrietig.'

'Dank u. O, daar is mijn rijtuig. Het was heel leuk u weer te ontmoeten,' zegt ze, wanneer er een calèche met blinkende koperen lampen, getrokken door twee mooie trappelende Arabische volbloeden voor het huis stilhoudt. 'Zoals ik al heb gezegd, speelt u net zo mooi als vroeger. Nee, ongetwijfeld nog mooier,' voegt ze eraan toe. 'Tot ziens, meneer...'

'Kropotkin.'

'Meneer Kropotkin,' zegt ze hem na, en dan draait ze zich om en loopt de stoep af.

Hij leunt over het hek en ziet dat de koetsier omlaagklimt en zijn arm uitsteekt. Hij is lang, met zwart, verwaaid krullend haar, en hij is informeel gekleed. De vrouw legt haar hand op zijn arm wanneer hij het portier opendoet en haar in de calèche helpt. Er is iets vreemds aan de situatie: de man gedraagt zich te familiair om een bediende te zijn.

Valentin richt zich tot een van de gasten die vlakbij een sigaar staat te roken. 'Neemt u me niet kwalijk,' zegt hij, 'maar die vrouw... gravin Mitlovskija... kent u haar?'

De man neemt de sigaar uit zijn mond en blaast een geurige rookwolk uit. 'We hebben haar enige tijd niet in het openbaar zien verschijnen. Haar man is erg ziek. Hij heeft nu een hersenziekte, heb ik gehoord. Treurige geschiedenis, de Mitlovski's. Slachtoffers

van alle ongeregeldheden: de zoon is verdwenen bij een onop-
gelost misdrijf en de man heeft daardoor zijn arm verloren. Het
landgoed schijnt er slecht aan toe te zijn.' De man zwijgt, zich
ervan bewust dat hij te loslippig is geweest tegenover de musicus.
Hij wijt het aan de vele glazen champagne. 'Ze woont op het aangrenzende landgoed,' zegt hij, om duidelijk te maken dat het gesprek is afgelopen. 'Angelkov.'

23

$\mathcal{D}$e volgende morgen ligt Antonina in bed te bedenken hoe vreemd het was om Valentin Kropotkin bij de familie Bakanev te zien.

Misja had de nocturne van Glinka zitten spelen toen ze hem voor het laatst zag, en hoewel ze het stuk sindsdien vele malen heeft gespeeld, was het overweldigend om het zo mooi van het kleine orkest te horen.

Het is meer dan elf jaar geleden dat ze had gezien hoe de violist met haar moeder de liefde bedreef. Ze kan zich niet herinneren wanneer ze zich dat voor het laatst voor de geest heeft gehaald, het moet heel veel jaren geleden zijn. Die fantasieën zijn nu verdwenen. In haar verdriet en zorgen om Misja betekent haar lichaam vooral een last. Het moet alleen maar sterk blijven om haar in staat te stellen het landgoed te beheren en de zoektocht naar haar zoon gaande te houden.

Na de geboorte van Michail is Konstantin heel weinig naar haar toe gekomen, misschien eens in de paar maanden. Ze had graag nog een kind willen hebben – kinderen zelfs – nadat ze de intense vreugde van Michails komst had ervaren. Sinds hij zijn zoon had, leek Konstantin geen belangstelling meer te hebben voor dat deel van hun huwelijk. Ze had zich niet de omhelzing van de violist voor de geest hoeven halen om de aanraking van haar man te kunnen verdragen – hij raakte haar niet aan.

Ze was al lang van het gedoe met Tanja op de hoogte. Toen ze op een middag, enkele maanden na de geboorte van Misja, langs Konstantins slaapkamer was gelopen, had ze hem iets in het oor van de wasvrouw zien fluisteren, met zijn hand vol bezittersair op haar middel. Ze had onmiddellijk Lilja opgezocht om haar te vragen of de graaf haar of een van de andere vrouwelijke bedienden soms lastigviel. Lilja had resoluut nee gezegd. 'Dus het is alleen Tanja?' had Antonina gezegd, en daarop had Lilja geknikt.

Antonina kan zich er niet over opwinden; ze heeft eigenlijk medelijden met de wasvrouw. Ze is al oud, bijna van Konstantins leeftijd; haar kastanjebruine haar wordt grijs en ze heeft wallen onder haar ogen. Bij het passeren van de enorme wasruimte heeft Antonina haar in de bakken met kokend water en bleekmiddel zien roeren, met een gezicht dat nat was van de stoom, en met gebogen schouders. Wanneer ze haar tegenkwam terwijl ze met een stapel gestreken lakens door de gang liep, zag Antonina alleen maar vermoeidheid. Hoe kan ze die vrouw iets kwalijk nemen wat ze gedwongen wordt te doen?

Toch waren er tijden dat Antonina zich eenzaam genoeg voelde om naar Konstantins slaapkamer te gaan. Meestal reageerde hij alsof ze zich schandalig gedroeg door naar hem toe te komen in plaats van te wachten tot hij naar haar toe kwam en weigerde hij haar.

In de afgelopen drie jaar hadden ze helemaal geen gemeenschap meer gehad. Zelfs als ze tegen hem zei dat ze alleen maar behoefte had aan gezelschap, dat ze zijn armen om zich heen wilde voelen terwijl ze in slaap viel, was hij niet geïnteresseerd.

De karaffen wijn en de flessen wodka hielpen, zoals die haar zo vaak in haar leven hadden geholpen.

Nu is er niets waarvoor ze nog op Konstantin kan rekenen. De vorige keren dat ze hem naar hun financiële positie probeerde te vragen, kon hij alleen maar herhalen dat de bedienden alles hadden gestolen.

Nadat Lilja haar heeft geholpen met aankleden en haar haar heeft gedaan, schrijft ze een brief aan Konstantins notaris Jakovlev in Pskov, om hem te vragen naar het landgoed te komen. Ze heeft geld nodig. Wanneer ze Ljosja met de brief op pad heeft gestuurd, moet ze opeens denken aan de smaak van verse paddestoelen, in een soep met aardappels. Sinds het voorjaar heeft ze niet meer nagedacht over wat ze in haar mond stopt, en kauwt en slikt ze alles zonder te proeven. Vandaag heeft ze zin in soep van paddenstoelen met aardappels.

Ze loopt naar de keuken om Rajsa te vragen de soep voor het diner te bereiden. Rajsa schudt haar hoofd en zegt dat ze geen paddenstoelen hebben.

'Maar het is september. Het bos staat er vol mee.'

De oudere vrouw knikt, en buigt even. 'Ja, mevrouw,' zegt ze, 'maar er is niemand om ze te plukken. Iedereen doet nu al het werk van drie of vier mensen.'

Antonina kijkt haar aan. 'Ik begrijp het. Dank je, Rajsa,' zegt ze. 'Heb je een mand voor me?'

'Een mand, mevrouw?'

'Dan zal ik ze gaan plukken. Dat heb ik als kind ook gedaan.'

Rajsa kijkt naar Antonina's voeten terwijl ze haar een mand van gevlochten wilgetenen en een klein, scherp mes geeft. Antonina volgt de blik van de vrouw, naar haar roze zijden muiltjes.

'Mijn laarzen staan onder de bank,' zegt Rajsa, en dan slaat ze een kruis. 'Neemt u me vooral niet kwalijk, mevrouw. Ik weet dat ze oud en gebarsten zijn, maar u zult uw muiltjes nog bederven en uw voeten pijn doen.'

Antonina ziet dat de laarzen te groot zijn. Ze zou naar de tuigkamer kunnen gaan, waar haar rijkleding wordt bewaard, om een paar mooie leren laarzen aan te trekken, maar de hakken ervan zouden niet handig zijn om goed door het bos te kunnen lopen. In plaats daarvan glimlacht ze dankbaar naar Rajsa. Ze trekt de laarzen van de vrouw aan. Wanneer ze over het erf loopt schuren de hielen door haar dunne kousen heen en ze beseft dat ze blaren zal krijgen.

Grisja is op weg naar de stal.

'Bedankt dat je me gisteravond naar de Bakanevs hebt gereden,' zegt ze tegen hem als ze hem inhaalt. Ze had niets tegen hem gezegd nadat hij haar uit de calèche had geholpen toen ze thuiskwamen op Angelkov. Ze was de stoep op gehold, waarbij ze haar handschoenen had laten vallen. Grisja had haar geroepen, ze opgeraapt en aan haar gegeven. Hij had gezien dat ze huilde.

'Ik heb de indruk dat u er niet erg van hebt genoten,' zegt hij nu, en hij kijkt even naar de mand en het mes.

'Dit is voor paddestoelen,' zegt ze. 'De familie Bakanev was heel gastvrij. Maar ik voelde me niet erg op mijn gemak.' Ze blijft staan.

Grisja blijft eveneens staan. Hij lijkt met zijn gedachten ergens anders te zijn en hij veegt voortdurend zijn haar achter zijn oren. Zijn haar is erg dik en blijft niet zitten. Antonina denkt aan hoe ze altijd het haar van haar zoontje van zijn voorhoofd naar achteren streek.

'En nog steeds geen bericht van die Lev? Is hij er gewoon met het geld vandoor gegaan?' Antonina heeft dit al zo vaak aan Grisja gevraagd, maar ze moet het toch nog eens vragen.

Grisja schraapt zijn keel. 'U weet dat ik al het mogelijke blijf doen om uw zoon te vinden.'

Ze doet haar ogen even dicht, en Grisja heeft spijt van zijn opmerking.

Hij had gezien hoe diep ontredderd Antonina raakte toen de eerste poging tot redding van de jongen was mislukt, en daarna werd de situatie steeds slechter. Na Soso de eerste keer grondig te hebben verhoord, was Grisja een week later naar de voorraadschuur gegaan om hem nogmaals te ondervragen. Maar Soso was verdwenen. Toen hij Lilja naar hem vroeg, haalde ze haar schouders op en zei dat hij had besloten het landgoed te verlaten. Hij was nu tenslotte een vrij man, nietwaar?

'Hij zei dat hij me bericht zou sturen wanneer hij zich ergens had gevestigd, maar ik betwijfel of hij dat zal doen.' Ze had opnieuw haar schouders opgehaald en haar lippen getuit, waarmee ze Grisja duidelijk maakte dat het haar echt niets kon schelen.

Grisja had haar onderzoekend aangekeken. Hij was er vrij zeker van dat ze niets wist over Michails verdwijning. Soso had gezegd dat hij haar niets zou vertellen en Grisja begreep dat dit waar was; ze was te hecht met de gravin.

'Heb je echt geen idee waar hij is?'

'Ik zei toch van niet? Wat kan jou dat schelen?'

Grisja antwoordde niet en liep weg. Lilja is zijn enige verbinding met Soso, die op zijn beurt zijn enige verbinding met Michail vormt. Lev was verdwenen. Grisja had Fjodor en Ljosja opdracht gegeven hem te volgen op de dag dat de man met de brief van Michail, waarin om nog meer losgeld werd gevraagd, naar het landhuis was gekomen. Ze hadden de hele nacht het hutje waar hij binnenging in de gaten gehouden, maar de volgende morgen kwamen ze tot de ontdekking dat hij op de een of andere manier was verdwenen.

Grisja was al in alle dorpen geweest om naar Soso te zoeken. Hij ging nog een keer zoeken, ditmaal naar Lev, maar zonder succes. Hoewel hij soms bang was dat ze het kind hadden vermoord en de provincie hadden verlaten, kende hij ook de omvang van hun inhaligheid. Hij zei tegen zichzelf dat ze het kind zouden houden zolang ze geloofden dat ze nog meer geld konden afpersen.

Hij vond het moeilijk om gravin Mitlovskija onder ogen te komen, en hij sliep weinig, omdat hij er telkens aan moest denken: de steeds slechter wordende gezondheid van de graaf, de gravin die er helemaal kapot van was, Michails gezicht op de open plek in het bos.

Tot vandaag werd hij verteerd door berouw. Vanmorgen had hij bij het wakker worden een briefje onder zijn deur gevonden. Hij zou de volgende middag de tweede betaling naar een izba in Toesjinsk moeten brengen. Michail Konstantinovitsj zou daar wachten.

Hij kijkt naar Antonina, met de kaalgetrapte laarzen van de kokkin, de mand aan haar arm. 'Ik denk dat vandaag een goede dag zal zijn, mevrouw,' zegt hij ten slotte. Hij zou haar het nieuws willen vertellen, maar hij weet dat hij dat niet moet doen, niet tot hij de jongen heeft.

'O ja, Grisja? Denk je?'

Hij glimlacht, knikt naar haar mand en mes. 'Ja, u zult verse paddenstoelen hebben.'

Eén kant van haar gezicht gaat in een zure glimlach omhoog. 'Ja,' zegt ze, 'ik zal verse paddenstoelen hebben.'

Grisja reikt nogmaals omhoog, in een poging zijn haar te temmen.

In het bos ruikt Antonina de natte, muffe lucht van de gevallen bladeren en ze denkt terug aan het plezier dat ze als kind beleefde aan het zoeken naar paddestoelen, samen met een van haar broers of haar gouvernante.

Ze baant zich een weg door drassige bosschages, op zoek naar de kleine welving van een hoed, te midden van dode bladeren en afgebroken takken en mos waarmee de grond is bedekt. Als ze er een ontwaart, bukt ze zich, schraapt de vochtige grond met haar vingers weg en snijdt de paddestoelen af. Ze vindt oranje melkzwammen en rode saffraanmelkzwammen. Af en toe vindt ze de bijzondere *vesjenka*-paddestoelen die aan de voet van bomen groeien.

Wanneer ze een paar uur later thuiskomt, met volle mand, is de voordeur op slot. Ze hebben op Angelkov geen huisknecht meer die in de vestibule klaarstaat om de deur te openen, gasten binnen te laten, visitekaartjes in ontvangst te nemen en jassen en omslagdoeken aan te pakken. Er komt toch geen bezoek meer.

Ze loopt om het huis heen en gaat via de personeelsingang de keuken binnen. Ze laat de mand met paddestoelen op de tafel achter. Rajsa is er niet, maar op het fornuis staat een grote pan water te borrelen en op een plank liggen aardappels klaar.

Ze is erg moe van het lopen en knielen en graven, zoveel lichaamsbeweging is ze niet meer gewend. Ze heeft zelfs niet meer de energie om de laarzen in de warme keuken los te maken en uit te doen. Als ze langzaam de sierlijk gebogen trap op gaat ziet ze in de hoeken van elke trede een laag stof liggen, en ze ziet ook een scheur in de dikke Perzische loper. De koperen rail van de leuning begint groen uit te slaan.

Er zijn gewoon niet genoeg bedienden om voor het huis te zorgen. Olga is gebleven, hoewel Antonina onlangs heeft gezien dat Lilja nu de sleutelring van de huishoudster aan haar ceintuur heeft hangen. Ze heeft haar niet gevraagd sinds wanneer dit het geval is, of waarom.

In haar slaapkamer gaat Antonina in de oorfauteuil bij het gedoofde haardvuur zitten en maakt moeizaam de laarzen los. Ze schopt ze uit en laat ze liggen waar ze neerploffen. Haar kousen zitten met bloed aan haar hielen vastgekleefd, waar de huid is afgeschuurd. Ze staart naar het plafond. Het is benauwd in de kamer, broeierig, en het ruikt er muf. Alles is zoals ze het heeft achtergelaten. Het bed is een verkreukelde rommel, de handdoek ligt naast de wasbak met nu vies water vol vlokken, haar nachthemd ligt naast de kleerkast op de grond.

Ze staat op en zet het raam open. Het is buiten warmer dan binnen, waarschijnlijk de laatste echt warme dag van het najaar. Ze drinkt een paar slokken wodka uit de fles in haar kleerkast en gaat dan op het onopgemaakte bed liggen. Ze bekijkt haar nagels: ze zijn afgebroken en hebben vieze randen door het paddenstoelen plukken. Er komt een vlieg door het open raam naar binnen, en dan nog één, ze zoemen luidruchtig in de warme, stille lucht. Na een tijdje draait ze zich op haar zij en doet haar ogen dicht, in de hoop op een paar momenten van slaap. Ze steekt haar hand onder het kanten kussen. Ze spreidt haar vingers, genietend van het kleine beetje koele linnen. De top van haar vinger raakt het fluwelen zakje dat ze daar bewaart.

Ze haalt het zakje tevoorschijn en maakt het open, pakt dan het engeltje dat in juni van het plafond van de kerk op haar neerviel. Ze strijkt zacht met haar vieze vingers over het vergulde lijfje, de vleugels en de voetjes. Grisja had de vleugel er vakkundig weer op gelijmd, de breuk is bijna onzichtbaar.

Gedurende de lange, warme zomer heeft ze haar hoop voor Michail levend weten te houden. Ze gaat elke dag naar de kerk om minstens een uur te bidden, hoewel ze nooit meer een visioen heeft gehad of een teken heeft gekregen.

In de verte klinkt nu een zacht gerommel van de donder. Antonina sluit haar handen rond het engeltje en drukt het tegen haar borst, doet haar ogen dicht.

Van de ene dag op de andere verandert de atmosfeer. De volgende dag is helder en fris, hoewel de zon nog steeds schijnt.

Antonina zit 's middags op de veranda aan de voorzijde en kijkt naar de kraaien in de dennenbomen en ziet dat de berken opeens zijn verkleurd, met gele blaadjes die aan hun steeltjes ronddraaien in de lichte bries. Ze wil niet naar binnen: Konstantin loopt hevig te schreeuwen, ook al probeert Pavel hem met de chloroform te kalmeren.

Ze ziet Grisja zijn paard bestijgen en ze roept hem. 'Waar ga je naartoe, Grisja?'

'Ik heb in Toesjinsk zaken te regelen.' De zon weerkaatst op zijn haar. Antonina kijkt naar de intense kleur, die zo zwart is dat het blauw lijkt in het zonlicht.

'Wil je alsjeblieft even wachten? Dan rijd ik met je mee.' Zodra ze deze woorden heeft geuit, beseft Antonina hoe graag ze wil gaan rijden. Ze is de hele zomer slechts één keer met Doenja op stap geweest en toen heeft ze maar een halfuur gereden. Er leek geen reden te zijn voor zomaar een rit. Nu wil ze weg van Konstantin en van het treurige verval van het landgoed.

'Mevrouw, zoals ik al zei, ik heb zaken te doen. Ik zal op topsnelheid rijden en daarna omkeren en meteen teruggaan. Het is niet als plezierritje bedoeld.'

'Ik ga tóch met je mee,' zegt Antonina, en ze begint de stoep op te lopen. 'Ik trek even mijn rijkleding aan en dan ben ik binnen tien minuten terug.'

'Ik heb liever niet dat u meegaat…' Grisja's woorden sterven weg. Hij vloekt binnensmonds.

Hij weet niet hoe hij haar kan tegenhouden.

'Ik heb bericht gekregen van notaris Jakovlev,' vertelt Antonina Grisja wanneer ze naast elkaar in een rustig tempo rijden over de brede oprijlaan die van het huis naar de weg loopt. 'Hij zal over twee dagen alle papieren van Konstantin uit Pskov meebrengen en ze samen met mij doornemen. Ik moet uitzoeken hoe ik Konstantins gelden kan binnenkrijgen.'

'Dat is mooi, mevrouw,' zegt Grisja, en dan herinnert Antonina zich dat Grisja moet worden betaald. Ze weet dat Konstantin Grisja om de vier maanden zijn salaris betaalt, maar zij heeft hem nog niets gegeven sinds Michail is ontvoerd.

'Wilt u dat ik ook met hem praat?' vraagt Grisja. 'Ik heb vaak met de graaf en hem overlegd.'

'Misschien is het goed als jij erbij bent,' zegt ze. 'Jouw inbreng zal heel waardevol voor me zijn. Ik heb je erg veel verantwoordelijkheid gegeven, het is niet eerlijk dat ik zo zwaar op je heb geleund zonder…' Ze kijkt recht voor zich uit terwijl ze tegen Grisja praat. 'Ik weet dat je achterloopt met je salaris.'

'Ik voel me vereerd door het vertrouwen dat u in me stelt, mevrouw,' is alles wat hij zegt.

'Je hebt sinds het voorjaar heel veel begrip opgebracht,' zegt ze. 'Ik begin weer sterker te worden en ik zal vanaf nu de leiding op me nemen. Konstantin Nikolevitsj is, zoals je weet, van geen enkel nut meer in deze zaken. In welke zaken dan ook.'

Grisja geeft geen commentaar.

'Betekent jouw zwijgen dat je mij er niet toe in staat acht, Grisja?' vraagt Antonina, en ze kijkt hem van opzij aan. 'Ik kan leren. Je kunt ervan verzekerd zijn dat ik zal leren hoe ik een landgoed moet besturen.'

Grisja knikt. 'Ik twijfel er niet aan dat u de financiële aspecten zult doorgronden als u eenmaal voldoende tijd hebt gehad om ze te bestuderen. Maar bent u zich ervan bewust, mevrouw, hoeveel horigen het landgoed hebben verlaten?'

Antonina kijkt weer naar hem. 'Ik weet dat er veel zijn vertrokken, maar ze zullen vast niet allemaal weggaan.' Ze zegt dit met geforceerde zelfverzekerdheid.

'De horigen uit het huis gaan meestal terug naar hun familie,' gaat Grisja verder. 'Die op het land, de voormalige horigen in de dorpen, zijn nu bezig *mirs* te organiseren, mevrouw, een soort collectieve boerenbedrijven. De gemeenschap bezit het land, maar de individuele gezinnen zullen hun eigen oogst binnenhalen. Iedereen werkt voor het nut van de gemeenschap. Dit is de nieuwe wet – u zult gedwongen worden een groot deel van uw land aan hen te verkopen, aan de voormalige horigen, zodat ze het op deze manier kunnen gebruiken. Ze zullen het land bewerken en ze zullen allemaal in de winst delen. Zoals ze ooit u hun deel gaven, zullen ze nu alles onder elkaar verdelen.'

Antonina zwijgt een tijdje. Haar vader en later Konstantin waren faliekant op de vrijlating tegen geweest. Als de boeren vrijheid kregen, raasden ze, zouden de landeigenaren zonder de enorme, goedkope arbeidskrachten, nodig om hun landgoed te onderhouden, komen te zitten. Ze beseft nu dat ze niet genoeg vragen heeft gesteld, ze kan niemand verantwoordelijk houden voor haar gebrek aan kennis. Ze had altijd een hekel gehad aan de manier waarop ze haar vader en haar man horigen zag behandelen, en ze had er verder niet over nagedacht. 'Wacht eens,' zegt ze. 'Die nieuwe wet zegt dat ik mijn land aan hen móét verkopen? Dat heb ik dus niet voor het kiezen?'

'Nou ja… gedeeltelijk is het een keuze, maar de regering zal u zulke hoge belastingen voor uw land opleggen, dat het niet waarschijnlijk is dat u die zult kunnen opbrengen. Zonder de boeren heeft het trouwens geen enkel nut voor u. U zult niet de jaarlijkse afdrachten ontvangen die uw horigen u vroeger moesten betalen, en met niemand om het land te bewerken zal er geen oogst zijn om u te voeden, en met u al degenen die u op het landgoed moet blijven onderhouden.'

'Dan zal ik wat stukken land aan hen verkopen. En met het geld dat ik daarvoor krijg, kan ik Angelkov blijven beheren en iedereen voor wie ik verantwoordelijk ben blijven voeden en kleden, net als eerst,' verklaart ze.

Grisja slaakt een scherpe lach die door de stille herfstlucht galmt. 'Dat is hoe de tsaar het zich had voorgesteld.'

'Hoe bedoel je?'

Grisja laat zijn paard halt houden en Antonina wendt Doenja zijn kant uit. De paarden hinniken zacht naar elkaar, de neuzen dicht bijeen. 'Gravin Mitlovskija, waar denkt u dat de voormalige horigen het geld vandaan moeten halen om land te kopen?'

'Waar, Grisja?'

Grisja toont voor het eerst ergernis jegens haar. 'Ze hébben geen geld, mevrouw.' Zijn stem klinkt scherp. 'Dat zult u toch zeker wel weten. Ze bezitten niets anders dan de vodden die ze aan hun lijf dragen. Zelfs het lekkende dak boven hun hoofd is niet van hen. Ze zullen niets kunnen betalen aan u of aan welke landeigenaar dan ook. Niet nu. Er zullen formulieren worden verspreid. Iedere vroegere horige zal een kruisje zetten op de plek die hem wordt gewezen. Dat formulier verplicht hem tot betalingen in de toekomst. Maar hij zal nooit in staat zijn het land af te betalen. Nooit. Hij zal nooit voldoende geld opzij kunnen leggen. En dus zal hij op precies dezelfde manier moeten leven als vroeger, behalve dat hij nu voor het nut van zijn dorp werkt en niet voor het nut van de landeigenaar.'

Antonina kan de indringende blik van Grisja niet verdragen. Ze kijkt over zijn schouder naar een zwerm bruingrijze wulpen met hun slanke, omlaaggerichte snavel, die in zuidelijke richting vertrekt. 'Dus eigenlijk krijg ik niets. Ik raak gewoon mijn horigen en mijn land kwijt.'

'Ja, mevrouw,' zegt Grisja. 'Dat staat u te wachten. Zo zijn de zaken al vele maanden.'

'Konstantin zal vast wel iets hebben geregeld...' begint ze, en zwijgt dan. 'Jakovlev zal me vertellen over welke middelen ik kan beschikken. Maar hoe zit het met jou, Grisja? Je bent altijd een vrij man geweest.' Terwijl ze dit zegt, stelt ze zich voor het eerst voor dat hij zou vertrekken. Ze kan zich Angelkov zonder hem niet voorstellen. Ze kan zich geen leven zonder Grisja voorstellen.

Grisja's gezicht wordt hard en ondoorgrondelijk. 'U hoeft zich over mij geen zorgen te maken, gravin Mitlovskija,' zegt hij. 'Ik heb altijd uitstekend voor mijn eigen belangen weten te zorgen.'

Iets in de manier waarop hij 'mijn eigen belangen' zegt, maakt dat ze het koud krijgt. Ze kijkt naar hem, zoals hij daar lang en recht op zijn paard zit. Ze beseft dat ze niets over zijn verleden weet. Ze weet alleen waar hij woont: in het huis met de blauwe luiken, de rentmeesterswoning, met zijn boeken netjes op de planken, een knappend vuur in de haard.

'Toen ik op het landgoed kwam, werkte je als vatenmaker voor de graaf,' zegt ze.

'Ja.'

Hoeveel ouder is hij dan zij? Zeven, acht jaar?

'Kom je uit een dorp hier in de buurt?'

'Nee,' zegt Grisja. 'Ik ben uit Sint-Petersburg hierheen gekomen, maar daarvoor heb ik in Moskou gewoond.'

'Juist ja,' zegt Antonina. Iets in de manier waarop Grisja haar aankijkt maakt haar nerveus. Het is net of hij óf wil dat ze hem méér vraagt, óf wil dat ze helemaal ophoudt met vragen. Ze beseft dat ze zich uitermate ongemakkelijk voelt, hoewel ze geen idee heeft waarom. Ze heeft in de afgelopen maanden meer tijd met Grisja doorgebracht dan met wie ook, behalve Lilja. Ze heeft zich nooit eerder ongemakkelijk bij hem gevoeld.

Hij blijft haar aankijken en Antonina voelt zich opeens heel opgelaten. Ze beantwoordt zijn blik naar haar gevoel een paar seconden te lang, en kijkt dan naar haar blote handen op de teugels. Een plotselinge koele windvlaag doet haar huiveren; de gouden en oranje naalden van de lariksen aan weerszijden van de weg fladderen koortsachtig rond. Er trekken wolken voor de zon langs, hoewel de lucht nog steeds blauw is.

'Laten we verdergaan, mevrouw,' zegt Grisja, en hij haalt de teugels iets aan, zodat zijn paard recht vooruit kijkt. Antonina ademt uit, hoewel ze zich niet had gerealiseerd dat ze haar adem inhield.

Antonina wendt Doenja eveneens. 'Wanneer de notaris er is, zal hij alles duidelijker maken.' Ze drukt haar hielen tegen de flanken van haar paard en Doenja begint weer te lopen, met een gang die vertrouwd aanvoelt. Door een volgende windvlaag waaien de randen van Antonina's cape op, en er dwarrelen lariksnaaldjes op hen neer, die in hun haar en kleren en in de manen van de paarden blijven hangen.

Grisja kijkt naar de lucht. 'Er is regen op komst,' zegt hij. 'Hopelijk blijft die nog een paar uur weg.' Hij heeft een felrood lariksnaaldje op zijn schouder liggen.

De wind is nog frisser geworden. Ze naderen Toesjinsk. De lucht is nog helder en fris en Antonina doet haar ogen dicht en ademt diep in. Ze legt een hand op Doenja's manen en betast de zachte massa ervan.

'Blijft u hier aan de rand van het dorp op me wachten, mevrouw,' zegt Grisja. Hij lijkt wonderlijk nerveus. 'Ik blijf maar vijf minuten weg en kom dan meteen weer terug.' Hij zwijgt even, en zegt dan: 'De geulen zijn te diep uitgesleten en het zal voor Doenja moeilijk zijn om hier te manoeuvreren.' Hij is bang dat als ze erop zal staan hem te vergezellen Lev de jongen misschien niet zal overdragen.

Antonina blijft wachten. Er verstrijken vijf minuten, dan tien. Ze staart naar het dorpsplein van aangestampte aarde, gedomineerd door de kleine kerk met zijn afgebladderde, groengeschilderde koepel. Op de houten stoep van de kerk zitten kippen te slapen, met veren die wapperen in de wind. In de deuropening staat lusteloos een magere priester van middelbare leeftijd, met een zwart met grijze baard en lange, verwarde haren, gekleed in een versleten soutane en op *valenki's* – vilten laarzen. In tegenstelling tot de hogere geestelijken – de ongehuwde monniken die de hoogste regionen van het kerkelijk leven als bisschoppen en aartsbisschoppen konden bereiken – waren eenvoudige dorpspriesters verplicht te trouwen voordat ze werden gewijd. Als een van de armste bewoners van het dorp – afhankelijk van anderen voor afdankertjes en met een uiterst karig bestaan uit een klein groentetuintje achter de kerk – was het voor een priester moeilijk om een vrouw te vinden. Hun enige hoop was vaak de dochter van een andere dorpspriester.

Ze ziet mannen karren vol brandhout en zakken knollen voorttrekken terwijl oude vrouwen in hun deuropening aardappels en uien zitten te schillen. Voor de izba's liggen magere honden op hun zij tegen de gevel, terwijl er geiten rondscharrelen, hun kop omlaag, op zoek naar iets om te kauwen. Jonge vrouwen met hun baby in een doek op hun rug gebonden en een peuter naast zich, lopen enigszins voorovergebogen tegen de wind in. Sommige dorpsbewoners kijken haar kant uit en op hun gezicht leest Antonina iets anders dan wat ze haar hele leven heeft gekend. In plaats van onderdanigheid en angst bespeurt ze wrok. Misschien zelfs vijandigheid.

Het is zoals Grisja heeft gezegd. De horigen zijn nu vrij, maar is er in hun leven ook maar íéts veranderd? Antonina ziet de ellendige hutjes met hun kapotte daken, de uitgehongerde dieren, de armoede en de wanhoop. Wat heeft deze nieuwe vrijheid voor nut?

Ten slotte krijgt ze genoeg van het wachten en rijdt langzaam het smalle weggetje in dat door Toesjinsk loopt. Zoals Grisja heeft gewaarschuwd, zijn er diepe geulen en Doenja struikelt herhaaldelijk.

Antonina brengt haar paard tot stilstand, bang haar te verwonden, en terwijl ze dit doet kijkt ze een zijstraat in, waar ze Grisja ziet. Hij staat voor de deuropening van een hut te praten met een man die haar bekend voorkomt. Grisja heeft een pakje in zijn hand.

Ze probeert de man te plaatsen – heeft hij ooit in de stallen of in de voorraadschuren gewerkt? Doenja voelt dat de teugels losser worden en ze begint langzaam voorwaarts te gaan. Antonina ziet voor zich uit een vrouw over de weg lopen. Over haar schouder heeft ze een bundel hout. Naast haar loopt een jongen. Ze staart naar hun ruggen.

De jongen is Michail. Hij heeft zijn jas aan. Zelfs op deze afstand ziet Antonina de blauwe wollen tekst – de naam van haar zoon – langs de zoom van het achterpand van de jas. Ze ziet zijn blonde haar.

'Michail,' zegt Antonina vol ongeloof, en dan gilt ze, met de stem van een waanzinnige 'Misja!' In haar paniek rukt ze hard aan de teugels. Doenja werpt haar hoofd omhoog op het moment dat

Antonina zich naar voren buigt om de jongen beter te kunnen zien. Het hoofd van het paard raakt Antonina in het gezicht en ze valt van Doenja af voordat het paard een kans heeft om volledig tot stilstand te komen. Ze valt op haar knieën, tijdelijk verdoofd door de klap in haar gezicht. Dan schudt ze haar hoofd en komt overeind en rent naar de vrouw toe, terwijl ze Michails naam gilt. Maar hij draait zich niet om. Evenmin als de vrouw.

Een andere vrouw, die hen tegemoetkomt, wijst en als de vrouw zich omdraait en Antonina naar zich toe ziet hollen, gaat haar mond wijdopen van angst. Ze laat de takken vallen en grijpt de jongen bij de hand.

Antonina struikelt, haar rijlaarzen blijven steken in de diepe geulen en in de modder. Toch is ze sneller dan de andere vrouw, of misschien is het de wanhoop die haar vleugels geeft. Terwijl ze hen achternagaat, waarbij ze Misja's naam schreeuwt, komen de boeren uit hun hutten en staren haar aan. De vrouwen trekken hun kinderen dicht tegen zich aan, en anderen bedekken hun gezicht met hun sjaals.

'Stop!' schreeuwt Antonina. 'Stop! Je hebt mijn zoon.' Toch blijft de vrouw hollen en ze sleurt het kind, dat op blote voeten struikelt, met zich mee. Antonina is weldra dichtbij genoeg om de vrouw bij de schouder te grijpen en haar met een ruk om te draaien.

De vrouw, jonger dan Antonina, valt als ze wordt omgedraaid, en ze kijkt omhoog met een gezicht vol angst en verwarring, alsof ze verwacht dat Antonina haar zal slaan. Ze steekt haar arm omhoog.

De jongen hurkt naast haar neer.

Antonina kijkt naar de jongen, en slaakt dan een lange jammerkreet. Haar knieën worden slap, maar ze weet haar evenwicht te bewaren. Langzaam krabbelt de vrouw overeind, terwijl ze Antonina met een bange blik blijft aankijken.

De blonde jongen is Michail niet. Er loopt een dikke sliert snot uit zijn neusgaten naar zijn bovenlip. Hij heeft een ontsteking vol pus in de hoek van zijn ene donkere oog.

Antonina's kreet van verdriet sterft weg. Ze haalt diep adem en doet haar ogen dicht, daarna doet ze ze weer open en likt langs haar lippen. Haar mond voelt droog alsof er een dikke laag wol in zit.

'De jas van het kind,' weet Antonina ten slotte uit te brengen. 'Hoe kom je daaraan?'

Terwijl ze spreekt proeft ze een metaalachtige vloeistof in haar mond, te veel om door te slikken. Ze spuugt het uit, ziet schuimig rood, en veegt dan met bevende hand over haar neus en lippen. Als ze haar hand weghaalt, is deze overdekt met bloed. Misschien heeft Doenja's schuddende hoofd haar neus gebroken of een tand eruit geslagen. Ze weet dat er iets mis is met haar gezicht, maar ze voelt geen pijn.

De boerenvrouw blijft haar aanstaren, met trillende lippen.

Antonina pakt haar bij de schouder en schudt haar zachtjes heen en weer. 'Ik vroeg waar je die jas vandaan had. Zeg op. Geef antwoord.' Ze probeert haar stem in bedwang te houden als ze de angst van de andere vrouw ziet. 'Je krijgt er echt geen problemen mee. Ik ben gravin Mitlovskija. Ik bezit…' Ze zwijgt. Ze bezit dit dorp niet meer, evenmin als deze vrouw. 'Ik… ik moet weten hoe je aan de jas van dat kind komt.'

De ogen van de vrouw gaan naar iets achter Antonina, en er verschijnt een blik van opluchting in.

'Alstublieft. Ik smeek u, dame,' roept een lage stem, en wanneer Antonina zich omdraait ziet ze een jongeman met een bijl in zijn hand naar hen toe rennen. Zijn gezicht is verhit en hij hijgt. 'Mijn vrouw… en onze zoon… ze zijn allebei doofstom. Ze weet niet wat u zegt.'

Antonina knippert met haar ogen. 'De jas van de jongen,' zegt ze, en ze kijkt van hem naar het kind. 'Ik… ik moet weten waar hij die vandaan heeft.'

De jongeman zwijgt even, terwijl zijn borst snel op en neer gaat. 'Ze heeft hem niet gestolen, mevrouw. We krijgen veel kleding uit de liefdadigheidsmanden van de kerk.'

Antonina kan geen woord uitbrengen.

'Gravin Mitlovskija,' zegt Grisja, die opeens naast haar staat. 'Mevrouw, u bent gewond.'

Antonina wendt zich af van de jongeman en ze kijkt Grisja aan, en haar hele gezicht klopt opeens van een ondraaglijke pijn, alsof ze op dat moment gewond is geraakt. Ze huivert, steekt een hand uit om steun te zoeken bij Grisja's arm, terwijl ze haar ogen sluit tegen de plotselinge witte hitte die haar omhult, haar verblindt.

'Een bank,' zegt Grisja luid, en hij slaat zijn andere arm om haar heen om haar overeind te houden. 'Laat de gravin in godsnaam even zitten.'

Antonina zakt half tegen hem aan en wordt dan op een harde bank gezet. Iemand houdt een doek tegen haar neus, ze ruikt zeep en leer.

Er kraait een haan, er blaft een hond, en Antonina doet haar ogen open. Het is Grisja die zijn zakdoek tegen haar gezicht houdt. Ze reikt omhoog om hem op zijn plaats te houden, met haar vingers over de zijne. Hij haalt zijn hand weg.

De boeren verzamelen zich in een wijde cirkel om hen heen, waarbij ze een eerbiedige afstand bewaren. Zodra ze hen aankijkt buigen ze allemaal vanuit hun middel.

De jonge moeder heeft haar zoontje tegen zich aan getrokken, hij staat tussen haar en de vader. Ze beschermt hem. Antonina begrijpt dit. De blote benen van de jongen zijn lang en mager. Zijn moeder veegt zijn neus met haar vingers af. Hij is hoogstens zes of zeven jaar, de jas is veel te groot voor hem. Haar man trekt de vrouw aan haar mouw, en op zijn gebaar buigt ze, waarbij ze de jongen een por geeft om dit ook te doen.

'De talmotsjka... die is van mijn zoon,' zegt Antonina, terwijl ze de zakdoek weghaalt om te kunnen praten, hoewel alleen Grisja haar aankijkt. Tegen de gebogen hoofden zegt ze: 'Dat is zijn naam, langs de zoom aan de achterkant. Michail.' Wanneer Antonina zijn naam tegen deze vreemden uitspreekt, moet ze slikken en diep ademhalen. 'Hij is ontvoerd, meegenomen door kozakken. Hij had toen die jas aan. Alstublieft. Jij,' zegt ze, en alle boeren, met uitzondering van de moeder en het kind, kijken op om te zien op wie ze doelt. Ze kijkt de jonge vader aan.

Hij kijkt van haar naar zijn zoon en legt zijn hand op het hoofd van het kind. Op dat moment gaat er een kleine schok door Antonina. Ze weet dat de man opgelucht is dat zijn kind niet is gestolen. Misschien is hij op dit moment wel blij dat hij maar een eenvoudige boer is, niet in staat losgeld te betalen, zodat zijn kind veilig is voor plunderende kozakken.

Hij raakt de mouw van zijn vrouw weer aan en ze kijkt op. Hij maakt een aantal gebaren met zijn vingers, en haar gezicht wordt zachter. Ze kijkt Antonina even aan, en knikt dan. Voorzichtig trekt ze de armen van de jongen uit de jas, ze stapt naar voren en geeft de jas aan Antonina.

Ze pakt hem aan, drukt haar bebloede neus erin om te proberen haar zoon te ruiken. De jas ruikt slechts naar vet en rook. Hij is vies, en ze heeft hem nu met haar bloed besmeurd.

'Dank je,' zegt ze, met onvaste stem, terwijl ze ziet hoe de moeder haar kind tegen de koude wind in haar omslagdoek wikkelt. 'Mijn rentmeester,' zegt ze, en ze gebaart zwakjes in Grisja's richting, 'zal ervoor zorgen dat je kind een andere jas krijgt.' Antonina kijkt naar Grisja, en hij knikt.

'Kom, mevrouw,' zegt hij, en hij steekt zijn arm uit. 'We moeten uw verwondingen laten verzorgen.'

Antonina gaat staan, maar ze moet zich aan hem vastklampen voor steun. Alle boeren deinzen nog verder achteruit. 'Dank je wel,' zegt ze tegen de jonge man, 'voor de jas van mijn zoon.' Ze houdt hem tegen haar borst gedrukt. 'En zeg tegen je vrouw dat het me spijt dat ik haar heb laten schrikken.'

'We begrijpen het, mevrouw,' zegt hij.

'Dank je wel,' zegt Antonina nogmaals, nu nog zwakker, en ze laat zich door Grisja naar Doenja terugvoeren. Zijn paard staat ernaast, met het hoofd omlaag. Langzaam verspreiden de boeren zich terwijl Antonina in Grisja's ineengeslagen handen stapt en haar been over de rug van het paard slingert.

Het zadel kraakt wanneer ze erin gaat zitten.

'Eén moment, mevrouw,' zegt Grisja. 'Ik moet even de naam van de boer vragen, zodat ik de nieuwe jas naar hem toe kan sturen.'

Antonina kijkt als verdoofd toe wanneer Grisja haastig terugloopt naar het echtpaar dat nog steeds midden op de modderige weg tegen elkaar staat te gebaren. Als Grisja tegen hen spreekt lijken ze erg onder de indruk en stappen achteruit. Grisja heeft zijn rug naar haar toe en ze kan zijn gezicht niet zien. De jongeman zegt eerst niets en begint dan te praten, waarbij hij zijn arm beschermend om de schouders van zijn vrouw legt.

De reactie van de dorpsbewoners is in haar ogen niet vreemd; natuurlijk zijn de boeren bang voor mensen als Grisja, die een hoge positie hebben bekleed.

Wanneer Grisja naar haar terugloopt, wrijft hij zijn handen over elkaar, alsof hij de modder van het dorp eraf wil vegen. Zijn gezicht staat donker.

Hij stijgt op zijn paard en langzaam rijden ze terug naar de hoofdweg. Grisja houdt Doenja's teugels vast en ze gaan in een langzame stap. Antonina klemt met één hand Michails jas tegen haar borst en met de andere houdt ze de doorweekte zakdoek tegen haar neus.

Grisja kijkt vaak haar kant uit.

Op slechts één werst van het dorp klinkt er een laag gerommel van de donder. Enkele losse druppels worden weldra gevolgd door een stortbui van koude herfstregen.

'Mevrouw,' zegt Grisja, en hij komt dicht naast Antonina rijden terwijl ze de capuchon van haar cape over haar hoofd trekt. Vanwege het lawaai van de regen moet hij zich dicht naar haar toe buigen. Zijn been raakt haar been.

'Ik weet een plek, een datsja hier vlakbij. Wilt u misschien daar voor de regen schuilen, of rijdt u liever naar huis?'

'De datsja,' zegt Antonina huiverend. Ze is uitgeput, alsof ze zojuist een zware taak heeft volbracht.

24

In de datsja is een kleine stal waar Grisja haar helpt afstijgen en daar valt Michails jas op de stoffige vloer. Ze slaakt een kreet. Grisja raapt hem snel op, borstelt het stro eraf en geeft hem weer aan haar. Ze begraaft haar gezicht in de talmotsjka, en er welt een hevige snik op uit haar keel.

Wanneer ze huilt brengt hij aarzelend zijn handen omhoog naar haar schouders. Met haar gezicht nog steeds in de jas leunt Antonina tegen zijn borst. Dan slaat hij zijn armen om haar heen, zo licht dat Antonina ze aanvankelijk bijna niet voelt.

Afgezien van Lilja's kalmerende strelingen wanneer ze haar wast of haar haar doet of haar helpt in slaap te vallen, is Antonina in lange tijd niet aangeraakt. Dat ze haar wang tegen de ruige wol van Grisja's tuniek kan leggen en het kloppen van een menselijk hart kan horen, bezorgt haar zo'n intens gevoel van troost dat ze het moeilijk vindt om zich los te maken.

Zo blijven ze in de stal staan, met de stofdeeltjes die om hen heen dwarrelen en met een sterke geur van mest en vochtig stro in de lucht. De hoeven van de paarden bewegen op de houten vloer onder het dunne laagje oud hooi. Er klinkt zacht gehinnik en gesnuif, het gezwiep van een staart. De regen roffelt op het houten dak.

Ten slotte beseft Antonina dat ze te lang in Grisja's armen is gebleven en ze stapt achteruit. Ze veegt haar ogen met haar knok-

kels af en hapt even naar lucht wanneer haar vingers langs haar gekneusde neus strijken. Dit veroorzaakt een nieuw stroompje bloed
en ze houdt Grisja's zakdoek weer tegen haar gezicht terwijl ze
naar de datsja lopen. Door de bomen ziet ze water glinsteren: een
meertje.

Grisja loopt voor haar uit om de deur open te maken. Hij voert
Antonina naar een bankje bij de haard en dan knielt hij neer en
gaat aan de slag met houtjes en vuursteen. Binnen enkele minuten
vatten de houtjes vlam en brandt er een vuur in de beroete bak-
stenen holte. Hij schuift wat achteruit, legt kleine blokken hout
op het vuur en trekt dan zijn jasje uit en gooit dit op een schommelstoel die vlakbij staat.

'De datsja zal nu snel warm worden, mevrouw,' zegt Grisja, en
hij kijkt haar over zijn schouder aan. 'Ik zal het fornuis ook aan-
maken om water te verwarmen zodat u uw gezicht kunt schoonmaken.' Hij loopt de kamer uit en Antonina hoort het gespetter
van water.

Ze laat Michails jas op het bankje liggen en loopt door de
korte gang, waar ze een primitief klein closet vindt. De houten
datsja is gezellig, goed onderhouden en op een eenvoudige maar
charmante, landelijke wijze ingericht; het is het zomerhuis
van…? Maakt het deel uit van het bezit van de familie Bakanev?
Het ligt op een afgelegen plek op het land en is slechts bereikbaar
via een smal, bijna onvindbaar pad tussen de bomen, of vanaf het
meer.

Als ze zich in de hobbelige spiegel aan de wand van de wasruimte bekijkt, trekt ze de zakdoek weg en krimpt ineen. Ze herkent zichzelf niet, er is iets verwilderds aan haar, iets wat haar
bang maakt. Het gestage geklop in haar neus maakt dat haar hele
lichaam pijn doet. Haar lijfje is met bloed bevlekt.

Grisja ligt opnieuw voor de haard geknield als ze terugkomt in
de zitkamer. 'Is de pijn heel erg, mevrouw?' vraagt hij terwijl hij
naar haar omkijkt.

'Is er iets te drinken, Grisja?'

Grisja staat op en loopt naar de keuken. Hij komt terug met een halfvolle fles wodka en een glas. Antonina vraagt zich even af hoe hij hier zo goed de weg weet.

'Het spijt me dat er geen rode of witte wijn is, alleen deze wodka, maar die is wel van goede kwaliteit. Niet van Angelkov,' zegt hij, met een vage glimlach, 'maar toch goed. Het water staat op,' voegt hij eraan toe.

Antonina gaat weer op het bankje zitten en laat de verfrommelde, bebloede zakdoek naast zich vallen. Ze raapt de jas op en legt die over haar schoot. Ze strijkt hem glad, stopt dan en peutert aan een binnennaad die een eindje los is.

Grisja schenkt het glas halfvol. Terwijl hij dit doet, slaakt Antonina een kreet. 'Kijk! Kijk eens!' zegt ze, en ze houdt twee velletjes met de getransponeerde muziek van Glinka omhoog. Ze zijn aan de achterkant beschreven en ze zaten tussen de voering en de wollen stof.

Net als op het briefje dat Lev had meegebracht, heeft Michail met houtskool geschreven.

Ik vind het hier niet leuk. Er slaapt een varken naast me, en ik ben bang dat hij me zal bijten. Maar ik huil niet. Ik ben een soldaat voor papa. Als ik thuiskom zal ik tegen hem zeggen dat hij deze slechte mannen moet straffen.

De houtskool op het tweede briefje is zo vlekkerig geworden dat Antonina moeite heeft de woorden te ontcijferen.

Het is hier beter omdat er geen varken is. Ik ben nog steeds een soldaat. Maar als ik de kerkklokken hoor moet ik soms bijna om mama huilen. Het is nu warm. Ik denk dat het al na mijn verjaardag is, omdat het zo warm is. Ik heb erge jeuk.

Ze huilt. 'Hij was deze zomer nog in leven, Grisja, maar waarom was zijn jas...' Ze kan de zin niet afmaken.

Grisja zegt niets.

Ze drukt haar handen tegen haar ogen. Wat zou hij nu aanhebben in het koude najaar? 'Waarom had dat kind de jas van Misja aan?' vraagt ze, en ze laat haar handen zakken, nog steeds huilend, terwijl ze het glas van Grisja aanneemt.

Grisja weet waarom. Hij weet het doordat hij nog geen uur geleden de man in het dorp heeft ondervraagd. Maar hij kan het niet aan Antonina vertellen. Hij ziet hoe ze haar wodka in één keer naar binnen giet.

'Nog wat,' zegt ze, en als hij haar glas weer vol schenkt, kijkt ze naar hem op. 'Drink met me mee, Grisja.'

Hij aarzelt heel even en zegt dan: 'Zoals u wilt. Excuseert u me, dan ga ik nog een glas halen.'

Antonina legt Misja's briefjes neer, zet haar glas weg en doet haar vochtige cape af. Ze pakt het volle glas en wacht tot Grisja terugkomt, terwijl haar andere hand op de vlekkerige pagina's naast haar ligt. Het vuur brandt helder en het wordt vergroot door de wodka in haar glas, waarin het oranje en rood en geel danst.

Grisja komt terug en schenkt een glas voor zichzelf in, waarna hij voor de haard gaat staan.

'Op Misja,' zegt Antonina, en ze heft haar glas. Grisja aarzelt even. Dan doet hij een stap naar voren om met haar te klinken. De huid van haar hals en polsen steekt blank af tegen de donkerpaarse wol van haar jurk.

'Op Michail Konstantinovitsj,' zegt hij, wachtend tot Antonina drinkt voordat hij zelf het glas naar zijn lippen brengt.

Net als met het eerste glas giet ze de wodka in één keer naar binnen. Hij zou niet verbaasd moeten zijn, hij weet dat de gravin graag drinkt. Maar hij had niet verwacht dat ze als een man zou drinken.

'Nog eentje,' zegt Antonina, en Grisja schenkt haar glas nog eens vol.

'Het water zal inmiddels wel warm zijn,' zegt hij, en hij excuseert zich nogmaals. Als hij terugkomt heeft hij een zinken bak met klotsend water bij zich en een schone zachte doek. Het glas is leeg. 'Ik zal dit voor u in de wasruimte zetten,' zegt hij tegen haar.

Antonina wordt overvallen door een intense vermoeidheid. Ze schudt haar hoofd en deze beweging doet de pijn terugkeren. 'Ik wil hier blijven.'

Grisja zet de bak op de vloer en maakt de doek nat. Hij wringt hem uit en vouwt hem tot een keurig vierkant, waarna hij hem haar aanbiedt.

Ze klemt het lege glas in haar hand en keert hem haar gezicht toe.

Grisja gaat naast haar op de bank zitten en drukt de warme, vochtige doek onder haar neus en lippen. Ze haalt opeens diep adem.

'Het doet pijn. Geef me nog iets te drinken,' zegt ze, op een toon zoals ze wellicht, denkt Grisja, als kind heeft geklonken. Hij kent de kracht van pure wodka van hoge kwaliteit. Hij doet wat ze zegt.

Ze giet de helft van het volgende glas naar binnen en keert hem dan weer haar gezicht toe, met gesloten ogen. Grisja probeert voorzichtig het opgedroogde bloed weg te deppen. Deze keer krimpt ze niet ineen. 'Mag ik uw neus aanraken, mevrouw?' vraagt hij.

Antonina knikt, en als Grisja's vingertoppen voorzichtig op de brug van haar neus drukken, slaakt ze een gesmoorde kreet en duwt zijn hand weg. Ze drinkt de wodka op en laat het glas op het kleed aan haar voeten vallen.

'Hij is gebroken, zoals ik al dacht,' zegt hij.

Antonina zegt, op diezelfde kinderlijke en ongewone toon: 'Waarom drink je niet met me mee, Grisja?'

De wodka heeft haar kalmer gemaakt. Het is warm in de datsja, de regen komt nog steeds omlaag, hoewel het niet langer een aanhoudend gekletter is. Grisja weet dat als ze nog langer blijven het moeilijk zal zijn om het pad in het bos te kunnen zien op deze avond zonder maan.

'We moeten weldra vertrekken, mevrouw, om niet in het donker te hoeven rijden.'

Antonina leunt naar voren en legt haar hoofd tegen zijn schouder. 'Ik wil niet weggaan. Ik ben zo moe.'

Grisja kijkt naar haar handen, die slap in haar schoot liggen. Haar haar ligt als een zachte massa tegen hem aan. Hij ruikt iets zoets, maar weet niet of het van haar haar of haar jurk of haar huid afkomstig is.

Zo blijven ze zitten, in de kamer die donker is, op het vuur in de haard na. Af en toe valt er een blok, met een plof en geknetter. Hij weet dat hij er meer hout op zou moeten leggen omdat het anders uitgaat. 'Mevrouw,' zegt hij zacht, en ze maakt even een geluidje. 'Ik zal het vuur opstoken en de lamp aandoen.'

Wanneer hij zich voorzichtig van haar losmaakt, pakt ze de fles en drinkt het restant van de wodka op.

Als hij zich weer naar haar omdraait, is ze gaan liggen, met de ene hand om de fles en de andere onder haar wang. Hij steekt de lamp op de ronde tafel in een hoek aan. De regen valt nog steeds zacht en gestaag tegen de ruiten. Hij loopt terug naar de bank bij de haard en kijkt neer op Antonina, waarna hij de fles voorzichtig uit haar greep losmaakt en op de vloer zet. Haar neus is gezwollen en begint blauw te worden, maar ze ziet er verder sereen uit, haar ogen zijn dicht en ze ademt gelijkmatig. Michails jas is op de vloer gevallen. Hij raapt hem op en legt hem op de armleuning van de bank.

Hij pakt een dikke deken van de rugleuning van de schommelstoel en legt die over haar heen. Er is een sliert blond haar over haar gezicht gevallen, en hij vraagt zich af wat er zou gebeuren als hij die naar achteren veegde. Hij vraagt zich af hoe haar haar aanvoelt.

Opeens doet ze haar ogen open en kijkt naar hem op, niet vol schrik omdat ze hem zo dichtbij ziet.

Hier in de datsja is ze een andere vrouw. Ze is niet de vrouw die hem in de studeerkamer met houten lambrisering opdrachten geeft, die hem abrupt wegstuurt wanneer ze klaar met hem is. Bij het schijnsel van het haardvuur kent hij haar niet, ziet hij alleen maar hoe mooi ze is.

'Kom dichterbij,' zegt ze, en hij knielt naast de bank. Ze steekt haar hand in zijn haar en schuift het van zijn slaap naar achteren. 'Je haar is heel zwart, net als je ogen. Hoe komt dat zo, Grisja?'

Hij verroert zich niet. 'Mijn moeder was een Boerjat.'

'Een Boerjat?' Antonina knippert met haar ogen. Ze heeft wel eens van de Boerjats gehoord, een ras met Aziatische trekken, afkomstig uit de verre zuidoosthoek van Siberië, in de buurt van Mongolië. 'Hoe komt het dat je moeder een Boerjat was, Grisja?'

Hij geeft geen antwoord en ze laat haar hand zakken. Ze kijkt hem lang aan. 'Ik ben eenzaam, Grisja,' zegt ze.

Wanneer hij aanstalten maakt om het ingewikkelde kapsel van dikke vlechten in haar nek los te maken, houdt ze hem tegen.

Ze was opgestaan van de bank en had hem bij de hand genomen. Ze bewoog zich zeker en elegant, ondanks alle wodka die ze had geconsumeerd. Hij voelde zich traag, opeens onhandig, terwijl hij haar volgde. Ze leidde hem naar de slaapkamer en bleef voor hem staan terwijl ze naar hem opkeek, naar zijn gezicht, en hij begreep dat ze wilde dat hij haar kuste.

Voorzichtig sloeg hij zijn armen om haar heen, klaar om ze weg te halen als ze ook maar de geringste verandering van mening toonde. Dat deed ze niet. Ze hield haar gezicht naar hem opgeheven en hij drukte zijn mond tegen de hare.

Antonina heeft slechts de enkele kus van Lilja gekend, en van

Konstantin. Ze is nooit op de manier gekust als Grisja haar kust. Het is de kus van een man die zeker is van zichzelf, en zeker van zijn begeerte, maar er is geen haast bij. Wanneer ze elkaar blijven kussen, wordt zijn mond dringender en hij legt zijn hand tegen haar lendenen en tilt haar half tegen zich op.

Dan zet hij haar neer. 'Weet je het zeker?' fluistert hij.

En als ze knikt, maakt hij aanstalten om haar haar los te maken. 'Nee,' zegt ze zacht en ze legt haar handen op de zijne. 'Laat mijn haar, alsjeblieft.'

Hij weet dat hij dit niet zou moeten doen. Kan hij de wodka de schuld geven? Is ze onder invloed en daardoor zwak? Hij was dit niet van plan geweest, hoewel hij er wel aan heeft gedacht... zich heeft voorgesteld hoe hij haar zou hebben. Hij heeft in de loop van zijn leven veel, heel veel vrouwen gehad. Een vrouw veroveren is nooit moeilijk geweest voor Grisja. Voor sommigen heeft hij oprechte genegenheid gevoeld, terwijl anderen gewoon een fysieke behoefte bevredigden. Hij is altijd eerlijk tegenover hen geweest: hij belooft niets en hij zegt hun dat hij niet geschikt is voor het huwelijk. Sommige vrouwen, die ook geestig waren, de vrouwen die hem aan het lachen konden maken, betekenden meer voor hem dan de vrouwen die alleen maar mooi waren.

Geen van hen had ooit deze onrust bij hem teweeggebracht. Geen van hen bracht hem in verwarring met betrekking tot zijn gevoelens. Sinds zijn vijftiende heeft Grisja zich voorgenomen niet te zwichten voor iets wat tederheid of sympathie zou kunnen zijn. Die emoties konden leiden tot herinneringen die alle schuldgevoelens weer opriepen. Grisja weet dat het meetorsen van schuldgevoelens is alsof er een logge, zware last aan je borst is gegespt, een last die je haast onmogelijk af kunt leggen. Je kunt moeilijk bereiken wat je wilt met een last die je zo in de weg zit. Je blik wordt erdoor verduisterd en je stap wordt onvast. Schuldgevoelens staan een mens niet toe de dingen te doen die nodig zijn om een leven te leiden waarin je toewerkt naar het doel dat je voor ogen staat.

Hij weet precies wie hij is en wat hij heeft gedaan. Hij beziet zichzelf in een hard en meedogenloos licht. Hij is een man die tot alles in staat is om er zelf beter van te worden.

Hij neemt zijn handen van haar haar en legt ze rond haar gezicht. 'Ik zal proberen uw neus niet aan te raken, dame,' zegt hij glimlachend, en ze beantwoordt de glimlach met haar eigen glimlach. Die is lui, nee, loom.

Iets in zijn binnenste springt op. Hij heeft deze glimlach nooit eerder gezien.

'Maar je moet me Tosja noemen,' zegt ze zacht. 'Op zo'n moment moet je Tosja tegen me zeggen.' Ze legt zijn vingers op de knopen van haar met bloed besmeurde lijfje.

Als ze wakker wordt is het donker in de kamer, op één druipende kaars na, en Antonina voelt zich beroerd. Haar maag krimpt ineen met niets dan wodka erin, en haar hoofd bonst.

Ze staart naar het lage, houten plafond en voelt de warmte van Grisja naast zich. Ze draait haar hoofd opzij om zijn profiel te bekijken. Het beddegoed bedekt hem tot aan zijn middel. Ze kijkt naar zijn blote borst die op en neer gaat en ze zou haar hand erop willen leggen.

Ze heeft vandaag een jongen gezien van wie ze dacht dat hij haar zoon was. Daarna heeft ze zijn geschreven woorden gelezen en zijn talmotsjka tegen zich aan gedrukt. Ze is een moeder, een echtgenote, en een hypocriet. Dat Konstantin het met Tanja aanlegde terwijl hij met haar getrouwd was, had haar van afschuw vervuld. Ze beschouwde hem als zwak en immoreel. En nu... ze doet haar ogen dicht. Hoe heeft ze dit alles kunnen laten gebeuren?

Ze slaat een kruis en bidt inwendig om vergeving.

Grisja beweegt, draait zich naar haar om, en ze houdt haar adem in. Ondanks haar zojuist uitgesproken gebed wil ze dat hij weer naar haar reikt, wil ze zijn warme huid tegen zich aan voelen, wil ze haar vingers op zijn lichaam leggen en langs zijn ribben strijken, de holte boven zijn sleutelbeen en de rand van zijn heup voelen. Het had niet horen te gebeuren. Maar hoe kan ze tegenover zichzelf ontkennen hoe hij haar heeft geraakt?

Ze valt weer in slaap, maar ze wordt wakker doordat Grisja beweegt. Het is nog geen dag, hoewel de hemel lichter wordt en de lucht zachtgrijs. Hij ligt op één elleboog naar haar te kijken en zonder zichzelf toe te staan na te denken slaat ze haar armen om zijn hals en trekt hem over zich heen, drukt zich in een boog tegen hem aan terwijl ze voelt dat hij klaar is voor haar. Zijn begeerte maakt dat haar eigen begeerte nog groter wordt.

Konstantin heeft haar nooit begeerd. Hij deed wat hij moest doen om een erfgenaam te produceren.

Grisja bukt zich om haar tepel te kussen, neemt deze in zijn mond, en Antonina slaakt onwillekeurig een zachte kreet. Zijn haar valt over zijn wang en ze veegt het weg terwijl ze haar hand om zijn achterhoofd legt. Ze kan zijn donkere wimpers tegen zijn wangen zien. Als hij zijn hoofd optilt om haar aan te kijken, legt ze haar mond op de zijne en hij beantwoordt haar kus en is dan met één snelle beweging in haar. Hij draait haar zodat ze op hun zij liggen, met het gezicht naar elkaar toe. Behoedzaam manoeuvreert hij haar been omhoog, over zijn heup, en hij beweegt langzaam, zonder de haast van de vorige avond.

'Ik wil je, Grisja,' zegt ze, en daarop zegt hij: 'Noem me alsjeblieft Tima. Zeg Tima tegen me.'

Antonina's begeerte is op dat moment zo groot dat ze zich niet verbaast over zijn verzoek. 'Tima,' zegt ze zacht, en ze legt haar mond tegen zijn oor, strijkt met het puntje van haar tong langs de rand ervan.

Als ze wakker worden schijnt er een waterig zonnetje door het raam naar binnen. Antonina weet niet of Grisja haar wakker heeft gemaakt of zij hem, maar ze kijken elkaar aan in dat bleke ochtendlicht. Hij doet zijn mond open om iets te zeggen, maar de volle omvang van wat ze heeft gedaan, dringt opeens tot Antonina door. Ze gaat rechtop zitten en wendt zich van hem af. Hoewel ze die nacht geen enkele schaamte kende, slaat ze nu de sprei om zich heen terwijl ze haar kleren van de vloer opraapt. Ze zijn koud en vochtig. Ze gaat de kamer uit zonder iets te zeggen of Grisja aan te kijken. Ze gaat naar de wasruimte, waar ze zich haastig aankleedt. Dan staat ze zich een enkele blik in de spiegel toe.

Haar neus is dik en er zitten donkere kringen onder haar ogen. Er is ook een enigszins rode, schrale plek waar Grisja's kin langs haar kaak heeft geschuurd. Haar haar, dat weliswaar nog grotendeels door spelden en kammen bijeen wordt gehouden, is verward en klitterig.

Meer dan de misselijkheid in haar maag voelt ze een vreselijk berouw over wat ze heeft gedaan.

Ze gaat naar de zitkamer en is bezig haar cape aan te trekken als Grisja de slaapkamer uit komt, hij kijkt naar de vloer terwijl hij zijn leren riem over zijn witte tuniek vastgespt. Zijn haar staat in plukken om zijn hoofd. Zijn wangen vertonen een lichte blos onder de stoppels van één nacht, en hij heeft zijn laarzen onder zijn arm.

Ze stopt Misja's pagina's weer in de zak van de talmotsjka. 'De wegen zullen wel erg modderig zijn na alle regen,' zegt ze. Haar poging om haar stem terloops te laten klinken is niet echt succesvol. 'Het zal een lastige rit worden.'

'Ja,' antwoordt Grisja, en hij kijkt op. 'Hoe gaat het vanmorgen met je neus?' Hij gaat op een stoel zitten en begint een laars aan te trekken.

Antonina beseft dat dit de eerste keer is dat hij in haar aanwezigheid is gaan zitten zonder daar toestemming voor te hebben gevraagd. Haar mond is droog van de wodka, ze smacht naar een kop hete thee en ze wendt zich af als ze de linten van haar cape vastknoopt. 'Ik zadel Doenja wel,' zegt ze.

'Nee, Tosja, laat mij dat doen.'

De naam die ze hem heeft gevraagd voor haar te gebruiken klinkt bij klaarlichte dag opeens verkeerd.

Ze doet de deur open. 'Ik doe het liever zelf. En, Grisja…?'

Hij kijkt naar haar op met zijn laars halverwege zijn been, een verwachtingsvolle uitdrukking op zijn gezicht. Hij glimlacht wat. Hij kijkt blij.

'Ik heb gisteravond te veel wodka gedronken, Grisja. Ik was niet… Na alles wat er in Toesjinsk was gebeurd, en mijn neus… Maar het was een vergissing. Begrijp je? Ik kan me echt niet herinneren…'

Ze weten allebei dat ze moet liegen. Hij spreekt haar niet tegen.

Ze kan zijn gezicht niet doorgronden, maar de blijdschap is uit zijn blik verdwenen.

'We zullen het er nooit meer over hebben,' zegt ze. Het is niet nodig nog meer te zeggen, maar iets maakt dat ze eraan toevoegt: 'Begrijp je?'

Hierop verstrakt het gezicht van Grisja. Hij is weer haar rentmeester. Ze had hem net zo goed kunnen vragen haar een rekenoverzicht te brengen, of een luie horige de les te lezen. 'Ik begrijp het.' Er ligt geen tederheid in zijn stem, niets wat verwijst naar wat ze nog zo kortgeleden samen deelden.

'Goed,' zegt Antonina resoluut. Als Grisja ten slotte de datsja uit komt is zij al op het erf en zit op Doenja, die ongeduldig in de koele herfstlucht loopt te stappen.

Antonina vindt het moeilijk om naast Grisja naar huis te rijden.

Ze weet dat hij zich niet aan haar heeft opgedrongen, het was eerder andersom. Grisja zou nooit met haar naar bed zijn gegaan als zij niet het initiatief had genomen, hem had aangemoedigd.

Ze probeert de naam waarmee hij haar had gevraagd hem te noemen uit haar hoofd te krijgen – Tima.

Grisja denkt aan hoe de naam uit haar mond klonk. Het voerde hem terug naar een onschuldiger tijd, een tijd waarin hij nog niet dat grote onrecht had begaan. Het had hem in staat gesteld voor één nacht te vergeten wat hij nooit heeft kunnen loslaten.

Twintig jaar lang heeft niemand hem Tima – kort voor Timofej, zijn volledige naam – genoemd. De laatste keer dat hij die naam hoorde, was toen hij vijftien jaar oud was en wegliep van alles wat hem vertrouwd was.

25

Tima's vader was een *polkovnik* – iemand met een hoge rang – in het Russische leger. Kolonel Aleksandr Danilovitsj Kasakov was ook een van de notoire decembristen – de revolutionairen van 1825. De kleine groep hooggeplaatste officieren was opgetrokken naar het Senaatsplein in Sint-Petersburg in een poging de senaat – en tsaar Nicolaas I – te dwingen een manifest te tekenen met als doel de tsaristische alleenheerschappij ten val te brengen en de lijfeigenschap af te schaffen.

Aleksandr Kasakov had, net als de andere hoge officieren, deelgenomen aan veel veldtochten in Europa. De kennismaking met de westerse wereld inspireerde de adellijke officieren tot een streven naar hervormingen voor hun eigen onderdrukte bevolking. De revolutionaire beweging die deze mannen begonnen werd al snel verpletterd en maakte feitelijk dat Nicolaas I een hevige afkeer kreeg van elke vorm van liberalisme voor zijn volk. De decembristen moesten zwaar boeten voor hun poging de lijfeigenschap af te schaffen en een beter leven voor de onderdrukte boeren te bewerkstelligen. Vijf officieren werden terechtgesteld, terwijl de meeste anderen levenslang naar Siberië werden verbannen.

De tsaar was vastbesloten een voorbeeld te stellen en probeerde daarom elk spoor van deze mannen uit te wissen. Vrouwen van veroordeelden mochten gewoonlijk hun man naar Siberië volgen, maar Kerk en Staat beslisten dat de vrouwen van de decembristen als weduwen zouden worden beschouwd en vrijelijk konden hertrouwen zonder dat er een echtscheiding was uitgesproken. Sommige vrouwen gaven hier geen gehoor aan en volgden hun man, maar ze moesten al hun wereldlijke bezittingen opgeven en ze mochten, nog erger, hun kinderen niet meenemen. Als hun man kwam te overlijden moest de weduwe voor altijd in Siberië blijven.

De vrouw van Aleksandr Kasakov kon het niet over haar hart verkrijgen haar twee dochtertjes voor altijd achter te laten. Hij steunde haar besluit om te blijven volledig en gaf haar zijn zegen vanuit de gevangenis in de Petrus en Paulus-vesting in Sint-Petersburg. Hij ging zelfs nog verder en drong er bij haar op aan te hertrouwen, zodat zijn kinderen een vader zouden hebben. Hij wilde niet dat degenen die hem het dierbaarst waren om zijn daden werden gestraft.

Hij moest een jaar als dwangarbeider in een mijn in een uithoek van de Siberische provincie Irkoetsk zwoegen. Geketend aan een kruiwagen werkte hij daar, omringd door wreedheid en dood. Hij was halverwege de dertig toen hij besefte dat ware onderdrukking werkt door de slachtoffers ervan tegen elkaar op te zetten.

Na een jaar van mensonterende dwangarbeid kreeg hij het bevel de rest van zijn ballingschap door te brengen in de dunbevolkte streek van Oost-Siberië, in Tsjita. Deze plaats lag achthonderd kilometer ten oosten van Irkoetsk, de grootste stad van Siberië, nabij de kruispunten van de wegen naar Mongolië en China. Het kleine Tsjita werd bevolkt door veel Boerjats: boeddhisten die hun cultuur en godsdienst uit Mongolië hadden meegebracht.

Tegen de tijd dat Aleksandr in Tsjita arriveerde was hij een met vodden bekleed skelet. Hij had gedacht dat verbanning naar een eenzaam, door de wind gegeseld dorp gemakkelijk zou zijn, vergeleken bij zijn ervaringen in de mijn. Maar hij ervoer een ander soort pijn: eenzaamheid en isolement. Toen hij in de eindeloze wintermaanden van bijna voortdurende duisternis en gierende wind over zijn verloren leven nadacht, over de vrouw en kinderen die hij nooit meer zou zien, in een hut die zo koud was dat zijn haar 's ochtends aan zijn schamele brits zat vastgevroren, besefte hij dat hij verandering moest brengen in zijn lot. Als hij dat niet deed, zou hij eenzaam en verbitterd sterven. Voor een man als Aleksandr was de enige manier om in Siberië te overleven, proberen iets productiefs te doen. En hij had behoefte aan een vrouw om hem 's nachts warm te houden.

Het dorp kwam tot leven in de korte maar warme zomer. Aleksandr vroeg iedereen die hij tegenkwam naar werk. De meeste dorpsbewoners wisten dat ontwikkelde ballingen niet erg nuttig met hun handen waren en ze aarzelden om een revolutionair in dienst te nemen.

Een van hen wilde het wel met Aleksandr Danilovitsj proberen. Temoejin, een vatenmaker, leerde Aleksandr de duigen voor vaten te zagen en te schaven, in ruil voor eten en een betere hut. Temoejin had Aleksandrs bouw bekeken en hem zich met wat vlees op de botten voorgesteld. Hij was onder de indruk van zijn beschaafde manier van doen en zijn onvermoeibare arbeidsethos. Het kon hem niets schelen dat Aleksandr was verbannen omdat hij een revolutionair was. Temoejin was een Boerjat, een weduwnaar afkomstig uit Verchnevdinsk, ook wel Opper Vdinsk genoemd, een plaats ten oosten van het Bajkalmeer. Temoejin zag Aleksandr als een eerlijke, hardwerkende man. Op deze manier schonk hij hem hoop.

Aleksandr hield van de geur van de houtkrullen en het troostvolle ritme van de dissel over de stroken hout. Na een paar maanden arriveerde er nog een decembrist in Tsjita, iemand van zijn stand die dezelfde strijd voor dezelfde zaak had gevoerd, en diens vriendschap betekende voor Aleksandr een zekere verlichting. Toen er geleidelijk aan nog meer ballingen naar Tsjita kwamen, vormden ze hun eigen kleine sociale milieu.

Twee mederevolutionairen waren zo fortuinlijk nog steeds getrouwd te zijn. Hun vrouwen hadden de eindeloze, wanhopige reis gemaakt waarbij ze alles wat ze bezaten verloren hadden om bij hun man te kunnen zijn. Steeds als Aleksandr de echtparen zag dreigde hij te zwichten voor zelfmedelijden en zijn behoefte aan een eigen kameraad werd nog heviger. Er waren in Tsjita een paar Russische vrouwen die ongehuwd of weduwe waren, maar zij waren van boerenkomaf. Aleksandr kon zich niet voorstellen dat hij zou trouwen met iemand anders dan een Russische vrouw van stand, zoals zijn vrouw was geweest.

Aanvankelijk besteedde hij weinig aandacht aan Temoejins dochter Oela als ze haar vader zijn middageten bracht. Hoewel hij haar Mongoolse gelaatstrekken aanvankelijk niet erg aantrekkelijk vond – met de donkere, amandelvormige ogen, de kleine, sierlijke neus en lippen, en het glanzende zwarte haar dat ze in haar nek met een speld bijeenhield en tot op haar middel liet hangen – raakte hij uiteindelijk gewend aan haar gezicht en haar verlegen glimlach. Hij wist haar ingetogen, gewillige karakter eveneens naar waarde te schatten. Ze sprak Boerjat met haar vader maar sprak met de ex-kolonel in een formeel Russisch met een licht accent dat naarmate hij meer belangstelling voor haar toonde, een leuk ritme kreeg.

Oela was verloofd geweest met een jonge Boerjat die aan een ziekte was gestorven in het jaar dat Aleksandr in Tsjita arriveerde. Ze vond de militair beschaafd en netjes, eigenschappen die ze bij de Russische boeren in Tsjita nooit had meegemaakt. Er was iets in de directe manier waarop hij naar haar keek – met respect en toch met belangstelling – in tegenstelling tot de bescheidener Boerjat-mannen, wat haar zowel nerveus als opgewonden maakte.

Oela's vader wilde zijn dochter graag gelukkig getrouwd zien. Aleksandr was met zijn vijfendertig jaar vijftien jaar ouder dan Oela, maar dat was geen punt. Temoejin maakte zich meer zorgen over het verschil in hun cultuur en godsdienst. Aleksandr ging dagelijks naar de mis in de kleine orthodoxe kerk die hij samen met andere decembristen had helpen bouwen.

Toen Aleksandr bij Temoejin officieel om de hand van Oela vroeg, bracht de vader zijn zorgen ten aanzien van de godsdienst ter sprake. Aleksandr had hem resoluut gezegd dat hij er geen enkele moeite mee had als Oela haar boeddhistische geloof wilde behouden. Mochten er kinderen komen, dan konden die in beide geloven worden grootgebracht.

En zo trouwden Aleksandr en Oela. Aleksandr leerde zijn nieuwe vrouw haar naam in het Russisch te schrijven en hij las haar 's avonds voor. Hij luisterde naar verhalen over haar kinderjaren en hij leerde van alles over het boeddhisme. Hoewel ze heel weinig gemeen hadden, was Aleksandr dankbaar dat hij een rustige, niet-veeleisende vrouw had met wie hij verder door het leven kon, en hij voelde oprechte vreugde toen een jaar na hun huwelijk Timofej Aleksandrovitsj werd geboren. Het zag er lang naar uit dat hij hun enige kind zou blijven, maar zeven jaar later werden ze blij verrast met de geboorte van Nikolaj Aleksandrovitsj.

Tegen de tijd dat de kleine Tima oud genoeg was om een gebedsmolentje te laten draaien en met zijn moeder de gebeden op te zeggen in de *datsan* – de tempel van de Boerjat-boeddhisten – evenals de gebeden voor de iconen, en op de orthodoxe manier een kruis te slaan zoals zijn vader hem had geleerd, had Aleksandr Temoejin geholpen het bedrijf uit te breiden. Hoewel het jonge paar aanvankelijk bij Temoejin in de traditonele izba had gewoond, was Aleksandr weldra in staat zijn eigen huisje te bouwen. Hij bouwde het in de stijl van de kleine landelijke datsja's, waar hij als kind zoveel warme zomers had doorgebracht, en hij schilderde de houten luiken ervan blauw.

Ondanks het besef dat hij nooit meer door de straten van een drukke, opwindende stad zou lopen, nooit meer een hoog legerpaard zou berijden, nooit meer met de sociale elite van Sint-Petersburg of Moskou zou kunnen verkeren, en nooit meer enige verandering in de Russische politiek zou kunnen bewerkstelligen, voelde Aleksandr Kasakov toch een vreemd soort geluk.

Hij had de energie verloren ergens voor te vechten. Hij had genoeg van conflicten.

Als hij 's avonds een kruisteken maakte boven zijn slapende zoontjes, of in het donker van de nacht zijn vrouw in zijn armen hield, met zijn gezicht in haar dikke, geurende haar, vond hij dat hem een nieuw leven was geschonken. Zijn vrouw en twee dochters in Sint-Petersburg konden niet worden vervangen, maar met Oela en zijn zonen kon hij het verdriet loslaten.

Timofej had de ogen en de hoge jukbeenderen van zijn moeder geërfd, maar van zijn vader had hij de blanke huid en de zachte golven in zijn zwarte haar. Zijn jongere broer Nikolaj – Kolja – had het blonde haar en de diepblauwe ogen van hun vader. Hij was ook tengerder van bouw dan zijn broer.

Aleksandr zorgde ervoor dat zijn zonen konden lezen en schrijven, zowel in het Russisch als in het Frans. Hij besprak met Tima in eenvoudige termen de politieke situatie in Rusland zodra hij dacht dat de jongen het kon begrijpen. Hij praatte openlijk over zijn vroegere leven in het leger, zijn rol in de opstand en de reden voor zijn verbanning. Hij benadrukte het belang van vrijheid, en hoe hij hiervoor had gevochten, voor de boeren die meer dan tachtig procent van de Russische bevolking uitmaakten. 'In vrijheid te kunnen leven, je eigen land te kunnen bezitten – en je eigen ziel – is het allerbelangrijkste voor een mens,' vertelde hij zijn zoon. 'Op andere plaatsen in de wereld bestaat vrijheid voor iedereen. Bedenk dat wel en zorg dat je nooit bezit wordt van een ander mens. Vrijheid is een van God gegeven recht.'

Tima vormde niet altijd een willig gehoor, maar hij verslond gretig de boeken die zijn vader bezat. En algauw had Aleksandr alle boeken van zijn vrienden geleend om tegemoet te komen aan de leeshonger van zijn oudste zoon. Kolja daarentegen had niet zoveel belangstelling om te lezen, of te leren rekenen, of de verhalen van zijn vader over hun land aan te horen. Hij zat liever stilletjes voor de haard of voor het fornuis, zijn hoofd wat scheef alsof hij luisterde naar iets wat niemand anders kon horen. Als heel klein kind neuriede hij veel en maakte eenvoudige melodietjes met kleine Tibetaanse klokjes en blokken hout. Op jonge leeftijd vond hij het heerlijk om naar de gebedshuizen van beide ouders te gaan, waar hij in opperste concentratie luisterde naar het ritmische zingen van de orthodoxe priester of naar de Tibetaanse monniken als die op hun gong sloegen of met hun bellen rinkelden. Hij hield altijd op met waar hij mee bezig was wanneer de Russische kerkklokken 's ochtends en 's avonds begonnen te luiden en hij knikte met zijn hoofd op het ritme.

Oela beschermde Kolja in alle opzichten door hem te dwingen niet te veel verwachtingen van hem te hebben, zoals bij Tima. Aleksandr vond dat ze het kind betuttelde en diep in zijn hart wenste hij dat zijn tweede zoon meer als Tima was, even geïnteresseerd in de wereld om hem heen, even spontaan en onderzoekend.

Temoejin bezat een stokoude harmonica, en af en toe speelde hij hierop voor zijn kleinzoons. Toen Kolja vier jaar was, pakte hij hem uit zijn grootvaders handen en duwde en trok eraan met een wonderlijke aandacht, terwijl hij zijn kleine vingertjes op de knoppen legde. Binnen een week had hij zichzelf leren spelen en bracht hij muziek voort die geen van hen ooit had gehoord. Het waren niet de Boerjat-melodieën die zijn moeder voor hem zong, en ook niet de vrolijke soldatenliedjes of Russische volksdeuntjes die zijn vader floot. Niemand van hen begreep hoe hij dit kon, maar Aleksandr besloot ten slotte dat Kolja een natuurtalent was. Met zuurverdiende kopeken betaalde hij een bejaarde balling die prachtig vioolspeelde om zijn zoon les te geven. De oude man had een fraaigebouwde kleine viool, en hij gaf de jonge Kolja les op dit instrument.

O, de jongen kan zeker spelen, zei de oude muziekleraar na drie lessen tegen Aleksandr. Binnen een jaar meldde de leraar dat het geen zin had dat Aleksandr nog meer geld uitgaf aan zijn lessen.

'Ik kan de jongen niets meer leren,' zei de oude man. 'Hij heeft heel snel muziek leren lezen. En als hij eenmaal een deuntje heeft gehoord, kan hij het perfect naspelen. Hij bedenkt zijn eigen melodieën en hij kan alles wat ik wil met mij samenspelen.' De muziekleraar zei verder dat hij zelden zo'n jong talent had gezien.

Aleksandr kocht de kleine viool van de oude man en gaf hem aan Kolja. De jongen speelde elke dag uren achtereen en toonde weinig belangstelling voor iets anders. Hij vertelde zijn ouders dat als hij speelde de wereld een prachtige gouden kleur kreeg, de kleur van bladeren in de herfst wanneer de zon erdoorheen scheen.

Terwijl Kolja de taal van de viool leerde, werd Timofej groot en sterk en deed hij allerlei wedstrijden met de andere jongens in Tsjita. Het was zijn ouders duidelijk dat hij de eigenschappen van een leider bezat en ze zagen hoe de anderen hem met respect en een zekere behoedzaamheid behandelden en zich altijd naar hem richtten.

Kolja daarentegen was gevoelig en fysiek broos. Zijn moeder was blij dat hij liever binnenbleef om op zijn viooltje te spelen dan buiten in de koude wind te lopen. Bovendien maakten Kolja's lange, krullende haar en grote ogen en fijne gelaatstrekken hem tot een doelwit voor de andere jongens, en hij werd gepest wanneer hij naar buiten ging, naar de modderige weg die dwars door het dorp liep.

Als hij toch naar buiten ging, was het aan Tima om hem te beschermen. Tima werd kwaad als hij werd gedwongen op zijn broertje te passen. 'Schiet op, Kolja. Kun je niet wat harder lopen?' sarde hij het jongetje dat achter hem aan draafde terwijl hij met lange passen liep om zijn vrienden bij te houden. 'Stop je handen in je zakken als ze koud zijn – hou es op met zeuren.'

Als Kolja struikelde en zijn knieën schaafde en huilde om naar huis te gaan, schudde Tima zijn hoofd. 'Je moet flinker zijn, Kolja.

Je kunt niet altijd naar mama hollen wanneer er iets is,' zei hij, en daarna veegde hij met zijn mouw de natte neus van Kolja af terwijl hij over zijn schouder keek of de andere jongens hem niet zagen. 'Je moet hier niet tegen mama over jammeren,' zei hij, wijzend naar Kolja's knieën, 'anders krijg ik problemen omdat ik niet goed op je heb gepast. Beloof me dat,' zei hij, en Kolja snoof en knikte naar zijn grote broer.

Aleksandr en Oela besteedden al hun aandacht aan Kolja, omdat hij dat nodig had. Timofej was op jonge leeftijd al zelfstandig. Met elf jaar werkte hij al bij zijn vader. Temoejin was het jaar ervoor gestorven en Aleksandr had het werk van de oude man, het maken van houten hoepels om vaten, overgenomen. Aleksandr nam Tima mee naar de vatenmakerij en leerde hem de kneepjes van het maken van duigen, zoals Temoejin hem dat jaren geleden had geleerd: het slijpen van stukken hout om de duigen aan de uiteinden taps te laten toelopen terwijl ze in het midden breed moesten blijven, om aldus een cilindrische welving in het vat te kunnen maken. Er was een scherpe blik voor nodig, niet alleen om de tapse uiteinden te beoordelen, maar ook om zwakke nerven of knoesten in het hout op te sporen. Tima snapte het meteen. Vervolgens vertelde Aleksandr Tima alles over het gereedschap van dit vak: de dissel, schaaf, vijl, hamer, en een aantal beitels, en Tima leerde de buitenkant van elke duig glad te schaven en de binnenkant iets hol te maken. De duigen werden vervolgens natgemaakt, zodat ze de juiste welving konden krijgen. Als de hoepels eenmaal om de duigen waren bevestigd, smeerde Tima de duigen met pek dicht.

Aleksandr nam, toen het bedrijf floreerde en Tima en hij alle opdrachten niet konden uitvoeren, nog een man in dienst, Antip. De vaten werden voor opslag gebruikt, niet alleen in Tsjita maar ook in veel omringende dorpen en gehuchten.

Wanneer Tima klaar was voor die dag – zijn vader liet hem twee uur eerder ophouden dan Antip en hijzelf – moest hij op zijn broertje passen. Dit was om zijn moeder tijd te geven voor haar bezigheden zonder dat de jongen zich aan haar vastklampte. Timofej kreeg de opdracht bij goed weer met Kolja naar buiten te gaan voor wat frisse lucht en ervoor te zorgen dat de jongen niet werd geplaagd of zich pijn deed.

Maar als Tima er een volledige werkdag op had zitten, wilde hij een paar uur met zijn vrienden optrekken en niet voor zijn broertje hoeven zorgen. Hoewel hij Kolja wel wilde beschermen, begon die rol hem steeds meer te ergeren; Kolja werd ouder maar niet flinker.

Toen Tima op een middag op de harde grond geknield lag om met drie vrienden een gokspelletje met stenen te spelen, hoorde hij Kolja's kreten van verderop, hoewel hij hem had gezegd dat hij zich koest moest houden tot Tima klaar was.

'Tima! Tima, help me!'

Tima keek over zijn schouder. Een veel grotere en oudere jongen duwde Kolja voor zich uit en hield hem aan zijn haar vast.

'Ben jij een meisje of een jongen, met al die krullen?' plaagde de jongen, en hij rukte lachend aan het haar.

'Tima!' huilde Kolja.

Tima probeerde te blijven spelen, maar Kolja begon steeds harder te roepen, tot het ten slotte stil werd.

Een van zijn vrienden gaf hem een por. 'Kijk eens naar je broertje.'

Hij liet zijn steen vallen en keek achter zich. Kolja lag roerloos op de grond. Tima sprong overeind en rende naar hem toe. 'Kolja,' zei hij, en hij schudde de jongen aan zijn schouder. 'Kolja, wakker worden.'

Na een tijdje deed Kolja zijn ogen open. 'Hij duwde me omlaag, Tima.' Hij haalde diep adem en probeerde niet te huilen. 'Wees maar niet bang, Tima, ik zal het niet aan mama vertellen.'

Tima hees hem overeind. Er liep een dun straaltje bloed over Kolja's wang, waar hij op een scherpe steen was gevallen. 'Alles is goed met je.' Hij spuugde op zijn vingers en veegde het bloed van Kolja's wang. Het was een kleine schram.

'Ik heb je geroepen, Tima. Maar je kwam niet.' Kolja keek hem aan met een treurige blik. 'Je kwam niet.'

Timofej haalde zijn schouders op. 'Het is tijd om naar huis te gaan. En denk eraan, niets tegen papa of mama zeggen.'

Kolja probeerde Tima's hand te pakken, maar Tima rukte zich los en liep voor zijn broertje uit naar huis.

In de jaren die volgden zou hij nooit die blik van Kolja vergeten, of de klank van zijn stem, of hoe hij zijn hand van hem had weggerukt.

Hoewel Aleksandr Kasakov het gedegen, rustige leven in Tsjita voor zichzelf had geaccepteerd, wenste hij dat hij zijn zonen meer kon geven. Hij wist wat in een Siberisch dorpje de toekomst voor hen zou inhouden en hij dacht vaak aan de carrière die Timofej in het leger had kunnen maken, of het bestaan dat Nikolaj als musicus had kunnen leiden met optredens in een orkest, voor een enthousiast publiek in Sint-Petersburg of in Moskou. Hij besefte ook dat dit slechts dromen waren.

Toen Tima veertien was en Kolja net zeven was geworden, had Aleksandr tot zijn schrik de eerste bloedspatjes in zijn zakdoek gehoest. Hij hield dit zo lang mogelijk voor zijn vrouw en zonen verborgen. Uiteindelijk werd zijn vrouw bang van het zware, eindeloze hoesten, gevolgd door een kleine bloeding, en werd hij van schrik tot actie aangezet.

Aleksandr verwachtte dat Timofej het bedrijf zou overnemen. Vanaf de eerste dag dat hij zijn zoon een stuk hout in de handen had geduwd en had laten zien wat hij ermee moest doen, had de jongen het werk handig en vakkundig aangepakt. Daarnaast was hij goed met cijfers: sneller, had Aleksandr het afgelopen jaar beseft, dan hijzelf met het noteren van bestellingen en het erop toezien dat de roebels binnenkwamen.

'Ik ben trots een zoon te hebben die het bedrijf kan voortzetten,' zei hij vaak tegen Timofej. 'Je zult nooit hongerlijden omdat mensen altijd vaten nodig zullen hebben. En wanneer het tijd wordt om te trouwen en een gezin te stichten, zul je hun een goed leven kunnen bieden. En wat je broertje betreft... nou, hij mag van geluk spreken dat jij er altijd zult zijn om voor hem te zorgen. Hij zal je nodig hebben, Tima. Als je moeder en ik er niet meer zijn, zul jij zijn enige familie zijn.' Toch maakte hij zich zorgen of Tima zijn plicht ten opzichte van zijn broer wel serieus zou nemen.

In de jongen herkende hij een gevoel voor avontuur, een afkeer van te worden verteld wat hij moest doen. Aleksandr bespeurde de rusteloosheid van zijn oudste zoon, en toch veronderstelde hij dat Timofej blij was erfgenaam van het familiebedrijf te zullen zijn.

Timofej wist geen waardering op te brengen voor zijn vaders beschrijvingen van zijn toekomst. De verhalen over Aleksandrs vroegere grootse leven in Rusland en verder in Europa hadden in Timofej een verlangen naar ontdekkingen en uitdagingen opgeroepen. Tima hechtte weinig belang aan het punt van de lijfeigenschap, ondanks alle uitleg van zijn vader. Het land hier was net zo meedogenloos en hard als een wrede meester. Er was weinig hoop verder te kunnen komen in de geïsoleerde steppen en de winterse taiga's van Aziatisch Rusland.

'U hebt nooit gevraagd of ik het werk graag doe,' zei Timofej tegen hem. 'Dacht u nou echt dat ik de rest van mijn leven tevreden zou zijn met de eentonigheid van het schaven van duigen?' Tima haatte de voortdurende splinters in zijn handpalmen, de stank van de zwarte pek en de manier waarop het onder zijn nagels bleef zitten. 'Ik wil niet voor altijd vatenmaker moeten zijn.' Zijn stem klonk opstandig.

Aleksandr bleef stilzitten terwijl Tima voor hem liep te ijsberen en hij vroeg toen: 'Wat zou jij dan willen doen?'

'Ik weet het niet. Maar ik wil niet hier blijven.'

Timofej stelde zich een veel opwindender toekomst voor zichzelf voor, mogelijk in Irkoetsk. Dat was veel geciviliseerder dan Tsjita en het was, had Tima gehoord, echt een schitterende stad met een eigen theater, een museum, openbare parken waar op warme zomeravonden orkesten speelden, en met houten trottoirs over de modderige straten. Hoewel hij nooit buiten Tsjita was geweest, wist Timofej dat het dorp te klein voor hem was.

Toen Timofej ten slotte begreep dat zijn vader dodelijk ziek was en dat van hem werd verwacht dat hij niet alleen het bedrijf zou overnemen maar ook de rest van zijn leven – in Tsjita – voor zijn jongere broer verantwoordelijk zou zijn, daalde er een grote, donkere wolk over hem neer.

Timofej wilde niet worden belemmerd. Hij begon verder te denken dan Irkoetsk, aan de wereld buiten Siberië, misschien in een van de grote steden van Rusland. Als hij werd gedwongen de route te volgen die zijn vader voor hem had uitgezet, kreeg hij het gevoel dat zijn leven tot stilstand zou komen nog voordat het begonnen was.

Aleksandr beschouwde Tima's opstandige woorden slechts als aanstellerij van een eigenwijze jongeman. Hij meende dat zijn bedje was gespreid. Nikolaj, de kleine Kolja, was zijn zorg.

En Aleksandr, die de metalige smaak van zijn bloed in zijn keel proefde, zond alle gebeden op die hij maar kon bedenken, smekend om een teken over wat hij met zijn jongste zoon moest doen. Moest er niet iets gebeuren met de muzikale aanleg van die jongen? Moest er niet een beter leven voor hem zijn dan in een dorpje verbijsterend mooie muziek op zijn viool spelen?

Hij vertelde Oela over zijn grote bezorgdheid, maar ze weigerde te geloven dat haar man spoedig zou sterven. En zelfs als dat zo was, nou, ach, ze dacht dat zij er nog veel jaren zou zijn om voor haar jongste zoon te zorgen en zijn leven zo gelukkig mogelijk te maken. Ze wist weinig over de wereld voorbij Tsjita en ze had er ook geen belangstelling voor. Toen Aleksandr haar vroeg te bidden, haalde ze desondanks haar gebedsmolen tevoorschijn en ging twee keer per dag naar de datsan, brandde wierook en zong voor de kleine replica's van stoepa's, terwijl ze repen blauwe stof – gebedsvlaggen – bond aan de geluksbomen aan weerszijden van de boeddhistische tempel.

Toen gebeurde er iets wat Aleksandr deed geloven dat de gezamenlijke orthodoxe en boeddhistische gebeden het zozeer verlangde teken hadden gebracht.

26

In mei 1842 werd bekendgemaakt dat er in Tsjita voor het eerst een concert zou worden uitgevoerd door een kleine groep musici uit Irkoetsk. Ze zouden vier avonden in het dorpshuis spelen. Aleksandr stuurde zijn vrouw en zonen naar het eerste concert. Toen ze thuiskwamen schitterden Kolja's ogen. Hij zei tegen zijn vader dat dit de mooiste muziek was die hij ooit had gehoord. Hij was pas acht, maar hij sprak met volwassen hartstocht.

Kolja haalde zijn viool tevoorschijn en speelde enkele melodieën van het repertoire dat hij zojuist had gehoord, met zijn ogen dicht. Hij bewoog alsof hij door een geest was bezeten en zijn lichaam wiegde heen en weer terwijl hij met zijn strijkstok over de snaren ging. Aleksandr werd overweldigd door de omvang van de mogelijkheden van zijn zoon, en hij werd bang voor wat er van hem moest worden in een plaats als Tsjita.

Toen Oela en zijn zonen naar bed waren, schreef Aleksandr een brief. De volgende morgen gaf hij die aan Timofej, om te bezorgen bij de dirigent van het orkest. Het was een uitnodiging voor de maestro om bij hen thuis te komen eten. Aleksandr had geschreven dat hij, kolonel Aleksandr Danilovitsj Kasakov, wist hoever en hoe lang de maestro en zijn orkest vanaf Irkoetsk hadden gereisd, en dat hij hem nu zijn beste Russische gastvrijheid wilde bieden in dit primitieve en onontwikkelde dorp.

Hoewel Aleksandr besefte dat de dirigent terdege zou begrijpen dat een voormalig lid van het Russische leger in Irkoetsk een politieke balling moest zijn, hoopte hij dat de man hier niet moeilijk over zou doen. Gelukkig voor hem maakte de maestro een moeilijke tijd door; hij had schulden en hij kon in Irkoetsk niet genoeg werk vinden om ze af te betalen. Hij was genoodzaakt geweest maandenlang door Oost-Siberië te trekken en in dorpen en steden te spelen. Hij haatte het ongemakkelijke reizen, het op muzikaal gebied onwetende publiek, en het armzalige loon dat hem voor zijn talent werd betaald. Hij voelde zich gevleid met de uitnodiging van een Russische voormalige kolonel. Het kon hem niet schelen wat de man – deze polkovnik – in zijn vroegere leven had gedaan. Het enige wat hij wist, was dat hij veel zin had in een goede maaltijd en een kort respijt van de tochtige kamers boven de ellendige zaal waar hij met zijn musici was ondergebracht.

Hij schreef terug dat hij graag de volgende avond wilde komen en hij gaf dit bericht aan de jongeman die op een antwoord stond te wachten.

Toen de maestro de volgende avond arriveerde, stond Aleksandr heel voorzichtig op om zijn gast te begroeten. Hij wilde geen hoestbui krijgen. Hij was blij met de opmerkingen van de maestro over de gezelligheid van zijn huis en de heerlijke geuren van de maaltijd die zijn vrouw bezig was te bereiden. Aleksandr stelde zijn gezin en zichzelf voor – 'zeg alsjeblieft Sasja' – waarmee hij een onmiddellijke vriendschap met de maestro impliceerde.

Oela kon uitstekend koken, en het stevige, smakelijke eten, gecombineerd met een eindeloze aanvoer van de beste wodka die Tsjita te bieden had, hield het gesprek levendig. Nadat Oela de tafel had afgeruimd, droeg Aleksandr de kleine Kolja op iets te spelen.

'Wat moet ik spelen, papa?' vroeg de jongen terwijl hij zijn viool uitpakte.

'Een van je eigen composities, Kolja,' zei Aleksandr, terwijl hij even naar de maestro keek. Hij lette op het gezicht van de man terwijl zijn zoon speelde. Toen het kind klaar was, knikte de man langzaam. Aleksandr stuurde Kolja naar zijn slaapkamer om zijn viool op te bergen en zei tegen Tima dat hij naar zijn vrienden mocht gaan. Daarna vroeg hij zijn vrouw naar de keuken te gaan om de samowar klaar te maken en thee en koekjes binnen te brengen. 'En?' zei Aleksandr. 'Wat vind je ervan?'

De maestro knikte opnieuw en keek naar Aleksandrs bleke kleur, naar de huid die strak over zijn uitgemergelde gezicht gespannen was. Hij zag hoe de man probeerde de diepe, borrelende hoest in zijn zakdoek te smoren, en hij begreep dat de tering hem nog voor het einde van de maand zou opeisen. 'Hij bezit een aanzienlijk talent.'

'Ik wil u een voorstel doen,' zei Aleksandr, en de maestro knikte voor de derde keer. Hij begreep in welke richting het voorstel zou gaan. 'Ik wens dat mijn zoon het beste leven krijgt dat voor hem mogelijk is. Voor iemand met zijn talent zijn er weinig mogelijkheden hier in Tsjita. Ik besef dat hij nog maar een kind is – hij is net acht geworden – maar is het niet beter om op jonge leeftijd met een professionele opleiding te beginnen?'

'U wilt uw zoon met mij naar Irkoetsk sturen?' vroeg de musicus, die geen tijd wilde verspillen als hij al begreep hoe de uiteindelijke vraag zou luiden.

'Ik wil graag dat hij zijn talent zo goed mogelijk kan benutten,' zei Aleksandr. Het werd steeds moeilijker om zijn hoesten te bedwingen en hij had al drie zakdoeken verbruikt. Hij had ze zo snel mogelijk in zijn schoot opgevouwen, zodat de man het bloed niet kon zien. 'Hij wil niets liever dan vioolspelen en zijn karakter is hiermee in overeenstemming. U zult hem een aandachtige en gehoorzame leerling vinden. Als u hem misschien les zou kunnen geven en kunnen begeleiden… ik verwacht echt niet dat hij ooit Moskou of Sint-Petersburg zal bereiken. Maar hij zou in Irkoetsk ongetwijfeld een waarderend publiek – en een zinvol bestaan – kunnen vinden. Net als u.'

De maestro schonk hem een blik die moeilijk te doorgronden was. Aleksandr hield aan.

'Als hij in Tsjita blijft, zal hij zijn leven lang thuis in zijn eentje moeten spelen of op een incidentele boerenbruiloft. Ik wil meer voor hem dan dat.' Zijn gezicht verkrampte, en hij hoestte zo hard in zijn zakdoek dat het als overgeven klonk.

De maestro haalde zijn eigen zakdoek tevoorschijn om zijn neus en mond af te schermen. Oela kwam haastig uit de keuken en ging bij haar man staan, met haar vuist tegen haar mond gedrukt, alsof zij ook grote moeite had om niet te hoesten. Ze klopte met haar andere hand op zijn schouder en zei zacht: 'Sasja, Sasja.'

De hoestbui zakte af en Oela verdween weer naar de keuken. De maestro zei: 'Ik begrijp het. Maar het kind is nog erg jong en we moeten nu open en eerlijk zijn. Als hij bij zijn moeder vandaan wordt gehaald... hoe zal hij dat verwerken? Zelfs de reis met ons naar Irkoetsk, denkt u dat uw zoon dat aankan?'

De dirigent stelde zich in gedachten echter al de hoeveelheid geld voor die hij met een kind met zoveel talent zou kunnen verdienen. Binnen een paar jaar zou de jongen voor de hoogste prijs aan een landeigenaar in de westelijke Russische provincies kunnen worden verkocht, als violist voor zijn orkest van horigen. Ze wedijverden voortdurend met elkaar, die rijke aristocraten die niets beters te doen hadden dan hun gasten en zichzelf te amuseren.

Aleksandr had geen antwoord gegeven op deze vragen.

'Ik vertrek over twee dagen,' zei de maestro langzaam. 'Zou de jongen dan klaar kunnen zijn?'

Aleksandrs gezicht baadde in het zweet. Hij kon zich niet voorstellen hoe Kolja weg zou zijn van zijn moeder en zijn thuis, onder de hoede van een vreemde. 'Hij zal klaar zijn,' zei hij, terwijl hij probeerde zijn instinct te negeren. 'En ik weet dat hij de reis zal volbrengen. Het is een flinke jongen.' Het was een regelrechte leugen om Kolja flink te noemen, maar hij was wanhopig genoeg om dit voor zijn zoon te doen.

Oela kwam binnen met de samowar. Toen ze die in het midden van de tafel zette en zich omdraaide om de koekjes uit de keuken te halen, vroeg de maestro: 'Hoe zei u dat de naam van de jongen was?'

'Timofej Aleksandrovitsj,' antwoordde ze. 'Hij is net vijftien geworden. En u kunt zien dat hij al een echte man is.'

'Nee, de andere.'

'O, mijn kleintje is Nikolaj Aleksandrovitsj, *moj malisjka*. Kolja,' antwoordde ze met een trotse glimlach. Aleksandr deed zijn ogen dicht, niet in staat te verdragen wat hij op het punt stond haar aan te doen. Kolja aan te doen. Hun allen aan te doen.

Het is voor zijn bestwil, zei hij tegen zichzelf, en hij greep naar de fles wodka zonder te beseffen dat er bloedspatten op zijn kin zaten.

Toen de maestro was vertrokken, probeerde hij een manier te bedenken om Oela over zijn plan voor Kolja te vertellen, om haar erop voor te bereiden en haar te laten begrijpen dat hij het deed voor de toekomst van hun kind. Dat ze hem in Irkoetsk zou kunnen bezoeken: Timofej zou de tocht minstens elke zomer met haar maken.

Toen ze midden in de nacht de slaapkamer uit kwam en naar Aleksandr liep, die nu in kussens op de bank sliep om haar niet in het gezicht te hoesten, zat hij rechtop. Bij het licht van de kaars die ze bij zich had zag hij de bezorgdheid op haar gezicht, maar de vlam accentueerde ook de kringen onder haar ogen en de rimpels rond haar mond. Ze leek opeens een stuk ouder.

'Je hoest niet, Sasja,' zei ze. 'Waarom kun je niet slapen?'

Hij keek naar haar op, naar haar lange, zwarte vlecht, nu met grijze haren erdoorheen, die over haar ene schouder hing.

'Je huilt,' zei ze, en ze knielde naast de bank. 'Ik heb je nog nooit... Wat is er?'

Hij kon niets uitbrengen.

'Ik zal wat thee zetten,' zei ze, en ze wilde gaan staan, maar hij greep haar bij de pols. Hij haalde diep adem en streek met zijn andere hand over zijn ogen en wangen. 'Het is de toekomst, Oela,' zei hij. 'Ik maak me zorgen over wat er met jou en met de jongens zal gebeuren als ik er niet meer ben.'

'Ik wil er niet over praten,' zei Oela, en ze rukte haar pols los.

'We moeten erover praten. Je weet dat het gaat gebeuren. Al snel,' voegde hij eraan toe, en Oela kneep haar lippen opeen en deed haar ogen dicht.

'Je kunt niet doen alsof er niets aan de hand is,' zei hij, en daarop begon zij ook te huilen en ze knielde weer neer en legde haar hoofd op zijn knieën.

'Ik heb een plan,' zei hij tegen haar, en ze hief haar gezicht naar hem op en keek hem aan. 'Voor Kolja.' Maar hij kon niet verder. Hij wist wat het voor haar zou betekenen om Kolja te moeten missen. Het zou als een sterfgeval zijn, nog voordat hij ging. Wat had hij zich toch in het hoofd gehaald? Hoe had hij ooit kunnen denken dat dit een goed idee was? Nee. Hij zou de dirigent een nieuwe brief schrijven, en hem vertellen dat hij van gedachten was veranderd. Tima zou die brief morgen brengen. Hij was impulsief geweest en dwaas.

'Ik maak me de meeste zorgen over Kolja,' zei hij ten slotte.

Oela knikte. 'Dat weet ik. Tima zal succes hebben met het bedrijf. Dat zie ik nu al. Hij werkt voor twee en hij is handig met cijfers. Dus Kolja kan bij hem werken.'

Ze wisten beiden dat dit laatste niet waar was.

'Wil je dan niet méér voor hem?'

Hierop werd Oela's gezicht weer beheerst. 'Het was goed genoeg voor mijn vader en het was goed genoeg voor jou. Waarom zou het niet goed genoeg zijn voor de jongens? Het is eerlijk werk.'

Aleksandr zag dat ze deed alsof ze de vraag niet begreep. Zijn keel trok samen en hij deed hevige moeite om niet te gaan hoesten, wat zou leiden tot erger en nog erger hoesten, en uiteindelijk tot een bloeding. Maar hij was niet bij machte het tegen te houden. Terwijl hij hoestte, voorovergebogen, met een zakdoek tegen zijn mond om al het bloed te absorberen, haastte Oela zich om thee te zetten. Er werd niets meer over Kolja's toekomst gezegd.

De volgende morgen – een rustige voorjaarsdag met een wolkeloze hemel – stond de dirigent in de deuropening van Aleksandrs huis.

Tima was in de kuiperij aan het werk en Kolja speelde viool in de slaapkamer van de jongens. Aleksandr lag in kussens op de bank. Oela had haar mand gepakt om boodschappen te doen. Voor ze wegging had Aleksandr haar gevraagd om pen, papier en inkt klaar te leggen. Zodra hij iets meer op krachten was, zou hij de brief schrijven en die later die dag door Tima laten bezorgen.

De aanblik van de dirigent in de deuropening deed een koude rilling door Aleksandrs verhitte lichaam gaan. Zijn keel was rauw van het hoesten, hij had koorts en alles deed pijn. Slechts met de grootste moeite wist hij in een zittende houding overeind te komen, waarna hij met een bleke hand beverig zijn haar gladstreek.

Achter de dirigent zaten de andere musici in een open *tarantass* die door drie paarden werd getrokken.

'Goedendag, Kasakov,' zei de maestro. 'Ik weet dat ik een dag te vroeg ben, maar gisteravond was er zo weinig publiek in de zaal en er was zo weinig begrip – waardering – dat ik heb besloten dat het zonde van onze tijd is om het laatste concert uit te voeren. Kun je je zoon nu gereedmaken?'

Aleksandr antwoordde niet maar likte langs zijn lippen. De muziek in de slaapkamer hield op.

'Kom op. We hadden een overeenkomst,' zei de maestro, nog steeds vanuit de deuropening. 'Ik vertrek nu meteen uit Tsjita en we moeten voor donker in het volgende dorp zijn.'

Aleksandr zei nog steeds niets. Toen de maestro de kamer binnenkwam en voor hem bleef staan, stapte Kolja de slaapkamer uit met zijn viool in de ene hand en de stok in de andere. Hij liep in dit warme weer blootsvoets en hij droeg een schone witte tuniek en een zwarte broek. Aleksandr zag – was het voor het eerst? – hoe smal de enkels van zijn zoon waren.

Nikolaj keek de maestro aan en glimlachte lief. 'Hallo, meneer,' zei hij.

Aleksandrs borst trok pijnlijk samen, en op dat moment besefte hij dat hij door moest gaan met wat hij oorspronkelijk van plan was geweest. Snel, voor hij weer van gedachten veranderde. 'Kolja,' zei hij, 'ik wil dat je je laarzen aantrekt. Zoek daarna je kleren bij elkaar – al je kleren – en doe ze in een meelzak. Pak er een uit de keuken. En doe ook je viool in de kist.'

De jongen knikte, liep naar de keuken en toen weer terug door de zitkamer naar zijn slaapkamer, met de lege zak onder zijn arm. Aleksandr wist dat zijn zoon geen vragen zou stellen. Hij deed altijd zonder aarzelen wat hem gezegd werd.

Terwijl ze zwijgend wachtten, gingen Aleksandrs gedachten razendsnel, samen met het bonzen in zijn borst. Hij voelde het brandende gewicht van het bloed dat zich in zijn longen verzamelde. 'Je zult goed voor de jongen zijn,' zei hij tegen de dirigent. 'Je zult zien dat hij goed luistert en gehoorzaam is. Hij is...' Hij zweeg. 'Hij is mijn zoon, weet je.' Hij trok het stuk blanco papier naar zich toe en krabbelde snel een paar regels neer, vol inktspatten. 'Hij kan lezen, hoewel hij misschien nog niet helemaal begrijpt wat hier staat, voordat hij ouder is. Het is heel belangrijk voor me dat hij begrijpt waarom dit hem overkomt. Zul je ervoor zorgen dat hij de brief die ik hem geef niet verliest?'

De maestro knikte, maar hij keek er ongeduldig bij en Aleksandr wilde niet dat hij de jongen in een nijdige stemming mee zou nemen. 'Kolja!' riep hij, terwijl hij opeens kracht vond. 'Kom eens. Kom nu even hier.'

De jongen kwam zijn kamer uit met de volle zak in de ene hand en de kleine vioolkist in de andere. Hij keek zijn vader met grote ogen aan. Aleksandr besefte dat hij hem bang had gemaakt door hem met zo'n ongewoon luide stem te roepen. 'Er is niets, Kolja,' zei hij zacht. 'Alles is goed... je hebt niets misdaan.' Hierop liet Kolja zijn schouders zakken en hij glimlachte naar zijn vader. 'Kolja,' zei Aleksandr toen, terwijl hij streed tegen het gevreesde gevoel in zijn borst, 'jij gaat met de maestro mee.'

Kolja keek hem aan, met zijn hoofd een beetje scheef.

'Jij gaat vioolspelen met de anderen. Dat wil je toch graag, hè? Je wilt elke dag vioolspelen en mooie melodieën bedenken.'

Kolja glimlachte en knikte. 'Ja, papa, ik zal vandaag met hen op mijn viool spelen, en dan kom ik vanavond thuis om mama erover te vertellen.'

Aleksandr deed zijn ogen dicht. Zijn mooie, muzikale Kolja. Hij stopte het opgevouwen stuk papier in de tuniek van de jongen. 'Je moet dit altijd bij je houden,' zei hij. 'Begrijp je?' Hij legde Kolja's hand op de tuniek. 'Het is héél erg belangrijk. Er staat in hoe je heet en waar je woont. Mijn naam staat erin en de naam van je moeder, en van Tima. Er staat ook in dat... het is een brief voor jou om te lezen. Je hoeft hem niet nu te lezen. Lees hem als je een grotere jongen bent, Kolja. Je mag hem nooit verliezen.'

Kolja klopte op het papier, glimlachte om het geritsel en knikte naar zijn vader. 'Mama maakt vandaag *sjoeba* voor het avondeten. Ik vind fijngehakte haring met ei heel lekker.'

Aleksandr trok de jongen tegen zich aan. Hij voelde de botten van het kind, met nauwelijks vlees erop. Toen keek hij in het smalle gezicht en veegde het haar van zijn voorhoofd naar achteren. 'Je bent een goede jongen,' zei hij. 'Blijf altijd denken dat je vader en je moeder je een goede jongen vinden. En je bent een geweldige musicus. Echt geweldig.'

Kolja knikte opnieuw.

'Ga nu maar met de maestro mee,' zei Aleksandr, toen de hoest weer in hem opborrelde. 'Zeg je papa eens gedag.' Hij kuste de jongen op het voorhoofd en op de wangen, omdat hij vanwege zijn ziekte Kolja's lippen niet wilde beroeren.

'Ga nu,' drong hij aan, omdat hij wilde dat zijn zoon vertrok voordat het hoesten begon, en ook omdat hij wist dat hij zou moeten huilen.

27

*O*ela kwam thuis op het moment dat de tarantass ratelend het dorp uit reed.

'Van wie was dat rijtuig?' vroeg ze, terwijl ze haar mand neerzette. 'Voel je je nu wat beter?' Toen ze naar haar man keek en die vreemde, ondoorgrondelijke uitdrukking op zijn gezicht zag, werd ze opeens slap in haar benen. Ze slikte even en liep naar hem toe. 'Wat is er, Sasja?'

'Oela,' begon hij, niet in staat de juiste woorden te vinden. 'Onze jongen, ik... ik dacht...' Hij keek naar de kamer van de jongens.

Ze volgde zijn blik. 'Is Tima gewond geraakt op het werk? Tima?' riep ze. Toen er geen antwoord kwam, liep ze haastig de kamer door met klepperende laarzen op de kale houten vloer. 'Koljenka?' zei ze, en ze keek in de opgeruimde, lege kamer. Met een ruk draaide ze zich om naar Aleksandr. 'Wat is er gebeurd? Kolja? Waar is hij?'

Aleksandr zag zo bleek – afgezien van de twee felle koortsblosjes op zijn wangen – dat Oela op dat moment wist hoe hij eruit zou zien als hij dood was.

'Het is beter zo, Oela. Hij zal een toekomst hebben.'

'Wie?'

'Kolja.'

'Een toekomst?' Oela's stem klonk laag van verwarring. 'Kolja's toekomst is hier, bij ons.' Ze rechtte haar rug. 'Bij mij. Dit is zijn thuis. Hij kan nergens anders zijn dan hier, bij mij.' Haar stem werd luider. 'Wat heb je gedaan?' Ze keek naar de openstaande voordeur en knipperde met haar ogen, alsof ze wakker werd uit een diepe, verwarrende droom.

Oela rende op een vreemde, glijdende manier naar hem toe, met uitgestoken armen, alsof de kamer dreigde te kantelen. 'Zeg op, wát heb je gedaan?' gromde ze met een vreemde lage stem. Ze keek weer naar de openstaande deur. 'Wat heb je gedaan, Aleksandr Danilovitsj?'

Wat hád hij gedaan? Aleksandr werd overmand door paniek en hij voelde een hevige hoestbui opkomen. Hij dacht aan het tengere lichaampje tegen zijn lichaam – met de uitstekende schouderbladen. 'Zijn muziek,' bracht hij uit. 'Zijn talent. De maestro kan...'

Op dat moment steeg er een dierlijke brul uit Oela's keel op. Aleksandr had dit geluid nog nooit gehoord, zelfs niet bij haar bevallingen. Ze rende het huis uit, de weg af, met haar jammerkreten die weergalmden.

Timofej draagt het geheim met zich mee van wat er daarna gebeurde.

Hij hoorde zijn moeders kreten vanuit de vatenmakerij aan het eind van de weg en dacht: het is gebeurd, papa is dood. Er kon niets anders zijn dat zijn moeder zo deed gillen. Hij rende naar buiten en zag haar zijn kant uit hollen, met haar omslagdoek wapperend achter haar aan, haar rok met beide handen hoog opgehouden waardoor er zoveel van haar benen te zien was dat hij zich geneerde, ondanks de kille angst in zijn buik.

'Papa?' riep hij, en hij holde haar tegemoet. 'Gaat het om papa?'

Ze schudde haar hoofd, ze hapte naar lucht met speeksel op haar lippen en een vreemde, asgrauwe gloed op haar huid. 'Ga gauw!' schreeuwde ze, en ze duwde hem tegen zijn schouder. 'Het gaat om Kolja. Ga hem achterna.' Ze hijgde hevig en probeerde toch te praten.

'Wat is er gebeurd? Waarheen? Is hij van huis weggelopen?'

Toen sloeg ze hem, ze sloeg hem hard op zijn wang en hij greep haar bij de pols. Zijn moeder was altijd zo zachtaardig. Ze gilde nooit, ze had hem nog nooit geslagen, en ze had zelfs nooit naar een van hun honden geschopt. Ze was heel anders dan de moeders van zijn vrienden, die hun zonen geregeld sloegen. Hij was zo verward dat hij niet wist wat hij ervan moest denken.

'Ik zei toch dat je gauw moest gaan! Hol erheen. Neem een paard. Ga ze achterna,' hijgde ze tussen haar snikken door, terwijl haar lichaam schokkend beefde.

'Ja, ja, ik zal het doen. Maar u moet me vertellen wie. Wie moet ik achternagaan? Wat is er met Kolja gebeurd?' Hij legde zijn handen op haar schouders. 'Mama?'

Bij dat laatste woord haalde Oela diep en beverig adem en probeerde ze haar zelfbeheersing te herwinnen. Ze veegde haar lippen af. 'Het spijt me, Tima. Het spijt me. Het is de maestro. Je vader… hij heeft hem met die man mee laten gaan. Hij heeft hem aan hem gegéven! Hij neemt hem mee.'

'Heeft hij hem weggegeven?' Tima vroeg zich af of zijn moeder krankzinnig was geworden. Zijn vader kon zoiets echt niet hebben gedaan.

'Muziek, voor de muziek. Hij heeft mijn kind meegenomen, mijn Koljenka.' Ze begon weer te huilen en viel op haar knieën op de weg terwijl ze Tima's eeltige handen vastgreep. De mensen waren uit alle deuren naar buiten gekomen om naar hen te kijken.

'Timofej Aleksandrovitsj!' riep iemand. 'Heb je hulp nodig?'

Tima gaf geen antwoord. Hij draaide zich om en holde de weg af, met een lange, grijze stofwolk achter zich aan.

Hij had misschien vijf minuten over de kronkelige weg geholt toen er een paard achter hem aan kwam sjokken. Het was een oude knol, een ongezadelde Mongoolse pony, maar de man die naar hem had geroepen had Oela's smeekbeden gehoord. Hij had het paard van zijn erf gehaald en was Timofej achternagegaan. Hij liet zich van het paard glijden en Timofej gebruikte de manen van het paard om zich op de blote rug te slingeren.

Met zijn vingers in de manen dreef hij het dier met een reeks schoppen in haar flanken voort. De oude merrie deed haar uiterste best, strompelend in een moeizame, ongelijkmatige draf, en binnen nog eens tien minuten ontwaarde Timofej in een wolk van stof de achterkant van het open rijtuig van de muzikanten.

Hij schopte het paard nog harder, en ze wist in galop te gaan, en Timofej zag dat hij begon in te lopen. Nog even en hij zou het rijtuig hebben ingehaald. Hij zou langszij komen en tegen de dirigent roepen dat hij zijn broertje terug moest geven. Het berustte allemaal op een misverstand – het was bij nader inzien niet de bedoeling dat Kolja meeging.

Hij stelde zich voor dat Kolja zat te huilen. Begreep Kolja wat er gebeurde? Misschien zat zijn broertje wel te glimlachen, dacht hij dat hij gewoon een ritje met een rijtuig maakte.

Nee. Kolja zou zitten huilen.

Zelfs als de maestro zich zou verzetten, zou Timofej hem onder druk weten te zetten. Door zijn werk had hij een brede borst en gespierde armen gekregen. Hij kende zijn eigen kracht, en hij stelde zich voor hoe hij de man uit de tarantass zou trekken en als eerste met zijn vuist uit zou halen. De andere inzittenden waren magere jonge muzikanten. Ze zouden bang voor hem zijn en beducht om hun handen – hun dagelijks brood – te bezeren. Het zou heel eenvoudig zijn om Kolja op te pakken en voor hem op die oude knol te zetten.

Tima stelde zich voor dat Kolja opgelucht zou lachen, net als die andere keren dat Tima hem te hulp was gekomen. Hij stelde zich ook het gezicht van zijn moeder voor, haar opluchting en overweldigende vreugde wanneer hij met Kolja naar hun huis reed.

Het gezicht van zijn vader kon hij zich niet voorstellen; Timofej begreep niet hoe hij dit kon hebben laten gebeuren.

Dit alles ging door zijn hoofd terwijl hij achter het rijtuig aan zat. Het stof prikte in zijn ogen en kleefde op zijn lippen. Zelfs met zijn mond dicht proefde hij het gruis van de weg.

Ten slotte was hij zo dicht genaderd dat hij het gerinkel hoorde van de belletjes op het tuig van de paarden die de tarantass trokken.

En toen, als een kleine explosie met een bijbehorende lichtflits, zag Tima iets anders. Hij zag zichzelf op een paard. Niet dit versleten, doorgezakte exemplaar, maar een stevig, vurig paard, terwijl hij wegreed uit Tsjita, over deze zelfde weg.

Zonder zijn broertje om voor te zorgen, waarmee hij voor de rest van zijn leven een blok aan het been zou hebben, zou hij wanneer zijn moeder hem niet meer nodig had vrij zijn om te gaan. Hij zou niet aan het bedrijf gebonden zijn of aan Kolja.

Tima zou vrij zijn om het leven te leiden dat hij begeerde, door niets en niemand gehinderd.

Alsof ze deze gedachten hoorde, vertraagde het paard haar stap, snoof proestend en schudde het hoofd.

Hij schopte haar weer, en hij was nu zo dicht bij het rijtuig dat hij dacht het achterhoofd van Kolja te zien. Het hoofd draaide zich om. Was het Kolja die hem riep? *Tima. Tima, help me.*

De tarantass kwam bij een wegsplitsing. Tima kneep zijn ogen half dicht, turend door het stof naar de lichamen op de houten banken van het rijtuig voor hem. Maar het beeld was duidelijk: het gezicht van zijn broertje nat van de tranen, huilend om hem zoals hij dat al zo vaak had gedaan, afhankelijk van hem om te worden gered. Hij had hem nodig, vandaag en voor altijd.

En opeens, zomaar, in een moment dat hem zijn hele leven bij zou blijven, trok Timofej zijn hakken op. Op dit teken ging het paard nog langzamer lopen en stond toen stil. Haar hoofd ging omlaag terwijl er een huivering van opluchting door haar heen ging.

Timofej bleef in de warme meizon op het hijgende paard zitten tot het rijtuig de linkerafslag van de uitgesleten, stoffige weg nam en uit het zicht verdween.

Langzaam reed hij terug naat Tsjita, waar hij het paard teruggaf aan de vriendelijke buurman. Hij liep naar huis. Zijn moeder bleef hem lang staan aankijken. Toen hij zijn hoofd schudde, liep ze huilend naar de slaapkamer.

Tima hield zijn gezicht strak, niet in staat iets te zeggen, bang dat erop te lezen stond wat hij had gedaan.

Zijn vader lichtte zijn overwegingen toe, op zoek naar het begrip dat hij niet van zijn vrouw kon krijgen. 'Je moet weten waarom ik dit het beste vond, zoon,' verklaarde hij zwak, moeizaam ademhalend. Hij veegde zijn mond af. 'Je weet hoe Kolja is, dat weet je misschien wel beter dan wie ook. Ik heb er echt goed aan gedaan.' Hij staarde naar de met bloed besmeurde zakdoek in zijn hand.

Timofej kwam dichter naar zijn vader toe. 'Nee. U hebt er geen goed aan gedaan. Kijk eens wat u mama hebt aangedaan. En Kolja... hij zal zich nooit kunnen redden weg van huis. Van ons, van mij. Ik zal het u nooit vergeven. Hoort u me? Nooit!' Daarna rende hij naar buiten.

Tijdens het rennen besefte Tima dat hij Kolja veel slechter had behandeld dan zijn vader had gedaan. Zijn vader had tenslotte uit liefde gehandeld, niet uit egoïsme, zoals hij.

Timofej besefte dat dit hem nooit zou worden vergeven, zelfs niet als hij het aan een priester biechtte. Het maakte niet uit wat voor boetedoening hem zou worden opgelegd, wat voor absolutie hem zou worden gegeven. Het maakte niet uit of hij naar de datsan zou gaan om aan gebedsmolentjes te draaien, en blauwe gebedsvlaggetjes zou binden aan alle takken die hij maar kon vinden. Hij zat gevangen tussen twee godsdiensten en hij was zich bewust van zowel de vlammen van de eeuwigdurende hel als van de macht van karma. In de ene godsdienst zou hij na zijn dood een eeuwig-heid moeten lijden, en in de andere zou hij als nietswaardige mest-kever worden herboren.

Hij besefte dat hij zichzelf nimmer zou vergeven. Aan de ande-re kant besefte hij ook dat als hij voor een tweede keer voor die keuze zou komen te staan, hij hetzelfde zou doen.

De dag die volgde op het begaan van zijn grote zonde kwam Timofejs moeder zijn kamer binnen terwijl hij zich klaarmaakte om naar zijn werk te gaan. Ze vroeg hem dringend naar Irkoetsk te gaan. De muzikanten zouden dagenlang reizen en onderweg in dorpen overnachten. Timofej kon van dorp tot dorp gaan tot hij Kolja had gevonden en mee naar huis kon nemen. 'Sluit de kuipe-rij en ga op weg,' zei ze op doffe toon, met een vlekkerig gezicht en dikke ogen door een nacht van huilen.

'Maar papa is...' Hij maakte zijn zin niet af. 'Mama, hoe kan ik weggaan als papa zo ziek is?' Hij keek even in de richting van de zitkamer, waar zijn vader op de bank lag.

Oela schudde haar hoofd. 'Maak je geen zorgen over je vader.' Haar stem klonk hard, het schokte hem. Hij dacht dat hij de in-tensiteit van haar woede kon begrijpen, maar haar ijskoude reactie op dit moment kwam voor hem als een even grote verrassing als de klap in zijn gezicht de vorige dag. Had hij haar ooit echt ge-kend? Of kwam dit door haar grote verdriet?

'Je kunt genoeg geld uit het bedrijf opnemen om desnoods hele-maal naar Irkoetsk te reizen,' zei ze. Ze deed geen poging haar stem te dempen. 'Je moet blijven zoeken tot je Kolja hebt gevon-den, en dan moet je hem bij me terugbrengen.'

'Wat maakt u zo zeker dat ik Kolja zal vinden?' durfde Tima te zeggen, terwijl hij een onverklaarbare woede jegens zijn moeder in zich voelde oprijzen. Hij wist dat het haar zou kwetsen zijn twij-fels te horen, maar door zijn woede werd iets van zijn schuldge-voelens weggenomen. 'Het is immers een grote plaats?'

'Er kunnen maar een paar dirigenten wonen, en er zullen misschien maar een paar kleine jongens zijn die viool kunnen spelen zoals hij en nieuw zijn in de stad. Je zult hem weten te vinden,' zei ze, met zoveel stelligheid dat er voor Timofej niets anders op zat dan te knikken. Hij zei: 'Ja, ja, ik zal gaan, als papa...' Hij wendde zich af voor hij de zin afmaakte. Oela zei, nog luider, alsof ze er zeker van wilde zijn dat Aleksandr het kon horen: 'Ja, zodra je vader je niet meer nodig heeft, kun je op weg gaan om mij mijn zoontje terug te brengen.'

Aleksandr Danilovitsj Kasakov stierf drie dagen nadat Timofej het rijtuig met Kolja had zien wegratelen.

Die drie dagen waren vervuld van verdriet. Timofej vertrok vroeg naar zijn werk en bleef daar zo lang mogelijk. Hij wilde niet in het huis zijn met het eindeloze hoesten en bloedspuwen van zijn vader, en met het zachte, gestage huilen van zijn moeder.

Hij werd gekweld door de laatste woorden die hij tegen zijn vader had gesproken.

Het was spookachtig stil in huis zonder het gehoest van zijn vader.

Zijn lichaam lag in de open, ruwhouten kist die op stoelen in de zitkamer stond, omringd door flakkerende kaarsen. Zijn stijve handen waren op zijn borst gelegd en gevouwen rond een kaars die zijn gezicht verlichtte. Timofej zat op een bank. Hij voelde zich gespannen, alsof hij elk moment een kuch uit de kist zou kunnen horen.

Eerder die dag waren er enkele vrienden van Aleksandr gekomen, maar Oela bood hun geen stoel of thee aan. Ze bleven een paar minuten in een pijnlijke stilte in de kleine kamer met het lage plafond staan en vertrokken vervolgens.

Toen ze weer alleen waren, was Oela naar haar slaapkamer gegaan, waarmee ze ervoor koos niet bij Timofej te blijven zitten, niet op de Russische manier te huilen en te bidden voor de ziel van haar man, of te zingen en wierook te branden op de boeddhistische manier. Timofej herinnerde zich de dood van zijn grootvader, toen hij tien jaar oud was, en hoe zijn moeder tegen hem had gezegd dat hij niet verdrietig moest doen, hoewel het niet erg was als hij moest huilen. De dood van Temoejin, vertelde ze, was slechts een omwenteling van de Kringloop der Wedergeboorten en het was belangrijk om kalm te blijven en goede gedachten te hebben. 'Temoejin ondergaat een verandering,' had ze gezegd, 'om zich voor te bereiden op zijn wedergeboorte. Mijn vader was altijd een goed mens en hij zal in een positieve vorm worden herboren.' Drie dagen lang waren er boeddhistische monniken en bezoekers in hun huis, werden er teksten opgezegd, en met tussenpozen klonk er gerinkel van bellen en tromgeroffel en het schallen van hoorns. Er waren brandende olielampen en wierook voor een Boeddha-beeld dat naast Temoejins lichaam stond, tot dit werd weggehaald om bij de datsan te worden verbrand. Er waren veel vrienden van Temoejin die hem zwijgend de laatste eer kwamen bewijzen. Alles leek sierlijk en langzaam, bijna als in een droom, te verlopen.

De begrafenisplechtigheden die hij daarentegen met zijn vader in de orthodoxe kerk van de decembristen had meegemaakt, waren luidruchtig en chaotisch geweest, waarbij God werd gesmeekt erbarmen te tonen voor de zondige zielen van de overledenen. In de ogen van Timofej veroorzaakten de orthodoxe rituelen een zekere hopeloosheid rond de dood, die een noodzakelijk gevolg was van het menselijk leven, vanwege de erfzonde – in tegenstelling tot de boeddhisten, die geloofden dat de dood noodzakelijk was om het eeuwige leven deelachtig te worden.

Timofej was geschokt dat zijn moeder weigerde zijn vader met respect te behandelen volgens een van beide godsdiensten. Hij was niet bij machte de intense woede van Oela te doorgronden – zelfs bij zijn dood kon ze Aleksandr niet vergeven wat hij had gedaan, kon ze niet om hem rouwen. Terwijl hij daar die lange, donkere nacht zat, besefte hij dat dit kwam doordat ze al rouwde om Kolja.

Bij het flakkerende licht van de kaars treurde Timofej in zijn eentje om zijn vader. Hij zat naar Aleksandrs wasachtige profiel te kijken en dacht aan alle tijd die hij met hem had doorgebracht, hoe zijn vader hem in twee talen had leren lezen en schrijven, de wereldgeschiedenis en de politiek en het leven buiten Tsjita had besproken en hem ook het vak had geleerd. Hij dacht aan de keren dat zijn vader hem op de schouder had geklopt en trots naar hem had geglimlacht, en hij voelde oprecht verdriet.

Toen huilde hij, op zijn knieën naast de kist, terwijl hij zijn crucifix kuste. Tijdens dit huilen besefte hij ook dat hij grotendeels om zichzelf huilde.

Hij zag het egocentrische van zijn gedrag in, en hij besefte dat wat hij nu ging doen even slecht of nog slechter was.

De dag na de begrafenis – Aleksandr werd volgens de Russische riten op het kerkhof achter de houten orthodoxe kerk met het groene dak begraven – zei Oela tegen Tima dat hij naar Irkoetsk moest vertrekken. 'Je vader is dood. Er is geen reden om nog langer hier te blijven. Hoe langer Kolja bij mij vandaan is, hoe moeilijker hij het zal krijgen.'

'Wilt u dat ik nu meteen vertrek? Moet ik niet blijven voor de negendagenplechtigheid ter nagedachtenis aan papa? Het geeft me een vreemd gevoel om...' zei Timofej, maar Oela schudde ongeduldig haar hoofd. 'Je moet gaan.'

Haar gezicht verkrampte en Timofej realiseerde zich dat ze niet had gehuild tijdens de begrafenis van Aleksandr, maar dat ze er als diep in gedachten verzonken bij had gestaan, terwijl ze naar de uitbottende bomen achter de kerk staarde. 'Kolja is de enige die mij weer beter kan maken,' zei ze. 'Alleen Kolja, mijn jongetje. Hij moet hier zijn, bij mij. Hij is alles wat ik wil en wat ik nodig heb.' Daarna draaide ze zich om en Timofej voelde iets kouds in zijn borst.

'Goed,' zei hij tegen haar rug, met kalme stem. 'Ik zal gaan zodra ik de laatste bestelling heb afgehandeld, over twee of drie dagen.' Hij zou de vatenmakerij moeten sluiten. Antip, die tien jaar ouder was dan Timofej en die heel goed in lichamelijk werk was, kon niet lezen. Hij volgde gewillig de bevelen van de jongere man op, maar hij bezat absoluut geen ambitie. 'Ik zal een paard kopen en dan ga ik op weg.'

De volgende twee dagen werkte Timofej onvermoeibaar door om de bestelling af te maken. Het ritme en de eentonigheid van de beweging – het gerasp van de dissel op het hout – kalmeerden hem en stelden hem in staat een plan te bedenken.

Het ging gemakkelijker dan hij had gedacht. Hij zei tegen Antip dat de kuiperij voor onbepaalde tijd zou worden gesloten en hij gaf hem een week extra loon, waarbij hij zich verontschuldigde omdat hij de man zonder werk liet zitten. Daarna stelde hij een papier op om ervoor te zorgen dat zijn moeder de opbrengsten zou krijgen van de eventuele verkoop van het bedrijf. Als getuige en ter ondertekening vroeg hij zijn vaders trouwe vriend Georgi, de enige overgebleven balling in Tsjita. De rest van de decembristen was gestorven. Velen waren ouder dan Aleksandr geweest en ze waren allemaal fysiek verzwakt door hun zware dwangarbeid.

'Dit is om mijn moeder te beschermen,' zei Timofej tegen Georgi, 'voor als mij iets mocht overkomen.'

Georgi schudde zijn hoofd. 'Een sterke jongeman als jij zal de kuiperij nog vele jaren langer leiden dan dat je moeder op deze aarde zal zijn.'

Timofej knikte maar vroeg de man toch het papier voor hem te bewaren.

Met geld uit het bedrijf kocht hij Felja, een mooi jong Don-paard, en een paar nieuwe laarzen. Zijn moeder maakte zoveel eten voor hem als in de gevlochten zadeltassen paste en ze gaf hem twee warme Mongoolse dekens die van jakwol waren geweven.

Hij nam zijn vaders crucifix en boeken mee, en een gebeds-molen. Hij nam ook de kleine svirel mee, die Kolja hem op zijn vorige naamdag had gegeven. Kolja had Tima's naam er onhand in gekerfd en hij had hem op het familiefeest trots aan zijn grote broer gegeven.

'Je zult hem vinden, en dan kom je meteen terug,' zei Oela toen Timofej naast zijn paard stond. Het was ochtend, en de kerkklokken luidden voor de late mis.

Timofej kon haar niet in de ogen zien. Hij streek met zijn hand over Felja's hoge, honingkleurige schoft die door zon verguld werd.

'Hoeveel dagen heb je nodig om daar te komen?' vroeg zijn moeder.

'Veel. Het zal afhangen van het weer en van de wegen.' Tima wilde zo snel mogelijk wegrijden van het treurige maar toch ook hoopvolle gezicht van zijn moeder.

'Het is juni. Dat is mooi,' riep ze hem toe terwijl hij opsteeg. Ze had hem niet omhelsd.

Hij nam Felja's teugels in de hand en wendde het dier in de richting van de weg. 'Tot ziens, *mamasja*. Gezegend zijn uw beide handen,' zei hij. Hij herinnerde zich opeens hoe ze vroeger voor hem had gezongen als ze hem in bed onderstopte, en hoe ze glimlachte wanneer ze zijn lievelingsgerechten voor hem op tafel zette, hoe zacht haar aanraking was.

'Ik zal uitkijken naar jouw terugkeer met je broertje,' zei ze. 'Ik weet dat ik je kan vertrouwen. Je bent een goede zoon, Timofej Aleksandrovitsj. Een goed mens.' Ze gaf hem haar eigen zegen in het Boerjat, en Timofej dreef zijn paard aan en reed Tsjita uit.

28

$\mathcal{G}$risja probeerde de laatste woorden van zijn moeder aan
hem te vergeten. Hij weet, terwijl Antonina en hij van de
datsja naar Angelkov terugrijden, dat zijn moeder het bij het verkeerde eind had. Hij was geen goede zoon, en hij is geen goed mens.

Antonina's geur ligt op zijn huid. Er is iets met hem gebeurd in
die onverwachte, verwarrende en toch opwindende uren in de
datsja. Toen Antonina zichzelf toestond niet langer een gravin te
zijn maar een vrouw te worden, verloor hij de ijzeren zelfbeheersing die hij het grootste deel van zijn leven had weten te hand-
haven. Zoals hij haar zag liggen slapen, voelde hij het verlangen
haar te beschermen, het verdriet weg te nemen.

Het verdriet over een verraad dat hij op zijn geweten heeft.

Ondanks de manier waarop ze een uur geleden tegen hem sprak
voor ze zich omdraaide en de datsja uit liep, zijn zijn gevoelens
voor haar niet veranderd. Terwijl ze naast elkaar in stilte rijden,
met alleen het gesop van de paardenhoeven in de modder en het
gekras van kraaien, wil hij dat ze tegen hem glimlacht zoals ze in
het kaarslicht in de datsja tegen hem heeft geglimlacht.

Zoals hij haar nu ziet, met Michails jas – het enige wat ze nog
van hem heeft – tegen zich aan gedrukt, herinnert hij zich hoe ze
tien jaar geleden was, toen ze op het geselplein stond en haar baby
zo vurig beschermend tegen zich aan drukte.

Grisja weet dat ze hem onvoorwaardelijk vertrouwt. Hij vindt het moeilijk om terug te denken aan gisteren, in Toesjinsk. Hij had gehoopt – gebeden – dat hij naar de deur zou gaan die Lev had beschreven, hem de stapel roebels zou geven, waarna Michail de hut uit zou komen. Dat is niet wat er gebeurde. Lev had de jongen niet. Hij zei dat het ventje van Mitlovski in een ander dorp, verderop langs de weg, op Grisja zat te wachten. Hij zou het geld van Grisja aannemen en hem instructies geven over hoe hij de jongen kon vinden. Ga nu met me mee, had Grisja gezegd, breng me bij hem, maar Lev had zijn hoofd geschud. Grisja was woedend, ging tegen Lev tekeer terwijl hij de roebels bij zich hield en zei dat dit een nieuwe list was. Hij zou de roebels houden tot hij met zekerheid wist dat de jongen nog in leven was. Geef me het bewijs, breng hem dan naar me toe, en zodra ik hem heb zullen jullie je geld krijgen. En terwijl hij daar stond te ruziën, had hij het gegil van de gravin gehoord. Hij had het geld weer in zijn tuniek gepropt en was erheen gehold, waarna hij haar had aangetroffen met een gezicht vol bloed en wijzend naar een dorpskind dat Michails talmotsjka aanhad.

Toen hij was teruggegaan om de vader van het dove kind te ondervragen, had hij gezegd: 'Vertel me de waarheid.' Hij zag aan de nerveuze bewegingen van de jongere man dat hij iets verborgen hield. 'Weet je nog dat ik in het voorjaar naar Toesjinsk ben gekomen op zoek naar het kind van de landeigenaar?'

De man knikte.

'Dus je weet wie ik ben.'

De man knikte opnieuw.

'Dan heb je niets te vrezen. Het enige wat ik wil is het kind vinden en hem aan zijn moeder teruggeven.'

De man keek over Grisja's schouder naar Antonina.

'Je zult niet gestraft worden. Op mijn erewoord. Vertel me wat je weet.'

Hierop had de jongere man, met zijn arm om zijn vrouw geslagen, hem verteld dat ze de afgelopen zomer gedwongen waren de

349

jongen verborgen te houden, een paar maanden nadat Grisja naar Toesjinsk was gekomen om naar hem te zoeken. De jongen was door drie mannen gebracht. Dit was ergens begin juli, de gerst stond al hoog. Ze hadden 's nachts voor zijn deur gestaan. Hij wist nog dat het een warme nacht was geweest en dat de jongen zijn jas in zijn armen had gehad. Hij hield hem stevig vast, het was alles wat hij bezat. De man vertelde Grisja dat hij was uitgekozen om de jongen te verbergen omdat zijn vrouw en zijn zoon doofstom waren, ze konden met niemand anders communiceren dan met hem en niemand besteedde enige aandacht aan hen. Hij kreeg te horen dat als hij zou onthullen dat hij de jongen verborgen hield, of het kind zou toestaan hun izba te verlaten, zijn eigen kind zou worden gedood.

'Ik wist dat hij de ontvoerde zoon van de landeigenaar was. Maar wat moest ik doen?' zei hij tegen Grisja. 'Ik wilde het leven van mijn zoon niet in de waagschaal stellen voor het leven van andermans zoon.'

Grisja keek naar de dove jongen, met zijn hoofd tegen zijn moeders arm gedrukt. 'Was Michail... was de jongen in goede gezondheid?'

'Hij was mager en vies, zijn kleren waren gescheurd en zijn haar was lang; hij had wat blauwe plekken op zijn armen en benen. Hij praatte niet, behalve om mij te vragen hem te helpen ontsnappen. Hij zei dat zijn vader me honderden roebels zou betalen.' De dorpsbewoner haalde diep adem. 'Ik heb tegen hem gezegd dat zijn vader nu machteloos was en de jongen probeerde me te slaan. Ik zag dat hij bang was, maar ik begreep dat hij niet gemakkelijk te houden zou zijn. Ik moest er zeker van zijn dat hij niet iets zou doen wat de dood van mijn zoon zou betekenen.' Hij legde zijn hand op het hoofd van zijn zoon, en zijn stem werd brutaler.

'Ik heb hem een lesje geleerd, en hij werd tot bedaren gebracht. Ik moest hem vastbinden, omdat ik bang was dat hij zou proberen te ontsnappen, zelfs na het pak slaag. En toen hebben de mannen hem een week later opgehaald, weer midden in de nacht. Hij had liggen slapen toen ze hem losmaakten en hem naar buiten sleepten, en hij liet zijn jas hier liggen.' De man keek Grisja onderzoekend aan. 'Heb jij kinderen?'

Grisja schudde zijn hoofd. Hij voelde een tic in zijn rechterwang.

'Als dat wel zo was geweest, zou je begrijpen waarom ik dit allemaal heb gedaan.' Het gezicht van de jongere man stond uitdagend.

Grisja keek naar het vieze kind van de man. 'Zoals de gravin al heeft gezegd, zal er een nieuwe jas voor je zoon worden bezorgd. En ook een kleine beloning – voor je eerlijkheid.' Hij draaide zich om en liep terug naar Antonina, die in elkaar gezakt op haar paard zat te wachten.

Terwijl ze nu terugrijden naar Angelkov denkt Grisja aan de terloopse opmerking van de man over het pak slaag voor de jongen en het vastbinden van hem. Hij vraagt zich af hoe Michail het overleeft. Als hij het overleeft.

Michail heeft het voordeel dat hij een zoon van zijn moeder is. De jongen lijkt in alle opzichten op haar: intelligent en nieuwsgierig, gevoelig maar op zijn tijd ook ondeugend. Hij is innemend, net als zij. Als hij net zoals zijn vader was geweest, bazig en egoïstisch, zou het er misschien slechter voor hem uitzien. Grisja probeert zich te troosten door aan zijn eigen jeugd te denken. Hij was maar vijf jaar ouder dan Michail toen hij er in zijn eentje op uit trok en hij had het overleefd.

Maar de jongen is niet als Grisja. Nee, met zijn verfijnde bouw en intelligente vingers en instincten lijkt hij meer op een andere jongen die Grisja ooit heeft gekend. Hij moet erkennen dat Michail hem doet denken aan het broertje dat hij in geen twintig jaar heeft gezien. Kolja.

Sinds de ontvoering heeft Grisja zich dagelijks verwijten gemaakt omdat hij Michail in gevaar heeft gebracht en de gravin kapot van verdriet heeft gemaakt, alleen maar vanwege zijn min-achting voor de graaf.

Hij had niet meer gebeden sinds hij uit Tsjita was vertrokken. Toen Michail niet terugkwam zoals beloofd, voelde hij de behoef-te om te bidden. En dus ging hij naar de kerk op het landgoed, 's avonds laat als vader Kirill sliep, om te bidden dat het kind on-gedeerd zou blijven.

Bidden biedt geen verlichting voor zijn oude schuldgevoel. Voor de tweede keer heeft hij een kind bedrogen.

Als ze Angelkov binnenrijden komt Lilja het huis uit gehold. Ze hapt naar lucht en slaat haar handen voor haar mond als ze Anto-nina's gekneusde gezicht ziet, het bebloede lijfje onder haar open cape. Ze kijkt woest naar Grisja, alsof hij dit op zijn geweten heeft.

'Snel, mevrouw,' zegt Lilja dan, terwijl ze nog steeds naar Grisja kijkt. 'De graaf... het gaat slecht met hem.'

Antonina laat zich van haar paard glijden, met Michails jas nog in haar armen. 'Wat is er aan de hand?'

Lilja strijkt over de mouw van de talmotsjka. 'Waar was u, vannacht? Wat is er met uw gezicht gebeurd? En waar hebt u Misja's...'

Antonina loopt naar het huis. 'Vertel me wat er met de graaf aan de hand is.' Ze kijkt niet om naar Grisja.

Maar Lilja draait zich wel om en ze ziet hoe aandachtig hij Antonina nakijkt.

'Toen de graaf gisteravond zijn chloroform had gehad, is Pavel in slaap gevallen,' vertelt Lilja haar. 'Vlak voor het licht werd, toen Pavel wakker werd, zag hij dat het bed van de graaf leeg was. Hij dacht dat hij misschien naar uw kamer was gegaan. Dus ging hij daarheen, maar... maar ik was er alleen, ik zat op u te wachten. Hoe kon ik slapen, nu u niet was thuisgekomen?'

Antonina loopt over de veranda, gevolgd door Lilja, die snel praat. 'Pavel vertelde me dat uw man werd vermist. Ik ben toen naar het personeelsverblijf gegaan om Ljosja te wekken en hij heeft al het personeel gewekt om naar u beiden te zoeken. We dachten dat de graaf u misschien iets had aangedaan. We waren allemaal erg ongerust, Tosja.' Ze botst tegen Antonina op wanneer die blijft staan en zich naar haar omdraait.

'Dus hij is gevonden?'

'Ja, ja. Ljosja heeft hem op het kerkhof gevonden, drijfnat en rillend. Hij lag er op een oud graf. Toen hij thuis werd gebracht, zei hij dat hij bij zijn zoon was gaan slapen. Hij is heel erg ziek, Tosja, nog erger dan eerst.'

Tinka huppelt rond Antonina's voeten als ze door de lange gang naar Konstantins slaapkamer loopt. Pavel, die naast het bed zit, springt op zodra ze binnenkomt.

'Hoe is het met hem?' vraagt ze. De ademhaling van haar man klinkt moeizaam.

'Hij is weer ziek, mevrouw. Ik weet niet hoe lang hij buiten in de regen en in de kou is geweest, mevrouw. Het spijt me, ik dacht dat hij de hele nacht zou slapen, ik...'

'Het is niet jouw schuld, Pavel. Is de dokter gewaarschuwd?'

'Nee, mevrouw. Er was niemand om die opdracht te geven. U was er niet. We zijn naar Grisja's huis gegaan. Hij was ook niet op Angelkov.' Pavel blijft haar een paar seconden te lang aankijken.

'Stuur Ljosja naar dokter Molov. Ik ben terug, en ik geef nu opdracht.'

God strafte haar nu al voor haar gedrag in de datsja. Hij laat haar weten dat ze voor haar zonde zal moeten boeten.

Lilja volgt haar naar haar kamer, maar Antonina pakt Tinka op en zegt dat ze alleen wil zijn. Ze doet haar deur op slot en legt Misja's jas op de bank bij het raam. Ze wast zich en trekt schone kleren aan. Ze gaat zitten met de jas op haar schoot en strijkt er met haar hand over terwijl Tinka naast haar in slaap valt.

Ten slotte staat Antonina van het bankje op en kijkt in de spiegel naar haar blauwe ogen en opgezette neus. Vol schaamte dat ze haar lichaam met een andere man heeft gedeeld terwijl haar eigen man ronddoolde in de nacht, en terwijl ze alleen aan het zoeken naar haar zoon hoorde te denken, knielt ze neer in haar gebedshoek. Voor het tafeltje met haar iconen biecht ze God en de Heilige Maagd dat ze schuldig is aan het overtreden van een van de tien geboden en aan het begaan van een doodzonde. Ze smeekt om vergeving voor haar overspeligheid en haar wellust.

Die avond zit Antonina weer op het bankje bij het raam wanneer Lilja binnenkomt.

'Goedenavond, Tosja,' zegt ze, en ze kijkt even naar Michails jas die nog steeds met vet en roet en opgedroogd bloed besmeurd is en op Antonina's schoot ligt. 'Ik heb wat warme chocola voor je.' Ze zet het zilveren dienblad met de hoge, dampende beker neer en loopt dan naar het bed om de sprei terug te slaan. 'Heeft de dokter je iets voor de pijn aan je neus gegeven?'

'Hoe vind je dat ik eruitzie, Lilja?' vraagt Antonina, zonder op de vraag te reageren.

'Nou, je zult snel weer opknappen, Tosja.' Lilja legt de kussens op het bed recht. 'Je neus zal goed genezen. De pleisters die de dokter erop heeft gedaan, zullen je neus goed op zijn plaats houden zodat hij in model blijft, en…' Ze zwijgt en draait zich naar Antonina om. Ze houdt haar adem in.

'Tosja, wat is er? Je ziet er… anders uit.' Ondanks de smalle strookjes pleister over de brug van Antonina's neus en de blauwe plekken op haar gezicht, is er nog iets anders. Het lijkt veel, vindt Lilja, op hoe Antonina eruitzag in de eerste dagen nadat Michail was ontvoerd – alsof ze in een soort shock verkeerde.

'Anders? Zou jij je niet zo voelen als ik nu?' zegt Antonina. Ze slaat haar handen voor haar gezicht.

Lilja kan het allemaal niet meer volgen. Ze was ziek van ongerustheid toen Antonina de afgelopen nacht niet thuis was gekomen. Toen de dokter bij Konstantin was, had Antonina haar verteld over het kind dat ze met Misja's jas had gezien en hoe ze haar neus had bezeerd. Ze vertelde Lilja dat omdat ze dichter bij het huis van prins en prinses Bakanev waren, ze Grisja had gevraagd haar daarheen te brengen. Het was gaan regenen en de Bakanevs hadden haar overgehaald die nacht te blijven.

'Tosja,' dringt Lilja aan, 'wat is er? Wat vertel je me niet?'

Daarop heft Antonina haar gezicht uit haar handen maar ze zegt niets.

Lilja valt op haar knieën en grijpt Antonina's handen. 'Is er iets met Misja?' hijgt ze. 'Is er nog iets anders, iets anders dan zijn jas en zijn briefjes?' Lilja denkt dat alleen nieuw verdriet over haar zoon Antonina deze vreemde blik van angst zou kunnen geven. En er is nog iets anders.

Hierop wordt Antonina's gezicht strak en ze trekt haar handen uit die van Lilja. 'Nee. Er valt verder niets over Misja te zeggen.' Ze draait zich om naar het raam en staart naar de duisternis buiten.

Lilja ligt nog steeds geknield. 'Wil je dat ik Misja's jas meeneem om hem schoon te maken?' vraagt ze.

Antonina mompelt instemmend.

Lilja begrijpt dat er iets belangrijks is gebeurd, maar ze kan niet bedenken wat.

De volgende morgen vroeg ligt Antonina nog in bed wanneer Olga zachtjes op de deur klopt en zegt dat Fjodor haar wil spreken.

Antonina heeft niet kunnen slapen, ze moest steeds denken aan wat er in het dorp is gebeurd en wat er in de datsja is gebeurd. De dokter vertelde haar dat Konstantin er slecht aan toe was door zijn nacht buiten en dat hij vandaag terug zou komen om te zien hoe het met de graaf was.

Er is zoveel wroeging.

Ze slaat een omslagdoek over haar nachthemd en sluit Tinka in

355

haar slaapkamer op. Ze loopt de trap af op blote voeten. Haar haar zit in één lange vlecht die ze losjes rond haar hoofd heeft gespeld. De blauwe plekken in haar gezicht zijn donkerder geworden en zien er afschuwelijk uit. Het kan haar niets meer schelen dat het personeel haar zo ziet. Wat maakt het uit?

Als ze de trap af gaat voelt ze de spierpijn aan de binnenkant van haar bovenbenen – alweer een verwijzing naar wat ze met Grisja heeft gedaan.

In de vestibule staat Fjodor nerveus zijn pet in zijn handen rond te draaien. Zijn gezicht is bleek en gespannen. Antonina begrijpt zijn blik niet.

'Mevrouw,' zegt hij. 'Er is… ik heb helaas slecht nieuws.'

Wat zou er nog meer fout kunnen gaan? 'Moeder van God,' prevelt ze. 'Alsjeblieft. Het is… Het is toch niet Michail? Wat is er? Vertel het me, Fjodor,' zegt ze, met paniek in haar stem.

Hij kijkt naar de vloer en draait zijn pet sneller rond. 'Het spijt me, mevrouw,' zegt hij. 'Een van de paarden…'

Antonina slaakt een diepe zucht van opluchting. Het is niet Michail. 'Doenja? Is ze ziek?'

'Nee. Het gaat om Felja, het paard van Grisja. Die is dood. Het spijt me, mevrouw.'

Ze heeft even tijd nodig om dit te verwerken. Ze weet dat Grisja veel van zijn paard houdt. 'Maar er mankeerde hem niets. Grisja heeft hem gisteren nog bereden.' Ze loopt langs Fjodor heen om naar de stallen te gaan en te zien wat er is gebeurd, maar de man grijpt haar bij de arm. Ze kijkt omlaag naar zijn dikke vingers om de fijne batist van haar mouw. Zijn knokkels zijn donker, alsof ze enigszins gekneusd zijn. Er loopt een diepe schram met een verse korst over de rug van zijn hand, tot aan zijn pols. Hij kijkt Antonina aan en haalt zijn hand weg.

'Het is beter als u er niet naartoe gaat, mevrouw. U kunt het paard beter niet zien in deze…' Hij zwijgt en Antonina voelt opeens een zware steen in haar maag. 'Het is heel akelig, mevrouw, maar u moest op de hoogte worden gesteld. Het karkas zal zo snel mogelijk worden verwijderd.'

Antonina dringt langs hem heen en loopt in haar nachthemd snel het huis uit naar de stal. Ze is nog steeds blootsvoets, maar als ze over het erf loopt voelt ze de koude, aangestampte grond, plakkerig en nat van de regen van gisteren. Ze hoort Fjodors voetstappen achter zich. Haar adem vormt een dampsliert in de koele herfstlucht. Er staat een groepje mannen in de deuropening van de stal. Ze kijken allemaal naar de grond wanneer ze haar zien naderen en ze wijken voor haar uiteen wanneer ze haastig naar Felja's box loopt.

De stal is bijna leeg. In de afgelopen weken heeft Grisja het grootste deel van de Orlov-dravers – die als het hippische koninklijke huis van Rusland worden beschouwd – voor een goede prijs verkocht. De gravin was blij toen hij bij haar kwam met de roebels van de verkoop. Er waren nog maar zes paarden over: drie Orlovs om de trojka te trekken, Doenja, en een Arabische volbloed. En Felja.

Ljosja staat wijdbeens alsof hij de wacht houdt, zijn gezicht vertrokken van verdriet, zijn wangen nat. Hij schudt zijn hoofd en zegt: 'Nee, mevrouw.' Maar ze dringt zich langs hem heen.

Antonina staart in de box en haar verstand probeert haar te vertellen wat ze ziet. Ze knijpt haar lippen op elkaar om een kreet te bedwingen om wat er van Felja over is. Ze houdt een hand voor haar mond en neus. Er zoemt een zwerm vliegen rond het dier en de stank van bloed en blootgelegde organen is hevig.

Antonina kokhalst, niet alleen door de lucht maar ook om deze wreedheid.

Felja, de nobele, vurige Felja, is opengesneden vanaf de onderkant van zijn hals tot aan zijn staart. Helemaal over zijn buik zoals je een vis opensnijdt, en zijn ingewanden liggen in het stro van de box. De ogen zijn nog open.

Om de slanke, zwarte hals hangt een ruw touw en aan het touw hangt een ruw stuk hout. In houtskool staat er met spelfouten geschreven: *Dit is wat er gebeurt. Jullie doen niet wat we zeggen.*

'Waar is Grisja?' vraagt ze.

'Ik ben naar zijn huis gegaan, mevrouw,' zegt Ljosja, en hij veegt met zijn mouw over zijn ogen. 'Hij is er niet. Weet u waar hij is?'

Er klinken harde, snelle voetstappen, en opeens staat Grisja naast haar. Hij grijpt de bovenste spijl van de box beet en kijkt naar zijn paard. De huid rond zijn mond is wit door de shock.

Antonina wil zijn verdriet niet hoeven zien. 'Het spijt me, Grisja,' zegt ze, en haar stem klinkt zacht terwijl ze haar blik van hem afwendt.

'We zullen hem begraven, Fjodor,' zegt hij, met harde stem.

'Maar we verbranden dode dieren altijd. Het zal moeilijk zijn om zo'n groot...'

'We zijn met genoeg kerels. Hij zal niet worden verbrand. Is dat duidelijk?'

'Goed, Grisja,' zegt Fjodor. 'Als de gravin toestemming geeft,' voegt hij eraan toe, en hij keert zich naar haar.

Ze ziet dat zijn blik naar haar blote voeten gaat.

Het feit dat een staljongen – een voormalige horige, moet ze steeds weer tegen zichzelf zeggen – haar blote voeten ziet, doet haar beseffen wie ze is. 'Natuurlijk. Het zal zijn zoals Grisja wil. Dank je, Fjodor,' zegt ze, en hij kijkt van haar voeten naar haar gezicht. Ze weet niet zeker of Fjodor haar aankijkt met iets wat een fractie minder is dan respect. Dan knikt hij naar de mannen achter hem en Antonina stapt opzij, dichter naar Grisja toe, wanneer ze de box in gaan en een groot stuk zeildoek uitspreiden. Met veel gekreun en binnensmonds gevloek beginnen ze Felja's stoffelijk overschot de box uit te slepen.

Antonina kijkt naar hen, ziet hoe Ljosja moeite heeft zich te beheersen. Hij is een goede jongen. Man, verbetert ze zichzelf. Hij moet inmiddels ruim negentien zijn. Er schuilt geen geweld in hem.

Ze denkt aan Fjodors gekneusde knokkels, de diepe schram op de rug van zijn hand.

Is hij een van de mannen die Felja hebben afgeslacht en doet hij nu alsof hij geschokt is, om geen achterdocht te wekken?

Het volgende ogenblik vermaant Antonina zichzelf dat ze niet moet toestaan dat haar verbeelding met haar op de loop gaat. Alle staljongens hebben verse blauwe plekken en schrammen boven op oude littekens van het harde werk dat ze verrichten. Fjodor en Rajsa hebben jarenlang voor Konstantin gezwoegd voordat zij als bruid op Angelkov arriveerde, en Fjodor is altijd een respectvol en hardwerkend hoofd van de stallen geweest.

'Wacht,' roept ze, en de mannen stoppen. 'Snijd die plank van de hals van het paard en geef hem aan mij,' beveelt ze. Grisja kijkt naar haar terwijl Ljosja hem geeft.

'Het is een waarschuwing,' zegt Grisja.

Ze bekijkt de plank vol splinters. 'Een waarschuwing? Waarvoor Grisja?'

Grisja had Lev het geld niet gegeven. Nu is zijn geliefde paard dood. Ze worden brutaler. 'Hebt u vanmiddag een afspraak met de notaris?' vraagt hij om haar vraag te ontwijken.

Ze is het bezoek van Jakovlev helemaal vergeten. 'O. Met dit allemaal, en Konstantin die doodziek is...' Ze heeft behoefte aan Grisja's troost. 'Ik wou dat ik de afspraak kon afzeggen, maar Jakovlev zal al op weg zijn. Wil je nog steeds... Zal ik je laten waarschuwen wanneer hij er is?'

Hij knikt – weinig meer dan een lichte beweging van zijn hoofd – en loopt dan bij haar weg, terwijl zij daar met haar blote voeten staat, opeens koud, met de plank in haar hand.

Terug in haar kamer huivert Antonina, en ze drukt Tinka tegen haar borst terwijl ze met haar hoofd tegen het raam leunt. De ruwe plank staat op het tafeltje naast de haard. *Dit is wat er gebeurt. Jullie doen niet wat we zeggen.* Doen niet wat wie zegt? Het was Grisja's paard. Is het een waarschuwing aan het adres van Grisja? Haar zoon is verdwenen, haar man… wie weet wat er met hem gaat gebeuren? Het personeel vertrekt. Ze heeft een vreselijke zonde begaan. Nu is er een prachtig paard afgeslacht.

Van achter het raam kan Antonina Olga in de grote bloementuin zien, bezig de laatste winterharde, bronskleurige en gouden chrysanten en oranje gerbera's af te knippen. Olga heeft geen familie en ze kan nergens heen. Ze rekent erop dat Antonina haar op haar oude dag zal onderhouden.

Hoeveel bedienden zullen uiteindelijk van haar afhankelijk blijven? Zonder hen kan ze Angelkov niet draaiende houden. Hoe kan ze het prachtige huis, de kleine boomgaard, de moestuin en de siertuin en de kas vol exotische planten en de graanschuren en de koeien- en paardenstallen onderhouden? Ze heeft geld nodig. Ook al is praten met de notaris over financiën en over het landgoed het laatste wat ze zou willen doen, toch moet het. In normale tijden is het al vreselijk ingewikkeld. En na alles wat er de afgelopen twee dagen is gebeurd… Ze moet opnieuw aan Grisja's ondoorgrondelijke blik denken, zoals hij daar naast haar in de stal stond, en dat maakt dat ze Tinka neerzet en naar de kleerkast loopt om haar wodka tevoorschijn te halen.

Er zitten bloedstrepen op het lichte tapijt. Ze heeft kennelijk haar voet aan iets opengehaald, een splinter in de stal of een scherpe steen op het erf. Ze staart naar het bloed en moet denken aan de vlekken van Konstantins hand op het groene zijden bankje.

Ze pakt de fles en zet hem aan haar lippen. Bij de eerste slok denkt ze aan hoe ze met Grisja in de datsja had gedronken, aan de manier waarop zijn lippen zich rond de rand van het glas hadden gewelfd. Aan de manier hoe ze op haar lippen hadden gevoeld.

Ze slaat haar hand voor haar mond en slikt. Ze is nog steeds een getrouwde vrouw. Ze zet de fles weer terug en gaat bij Konstantin kijken. Zijn adem rochelt in de stilte van de slaapkamer.

'Waarschuw me alsjeblieft wanneer de dokter er weer is,' zegt ze tegen Pavel en ze loopt dan de gang in. 'Lilja!' roept ze, maar Lilja komt niet. Ze roept haar nogmaals, en ten slotte komt er een meisje uit een andere slaapkamer met een poetsdoek en een emmer. 'Noesja,' zegt Antonina, 'ga jij Lilja zoeken en vraag haar naar mijn kamer te komen.'

Het meisje knikt en haast zich de trap af.

Lilja arriveert een paar minuten later. 'Waar was je?' vraagt Antonina. 'Ik heb je een paar keer geroepen. Ik wil dat je warm water haalt om mijn voeten te wassen. Maar… wat is er, Lilja?'

'Het paard. Ik heb het gezien.'

'Wie zou er zoiets wreeds kunnen doen?'

Lilja geeft geen antwoord. Ze wringt haar handen.

'Geef je zoveel om dat dier?' vraagt Antonina. Ze had niet gedacht dat Lilja emotioneel zou doen over het dode dier. Lilja had nooit veel belangstelling voor dieren getoond, afgezien van Tinka.

Lilja geeft nog steeds geen antwoord, maar ze schudt haar hoofd terwijl ze haar handen blijft wringen.

Er komt een gedachte in Antonina op. Ze zal het wel mis hebben, denkt ze, terwijl ze even naar het ruwe plankje met de bloedige waarschuwing kijkt.

Lilja is nooit erg ver gekomen met schrijven. Ze schreef de letter g altijd achterstevoren in de psalmen die ze overschreef. Hoe vaak Antonina haar ook op de omgekeerde letter wees, Lilja bleef hem verkeerd schrijven.

Lilja vertrekt om warm water te halen en Antonina pakt de ruwe plank nog eens op. Als ze de slordig geschreven letters bekijkt, weet ze dat het niet Lilja's handschrift is. Er zitten te veel andere fouten in. Toch houdt de letter g Antonina bezig – één letter, maar ze moet er steeds aan blijven denken.

Ze haalt zich Ljosja's gezicht voor de geest: bedachtzaam, een beetje droevig. Heeft Lilja haar broer leren schrijven? Alsjeblieft, niet Ljosja, bidt ze.

Niet Ljosja.

361

29

'Het klinkt als het begin van longontsteking,' zegt dokter Molov, met dichte ogen terwijl hij zijn oor tegen Konstantins borst legt. Hij richt zich op, pakt een rubberen hamertje uit zijn tas en tikt op Konstantins borst, waardoor er een dof geluid klinkt. 'Ja, er zit vocht in.'

Konstantin kreunt, en Pavel staat naast hem met een fles en een glas.

De dokter kijkt ernaar. 'Wat is dit?'

'Chloroform, dokter,' zegt Pavel, 'zoals u had voorgeschreven.'

'Zoals ik had voorgeschreven? Wanneer? Bedoel je na de operatie aan zijn arm?'

Pavel slikt even en knikt dan.

'Je laat hem regelmatig chloroform inademen?'

'Dit is een tinctuur, gemengd met alcohol. Hij drinkt het. Toen...' Pavel begrijpt door de blik van de dokter dat er iets heel erg fout zit, '... toen de fles die u voor hem achterliet leeg was, is er geregeld dat iemand een voorraad ervan naar het huis brengt.'

De dokter gaat moeizaam op de stoel naast het bed zitten. 'Heilige Moeder van God.'

'Wat is er, dokter Molov?' vraagt Antonina.

'Zijn gedrag, de buien met schreeuwen en verwarring, zijn onredelijke achterdocht en dreigementen.'

'Ja. Hij is steeds slechter geworden sinds de amputatie.'

De dokter gaat staan. 'Chloroform is een vergif voor de hersenen. Het mag uitsluitend in zeer kleine hoeveelheden worden gebruikt om een patiënt tijdelijk te laten slapen teneinde hem of haar een zwaar fysiek trauma te kunnen laten doorstaan.' Hij kijkt van Pavel naar Antonina. 'De chloroform heeft deze krankzinnigheid veroorzaakt.'

'Maar u zei tegen Pavel dat...'

'Gedurende de eerste twee of drie dagen. Dat is alles. Niet dagelijks, niet maandenlang.' Hij maakt een geluid van afkeer. 'Kan niemand dan een eenvoudige opdracht uitvoeren?' Hij doet zijn tas met een klap dicht en gebaart Antonina hem te volgen bij het bed vandaan. Ze blijven bij de deur staan. 'Zijn sputum is verkleurd. Als hij het niet weg kan hoesten, zal hij binnen een paar dagen stikken door de vloeistof in zijn longen. Het spijt me dat ik het zo onomwonden moet zeggen, mevrouw.'

'Maar is er een kans dat hij het zal overleven?' vraagt Antonina.

'Er is weinig kans op een volledig herstel. Er valt niets aan te doen. U moet eveneens beseffen' – de dokter kijkt achterom naar Konstantin – 'dat mocht hij fysiek weer opknappen, zijn geestelijke toestand niet meer zal verbeteren. De schade is onomkeerbaar.' Hij doet de deur open. 'Ik geef u de raad, gravin Mitlovskija, wat de uitkomst ook mag zijn, erop voorbereid te zijn dat u een heel moeilijke tijd tegemoet gaat.'

De notaris, klein en dik, arriveert om twee uur.

Antonina's hoofd bonst door alles wat er is gebeurd, maar ze dwingt zich niets meer uit de fles in haar kleerkast te drinken. Ze moet zo helder mogelijk zijn wanneer ze met Jakovlev spreekt.

Om dezelfde reden besluit ze Grisja er niet bij te willen hebben. Ook al heeft ze eerder tegen hem gezegd dat het handig zou zijn als hij erbij was, toch weet ze dat het haar zal afleiden wanneer hij zo dichtbij is.

Staande achter Konstantins bureau vindt ze Jakovlev een irritant mannetje, met zijn voortdurende gefriemel aan zijn snor en het spastische geknipper van zijn rechteroog. Hij heeft kruidnagels in zijn neusgaten gestopt: als hij haar begroet verontschuldigt hij zich en zegt dat hij verkouden is en dat de kruidnagels hem wat lucht geven.

Jakovlev bekijkt haar gezicht. Zijn goede manieren staan hem niet toe te informeren naar haar verwondingen, maar hij vraagt wel naar Michail. 'Uw zoon... er is nog steeds geen bericht?'

Antonina schudt haar hoofd.

'En de graaf? Hoe is het met zijn gezondheid?'

'Zijn toestand is danig verslechterd.'

Jakovlev maakt een meelevend geluid en begint dan zijn papieren op Konstantins bureau uit te spreiden. 'Mevrouw,' zegt hij, terwijl hij haar over het bureau aankijkt, 'de situatie is werkelijk heel ernstig.' Zijn stem klinkt nasaal door de kruidnagels in zijn neus.

Eén afschuwelijk moment lang moet Antonina een bijna hysterisch gelach bedwingen. De dokter heeft haar slechts enkele uren geleden verteld dat ze voorbereid moet zijn op moeilijkheden. Nu probeert de notaris haar te vertellen dat de situatie heel ernstig is. Onder wat voor omstandigheden denken deze mannen dat ze de afgelopen maanden heeft geleefd? Ze verbergt haar beverige, onwillekeurige glimlach door zich af te wenden.

'Is alles goed met u, mevrouw?'

Ze keert zich weer tot hem en kijkt hem aan, beheerst. Ze gaat in Konstantins stoel zitten en knikt om aan te geven dat hij ook kan gaan zitten. 'Ja. Vertelt u me maar hoe alles er voor staat,' zegt ze. Ze weigert toe te geven aan schrik en angst. Jakovlevs idee van ernst is misschien een ander dan het hare.

'Gedurende de afgelopen jaren is uw man nogal onachtzaam geweest in het regelen van zijn financiële zaken,' zegt Jakovlev. 'Nader gespecificeerd: hij heeft schulden gemaakt en hij heeft nagelaten de onroerendgoedbelasting te betalen. Hoewel ik hem diverse keren op beide zaken heb aangesproken, zoals ik weet dat uw rentmeester dat eveneens heeft gedaan, verkoos hij ons advies te negeren. Er is een groot bedrag verschuldigd, mevrouw.'

'Juist ja. We zijn de regering belasting verschuldigd. Die moet ik dan betalen. Over welke middelen beschikt de graaf?'

Jakovlev fronst zijn wenkbrauwen en buigt zich naar voren. 'Middelen? Hoe bedoelt u, mevrouw?'

Antonina voelt achter haar ribben iets trillen. 'Ik bedoel, geachte meneer Jakovlev, waar moet ik het geld vandaan halen dat nodig is om de regering het bedrag te betalen dat men... u' – ze knikt naar de papieren tussen hen in – 'zegt dat ik verschuldigd ben?'

Jakovlev friemelt aan de met was opgestreken punten van zijn snor. Antonina ziet dat de ene kant dikker is dan de andere.

'Maar gravin Mitlovskija,' gaat de man verder, en Antonina weet nu al wat hij zal gaan zeggen. Ze drukt haar handen in haar schoot ineen, zodat Jakovlev ze niet kan zien achter het bureau. 'Er zijn geen middelen. Er is niets anders dan wat u hier in huis hebt. De graaf heeft de afgelopen jaren zijn bedrijven moeten verkopen, alleen maar om Angelkov drijvende te houden.' Hij leunt weer achterover.

Antonina's blik gaat naar de boekenkast met laden, een prachtig meubelstuk van honderd jaar oud, dat Konstantin van zijn vader heeft geërfd. Aan de voorzijde zit een klep die als schrijfblad kan worden gebruikt. In de afgesloten onderste lade zit Konstantins geldkist met hangslot, met ooit stapels en stapels roebels erin. De kist is nu leeg, net als de kleinere kluis in zijn slaapkamer.

Ze slikt even. 'Ik wist uiteraard dat hij de stokerij had gesloten. Buiten dat heeft mijn man me niet op de hoogte gehouden van zakelijke kwesties. Maar de regering... Als ik de belasting niet kan betalen, en daarin zal ik niet de enige landeigenaar zijn,' voegt ze eraan toe, Grisja's woorden indachtig, 'als ik de belasting niet kan betalen, wat kan de regering dan doen?'

Jakovlevs maag knort, en Antonina weet dat ze tekortschiet door hem geen maaltijd of zelfs maar thee aan te bieden na zijn rit uit Pskov. Maar ze wil dat hij haar de feiten geeft en dan vertrekt. Dit is geen beleefdheidsbezoek.

Jakovlev schraapt zijn keel. 'Voor al degenen die in het krijt staan, zoals met Angelkov het geval is, zal de regering de eigendomsrechten overnemen. Of...' Hij zwijgt.

'Eigendomsrechten overnemen? Zou ik Angelkov kunnen verliezen?' Ze is geschokt door Jakovlevs achteloze opmerking. Zijn zwijgen is het antwoord. Ten slotte zegt ze: 'Of? U zei: of... Is er nog een andere mogelijkheid, meneer Jakovlev?'

'U zou het land dat u niet aan uw voormalige horigen verschuldigd bent, kunnen verkopen. Uw vee, meubels, alles wat u maar kunt, teneinde de fondsen bijeen te brengen om een aanbetaling te doen. Als de regering ziet dat u probeert uw schuld te betalen, is er hoop dat u coulant zult worden behandeld en op uw land mag blijven. U zult in staat moeten zijn elk jaar een minimaal bedrag op te brengen. Ik zou willen voorstellen dat u onmiddellijk met enige vorm van betaling begint – op zijn minst aan het begin van de volgende maand.'

'Wilt u zeggen dat mijn buren dan zouden kopen wat er over is van mijn land?' vraagt ze. Ze denkt even na. 'Wat ís er eigenlijk over van mijn land?'

Hierop knikt Jakovlev. 'Dat wordt berekend aan de hand van het aantal zielen dat uw man bezat. In dit geval heel veel: duizenden. Dus als het land eenmaal is verdeeld in mirs, zou er genoeg over zijn voor een kleine oogst om u te onderhouden, mits u uw onbetaalde personeel dit kunt laten bewerken en misschien nog zo'n vijftien werst bosterrein. Dat is alles. Het is voor iedereen een moeilijke tijd, gravin Mitlovskija,' besluit hij, en Antonina begrijpt dat de ontreddering op haar gezicht staat te lezen en in haar stem te beluisteren is.

Ze blijven even zwijgend zitten. Buiten blaft een hond, maar hem wordt snel het zwijgen opgelegd door de schreeuw van een man.

'Weet u ook… of er ook andere landeigenaren zijn bedreigd?' vraagt ze. Het gruwelijke beeld van Felja staat haar nog levendig voor de geest.

Jakovlevs wenkbrauwen gaan omhoog. 'Er heerst beslist onrust, mevrouw, onrust en verdeeldheid in veel gebieden. De toestand zal wel tot rust komen als de voormalige horigen inzien dat ze met protesten niets bereiken, als ze bedenken dat ze God en de tsaar dankbaar moeten zijn voor de grote zegeningen die hun ten deel zijn gevallen.'

Antonina denkt aan de armoede in Toesjinsk. 'Zegeningen?'

'Hun vrijheid, natuurlijk. Decennialang is er te veel bloed vergoten, te beginnen met de decembristen in '25. Nu hebben de horigen vrijheid, maar ze gedragen zich als ondankbare kinderen.' Hij schudt zijn hoofd. 'Ze waren in alles afhankelijk van hun vadertjes – de landeigenaren – en zelf deden ze niets anders dan klagen. Dan geven we ze vrijheid en wat krijgen we? Nog meer ontevredenheid.' Hij zucht en drukt zijn vingers tegen zijn middel, en Antonina hoort zijn maag weer klagen.

Ze gaat staan en steekt haar hand uit. 'Dank u wel, meneer Jakovlev,' zegt ze. 'We hebben nu allemaal nog veel te doen.' Er trekt een schaduw van teleurstelling over het gezicht van de man als hij beseft dat hij niet te eten zal krijgen.

Hij buigt zich over haar hand. Antonina trekt een vies gezicht naar het eczeem op zijn schedel. 'Ik zal mijn rekening achterlaten,' zegt hij en hij kijkt weer op. 'Hoewel u misschien, teneinde een verder beslag op uw tijd te voorkomen, zult verkiezen…' Hij aarzelt, op zoek naar de juiste frase, 'ons beiden de moeite te besparen van mijn terugkeer voor de betaling. Begrijpt u?' Hij houdt nog steeds haar hand vast.

'Inderdaad,' zegt ze, en ze trekt haar hand terug. 'Maar vertrekt u alstublieft niet zonder maaltijd. Ik kan u helaas geen gezelschap houden, maar ik zal de tafel voor u laten dekken in de kleine eetkamer. En ik weet zeker dat er nog enkele schitterende wijnen in

de kelder liggen. Wellicht wenst u een glas bij uw maaltijd en…
zou u me het genoegen willen doen er twee – of misschien drie –
van mee naar huis te nemen, bij wijze van klein geschenk?'

Antonina kan hem niet voor de gek houden, maar Jakovlev is
bereid het spel mee te spelen. Hij buigt nogmaals. 'Het zou me
werkelijk een grote eer zijn, mevrouw,' zegt hij.

'Ik zal meteen wat flessen boven laten brengen,' gaat ze verder,
en hij glimlacht.

Het is meer dan veel van zijn cliënten hem tegenwoordig kunnen bieden.

Antonina ontbiedt Ljosja zodra Jakovlev in de eetkamer is geïn-
stalleerd om met onverholen genoegen een salade van gekookte
bietjes met ui en zonnebloemolie te nuttigen; op een rechaud voor
hem ligt een stuk vis.

De jongeman komt de studeerkamer binnen met zijn pet in de
hand. Hij heeft zijn laarzen uitgedaan en iemand heeft hem een
paar vilten pantoffels gegeven om in het huis te dragen. Ze zijn te
klein en zijn tenen puilen door de zachte stof heen.

'Kun je lezen en schrijven, Ljosja?'

Ze hoopt dat hij nee zal zeggen.

'Ja, mevrouw.'

'Wil je dan hier even gaan zitten?' zegt ze, en ze gebaart naar
het bureau waar zich papier, pen en een inktpot bevinden. 'Ik wil
dat je iets voor me schrijft,' zegt ze, waarbij ze haar stem neutraal
maar resoluut laat klinken.

Ljosja's adamsappel gaat op en neer wanneer hij slikt en gaat
zitten. Als hij de pen in de inkt heeft gedoopt en deze boven het
papier houdt, kijkt hij naar Antonina op.

'Wat zal ik schrijven, gravin Mitlovskija?' Iets in zijn blik doet
Antonina denken aan het jongetje met de akelige hoest, dat zich
zo lang geleden achter de rok van zijn moeder verschool. Hij kon
echt niet zoiets wreeds hebben gedaan.

'*Maria is de gezegende onder de vrouwen.*'

'Ja, mevrouw,' zegt hij, en de pen beweegt snel over het papier. Ze kijkt over zijn schouder. Zijn letters zijn resoluut en goed van vorm. Hij schrijft veel sneller dan ze had verwacht. De g is perfect. Antonina doet opgelucht haar ogen even dicht. Ze ademt uit en legt haar hand op Ljosja's schouder. 'Je schrijft heel goed. Heeft Lilja je dat geleerd?'

Hij kijkt naar haar op. 'Nee, mevrouw.'

'Wie dan wel?' vraagt Antonina verbaasd.

'Grisja, in het jaar dat ik in de stallen kwam werken.'

'Waarom heeft hij je het geleerd?'

Eindelijk glimlacht Ljosja. 'Hij zei dat ik veelbelovend was, en dat ik op een dag misschien iets anders zou kunnen doen. Maar Lilja heeft het Soso geleerd.'

'Soso?'

'Ja, mevrouw.'

'Dank je,' zegt Antonina, na een kort zwijgen. 'Je kunt nu gaan.'

Ljosja gaat staan en buigt vanaf zijn middel, dan draait hij zich om en vertrekt, moeizaam lopend op zijn te kleine pantoffels.

Die avond, in haar eentje in de studeerkamer, zit Antonina achter Konstantins bureau en denkt aan Soso. Ze had van Lilja gehoord dat hij na de ontvoering Angelkov had verlaten. Er waren veel bedienden vertrokken, waarom had ze zich dan over Soso's verdwijning moeten verbazen?

Uitgeput doet ze haar ogen dicht en denkt terug aan haar gesprek met Jakovlev. Was het mogelijk dat ze Angelkov zou moeten verliezen? Waar moeten ze naartoe, Konstantin en zij, als Konstantin blijft leven? En als hij niet blijft leven? Ze probeert zichzelf voor te stellen als weduwe met niets. 'Hoe zou ik verder moeten?' zegt ze hardop.

De gedachte aan een bestaan als prizjivalet – iemand van adellijke afkomst die aan de grond zit en moet smeken om bij een rijke buur of een ver familielid in te mogen trekken – lijkt haar vreselijk. Welgestelden willen niet als vrekkig worden beschouwd en hebben bijna altijd een permanente kamer voor de ongenode gast. Maar een bestaan in het huis van een ander betekent vaak een kwetsbare positie en is heel vernederend. Prizjivalet. Alleen al het woord is beschamend, het verwijst naar iets wat zich aan iets anders vastklampt, weinig beter dan een parasiet.

Ze denkt aan haar broer Marik. Ze hebben elkaar in geen jaren gesproken, maar de ruzie van lang geleden was tussen Konstantin en hem. Ze zou hem om geld kunnen vragen, maar ze beseft dat het heel onwaarschijnlijk is dat Marik grote bedragen zou willen betalen – die hij misschien niet eens heeft – om te helpen het landgoed op de been te houden.

Nee. Als ze als behoeftige weduwe naar hem toe zou komen – als het daarvan zou komen – zou hij haar onderdak bieden. Ze stelt zich voor dat ze oud wordt in zijn huis, de zuster die weduwe is, met haar dat grijs wordt en een huid die dunner wordt, de rimpeltjes rond haar ogen dieper. Bij wijze van vergoeding zou ze helpen met zijn kinderen, hun misschien muzieklessen geven. Ze denkt aan Mariks vrouw, een vriendelijk iemand toen ze haar voor het laatst zag. Maar hoe lang zou ze geduld hebben met een andere vrouw, haar schoonzuster, die de rest van haar leven bij hen blijft wonen?

Nog niet, houdt ze zichzelf voor. Ik ben nog niet zover. Ik ga Angelkov niet opgeven. Niet voordat het absoluut noodzakelijk is. 'Nog niet,' zegt ze hardop.

En hoe moet het dan met Michail? Stel dat ze gedwongen is dit huis te verlaten terwijl hij nog steeds wordt vermist? Stel dat hij uiteindelijk naar Angelkov terug weet te keren, maar zij is er niet?

Ze kan er niet langer over nadenken, over dit alles. Ze loopt naar de kast waarin flessen en glazen staan, wanneer er op de deur wordt geklopt.

'Binnen,' roept ze, nog steeds naast de kast.

Het is Grisja. Hij kijkt haar vanuit de deuropening aan alvorens naar binnen te stappen. 'Er is niemand om de deur open te doen, mevrouw,' zegt hij. 'Ik ben achterom, via de personeelsingang gekomen.'

'Kom alsjeblieft binnen, Grisja.' Ze voelt zich ongemakkelijk bij het uitspreken van zijn naam. In de besloten wereld van de studeerkamer lijkt het te intiem.

Hij loopt naar haar toe maar blijft op een meter afstand staan.

'Waar wilde je me over spreken, Grisja?' vraagt ze, waarbij ze zich dwingt zijn naam weer uit te spreken.

'Om te beginnen wilde ik naar de graaf informeren.'

'Het is longontsteking. De dokter heeft weinig hoop.'

Hij knikt eerbiedig. Geen van beiden heeft verder nog iets over Konstantin te zeggen. 'Uw gesprek met de notaris... hebt u de antwoorden gekregen die u wenst?'

Antonina zucht, ze laat haar schouders hangen. 'Het spijt me dat ik je niet heb laten komen. Ik weet dat ik had gezegd dat ik het zou vragen, maar na de visite van de dokter...' Ze slikt even, en haar bovenlip beweegt, een kleine, nauwelijks merkbare trilling. 'Het leek me het beste alleen met Jakovlev te praten. De problemen zijn ontstaan door het gedrag van mijn man, en ze zijn nu mijn verantwoordelijkheid. Dat wat ik heb gehoord, was heel schokkend. Ik zou graag met jou over het landgoed willen praten, openhartig, net als vroeger.'

Zijn kaken verstrakken. Antonina ziet zijn stevige kin en ze herinnert zich hoe hij in het verkreukelde bed op haar neerkeek, ze herinnert zich de gladde welving van zijn jukbeen. Ze weet hoe zijn haar aanvoelt. De spieren in zijn armen. Zijn adem in haar oor.

Ze voelt dat ze een kleur krijgt en ze moet haar blik afwenden.

'Ik ben zeer vereerd dat u prijs stelt op mijn mening,' zegt Grisja, en hij buigt. Hij gedraagt zich alsof er minder dan achtenveertig uur geleden niets tussen hen is voorgevallen. 'Wat zou u met me willen bespreken?'

Antonina strijkt met haar hand over haar voorhoofd alsof er een sliert haar in de weg zit. Ze wil hem niet vertellen dat ze niet weet wat ze moet doen. Ze haalt diep adem. 'We hebben helemaal niets meer om het landgoed te beheren, Grisja. De graaf heeft grote schulden. Ik moet een manier zien te bedenken om...' Ze raakt in paniek. *Een manier om te leven.* 'Ik heb je hulp nodig, Grisja.' Dan loopt ze naar hem toe en ondanks al haar voornemens legt ze haar hoofd tegen zijn borst. Hij slaat zijn armen om haar heen.

Ze kijkt naar hem op en probeert de paniek over het verlies van het landgoed te bedwingen. Over haar hevige verlangen naar hem. Wodka zal helpen. 'Drink een glas met me.'

Hij loopt naar de kast en schenkt hun ieder een glas wodka in. Hij loopt naar haar terug en geeft haar een glas, doet dan een stap achteruit.

'Hoe moet ik het geld vinden om de regering te betalen en het landgoed te blijven beheren?' vraagt Antonina na een slokje. 'Hoe kan ik, zonder personeel...' Ze zwijgt, ze wil niet hulpeloos lijken. 'Een huis ter grootte van Angelkov zal snel vervallen als het niet goed wordt onderhouden. Wat moeten we doen, Grisja?'

'We?' herhaalt Grisja. 'Dit is úw huis.'

Antonina recht haar schouders. 'Ja. Je hebt gelijk.'

Grisja wacht tot ze verdergaat, terwijl hij het schilderij achter haar hoofd bestudeert.

'Ben jij dan net als de meeste anderen, Grisja? Ga jij me ook verlaten?' Haar borst gaat snel op en neer terwijl ze op zijn antwoord wacht. Ze weet wat ze wil horen, wat ze moet horen.

Grisja doet een stap naar haar toe. 'Wilt u dat ik blijf om u te helpen het landgoed te beheren? Dat ik blijf doen wat ik altijd heb gedaan?'

Antonina slikt moeizaam. Ze haalt diep adem en recht nogmaals haar schouders. 'Ja. Ik zou graag willen dat je blijft. Maar... maar ik kan je niet betalen. Ik heb niets meer. Zou je ook in deze situatie bereid zijn te blijven? Het betekent dat jij net als altijd in je huis blijft wonen, dat je eet wat we op het landgoed kunnen produceren, uit de tuin en van de dieren. Op die manier zullen we ongetwijfeld een tijdje in ons onderhoud kunnen voorzien – nu er zoveel bedienden zijn vertrokken en we niet meer zoveel monden hoeven te vullen. De voorraadschuren...' Ze zwijgt. 'Ligt er genoeg in de voorraadschuren?'

Grisja neemt een slok. 'Die zijn geplunderd. Er ligt niet veel meer in de voorraadschuren of in de stokerij.'

'Wat? Waarom is mij dat niet verteld? Was er niemand om ze te bewaken?'

'Jawel. Maar de mannen waren zwak, zoals zoveel mannen. Toen de graaf gewond was geraakt, hebben ze van alles meegenomen, nachtenlang, zak na zak, om het te verkopen. Ze zijn uiteindelijk gegrepen en gestraft. Maar de meeste goederen zijn verdwenen.'

'Hoe komt het dat ik dat niet weet?'

'Er waren dagen... veel dagen, dat u weigerde mij te ontvangen, of wie dan ook. Lilja vertelde me dat u...' Hij zwijgt.

Wat heeft Lilja hem verteld? Weet hij van de dagen die ze lag te verslapen, geholpen door de flessen in haar kleerkast? Ze drinkt haar glas leeg en houdt het omhoog voor meer.

Hij negeert het. 'Eerlijk gezegd, mevrouw, heb ik er niet op aangedrongen dit alles bij u te melden, omdat ik vond dat u al zoveel zorgen aan uw hoofd had. Ik heb een tijdje gedacht dat de graaf misschien zou herstellen. Toen ik zag dat zijn geestestoestand slecht was, besloot ik er met u over te praten zodra ik de indruk had dat u sterker was.' Ten slotte pakt hij haar glas, maar hij zet het, samen met zijn glas, op de kast. 'Kom. We hebben frisse lucht nodig.' Hij neemt haar bij de arm en loopt met haar naar de hoge, openslaande deuren. Hij duwt ze open en legt zijn hand in haar rug en leidt haar naar buiten, de brede veranda op, alsof hij de heer van het landhuis is.

Zij is degene die de verwarring tussen hen heeft doen ontstaan, door wat ze op de datsja heeft laten gebeuren – deels uit verdriet en eenzaamheid, maar natuurlijk ook door de wodka.

De eenvoudige, begrijpelijke rol van mevrouw en bediende is niet langer van toepassing. Grisja is een vrij man, en hij kan haar elk moment verlaten.

'Ik zal blijven, Antonina,' zegt Grisja. Ze zijn zich er allebei van bewust dat hij haar naam gebruikt. Ze staan aan de balustrade en kijken naar het land dat zich voor hen uitspreidt. De balustrade behoeft onderhoud, de verf bladdert af. 'En ik aanvaard dat jij niet over de middelen beschikt om mij een salaris te betalen. Bij wijze van tegenprestatie zal ik een paar wersten land accepteren.'

Hij moet uiteraard gecompenseerd worden. 'Ja, ja, neem zoveel wersten – twee of drie? – als je wilt.'

'Laten we zeggen zes,' verklaart Grisja. 'Er ligt een goed stuk langs jullie grens met het landgoed van prins Bakanev.' Hij zwijgt even. 'Dat zal mij een zekere toekomst bieden.'

Ze voelt een golf van teleurstelling, en dan probeert ze haar eigen reactie te doorgronden. Ligt zijn toekomst dan niet hier? Ze heeft zich bij hem geen ander leven kunnen voorstellen dan in het huis met de blauwe luiken. Aan de andere kant... heeft hij nu het volste recht om zijn eigen huis te hebben. Eigen land, en een huis dat hij naar zijn eigen wensen kan bouwen. En een vrouw, denkt ze dan. Kinderen. 'O,' is alles wat ze kan zeggen.

Grisja glimlacht, maar het is geen echte glimlach. Het is een soort reactie waarbij zijn tanden te zien zijn. 'Voorlopig is het nog niet zover, Antonina. Jij en Angelkov zijn op dit moment voor mij van belang. Maar ik moet natuurlijk aan mijn toekomst denken,' zegt hij, alsof hij dit een tweede keer wil benadrukken. 'Dat moeten we allemaal. Het is een nieuw Rusland.'

Antonina is gespannen, en haar mond trilt. Het lijkt alsof hij haar gedachten kan lezen.

'We gaan een eindje wandelen,' zegt Grisja, op diezelfde zelfverzekerde toon. Hij raakt haar niet aan als ze de stoep af lopen en het terrein betreden.

Antonina huivert. Het is koel aan het begin van de avond. 'Ja.

Het is een nieuw tijdperk, Grisja Grigori...' Ze zwijgt opeens. 'Wat is je vaders naam?' In een flits herinnert ze zich zijn vraag hem Tima te noemen. Dit is niet het moment om te vragen waarom. Nee, verbetert ze zichzelf, zo'n moment zal nooit komen. Ze zal het nooit weten, en ze kan zich niet toestaan erover na te denken.

'Sergejevitsj.'

'Ja, het is een nieuw tijdperk, Grigori Sergejevitsj,' herhaalt ze. Als ze zo volledig van hem afhankelijk wordt, hoort ze hem bij zijn volledige naam en patroniem te noemen, in plaats van de korte vorm die voor alle bedienden wordt gebruikt. Het is inderdaad een nieuw tijdperk.

Wanneer de stal in zicht komt vindt Antonina het moeilijk het beeld van het afgeslachte paard van zich af te zetten. Ze denkt aan de bebloede plank met de omgekeerde letter g. Ze denkt aan Michail.

'Ik ben geschokt over wat er met Felja is gebeurd. Zou het kunnen dat degene die dit heeft gedaan ook een rol heeft gespeeld in de ontvoering van Michail?'

Welk antwoord zal hij haar geven? 'Het land is momenteel vol gevaarlijke mensen.'

'Denk je dat ik hier gevaar loop, in mijn eigen huis?' houdt Antonina aan.

'Ik sta geheel tot uw dienst, gravin Mitlovskija,' zegt hij, waarmee hij haar weer met haar titel aanspreekt. Hij blijft staan, keert zich naar haar om en kijkt haar aan. 'Bij mij bent u veilig. U zal niets overkomen,' zegt hij, en zijn gezicht wordt zacht, zoals toen ze in bed naar elkaar hadden gekeken.

Antonina heeft moeite om lucht te krijgen, met hem zo dichtbij, en als hij zo naar haar kijkt. *Bij mij bent u veilig.* Is dat het wat ze in de datsja had gevoeld? Is dat de reden waarom ze zo zwak was geworden – omdat ze zich voor het eerst in heel lange tijd veilig had gevoeld?

'Dank je,' zegt ze, en ze maakt een kruisteken voor hem in de lucht. Het is een automatisch gebaar, de gebruikelijke zegen van een landeigenaar, ook al zijn de regels van het spel nu veranderd. Terwijl ze dit doet beseft ze dat ze haar vingers op zijn voorhoofd wil leggen, om over zijn verweerde huid naar zijn slaap te strijken en omlaag, van zijn jukbeen naar zijn mond.

Ze laat haar hand zakken en Grisja buigt zijn hoofd. 'U hebt het koud. Ik zal u weer naar het huis brengen.'

Hij laat haar achter op de stoep van de veranda. Ze ziet dat een van de hoge luiken van de ramen aan de voorzijde scheef hangt, er ontbreekt een scharnier.

30

*B*ij het aanbreken van de dag staat Pavel voor Antonina's kamer. Wanneer ze niet reageert op zijn zachte geklop, doet hij aarzelend de deur open. 'Gravin Mitlovskija,' roept hij. 'Wilt u alstublieft naar de kamer van de graaf komen?'

'Ja,' antwoordt ze slaperig, en ze gaat zitten. Als ze de gang in loopt is Lilja daar. Ze staat op van een brits naast de deur. Antonina had haar gisteravond gezegd dat ze weg moest gaan, ze wilde alleen zijn met haar gedachten, na de ontmoeting met Grisja.

Ze had aangenomen dat de vrouw was teruggegaan naar haar eigen kamer in de personeelsvleugel.

In Konstantins kamer ziet ze onmiddellijk dat het slechter met hem gaat. Zijn huid is klam, zijn lippen zijn blauw, net als zijn nagels. Hij heeft grote moeite met ademhalen. Pavel heeft kennelijk vader Kirill laten roepen, hij zit op een lage stoel naast het bed voor hem te bidden, maar zijn aanroepingen klinken Antonina als niet meer dan het gezoem van een vlieg in de oren. Zijn lange, zwarte gewaad en hoge mijter zien er zonderling uit.

Opeens staat vader Kirill op, hij zegt iets tegen Olga, die begint te huilen. Antonina ziet hoe ze een tafeltje neerzet, bedekt met een witte doek. Vader Kirill zet er een crucifix op en twee kaarsen en een klein pakje. Olga huilt nog harder, ze bedekt haar gezicht met haar omslagdoek en wiegt heen en weer.

De priester heeft alles klaargezet voor het heilige oliesel, voor het geval Konstantin zou vragen om te worden gezalfd en om te biechten. Alles is in gereedheid gebracht voor de dood van haar man.

De donkere, vroege ochtendhemel werpt weinig licht in de slaapkamer. Antonina kijkt naar het profiel van de priester met zijn hoge hoed, en dan naar Konstantin.

Zijn zagende adem is vreselijk om aan te horen.

'Zal ik de dokter laten waarschuwen, mevrouw?' vraagt Pavel, maar ze schudt haar hoofd. 'Er valt niets meer te doen. Hij heeft dit voorspeld.' Pavel slaat een kruis.

Antonina staat naast de priester. Zijn gebeden worden steeds intenser wanneer hij zijn wierookvat in grote bogen over het bed slingert. Konstantin ligt roerloos, op het op- en neergaan van zijn borst na. Alleen de stem van de priester en Konstantins moeizame ademhaling verbreken de stilte in de kamer terwijl de graaf langzaam stikt.

Ze zal niet om hem treuren als hij dood is. Er heeft nooit liefde tussen hen bestaan. Haar man is nooit een echte echtgenoot geweest. Maar ze weet dat dit Gods straf is voor haar losbandige gedrag met Grisja. Hij straft haar, maakt haar tot weduwe. Er dringt zich een gedachte, die ze eerder niet heeft willen toelaten, aan haar op: als Michail al dood is, zal Konstantin in de hemel met hem worden verenigd.

En hij verdient het niet, zijn zoon zo snel al terug te zien.

Terwijl ze bij deze laatste gedachte naar zijn gezicht kijkt, stijgt er een woede in haar op. Het is aanvankelijk slechts een flakkering, maar dan zwelt hij aan en begint hard te bonzen, zodat haar eigen ademhaling luider en zwaarder wordt. Ze legt haar handen tegen haar borst, doet haar uiterste best haar zelfbeheersing te bewaren.

'Laat ons alstublieft één ogenblik alleen, vader Kirill,' zegt ze, wanneer ze haar agitatie heeft bedwongen. 'Ik wil graag enkele ogenblikken alleen zijn met mijn man.' Olga en Pavel buigen onmiddellijk en gaan de kamer uit.

De priester zet het rokende wierookvat naast het bed op de vloer en gaat naar de gang.

Antonina laat zich op haar knieën vallen met haar gezicht op slechts enkele centimeters van dat van haar man.

'Konstantin,' sist ze, zich bewust van de openstaande deur, de rand van het wierookvat van de priester. Konstantins ogen blijven dicht. 'Konstantin. Kun je niet nog één woord tegen mij zeggen? Wil je dan dat het op deze manier gaat?' Ze is zo vervuld van bitterheid dat ze bijna stikt in de zware wierookwalm, en als haar hoesten overgaat in huilen, gaan Konstantins ogen open.

Antonina ziet dat ze voor de eerste keer in weken helder zijn. Ze haalt beverig adem. 'Konstantin?' zegt ze, maar zijn blik gaat van haar naar de deuropening. Hij knippert hevig met zijn ogen en de priester, die zich eveneens omdraaide bij het geluid van Antonina's kreet, komt terug en buigt zich over haar man. Hij trapt op de zoom van Antonina's rok, zodat die rond haar middel straktrekt.

Hij houdt zijn oor voor de mond van haar man. De lange, ruige, grijze baard van de priester belemmert haar het zicht op Konstantins lippen, maar ze hoort toch iets, weinig meer dan een flauwe zucht, een fluistering. De priester draait zich naar haar om. 'Hij vraagt naar Tanja.'

Antonina zegt niets, maar ze klemt haar kaken zo stijf opeen dat haar kiezen er pijn van doen. Ze schudt haar hoofd.

De priester buigt zich weer over Konstantin heen, knikt dan en draait zich om naar het tafeltje, zegent de kaarsen en steekt ze aan, haalt de kurk van de fles wijwater, en op dat moment voelt Antonina zo'n grote woede – nog heviger dan de golf die ze eerder ervoer – dat ze haar handen aan haar zijden tot vuisten balt.

Konstantin heeft zijn stem hervonden. Met zijn laatste woorden heeft hij gevraagd Tanja te zien. Aan vader Kirill heeft hij om het heilige oliesel en om de communie gevraagd. Hij zal zijn zonden biechten, en op die manier zal hij verlost van alle schuld de dood in gaan. Hij zal schoon en ongeschonden zijn schepper tegemoet gaan.

Hij heeft ervoor gekozen geen afscheid van haar te nemen.

Konstantin sterft een uur later. Zijn ogen zijn ingevallen, de huid van zijn gezicht lijkt ruw perkament, met diepe groeven als op de huid van een exotisch wild dier, een olifant of een neushoorn.

Olga komt binnen met een dienblad met glazen en een kleine zilveren theepot. Ze kijkt van de priester naar haar mevrouw. Met een klap zet ze het dienblad op de dichtstbijzijnde tafel en loopt haastig naar het bed. Ze staart naar Konstantin, slaat het ene kruis na het andere, en begint dan te jammeren. Binnen de kortste keren komt het huis, dat de afgelopen dagen heel stil is geweest zonder het voortdurende geschreeuw van Konstantin, met veel gehuil en gekreun tot leven. Op de trap en in de gang klinken voetstappen en in de deuropening verschijnen de laatstovergebleven bedienden – zowel uit het huis als van buiten – die zich verdringen om hun dode heer te zien.

Antonina kan het niet verdragen in de buurt van het lichaam van haar man te zijn, met de bedienden die aan hun heer trekken en op hun knieën vallen, hun crucifix kussen en God aanroepen. Ze baant zich een weg tussen hen door en loopt naar haar eigen kamer. Daar is Lilja bezig het bed te verschonen. Tinka zit bibberend op de bank bij het raam met opgestoken oren vanwege alle kreten vanuit de gang.

Antonina weet dat Lilja het gejammer en de gebeden hoort en begrijpt dat Konstantin dood is. Maar Lilja is niet naar Konstantins kamer gesneld, zoals de anderen. In plaats daarvan gaat ze verder met haar werk.

'Hij is dood, Lilja,' zegt Antonina, overbodig. 'Konstantin Nikolevitsj is dood.' Als je die woorden hardop zegt klinken ze vreemd. 'Meneer-mijn-man is dood,' zegt ze voor de derde keer.

Lilja kijkt haar alleen maar aan, een kussen half in een schoon sloop.

Antonina ziet het fraaie kant langs de rand van het sloop. Elf jaar geleden heeft ze in Sint-Petersburg het bedlinnen gekocht voor haar uitzet. 'Mijn man is dood en mijn kind... mijn kind...' Antonina is niet in staat de zin af te maken.

Daarop legt Lilja het kussen op het bed en komt naar haar toe, slaat haar armen om Antonina heen. 'Ga zitten, Tosja.' Haar stem is nauwelijks meer dan gefluister.

Antonina laat zich in de met noppen doorgenaaide stoel bij de haard zakken, heel behoedzaam, alsof er een zak meel op haar rug is gebonden en zij niet zeker weet hoe ze met dit nieuwe en on-verwachte gewicht moet omgaan. Alsof ze haar evenwicht zal ver-liezen als ze niet elke beweging beoordeelt. Ze doet haar ogen dicht en grijpt de armleuningen van de stoel vast, overmand door duizeligheid, zelfs nu ze zit.

Lilja knielt voor haar neer. 'Nu zijn wij het alleen, Tosja. Alleen jij en ik.'

Antonina doet haar ogen open en kijkt op haar neer. Ze weet dat Lilja niet verdrietig is over het verlies van haar heer. Ze weet hoe Lilja over Konstantin Nikolevitsj denkt. Ze ziet dat Lilja's ogen helder staan, haar gezicht is kalm.

Terwijl Antonina haar aankijkt, weet ze dat er iets anders is waar ze met Lilja over moet praten. Soso. Ja, ze moet met Lilja over Soso praten. Over de plank aan de hals van het paard. Maar niet nu.

Konstantin wordt begraven op de derde dag na zijn dood. De be-grafenis wordt door velen bijgewoond, met meer dan driehonderd mensen van overal uit de provincie bij de mis in de Kerk van de Wederopstanding. Antonina ziet veel bekende gezichten, onder wie de violist, Valentin Vladimirovitsj Kropotkin, samen met an-deren van het landgoed van Bakanev. Naast alle bedienden staat het kerkhof ook vol met Konstantins voormalige horigen.

Na de mis volgt de rouwstoet de kist naar de plek op de begraafplaats achter de kerk, de begraafplaats waar Konstantin dacht dat hij op het graf van zijn zoon lag te slapen. De oudere vrouwelijke bedienden en dorpsbewoners jammeren en weeklagen.

Tanja staat bij de rest van het huispersoneel. In tegenstelling tot veel anderen heeft zij droge ogen, vertoont haar gezicht geen enkele emotie. Antonina kijkt naar haar, de vrouw kijkt terug.

Opeens staat de violist naast haar, hij pakt Antonina's hand. 'Mijn oprechte deelneming, gravin Mitlovskija,' zegt hij.

'Dank je,' zegt ze, en ze wendt haar blik af van Tanja als de priester aan zijn gebeden begint. De violist buigt en trekt zich terug in de menigte.

Ze hoort de vertrouwde woorden van de priester, maar ze kan niet aan Konstantin denken. Misja is steeds in haar gedachten. Dan komt ongewild het beeld van Felja weer bij haar boven, met die plank om zijn hals. Ze is zich bewust van Grisja, die achter haar staat. Hij steunt haar een keer bij de elleboog wanneer ze over een kluit aarde struikelt.

Als de gebeden zijn afgelopen, ziet ze Lilja naar Tanja gaan. Een beetje afwezig ziet ze Tanja haar hoofd schudden terwijl haar mond beweegt. Dan draait ze zich om en loopt bij Lilja vandaan.

Terwijl de begrafenisgangers langzaam vertrekken en het graf met aarde wordt gevuld, blijven Grisja en Lilja bij Antonina. Ten slotte, als de drie mannen met spaden naar Antonina buigen en vertrekken, draait ze zich naar Grisja en Lilja om. 'Ik zou graag even alleen willen zijn, alsjeblieft,' zegt ze tegen hen, en ze doen wat ze vraagt.

Tussen de gebarsten en met mos bedekte grafstenen is Konstantins graf een berg vers gespitte aarde. Antonina weet dat ze eigenlijk een steen voor hem hoort te laten houwen. Maar zelfs daar heeft ze geen geld voor.

Vader Kirill komt naast haar staan. 'Misschien, gravin Mit

lovskija, zou het u troosten om ook een plek te hebben om voor uw zoon te bidden, als u voor uw man bidt.'

Antonina kijkt hem aan. 'Wat bedoelt u, vader?'

'Ik stel een herdenkingssteen voor Michail Konstantinovitsj voor. Wanneer u een steen voor graaf Mitlovski laat houwen en plaatsen, kunt u er ook een voor uw zoon laten maken.'

Had Konstantin in zijn waanzin niet hetzelfde voorgesteld? Er trekt een uitdrukking van afschuw over Antonina's gezicht. 'Nee,' zegt ze luid. 'Waar hébt u het over?' Haar stem weerklinkt fel in de stille lucht. 'Mijn zoon is niet dood. Hij hoeft geen steen te hebben.'

'Uiteraard, uiteraard, mijn kind,' zegt de priester op sussende toon. 'Ik bedoelde alleen maar dat het u misschien troost zou bieden om iets tastbaars te hebben om bij te bidden.'

Op dat moment haat ze vader Kirill en ze besluit niet meer naar de kerk te gaan. Ze zal wel in haar slaapkamer bij haar eigen iconen bidden.

De morgen na de begrafenis is Lilja verbaasd Grisja in de keuken aan te treffen. Lilja negeert hem terwijl ze het dienblad met het ontbijt klaarmaakt om naar Antonina's slaapkamer te brengen.

'Tanja vertelde me gisteren dat jij zei dat ze Angelkov moest verlaten,' zei hij. 'Het is niet aan jou om dat te bepalen.'

Lilja's brutale gedrag bevalt Grisja niets. Hij heeft altijd met Tanja te doen gehad. Hij heeft haar een stapeltje roebels van zichzelf gegeven toen ze bij hem aan de deur kwam om afscheid te nemen, met haar spullen al ingepakt. Ze zei tegen hem dat ze blij was Angelkov met alle narigheid de rug toe te keren; ze was al van plan geweest direct na de begrafenis naar haar oude dorp te verhuizen. Lilja had niets met haar besluit te maken. 'Ik zou trouwens geen bevelen van haar opvolgen,' had ze eraan toegevoegd. 'Zeg maar tegen de gravin... Zeg haar maar gedag van me. Dat ik haar het beste wens.'

Nu haalt Lilja haar schouders op. 'We weten allemaal dat er voor haar geen reden is om te blijven, nu de graaf dood is. Ik wilde de gravin de moeite besparen om met haar te moeten praten.' Ze rommelt wat met het bestek op het dienblad. 'We willen haar toch zeker allebei zoveel mogelijk narigheid besparen? Bovendien kan Noesja nu de was doen. Er is maar weinig, nu we alleen de gravin hebben om voor te zorgen.'

'Hoe is haar stemming vandaag?' vraagt hij Lilja.

'Haar stemming? Wat dacht je? Bovendien, waarom vraag je me dat?'

'Jij kent haar beter dan wie ook,' zegt Grisja.

'Hoe bedoel je?'

'Ze vertelt jou immers alles?'

'Misschien,' zegt Lilja behoedzaam.

Grisja pakt een bruingespikkeld ei van een schaal op de tafel en speelt ermee. Als Lilja niet beter wist zou ze denken dat hij nerveus was. Grisja is nooit gespannen, of ergens enthousiast voor te maken. Eigenlijk beschikt hij over een vreemde, onnatuurlijke kalmte. 'Heeft ze nog iets bijzonders gezegd? Zich… nou ja… zich op de een of andere manier anders gedragen?'

Hij moet steeds weer aan haar denken, aan dat wat ze in de datsja hebben gedeeld. Hij weet niet wat zij voelt. Wat zij van hem vindt. Hij heeft aangeboden te blijven om haar op Angelkov te helpen. Ze heeft zijn aanbod aanvaard, maar is er iets veranderd?

Lilja kijkt naar hem op. 'Ze is natuurlijk vreselijk verdrietig omdat de oude heer dood is, terwijl haar zoon nog steeds wordt vermist. Moet je me dan echt naar haar stemming vragen?'

Hij ziet dat Lilja verder niets weet. Ze kan voor hem geen dingen verborgen houden zoals ze dat voor Antonina kan.

'Goed,' zegt hij, en hij vertrekt, met het ei nog in zijn hand. Hij is vergeten dat hij het heeft.

Lilja heeft nooit goed geweten wat ze van Grisja moet vinden. Ljosja aanbidt hem en ziet tegen hem op alsof hij zijn grote broer is. En ze moet erkennen dat Grisja goed is geweest voor de jongen. Hij heeft een bepaald soort geduld dat ze alleen ziet wanneer hij met haar broer bezig is. Grisja heeft meer voor hem betekend dan Soso ooit.

Als ze een paar minuten later voor Antonina's slaapkamer staat, moet ze weer aan Grisja denken, en aan de manier waarop Antonina was thuisgekomen, na die nacht met die onweersbui, toen de oude Mitlovski urenlang op het kerkhof had gelegen.

Op dat moment had Lilja haar vinger er niet achter kunnen krijgen, maar er voelde iets niet goed in Antonina's verhaal. Nu komt Grisja zomaar vragen hoe mevrouw zich voelt. Nooit eerder heeft hij op een dergelijke persoonlijke manier bij haar naar de gravin geïnformeerd.

Het bevalt Lilja niet. Ze haalt diep adem en roept, zachtjes, door de deur: 'Tosja, je ontbijt.'

Na een zacht gemompel bij wijze van antwoord zet ze het dienblad tegen haar heup en draait de kristallen deurknop om.

Enkele minuten later vraagt Antonina, zonder iets te hebben gegeten, Lilja om te gaan zitten.

Lilja draait zich om bij het bed, de sprei nog in haar hand.

'Ik wil je iets vragen,' zegt Antonina, vanuit haar stoel bij de haard, met Tinka op haar schoot. 'Kom alsjeblieft even bij me zitten.'

Lilja laat het beddegoed vallen en gaat zitten in de stoel aan de andere kant van de haard.

'Heb jij nog iets van Soso gehoord?'

'Waarom vraag je opeens naar mijn man, Tosja? Is dat omdat je zojuist je eigen man hebt verloren?'

'Ik wil weten of jij weet waar hij is of wat hij doet.'

Eerst Grisja's vragen in de keuken en nu dit. 'Nee,' zegt Lilja. 'Ik weet niet waar hij uithangt en het kan me ook niets schelen. Ik heb je verteld dat ik niets voel voor Josif Igorovitsj.'

'Goed,' zegt Antonina. 'Maar als je iets van of over hem hoort, misschien van een van de andere bedienden, wil je het me dan vertellen?'

'Waarom vraag je het niet aan Grisja?' zegt Lilja.

Antonina fronst haar wenkbrauwen. 'Zou Grisja weten waar hij is?'

Lilja haalt haar schouders op, plukt aan een losse draad in het brokaat van het kussen op de stoel. 'Grisja denkt dat hij alles over iedereen weet,' zegt ze, en Antonina hoort een ondertoon van ergernis. 'En misschien is dat ook wel zo. Voor dit moment tenminste.'

Die laatste zin maakt Antonina ongemakkelijk. 'Hoe bedoel je: voor dit moment?'

'Voor zolang hij nog op Angelkov is. En dat is misschien niet zo lang meer.'

'Je hebt het mis, Lilja. Hij heeft er niets over gezegd dat hij binnenkort weg zou gaan.'

Lilja denkt aan wat Ljosja haar heeft verteld, over dat Grisja landeigenaar wordt en hij zijn rentmeester. 'Misschien zwijgt hij om jou niet ongerust te maken. Nu hij zijn eigen land heeft, denk je toch zeker niet dat hij zal willen blijven?'

Antonina kijkt Lilja onderzoekend aan. 'Hoe weet je dit?' Antonina kan zich niet voorstellen dat Grisja – de zwijgzame, discrete – met een van de andere bedienden zou hebben gepraat over de zes wersten die hij en zij, vlak voor de dood van Konstantin, hadden besproken.

Lilja's gezicht is effen. 'Je hoort wel eens wat,' zegt ze.

Antonina begrijpt dat Lilja opzettelijk geheimzinnig doet. Maar waarom? 'Dat is voorlopig alles, Lilja,' zegt ze.

Lilja staat op en loopt naar de deur. Als ze die opendoet kijkt ze nog even over haar schouder naar Antonina, en op dat moment maakt iets in Lilja's blik dat Antonina zich nog onzekerder voelt.

Antonina weet dat ze die nacht onmogelijk zal kunnen slapen. Ze drinkt drie glazen wodka, die haar genoeg kalmeren om haar kiezen geen pijn te laten doen van het opeenklemmen van haar kaken. Ze gaat op haar bed liggen, maar ze raakt zo van streek door alle beelden die zich aan haar opdringen – Misja zonder zijn warme jas, Konstantins dode, blauwachtige gezicht, vader Kirill die voorstelt een steen voor Michail te laten plaatsen, het afgeslachte paard – dat ze rechtop in het donker gaat zitten staren. Ze moet aan iets anders denken.

Ze opent in haar gedachten het vakje dat ze afgesloten probeert te houden: Grisja in de datsja.

Maar als ze terugdenkt aan Grisja en haar samen, schiet haar iets te binnen. Ze was erg geschokt geweest toen ze in Toesjinsk het kind met Misja's talmotsjka zag, en als ze haar gedachten aan die dag probeert te ontwarren, moet ze denken aan de man – hoe heette hij ook alweer, Lev? – die de brief van Misja had gebracht. Was hij de man met wie ze Grisja had zien praten? Vast niet, anders had Grisja het haar wel verteld.

Ze herinnert zich ook dat ze Grisja een pakje naar de man had zien uitsteken. Wat was het? Ze moet het te weten zien te komen.

Ze laat Tinka op het bed liggen en trekt een omslagdoek over haar nachthemd en doet haar deur open. Lilja ligt op de brits te slapen, met haar mond open en met één hand naast haar hoofd.

Antonina wordt boos. Ze zal morgen tegen Lilja zeggen dat ze niet wil dat ze voor haar deur ligt te slapen, alsof Antonina een kind is dat slaapwandelt en moet worden beschermd.

Terwijl ze zachtjes de trap afdaalt vraagt ze zich af of dit niet precies het geval is. Ze beseft dat ze te veel wodka heeft gedronken.

Er zijn zo weinig bedienden over dat ze niet bang is een van hen tegen het lijf te lopen. Als ze de voordeur uit komt, springen op de veranda twee honden op – gevlekte brakken die ooit voor de jacht werden gebruikt maar nu wat rondhangen in afwachting van hun voer, aangezien er op Angelkov dit najaar niet wordt gejaagd.

Ze knipt één keer met haar vingers en ze gaan weer liggen, met hun kop op hun voorpoten. Met onvaste tred loopt ze door de stille, kille nacht, langs de stallen en de bijgebouwen, langs de personeelskamers, over de kronkelige weg met de kale lindebomen erlangs. Haar hart springt op wanneer ze licht ziet branden in het huis met de blauwe luiken. Ze stelt zich voor hoe Grisja bij de haard zit te lezen. Ze wil hem alleen maar vragen naar die man in Toesjinsk.

Is dat alles?

Of wil ze bij hem zijn omdat ze zich een vrouw wil kunnen voelen? Ze weet dat ze ernaar verlangt zijn armen om zich heen te voelen, zijn sterke, kundige armen, zijn stem die haar zegt dat alles goed zal komen. Dat ze niet bang hoeft te zijn, dat haar zoon terug zal komen. Dat ze Angelkov niet kwijt zal raken. Dat hij haar niet zal verlaten.

Ze wil in zijn bed.

Doordat ze al wankel op haar benen staat, struikelt ze over iets op de weg – een steen, een tak – en ze valt hard op haar knieën, schaaft haar handen wanneer ze ze naar voren strekt om haar val te breken. Ze gaat op haar hielen zitten. Er krast een uil, en ze huivert. Op dat moment gaan Grisja's lichten uit.

Ze gaat staan en loopt langzaam terug naar haar eigen huis. Haar voetstappen klinken luid op de oprijlaan van sintels. Omringd door de kale bomen, in volslagen duisternis gehuld, ziet het landhuis er opeens onheilspellend uit. Het voelt niet langer als haar thuis.

31

$\mathcal{E}$nkele dagen later probeert ze 's middags in haar kamer wat afleiding te vinden door een boek te lezen, maar na een tijdje komt ze tot de conclusie dat ze de passage waarop ze zich poogt te concentreren al eerder heeft gelezen. Ze beseft dat ze het boek al voor de dood van Konstantin uit had. Als ze de trap af loopt om een ander boek uit de bibliotheek te halen, blijft ze bij het raam op de overloop staan. Het raam kijkt uit op de voortuin van het huis en op de lange oprijlaan die naar de weg voert. De zon schijnt aan een strakblauwe hemel en Antonina ziet Grisja met iemand staan praten. Ze kan alleen de bovenkant van de breedgerande hoed van de man zien en zijn schouders, die zijn gestoken in een mooie zwarte jas met een kraag van grijs lamsbont, en de punten van zijn gepoetste zwarte laarzen.

Grisja heeft geen hoed op en zelfs op deze afstand ziet Antonina het zonlicht op zijn haar worden weerkaatst.

Als Grisja zijn hoofd schudt, heft de andere man zijn gezicht en kijkt naar het huis. Antonina stapt achter het gordijn, maar niet voor ze een glimp van het gezicht van de man heeft opgevangen.

Hij loopt terug naar zijn paard, dat door Ljosja bij het tuig wordt vastgehouden. Als de man is weggereden, laat ze Grisja komen.

Hij blijft in de studeerkamer voor haar staan. De koude lucht heeft hem kleur op zijn wangen bezorgd.

'Is alles goed met je, Antonina?' vraagt hij.

'De man met wie je stond te praten. Wat wilde hij?'

Grisja geeft even geen antwoord. 'Het was de muziekleraar van het landgoed van Bakanev.'

'De violist,' zegt ze.

'Hij zei dat hij de muziekleraar was.'

Antonina wacht een tel. 'Wat wilde hij?' vraagt ze nogmaals.

Er verandert iets in Grisja's gezicht. 'Hij kwam zijn deelneming betuigen.'

Antonina denkt aan haar gehandschoende hand in Valentins handen, bij de begrafenis.

'Ik heb tegen hem gezegd dat dit niet ging, dat je niet ontving. Dat klopt, neem ik aan,' – hij kijkt even naar Pavel die langs de openstaande deur loopt – 'gravin Mitlovskija?'

'Ik denk het, ja.'

'Ik vroeg hoe hij erbij kwam dat hij dacht dat hij zomaar een week na de begrafenis kon komen aanzetten zonder een afspraak of op zijn minst eerst een kaartje te hebben afgegeven, en dan te verwachten dat hij zal worden ontvangen. Hij beschikt niet over de manieren waarop jij recht hebt.'

'Maar je hebt hem weggestuurd zonder eerst met mij te overleggen?'

Grisja's ogen gaan van haar ogen naar haar mond en dan weer terug naar haar ogen. 'Je wilde hem spreken?'

Als ze niet meteen antwoordt maakt iets dat hij vraagt: 'Ken je deze man?'

Waarom voelt ze zich nu schuldig? Ze heeft niets misdaan. 'Hij heeft ooit op mijn vaders landgoed gespeeld, lang geleden, voordat ik getrouwd was. En daarna heb ik hem nog eens gezien, op de muziekavond bij de Bakanevs.'

'En je herinnert je hem van al die jaren geleden?' Grisja haalt zich het gezicht van die andere man voor de geest. Het is mannelijk, maar aan de andere kant ook... hij zou het woord 'mooi' willen gebruiken, hoewel het dat niet precies is. Het is het soort ge-

zicht waartoe sommige vrouwen zich aangetrokken voelen. Maar het is veel te verfijnd voor een vrouw als Antonina, denkt hij.

'Heb je niet overwogen mij te vragen of ik hem wilde ontvangen?' vraagt ze opnieuw. 'Is het niet aan mij te bepalen wie ik wil ontvangen? Zelfs als ze wat onconventioneel lijken?'

Grisja voelt zich berispt. 'Ik wilde je alleen maar beschermen, Antonina,' zegt hij, terwijl hij zijn plotselinge boosheid bedwingt. 'Het is nu eenmaal zo dat jij gewoonlijk niet graag bezoek krijgt, zelfs niet van mensen die je kent. Ik veronderstelde dat jij geen bezoek zou willen hebben van een nagenoeg onbekende.'

Antonina is wonderlijk geïrriteerd. Ze schudt haar hoofd met opeengeknepen lippen. 'Het punt is dat jij geen beslissingen voor mij kunt nemen.'

'O nee?' zegt Grisja, met kille stem, en Antonina slikt. 'Is dat niet precies wat je me hebt gevraagd voor het landgoed te willen doen? Beslissingen nemen?'

'Nou, eh, ja, voor het landgoed,' antwoordt ze, met nadruk op het laatste woord. 'Niet voor mijn persoonlijke leven.'

De lucht is zwaar, alsof er luide, scherpe woorden zijn gewisseld, hoewel geen van beiden met stemverheffing heeft gesproken.

'Zoals je wilt,' zegt Grisja ten slotte. Hij haalt iets kleins uit zijn jaszak. 'Hier is zijn visitekaartje. Mocht je hem wensen te ontvangen, dan kun je hem bericht sturen.'

'Dank je,' zegt Antonina, en ze pakt het kaartje bij de uiterste hoek beet, zodat er geen kans is dat haar vingers die van Grisja zullen raken. Ze is bang voor wat er zal gebeuren als ze met hem in contact komt, bang voor wat ze dan zou kunnen doen. Het vierkantje trilt, een klein beetje maar, terwijl ze in die luttele seconden beiden het kaartje vasthouden. Zijn het haar vingers die trillen of de zijne? Hij laat het kaartje los en ze stopt het onder haar ceintuur. 'Dank je,' zegt ze weer. 'Ik zal eens in mijn agenda kijken.' Ze weten allebei dat dit een belachelijke opmerking is. Wat zou Antonina in haar agenda kunnen hebben staan? 'En als ik wil dat hij op bezoek komt, zal ik een dag uitzoeken en aan jou doorgeven,' voegt ze eraan toe.

Grisja heeft zich niet verroerd.

'Dat was alles, Grigori Sergejevitsj,' zegt Antonina. Ze moet zich bedwingen om hem niet nog een keer te bedanken, gewoon om het gesprek te rekken, en ze loopt naar het bureau alsof ze in een stapeltje papieren iets zoekt. 'O, nee, wacht.' Ze draait zich weer naar hem om als het haar te binnen schiet. 'Die boer in Toesjinsk,' zegt ze. 'De man met wie je stond te praten.'

Grisja knikt. 'Ik zal een jas voor het kind sturen, en ook een mand met nieuwe kleding, bij wijze van beloning.'

'Die bedoel ik niet. De man in de deuropening met wie ik je zag praten, voor ik het kind met Misja's jas zag.'

Grisja wacht.

'Wie was dat? Heeft hij ooit voor me gewerkt?'

Grisja's gezicht staat strak en onbewogen. 'Ja,' zegt hij ten slotte.

'Ik vond al dat hij me bekend voorkwam.' Dus het was Lev niet. 'Heb je nog dingen ontdekt, over wat er met Felja is gebeurd?' Ze wil hem eigenlijk vragen of hij vermoedens heeft, of hij denkt dat het Soso kan zijn geweest. Of hij zich zorgen maakt over verdere bedreigingen op Angelkov.

'Nee,' zegt Grisja, met een uitdrukkingsloos gezicht.

Als de stilte voortduurt, kijkt ze weer naar de papieren op het bureau, blij dat ze een paar nachten geleden niet op Grisja's deur heeft geklopt, blij dat ze bij zinnen is gekomen voordat ze zichzelf in verlegenheid had gebracht. Ik ben niet als mijn moeder, denkt ze, met het beeld van Galina Maksimova en de violist – Valentin – opnieuw levendig voor ogen.

Dat wat zij met Grisja heeft gedaan, was een vergissing. Ieder mens heeft recht op één vergissing.

Wanneer ze ten slotte opkijkt en ziet dat ze alleen is, is er een ogenblik van teleurstelling. Ze gaat vermoeid in Konstantins stoel achter het bureau zitten. Maar het begint kil te worden, het vuur in de haard dooft uit. Ze huivert in de kamer die vervuld is van de herinnering aan haar man. Ze staat op om naar haar kamer te gaan. Lilja houdt daar altijd een vuur voor haar brandende. Ze kijkt naar het kaartje in haar hand en leest de naam die met gekrulde, schuine letters is geschreven.

Drie dagen later wordt Valentin Vladimirovitsj Kropotkin de bibliotheek binnengelaten. Antonina verwacht hem. Het moment dat hij arriveert heeft ze er al spijt van dat ze hem heeft uitgenodigd. Waar had ze op gehoopt? Wat moet ze tegen hem zeggen? Zal de geest van haar moeder smalend in de hoek staan?

Antonina had tegen zichzelf gezegd, toen ze het briefje naar Bakanev had gestuurd, dat ze dit bezoekje organiseerde om wat afleiding te hebben van haar voortdurende verdriet over Michail, van haar bestaan als weduwe, van haar zorgen over Angelkov. Ze weet dat dit voor een deel waar is. Ze weet ook dat ze niet de gecompliceerde gedachten aan Grisja wil.

Het is Grisja die Valentin op het erf begroet en hij praat met hem terwijl ze naar de voordeur lopen.

'Ik hoop dat je begrip hebt voor het verdriet dat over Angelkov is gekomen, nog afgezien van de dood van de graaf,' zegt hij, en hij kijkt Valentin even aan. Hij is minstens tien centimeter langer dan de musicus.

'Tijdens de begrafenis hoorde ik over de ontvoering van het kind van Mitlovski.'

'De afgelopen zes maanden hebben voor de gravin een ware hel betekend,' zegt Grisja. 'Ze is zichzelf niet. En nu haar man zo kortgeleden is overleden...' Hij kijkt weer naar de musicus. 'Begrijp je wat ik wil zeggen, Kropotkin?'

'Heb jij jezelf tot lijfwacht van de gravin benoemd?' Valentin is hem geen verantwoording schuldig. Hij is nu vrij man. Hij besefte, toen hij de eerste keer naar Angelkov kwam om te proberen de gravin te bezoeken, dat Narisjkin de man was die hij gravin Mitlovskija in de calèche zag helpen, na de avond bij Bakanev. 'Ik ben hier om haar mijn deelneming te betuigen.' Hij kijkt Grisja aan. 'En jij, Narisjkin?'

'Wat?'

'Waarom ben jij hier?'

Grisja blijft staan, zodat hij Valentin dwingt ook te blijven staan. 'Je weet dat ik de rentmeester ben. Ik help haar het landgoed te beheren, zoals ik ook haar overleden echtgenoot heb geholpen.'

'Juist ja,' zegt Valentin.

In Grisja's oren klinken die twee woorden minachtend, misschien zelfs suggestief, of beledigend. Hij ziet hoe Kropotkin zijn handen ineenslaat en knijpt, alsof hij de een of andere spanning uit zijn vingers wil wegknijpen. Ze zijn lang en verfijnd. Iets aan die onverwachte beweging doet Grisja aan Michail denken.

Dat komt doordat ze allebei musicus zijn, zegt Grisja tegen zichzelf.

Valentin ziet, zodra Grisja hem door de hoge voordeuren heeft binnengelaten, dat er weinig personeel moet zijn voor zo'n groot huis. Er valt niets te bespeuren van bedrijvig gedoe zoals in het huis van Bakanev, waar op alle verdiepingen voortdurend personeel bezig is met schoonmaken en heen en weer lopen.

Er staat een bejaarde man in het uniform van huisknecht in de hal, maar dat is alles. Valentin vindt het ook vreemd dat de rentmeester degene is die hem binnenbrengt. Bij zijn komst had de rentmeester gefloten en er kwam een jongeman uit de stal toegesneld om zijn paard weg te leiden.

Grisja blijft waar hij is terwijl Pavel naar voren stapt om Valentins jas en hoed aan te nemen, waarna hij, met een korte buiging, zijn hand uitsteekt naar de gang die naar de bibliotheek voert.

Antonina heeft deze gezellige ruimte vol boeken uitgezocht om haar gast te ontvangen. Grisja hoort heimelijke voetstappen op de trap en als hij opkijkt ziet hij Lilja die Valentin nastaart. Dan kijkt ze even naar Grisja, en Grisja ziet de afkeuring op haar gezicht.

Wanneer Valentin zonder nog iets te zeggen naar de deuren met houtsnijwerk loopt, wordt Grisja opnieuw woest. Die man is vergeten dat hij nog geen jaar geleden een horige was. Dat Grisja een jaar geleden, als vrij man, boven hem zou hebben gestaan en dat die muzikant vanuit zijn middel voor hem had moeten buigen en dat hij anders een berisping had gekregen.

Of misschien is die muzikant het wel niet vergeten – hoe kun je een levenslang patroon zo snel vergeten –, maar wil hij Grisja duidelijk maken dat hij hem geen beleefdheid verschuldigd is. Dat ze nu van dezelfde stand zijn: vrije mannen.

Grisja wacht en luistert wanneer Pavel de deuren opendoet om Valentin binnen te laten. Hij kan zich niet voorstellen dat Antonina deze zelfvoldane, verwijfde man heeft toegestaan haar te bezoeken. Grisja hoort Antonina's stem – hoewel hij niet kan verstaan wat ze zegt – en daarna hoort hij Kropotkins reactie. En dan doet Pavel de deuren dicht en stelt zich buiten de bibliotheek op. Lilja staat nog steeds op de trap.

Antonina heeft ervoor gekozen niet-gechaperonneerd te zijn bij het bezoek van Kropotkin.

Grisja voelt zich ongemakkelijk... meer dan dat... ongerust over Kropotkins aanwezigheid in het huis; er is iets aan die man wat hem hevig irriteert. Maar hij kan hier niet zomaar blijven staan. Hij draait zich om en vertrekt, hij wil niet dat Pavel of Lilja zijn irritatie opmerkt.

Valentin Vladimirovitsj is gewend door vrouwen te worden aanbeden, maar hij heeft geen ruimte in zijn hart voor de complexiteit van hun gevoelens. Het is elke keer hetzelfde: de overdreven zuchten en de smachtende blikken, de eerste aarzelende en dan stoutmoediger aanrakingen, het melodrama aan het begin van de affaire, en daarna aan het eind.

Het is allemaal net zo eentonig en vervelend als het gedruppel van de regen vanaf een dak. Hij geeft vrouwen wat ze willen: de gewenste vorm van pluimstrijkerij of eerbied of romantiek of sensualiteit die ze maar verlangen, en bij wijze van tegenprestatie krijgt hij wat hij nodig heeft.

Toen hij prinses Olonova – nu gravin Mitlovskija – bij de Bakanevs zag, begreep hij dat ze verdrietig was. Nu hij op de hoogte is van de verdwijning van haar kind en de dood van haar man, vermoedt Valentin dat ze heel kwetsbaar is. Het zou kunnen dat gravin Mitlovskija, alleen en treurend, baat heeft bij zijn gezelschap. Het zou kunnen dat hij baat heeft bij dat van haar.

Haar behoedzaamheid en onzekerheid zijn zichtbaar wanneer ze hem begroet, waarbij ze een schoothondje stevig in haar ene arm houdt. Hij betuigt haar zijn deelneming met het overlijden van haar man. Uit haar weinig emotionele reactie, zowel bij de begrafenis als vandaag, maakt hij op dat er weinig genegenheid bestond tussen haar en de voorzover hij weet veel oudere man. Een typerende situatie. Hoe vaak heeft hij niet het gezelschap gevormd voor een verveelde jonge vrouw die te hartstochtelijk en te enthousiast was voor een man van tientallen jaren ouder zonder nog veel belangstelling voor jeugdig vertier.

Valentin vult het bezoek behendig met grappige verhalen over situaties die hij heeft meegemaakt op sommige landgoederen waar hij heeft gewerkt. Hij nuttigt twee koppen thee en drie cakejes, waarbij hij haar zijn complimenten maakt over de verfijnde smaak: een kokkin die zulk luchtig gebak kan maken, is moeilijk te vinden in de provincie. Hij beantwoordt Antonina's vragen over zijn favoriete componisten en over wat hij de nichtjes Bakanev onderwijst. Antonina en hij zijn het erover eens dat de maand oktober dit jaar koeler is dan vorig jaar. Hij heeft het over Tinka's toewijding aan haar bazinnetje en over de geneugten van de genegenheid van honden. Hij houdt de tijd in de gaten en vertrekt na precies een uur.

Hij heeft erop gelet dat het gesprek luchtig en moeiteloos verliep. En toch beseft Antonina, zodra hij is vertrokken, dat Valentin Vladimirovitsj beslist geen ongecompliceerd mens is. Ze begrijpt ook hoe hard hij zijn best moet hebben gedaan om zo'n beleefdheidspraatje te kunnen maken. Ze ziet hoe pijnlijk terughoudend hij is. Hij bood haar mogelijkheden om over haar overleden man te praten, maar hij had niet naar haar zoon gevraagd, ook al zouden de Bakanevs hem dit vreselijke verhaal ongetwijfeld hebben verteld. Een bewijs dat hij attent en gevoelig is.

Ze verwacht niet dat hij haar nogmaals zal willen ontmoeten, aangezien het bezoek niet echt gezellig voor hem kan zijn geweest.

Wanneer ze de volgende dag een briefje van hem ontvangt, om haar te laten weten hoezeer hij van de tijd bij haar heeft genoten, is ze verbaasd. Na enig nadenken stuurt ze een briefje terug, met de mededeling dat ze Valentin Vladimirovitsj graag de volgende week nog een keer wil ontvangen.

Wanneer hij de tweede keer naar Angelkov komt, brengt hij zijn viool mee. 'Ik dacht dat we misschien samen wat konden spelen.'

'O, dat denk ik niet, meneer Kropotkin.'

Hij zet zijn vioolkist neer. 'Ik begrijp het. En ik bied u mijn excuses aan voor deze vrijmoedigheid.'

'Ik voel me gewoon niet in staat u te begeleiden. Maar ik zou graag willen dat u voor me speelt,' gaat ze verder, een beetje nerveus, of misschien wel opgelucht. Als hij speelt, hoeft zij zich niet verplicht te voelen het gesprek gaande te houden.

Hij merkt, net als bij zijn eerste bezoek, dat ze zich niet op haar gemak voelt met een man op bezoek, en toch heeft ze hem niet weggestuurd. Hoewel het eigenlijk te vroeg voor hem is om hier te zijn na de dood van haar man.

Ze lopen de muziekkamer in en ze gaat op het bankje zitten terwijl hij bij de erker gaat staan. 'Hebt u misschien een verzoek, mevrouw?' vraagt hij, terwijl hij zijn viool uit de kist haalt. Het instrument heeft een prachtige roodbruine lak, en een gouden lelie op het staartstuk. 'Ik heb een groot repertoire,' zegt hij zonder enige poging tot bescheidenheid. Hij is musicus, en dit is zijn werk: spelen voor mensen. 'Is er een componist die uw voorkeur heeft?'

Hij weet wat het stuk van Glinka die avond bij de Bakanevs met haar deed en hij is bezorgd dat andere stukken of componisten haar evenzeer zullen aangrijpen. Ze is, begrijpt hij, in een erg labiele stemming, en hij herinnert zich de rentmeester met zijn waarschuwing. Hij mag die man niet.

'Misschien Bach?' vraagt hij, wanneer ze geen antwoord geeft. 'De *Partita* in d kleine terts? Ik zou het eerste en het tweede deel kunnen spelen.'

Ze knikt, vouwt haar handen in haar schoot en schuift wat verder op de bank.

Valentin stapt naar de Erard en doet de klep open. Hij slaat de A van het eerste octaaf aan.

De piano is wat ontstemd. Net als met de rest van het landgoed is er achterstallig onderhoud. Wat jammer dat dit prachtige Franse instrument wordt verwaarloosd. Wat zou Valentin prachtige concerten kunnen geven in zo'n salon. Hij ziet een stapel bladmuziek en kijkt wat beter: het is Glinka. En het is van hem, voor prinses Olonova. Hij was vergeten dat hij dit lang geleden op haar naamdag aan haar heeft gegeven. De eerste pagina van *La Séparation* in f kleine terts is wat gescheurd en vertoont verbleekte rode vlekken.

'Mevrouw,' zegt hij, en hij kijkt haar aan. 'U hebt het nog steeds. De muziek die ik u heb gegeven.'

Ze bloost. 'Ja, ik heb er erg van genoten. Ik heb enkele ingewikkelde werken van Glinka voor mijn zoon getransponeerd toen hij nog klein was. Hij zou het nu met gemak kunnen spelen zoals het is geschreven. U begrijpt uiteraard de onderliggende moeilijkheid van het volmaakt uitvoeren van Glinka's composities: ze verlangen een zekere eenvoud en ongekunsteldheid die slechts heel moeizaam valt te bereiken. Misja heeft dat gespeeld – *La Séparation* in f kleine terts – toen we de laatste keer... toen we voor het laatst samen...'

Nu begrijpt hij waarom die nocturne van Glinka haar zo verdrietig maakte.

'Het spijt me, mevrouw,' zegt Valentin, en hij stapt bij de piano vandaan en haalt een stemvork uit zijn kist om zijn a-snaar te stemmen door aan de knop van de snaar te draaien en licht aan de snaar te plukken. Wanneer hij tevreden is, stemt hij de drie andere snaren in verhouding op de a. Dan zet hij de viool onder zijn kin, tilt zijn strijkstok op en dan klinken de rijke noten van het eerste deel door de stille kamer.

Wanneer Valentin is vertrokken, haalt Antonina zich het beeld voor de geest van zijn blote armen en benen, zoals hij in haar moeders verwarde beddegoed lag. Zijn ledematen waren goedgevormd en toch was er iets verfijnds aan hem. En nu hij ouder is, ja, net als zij, is hij nog steeds slank en enigszins jongensachtig. Hij is als een paard dat voor snelheid is gefokt, vindt Antonina, met een sterk en toch soepel lichaam, misschien een wat kwetsbare trek rond de mond. Hij wekt de indruk van de volmaakte mengeling van kracht en tederheid.

Hij is niet als Grisja, hard en gesloten, waardoor zij in verwarring wordt gebracht. Valentin draagt zijn emoties op zijn gezicht, terwijl Grisja... die man is ondoorgrondelijk.

Ondanks de opmerkingen van Grisja over Valentins manieren, om zomaar te komen zonder vooraf een visitekaartje te sturen, constateert Antonina dat hij echt heel ontwikkeld is. Ze weet dat hij in zijn vorige leven als horig musicus de noodzakelijke manieren onderwezen heeft gekregen om met mensen van adel of van koninklijken bloede om te gaan wanneer hij in hun muzieksalons en theaters en balzalen moest spelen. Hij is ook goed ontwikkeld: hij laat nonchalant Franse zinnen vallen en noemde dat hij op dit moment bezig was *La Confession d'un Enfant du Siècle* van De Musset te lezen.

Als hij speelt valt er een lok zacht, blond haar over zijn hoge, blanke voorhoofd. Hij beroert zijn viool alsof het een geliefd kind is. Nee, daar is zijn greep te stevig voor – alsof het een geheime minnares is.

Dit brengt haar weer terug bij Grisja, en bij de manier waarop hij haar zo gemakkelijk optilde en tegen zich aan gedrukt hield, de manier waarop hij haar vol zelfvertrouwen leidde, en haar toch ook de leiding liet nemen.

Grisja. Als hij er niet was geweest, had Antonina niet plotseling en onverwacht dit onthutsende verlangen naar het zoete gevoel van huid op huid gehad, de sensuele herinnering aan het gewicht van een man boven op haar, het heen en weer worden getrokken door begeerte.

Ze laat zich op haar knieën vallen en begint te bidden, in een poging die beelden te verdrijven.

Aan het eind van het tweede bezoek had Valentin gevraagd of hij regelmatig bij haar op bezoek mocht komen. 'Het is zo vervelend dat heen en weer sturen van kaartjes, vindt u niet?' verklaarde hij. 'Ik geef alleen 's ochtends les,' ging hij verder. 'Mijn middagen zijn vrij om te doen wat mij belieft. En u, mevrouw, hebt u misschien tijd die u uw eigen tijd kunt noemen? Ik kan me voorstellen dat het beheer van een landgoed als Angelkov veel inspanning vergt.'

Ze had onzeker geknikt. Ze is er niet zeker van of ze dit echt wil, en toch weet ze niet hoe ze Valentin op beleefde wijze kan weigeren. Hij is zo vol leven en zelfs na twee bezoeken ziet ze hoe hij kleur en muziek in haar saaie dagen brengt. Hoe hij haar, heel even, afleidt van de gedachten die haar kwellen: het berouw over haar gedrag terwijl haar zoon ver van huis in de narigheid zit, de financiële problemen van het landgoed.

Antonina laat de pianostemmer uit Pskov komen en betaalt hem met een zware zilveren snuifdoos van Konstantin. Het zilver is danig aangeslagen, niets van het zilver van Angelkov fonkelt nog. De man draait hem rond in zijn handen en Antonina weet dat hij hem zal oppoetsen en hem vervolgens verkopen voor veel meer geld dan het bedrag dat hij voor de stembeurt zou hebben gerekend.

Valentin blijft zijn viool meebrengen, gewikkeld in een schapenvacht om hem te beschermen tijdens de rit van het landgoed van Bakanev naar Angelkov. Wanneer hij nu arriveert, brengt Pavel hem rechtstreeks naar de muziekkamer, waar Valentin de viool uitpakt en uit zijn kist haalt. Hij legt hem op een ottomane om op kamertemperatuur te komen voordat hij hem stemt en zijn stok harst.

Tijdens het wachten praten Antonina en hij. Het gaat nu gemakkelijker, elke keer dat hij komt wordt ze wat opener.

Voor Antonina is het fijn om weer in de muziekkamer te zijn. De manier waarop Valentin zijn stok over de snaren beweegt en klanken oproept en vormt en kleurt, zodat haar hart in haar borst zwelt, bezorgt haar een diep gevoel van dankbaarheid voor het geluk dat ze met haar zoon in deze kamer heeft gekend. Ze herinnert zich zoveel heerlijke uren, zoveel weken en maanden en jaren dat hij achter de piano zat en met zoveel toewijding en expressie speelde. Dat hij zich omdraaide op het pianobankje en haar met stralende ogen vroeg: 'Hoe heb ik dat laatste deel gespeeld, mama? Waren de trillers licht genoeg? Wat zal ik nu spelen?'

Misja. Ze kijkt naar de beregende ramen. Het weer is echt omgeslagen, de winter staat voor de deur. Heeft hij het warm genoeg?

Lang voordat de schemering invalt, komt Lilja steeds de kaarsen en lampen aansteken, een subtiele hint dat het tijd wordt dat Kropotkin opstapt. Ze is ongewoon langzaam met deze eenvoudige handelingen, ze blijft lang bij elke kaars en lamp staan, terwijl ze de violist aankijkt met een bijna pruilende blik.

Antonina vraagt zich af wat die vrouw bezielt. Waarom doet ze zo zuur? Het is overduidelijk dat Lilja het niet leuk vindt dat Valentin op Angelkov komt, en dat is vast niet omdat het betekent dat ze hun 's middags thee moet komen serveren.

Pas na de derde of vierde keer dat Lilja weer uitermate om- slachtig de lampen heeft aangestoken, komt er een gedachte in Antonina op. Zou Lilja jaloers kunnen zijn?

Bijna even snel als het idee in haar opkomt, zet ze het weer van zich af. Waarom zou Lilja jaloers zijn?

Lilja denkt dat ze weet wat er gebeurt: Valentin begint verliefd te worden op Antonina. Het is heel vanzelfsprekend voor Lilja om dit te denken, ze gaat ervan uit dat niemand langere tijd bij Antonina in de buurt kan zijn zonder verliefd op haar te worden.

Ze kan niet beoordelen wat Antonina voor Valentin voelt, hoe- wel ze probeert haar op een onopvallende manier uit te horen. *Hoe lang zal meneer Kropotkin op het landgoed van de prins en prinses blijven? Is hij getrouwd? Waar woont hij? Gaat hij naar Sint-Peters- burg terug wanneer de nichtjes Bakanev vertrekken, of blijft hij hier in de omgeving om les te geven aan kinderen van andere landeigenaren?*

Antonina is openhartig in haar antwoorden op Lilja's terloopse vragen, terwijl de vrouw na een bezoek van Valentin haar bed rechttrekt of een jurk ophangt. Wanneer Lilja enige vorm van kri- tiek op hem gaat leveren, zoals *hij eet wel veel cakejes, elke keer dat hij komt, en heb je het gezien? Hij hield een klont suiker tussen zijn kiezen en dronk zijn thee erdoorheen: dat wijst toch echt op een boerse komaf* – verwacht ze, hoopt ze, dat Antonina zal lachen en het met haar eens zal zijn.

In plaats daarvan zegt Antonina scherp tegen haar: 'Het is jouw werk om die cakejes te serveren, Lilja, niet om te tellen hoeveel er worden genuttigd.' Dan denkt Lilja dat Antonina om Valentin Vladimirovitsj geeft op een manier die niets te maken heeft met hoe hij op zijn viool speelt. Lilja weet dat Grisja ook niet te spre- ken is over de bezoeken van Kropotkin. Elke keer dat hij bij het huis arriveert, brengt Grisja hem naar de voordeur en kijkt hij hem na terwijl hij door Pavel naar de muziekkamer wordt gebracht.

Ze ziet Grisja's gezicht wanneer hij Kropotkin naar de deur

brengt en ze begint nu te geloven dat het waar is wat ze een paar weken geleden al begon te vermoeden. Grisja is verliefd op de gravin. Ze weet dat de gravin onmogelijk iets voor Grisja kan voelen, hij is slechts haar rentmeester. Dus moet ze Grisja gebruiken om Valentin weg te werken.

Ze kan niet toestaan dat er iemand tussen Antonina en haar komt.

32

Op een middag heeft Grisja Valentin weer naar de voordeur gebracht voor een bezoek. Als hij de stoep af loopt, roept Lilja hem. Ze staat pal achter hem: waar is ze opeens vandaan gekomen?

'Lilja! Waarom sluip je zo achter me aan?'

'Ik moet met je praten,' zegt ze.

Hij zou bijna zeggen dat ze verlegen doet. 'Wat moet je?'

'Niet hier. We moeten onder vier ogen praten. Ik kom wel naar je huis.'

'Nee. Zeg hier maar meteen wat je wilt.'

Lilja kijkt over haar schouder. 'Vanavond dan maar, als ze in bed ligt. Kom naar de keuken.'

Hij ergert zich aan haar overdreven geheimzinnige gedoe. 'Wat is er, Lilja?'

'Het gaat over Misja,' zegt ze, en zijn ergernis verdwijnt op slag. Hij dacht dat ze niets over de ontvoering wist, niets over de betrokkenheid van Soso of van hemzelf. Terwijl hij haar aankijkt, begint hij zich af te vragen of hij het mis had.

'Hoe bedoel je?'

Ze doet haar ogen half dicht terwijl ze hem op die wonderlijke, sluwe manier blijft aankijken. 'We moeten het over Misja hebben,' zegt ze. 'Later. In de keuken.'

Sinds de violist de gravin was komen bezoeken en Lilja Grisja's reactie had gezien, is ze snel tot daden overgegaan. Ze is nu klaar om met Grisja te praten.

Omdat ze Soso's handschrift op de plank aan de hals van het paard herkende, wist Lilja dat hij ergens in de buurt van Angelkov moest zijn. Ze was danig geschrokken van wat hij met het paard had gedaan en daardoor waren er ook oude gedachten bij haar bovengekomen. In april had Lilja zich een tijdje afgevraagd of Soso bij de ontvoering van Misja betrokken kon zijn geweest. Toen hij van het landgoed was verdwenen, kort nadat de jongen was meegenomen, was ze blij geweest dat ze hem kwijt was en ze had zichzelf ervan weten te overtuigen dat hij het niet kon zijn geweest. Iedereen had de ontvoerders kozakken genoemd, en Soso was geen kozak.

Na de aanslag op Felja dacht ze er nog eens over na. Het feit op zich dat die mannen als kozakken gekleed waren geweest en kozakkensabels hadden gehad, hoefde nog niet te betekenen dat ze ook kozakken wáren.

Ze liep er voortdurend over te piekeren. Waarom had Soso het paard waar Grisja van hield op zo'n gruwelijke wijze gedood? Waarom? Lilja dacht er lang en diep over na waarom hij Grisja kwaad zou willen maken. Hoe meer ze nadacht over wat er op de plank stond geschreven: *Dit is wat er gebeurt. Jullie doen niet wat we zeggen*, hoe meer ze dacht dat Soso bij de ontvoering betrokken moest zijn geweest, en misschien Grisja ook wel.

Ze moest Soso zien te vinden en hem uithoren.

Dat duurde niet lang. Soso was in sommige dingen slim, maar niet slim genoeg voor haar.

Ze liet Ljosja een van de Orlov-dravers voor een wagentje spannen en reed in haar eentje naar het dorp Borzik, halverwege Angelkov en Pskov. Borzik was niet het dorp waar Soso en Lilja hadden gewoond voordat ze naar het landgoed verhuisden, maar het dorp van Soso's grootmoeder. Hoewel ze allang was overleden, had hij veel van zijn grootmoeder gehouden en hij had Lilja vaak verteld dat hij haar in haar izba aan de rand van het dorp had bezocht. Hij ging er ook vaak naar neven die er woonden, nadat Lilja en hij waren getrouwd. Hij vertelde haar dat hij er altijd welkom was: wanneer hij langskwam stonden er altijd een bed en wat wodka voor hem klaar.

Toen Lilja Borzik binnenreed zag ze Soso meteen. Hij sjokte door de modderige straat in zijn jas van berenvacht. Ze wist dat hij die graag droeg omdat die hem forser deed lijken. Ze riep zijn naam en hij keek om. Hij leek niet blij of misnoegd haar te zien, alleen maar verbaasd. 'Wat doe jij in Borzik, Lilja?'

'Ik had zo'n idee dat je hier wel zou zijn. Ik wil met je praten, Soso.'

'Ik kom niet terug naar Angelkov.'

'Daar wil ik het ook niet over hebben. Waar woon je?'

Soso gebaarde naar een izba verderop in de straat. Naast het huisje stond een treurige ezel vastgemaakt. 'Bij mijn neef Maks.'

'Neem me daar even mee naartoe, want de hele straat hoeft niet te horen wat wij te bespreken hebben,' zei Lilja, en hij liep voor haar uit naar het huisje. Hij moest bukken om door de lage deur naar binnen te gaan.

Lilja nam de zak die ze had meegebracht mee naar binnen en keek naar het smerige bestek op de tafel, de pan met aangekoekte boekweitpap, de rommelige dekens die op de strozakken op de vloer lagen. Ze hoorde het geritsel van kakkerlakken in het smerige stro dat tussen de wanden en de vloer was gepropt om tocht buiten te houden. Naast de deur balkte de ezel. 'Wonen alleen Maks en jij hier?'

'Zijn vrouw zorgt voor haar oude moeder in het dorp verderop.'

'Heilige Moeder van God, Soso, wat ben jij een vies zwijn geworden.'

Hij lachte en keek tevreden, alsof ze hem een compliment had gemaakt.

'Ik heb iets voor je meegebracht,' zei ze toen, en ze haalde de fles goede wodka die ze uit de kelder van Angelkov had gepakt, tevoorschijn. 'En worst en brood. Ingemaakte melkzwammen.' De paddestoelen vormden Soso's lievelingsgerecht bij het drinken van wodka. 'Ga zitten,' zei ze tegen hem en hij gooide zijn jas op de vloer en ging op de bank aan de ene kant van de tafel zitten. Zij ging aan de andere kant zitten, veegde het mes aan haar rok af en sneed de worst in plakken die ze tussen dikke sneden wit brood van Rajsa legde. Ze gaf hem die, samen met de open pot paddestoelen, daarna trok ze met haar tanden de stop uit de fles wodka en schoof die over de tafel naar hem toe. Hij keek haar aan en ze glimlachte.

'Wat moet je?' vroeg hij, met volle mond.

'Ik heb je gemist, Soso. Mijn bed is koud,' zei ze, en zweeg toen terwijl hij at. Hij draaide zich een keer om om iets uit te spugen. Ze nam één flinke slok wodka, maaar liet hem de rest opdrinken. Ze had alle tijd.

Toen de fles leeg was en de paddestoelen op en hij haar over de tafel aankeek met de lodderige blik die ze maar al te goed kende, liep ze naar hem toe en pakte zijn hand. 'Ik heb je gemist, Soselo,' zei ze weer, en ze knikte naar de stapel dekens. 'Kom.'

Hij volgde haar. Lilja mompelde iets aanmoedigends en trok haar rok op terwijl ze ging liggen. Hoewel Soso dronken was, was hij niet té dronken. Later legde ze haar hoofd op zijn borst en liet hem in een snurkende slaap vallen, een halfuur lang. Toen schudde ze hem voorzichtig wakker uit zijn verdoving, met haar hoofd nog steeds op zijn borst.

'Je zou eens moeten horen hoe de gravin nog steeds om die jongen huilt,' zei ze. 'Het is af en toe niet om aan te horen.'

Soso ademde luidruchtig door zijn mond, smakte toen met zijn lippen en slikte.

'Die lieden die Michail Konstantinovitsj hebben meegenomen – die kozakken – zijn echte kerels, bang voor niets. En ze hebben

Grisja een flink lesje geleerd toen ze hem te grazen namen,' zei ze, terwijl ze hoorde hoe Soso's maag het eten verteerde. 'Dat is zijn verdiende loon. Je zou denken dat hij de baas was op het landgoed, zoals hij daar loopt rond te stappen, de opschepper.'

Ze wachtte tot Soso iets zou zeggen. Toen er niets kwam, lachte ze gedempt. 'De gravin is een soort omhooggevallen tsarina geworden, nu zij de landeigenaar is. Grisja en zij maken het leven onmogelijk voor mensen zoals ik, die zijn achtergebleven. Ik hoop dat God ze zal straffen.' Ze sloeg een kruis.

'En als God het niet doet, zullen wij het wel doen,' zei Soso, en Lilja wachtte heel even. 'Net zoals we die ouwe rotzak hebben gepakt.'

'Hoe bedoel je?' vroeg ze, met haar hand op Soso's borst. 'Soso, je gaat me toch niet vertellen dat jij het was?' hijgde ze. 'Heb jij iets met die ontvoering te maken gehad?' Ze leunde op haar elleboog en keek hem met grote ogen aan – het toonbeeld van een trotse vrouw.

Soso's borst zwol onder Lilja's hand, en hij knikte.

'En wat nu, mijn lieverd, mijn dappere man? Wat nu?' vroeg ze.

'We gaan nog meer geld voor die jongen vragen,' zei hij.

'Waren die twee anderen echt kozakken?'

'Je kent ze niet.'

'Niet van Angelkov?'

'Nee.'

Lilja gleed met haar vingers door Soso's baard. 'Is hij dan nog steeds in leven? Michail?' vroeg ze terloops.

'Hij is nog in leven,' beaamde hij. 'Tot we nog meer geld hebben gekregen, blijft hij leven.'

'Gaan jullie weer naar de gravin?'

'Nee, we zitten te wachten tot Grisja het bij ons brengt. Hij doet er te lang over.'

'Grisja?'

'Die deed ook mee.'

Lilja kwam snel op haar knieën overeind en legde haar handen op Soso's schouders. 'Was Grisja ook bij de ontvoering betrokken?'

Soso duwde haar handen weg. Zijn ogen waren dicht, hij kon elk moment weer in slaap vallen.

'Soso, lieverd. Blijf wakker. Ik moet zo weer weg. Praat tegen me. Wat heeft Grisja hiermee te maken?'

Soso wreef in zijn ogen terwijl hij moeizaam een eindje omhoogschoof en tegen de ruwe houten wand achter hem leunde. Hij keek haar aan, met hangende oogleden. 'Wil je helpen?'

Lilja likte langs haar lippen. 'Ik zie hem elke dag, die klootzak. Misschien kan ik wat doen. Als ik ook een deel van het losgeld krijg.'

Soso haalde zijn schouders op. 'Lev, een van de kozakken, en ik hebben besloten dat Grisja nu nog meer moet geven dan wat hij van de gravin krijgt. We willen meer, veel meer.' Zijn ogen gingen dicht. 'Het eerste losgeld is al uitgegeven. We hebben hem nodig om nu nog meer te krijgen.' De laatste woorden zakten weg.

'Maar Soso,' zei Lilja, nu wat luider, en zijn ogen gingen weer open. 'Als Grisja er ook bij betrokken was, waarom moet hij jou dan betalen?'

'We hebben hem gebruikt omdat we hem nodig hadden. Maar met dat paard heb ik 'm laten zien dat het menens was. Hij heeft niet eens zijn deel gekregen van het losgeld dat hij ons in het bos heeft gebracht.' Hij snoof smalend. 'Ik had nooit gedacht dat het zo'n sukkel was.'

Grisja was geen sukkel. Haar vermoedens waren dus juist. Ze wist op dat moment zeker waarom hij zo hevig probeerde Misja terug te krijgen voor Antonina.

'We moeten wel opschieten. De priester heeft geen zin de jongen nog veel langer daar te hebben. Hij is moeilijk onder de duim te houden en hij stookt de andere jongens op.'

'Ja,' stemde ze in, terwijl haar gedachten razendsnel gingen.

'Michail Konstantinovitsj is een eigenwijs ventje.' *Hij zit dus in een kerk of in een soort klooster.* 'Welke priester?'

Soso boert even. 'Herinner je je Slava Saavitsj nog, uit ons dorp?'

'Ja,' zei Lilja. Slava Saavitsj was weinig meer dan een rondtrekkende pelgrim, met een juten pij die met een touw was dichtgeknoopt, en die met alles wat hij bezat in een zak op zijn schouder bedelend door de provincie trok. Hij was in hun dorpje gestopt omdat de priester daar kortgeleden aan tyfus was bezweken en de kerk iemand nodig had. Soso had bij de graaf een verzoek ingediend en vader Saavitsj was gebleven.

'Saavitsj is toch uit het dorp vertrokken?'

Soso sprak traag en zweeg lang tussen de zinnen. 'Hij heeft een klooster overgenomen, en daar leidt hij jongens die wees zijn geworden op tot dorpspriester. Hij heeft het nodige aan me te danken; ik heb meer dan eens zijn hachje gered. Hij is met flessen wodka en zakken gedroogd rundvlees en zonnebloempitten die ik uit de opslag van Angelkov had gehaald, overgehaald om me te helpen.' Hij wreef over zijn ogen. 'Op dit moment is Misja gewoon een dorpsjongen in een arme kluizenaarshut. Saavitsj weet dat als de jongen ontsnapt en vertelt waar hij heeft gezeten, hij de klos zal zijn. Dus is hij heel voorzichtig. Maar hij is dat ventje van Mitlovski nu goed zat. Net als wij. Nog één betaling – en daar zal Grisja voor moeten zorgen – en dan is het afgelopen. We zullen het allemaal goed hebben, Lilja.'

'Wat ben jij toch een slimme kerel, lieverd,' zei Lilja zacht. 'Dus na die laatste betaling kom Misja weer terug?'

Soso maakte een geluid dat bijna een lach was. 'Om z'n mammie alles te vertellen over de boze mannen die hem hadden meegenomen? Hij heeft me gezien, Lilja, en hij kent Saavitsj natuurlijk. Nee, als Grisja het laatste geld brengt, is de jongen verdwenen. Voorgoed.' Hij reikte naar de jas van berenvacht, die in een hoop naast het bed lag. Hij trok hem naar zich toe, rommelde even en haalde toen een pistool tevoorschijn. 'Hij is dan verdwenen, net als

Grisja. Het mooiste kozakkenpistool,' zei hij, en hij zwaaide met het wapen. 'Heb ik van Lev gekregen. Kijk eens naar het leer op de kolf,' pochte hij, nu een stuk wakkerder, en hij streek er met zijn hand over. 'Dus dan hebben we alles wat we willen.' Hij spande de haan en richtte het pistool op de kachel. 'Boem,' zei hij, en daarna klikte hij de hamer weer op zijn plaats. 'Ik heb hem altijd geladen en voor het grijpen.'

Lilja keek naar het pistool en glimlachte naar Soso, maar haar mond was droog. Ze zou Misja niet laten vermoorden. Het was een lieve jongen, net zijn moeder. En het zou Antonina nog verder verwoesten. Ze wilde dat alles weer net zo werd als vroeger: Misja, de gravin, en zij. Met Konstantin dood en de violist door Grisja verjaagd – en Grisja zelf ook dood, zoals Soso beloofde – zou het volmaakt zijn. Echt volmaakt. 'Doe dat ding weg, Soso,' zei ze. 'Je maakt me bang.'

Hij glimlachte trots en stopte het pistool weer in de zak van de jas.

'Hoe kan ik je helpen, lieverd?' vroeg Lilja. 'Ik wil hieraan meedoen, samen met jou. Laat me je helpen dat kreng een lesje te leren,' zei ze langzaam. 'Het is echt vreselijk zoals ze nu tegen me doet.'

'Dan moet je op Grisja inpraten. Zeg dat hij moet opschieten met het geld. Niet alleen met wat hij van de gravin krijgt. Het moeten nu honderden roebels meer zijn. Zeg dat maar tegen hem.'

'Ja, ja,' zei ze. 'Ik zal hem met het geld naar jou toe brengen, is dat goed?'

Soso wees met een vieze vinger naar de icoon boven de kachel. 'Daarachter zit een brief van de jongen. Die heb ik hem vorige week laten schrijven. Lev zei dat ik voor een bewijs voor Narisjkin moest zorgen, omdat hij anders geen geld meer wil geven. Hij zit dáár,' herhaalde hij en hij bleef naar de icoon wijzen.

Lilja knikte. 'Ik zal hem aan Grisja laten zien, en dan zal hij me vertrouwen. En daarna, Soso, zullen we genoeg geld hebben om alles te doen wat we maar willen. Waar zit die jongen dan, lieverd? Hij moet hier in de buurt zijn, als jij hem vorige week nog hebt gezien.'

Soso's oogleden begonnen weer zwaar te worden. 'Jij en ik, hè, Lilja?' zei hij ten slotte. 'Wij zijn meer waard dan die lui daar op het landgoed.'

'Ja. Waar is dat klooster van Saavitsj?' herhaalde Lilja, maar vriendelijk, op sussende toon. 'Is dat ver hiervandaan?'

Soso's ogen waren dicht. 'Nee. Het staat aan de rand van Pskov. Oebenovo Monastyr, een godvergeten oord.'

Lilja keek neer op Soso. Zijn gedachten waren heel gemakkelijk te lezen, vooral als hij dronken was. Ze wist dat ze net zo goed zelf het pistool tegen haar hoofd kon zetten als Soso het geld eenmaal had. Natuurlijk wilde hij dat niet met haar delen.

Soso deed onverwachts zijn ogen open en gaf haar een knipoog. Zijn tanden waren vies. Het volgende moment lag hij te snurken.

'Deze kant uit,' beveelt Lilja Grisja als hij die avond de keuken binnenkomt. Ze gaat hem voor langs Rajsa en Olga en Noesja, die bezig zijn met de afwas van het avondeten en het klaarzetten van de spullen voor het ontbijt.

Ze neemt hem mee naar de provisiekamer. Dat is een lange, hoge ruimte met kasten vol levensmiddelen: potten met ingemaakte komkommers en paddestoelen en tomatensaus met kruiden, zakken meel en haver en zemelen, zakken aardappels en uien, klonten suiker die in gaas zijn verpakt en blikken met thee.

Zonder omhaal van woorden zegt ze: 'Ik heb Soso gesproken. Ik weet dat hij Felja heeft gedood, en dat weet jij ook. En ik weet waarom. Hij zei dat hij zat te wachten op het geld van jou.'

Ze ziet met tevredenheid dat Grisja slikt, hoewel dit zijn enige reactie is.

'Dus je weet waar hij is?'

'Ja,' zegt ze resoluut.

'Heeft hij Michail bij zich?'

'Nee. Maar hij weet wel waar hij wordt vastgehouden. En ze zijn bereid hem terug te geven, Grisja. Ze willen hem niet de hele winter moeten houden. Hij is lastig geworden en moeilijk onder de duim te houden.'

Grisja wil Lilja niet laten merken hoe graag hij wil dat ze hem nog meer vertelt. Er is de laatste tijd iets aan haar wat hem zorgen baart. 'Hoe krijgen we de jongen terug?'

'Je weet dat het allemaal om het geld draait. Doordat jij hen hebt opgehouden, willen ze nu meer, een heleboel meer. Soso zegt dat als we hem genoeg brengen, hij ons mee zal nemen naar Michail.'

Hierop slaat Grisja zo hard met zijn vuist op een plank dat de potten ervan rammelen. 'Nee. Het is elke keer hetzelfde liedje. Ik heb geprobeerd hun bevelen op te volgen, maar uiteindelijk komen ze hun beloften niet na. Weet je zeker of Michail nog in leven is?'

'Hij is in leven.'

'Omdat je man, aan wie je zo'n hekel hebt, dat zegt? En geloof je hem?'

Lilja haalt het opgevouwen briefje van de jongen uit haar blouse. Ze geeft het aan Grisja. Hij maakt het open. Net als de andere briefjes is ook dit met houtskool geschreven op een vel papier met muziek die Antonina heeft getransponeerd.

Mama, ik mis je erg. Ze hebben me verteld dat papa dood is. Ik ben verdrietig. Ik bid elke dag. Ik heb nog steeds de rest van mijn muziek van Glinka. Bewaar deze alsjeblieft voor me tot ik terugkom bij jou, mamoesjka. Ik zal nu voor je zorgen.

Misja

'Heb je dit aan Anto… aan de gravin laten zien?' vraagt hij.

'Nee. Ik denk niet dat het op dit moment verstandig is.'

Grisja kijkt de vrouw onderzoekend aan. 'Denk je niet dat het haar troost zal geven te weten dat haar kind nog in leven is?'

'En wat zou ik dan moeten zeggen als ze vraagt hoe ik eraan gekomen ben, Grisja?' vraagt ze. 'Bovendien is het nu nog maar één betaling. Dat heeft Soso me beloofd.'

'Er is me al eerder zoiets beloofd.'

'Ik zei toch dat Soso er genoeg van krijgt voor die jongen te moeten zorgen? En ze willen uit Pskov weg, naar een andere provincie. Misschien naar Voronoezj, of nog verder, waar ze een nieuw leven kunnen beginnen.' Soso heeft hier helemaal niets over gezegd, maar ze denkt dat dit het verhaal sterker maakt. Ze pakt het briefje uit Grisja's hand, vouwt het weer op en stopt het in haar blouse. 'Het schijnt niet zo goed te gaan met Misja.'

'Hoe bedoel je?'

'Soso zegt dat hij ziek is geworden.' Ze is hevig aan het liegen, in een poging Grisja nog wanhopiger te laten worden om de jongen terug te halen. 'Hij zal het niet veel langer volhouden onder zulke zware omstandigheden, dat is niets voor een kwetsbare jongen als Michail Konstantinovitsj.' Ze kijkt hem onderzoekend aan. 'Misja heeft jou niet gezien, hè? Toen hij bij de graaf werd weggehaald?'

Grisja schudt zijn hoofd. De jongen had hem slechts als zijn redder beschouwd.

'Dan zul jij nu de held zijn, van hem en van de gravin. Jij zult de jongen naar zijn moeder terugbrengen. Ze zal je eeuwig dankbaar zijn.'

Grisja vertrouwt Lilja niet. 'Wat bedoel je daarmee?'

Lilja glimlacht – een wonderlijke, duistere glimlach – en wanneer ze haar hand omhoogdoet om in haar nek te krabben, ruikt hij rozenolie. Antonina's geur. 'Ze zal zo dankbaar zijn dat ze misschien wel besluit dat ze niet hoeft te verbergen wat er zich tussen jullie heeft afgespeeld. Misschien vraagt ze je dan wel om bij haar in het huis te komen wonen.' Dit is een schot in het duister, maar

Lilja is bereid de gok te wagen. Ze is ervan overtuigd geraakt dat er iets aan de hand is geweest met Grisja en Antonina, die nacht in september toen ze allebei wegbleven. Na die tijd is Grisja's houding tegenover de gravin anders geworden. Verder is er niets tussen hen gebeurd. Dat heeft Lilja goed in de gaten gehouden: ze weet dag en nacht waar Antonina is.

Grisja's reactie is haar beloning. 'Heeft ze het je verteld?' vraagt hij verbijsterd.

Lilja negeert zijn vraag. 'Dus je moet snel voor meer geld zorgen, Grisja. En dan zal ik je naar Soso brengen. Hij zal met ons naar Misja gaan. En als jij je land moet verkopen om het geld bijeen te brengen, doe het dan. Doe het voor de gravin.'

'Wat weet jij van land?' Zijn stem is scherp.

'Ljosja heeft me verteld dat jij hier binnenkort weg zult gaan om zelf landeigenaar te worden, en hij wordt dan jouw rentmeester. Samen met zijn vróúw.' Ze spreekt het woord venijnig uit.

Grisja had Ljosja geen geheimhouding opgelegd, en toch is hij verbaasd dat Ljosja zijn zuster over het plan heeft verteld. 'Heb je met de gravin hierover gesproken?'

'Denk je dat ik personeelsnieuwtjes aan haar vertel? Denk je dat ze me smeekt: "O Lilja, ga alsjeblieft eens zitten om me alles over je broer en over jezelf te vertellen? En vertel me eens wat je weet over Grisja en zijn plannen."' Er klinkt verbittering in haar stem. 'Of wordt de gravin misschien te veel door haar eigen gedachten in beslag genomen om zich om ons te bekommeren? Zeg eens, Grisja, wat denk jij?'

Hij geeft geen antwoord. 'En jij, Lilja? Als ik instem met alles wat jij voorstelt, wat word jij er dan beter van?'

'Wat dacht je? Denk je dat ik Soso voor niets zal helpen? Ik sta te trappelen om hier weg te komen.' Lilja trekt een schouder op. 'Ik ben het leven hier zat. Ik kan ergens anders een beter leven hebben, ergens waar ik meer zal worden gewaardeerd. Een nieuw begin, zoals Soso zegt. We zullen er allemaal beter van worden.

De gravin zal haar zoon terug hebben. Jij zult de gravin hebben. En eindelijk zal ik mijn eigen leven kunnen leiden, zonder dat zíj alles bepaalt.'

Lilja krabt nu haar schouder. Terwijl ze bij Soso in bed lag, is ze door vlooien gebeten. Het briefje in haar blouse ritselt door de beweging.

Grisja hoort het en denkt aan de jongen, en aan Antonina. Hij vertrouwt Lilja niet, en Soso ook niet, maar hij heeft geen keus.

Later die dag, als Valentin opnieuw bij Antonina op bezoek is geweest, rijdt Grisja naar het landgoed van Bakanev om met de rentmeester van de prins te praten over het stuk land dat hij meer dan een jaar geleden heeft gekocht – twaalf wersten die aan Angelkov grenzen.

Tijdens het rijden bedenkt hij dat als de prins bereid is te onderhandelen – wat betekenen twaalf wersten voor iemand die er duizenden bezit – en het geld komt een beetje snel, Michail voor de eerste sneeuw weer bij zijn moeder zou kunnen zijn. Hij weet dat zelfs als de prins ermee instemt om het land terug te kopen, hij er niet van verzekerd kan zijn het volledige bedrag terug te krijgen. Het zal genoeg moeten zijn voor die inhalige rotzakken. Elk bedrag is beter dan niets.

33

De volgende dag – het is aan de vooravond van de twee-honderdste dag sinds Michail is ontvoerd – laat Lilja Grisja weten dat ze hem weer wil spreken.

Grisja kom door de achterdeur binnen en stampt de modder van zijn laarzen. 'Wat is er nu weer?' vraagt hij, terwijl hij naar de volle fles wodka op de tafel kijkt. Die vrouw begint nu wel heel brutaal te worden, denkt hij, zoals ze alles gewoon uit de voorraad van de gravin pakt.

'Ga zitten,' zegt Lilja, en ze schenkt voor ieder van hen een glas in, waarna ze een kristallen schaaltje met ingemaakte, gezouten zil-veruitjes en blokjes biet naar hem toe schuift. 'En? Heb je het geld?'

'Dat komt snel, over hoogstens een week. Er moeten allerlei pa-pieren worden ingevuld en de prins is een paar dagen weg. Ik kan het geld niet krijgen voordat hij terug is.'

'Hm. En hoe zit het met Kropotkin?' zegt ze dan, en ze neemt een slok.

Grisja houdt zijn glas vast en kijkt haar aan.

'Hij probeert de gravin het hoofd op hol te brengen met zijn muziek en zijn mooie praatjes. Ik hoor hem,' zegt ze, 'en ik zie de blik waarmee ze naar hem kijkt.'

Grisja's hand klemt het glas nog steviger vast.

Lilja ziet dat zijn knokkels wit zijn geworden. 'Ik denk dat als dit lang genoeg duurt, hij zal proberen met haar te trouwen.'

Grisja komt half overeind, waardoor de stoel met een krassend geluid over de houten vloer naar achteren schuift. 'Waar heb je het over? Hij is pas een paar keer hier geweest.'

'Zes keer,' zegt Lilja. 'De afgelopen weken is hij zes keer hier geweest en vandaag heeft ze me verteld dat hij morgenavond blijft eten.'

Grisja kijkt haar verwilderd aan, hij heft zijn glas en giet de inhoud in één teug naar binnen. 'Haar man is amper koud. Je bent gek om te suggereren dat er iets tussen hen is.'

'Er gebeuren wel vreemdere dingen. We moeten haar tegen hem beschermen, Grisja. Misschien wel tegen haarzelf.' Lilja gebaart dat Grisja weer moet gaan zitten. 'De gravin heeft Rajsa opdracht gegeven het laatste beetje gezouten rundvlees voor de soep te gebruiken en een kip te slachten. Ze zal ongetwijfeld een van de laatste flessen wijn voor haar gast boven laten brengen. En als hij blijft eten, denk je dat hij daarna zijn paard nog zal zadelen in deze kou om in het donker naar huis te rijden? Denk je echt dat hij dat zal doen? Hij zal vast hier blijven.' Ze zwijgt even, om haar woorden goed tot hem door te laten dringen. 'Het is niet goed, Grisja. Hij is niet goed genoeg voor haar.'

'Wat ziet ze in hem?' vraagt Grisja, en hij vult zijn glas nog eens. 'Hij is een horige.'

Lilja antwoordt terloops: 'Hij wás een horige. Hij zou haar heel gemakkelijk kunnen inpalmen. Ze is eenzaam, Grisja.'

Daarop krijgt Grisja het erg warm, met nog steeds zijn dikke, gevoerde jas aan in de keuken die smoorheet is door het gloeiende fornuis. Hij gooit de jas uit en schenkt zich nog eens in. Hij denkt aan de manier waarop Antonina in de datsja haar hoofd achterover hield om de wodka in één keer naar binnen te gieten, met haar hals bloot en kwetsbaar. Dat had ze zelf tegen hem gezegd voordat ze met hem naar de slaapkamer liep. *Ik ben eenzaam, Grisja.*

Zou ze bij de violist dezelfde woorden gebruiken? 'Je hebt gelijk. We moeten de gravin in bescherming nemen tegen hem.'

Lilja schuift de fles naar Grisja toe. 'Als weduwe is Angelkov van haar, ze kan ermee doen wat ze wil.' Ze schudt haar hoofd, pakt een stukje biet en neemt een hapje. 'Als ze met Kropotkin zou trouwen, zouden het landhuis en alles wat er na de uiteindelijke verdeling in mirs aan wersten over is van hem worden.'

Grisja is verbaasd dat Lilja op de hoogte is van de wet. Die bepaalt dat het enige wat een alleenstaande vrouw of weduwe in Rusland kan bezitten, land is. Daardoor weet ze wat er op het spel staat als Antonina weer zou trouwen. Hij had gedacht dat de muziekleraar inmiddels bij Bakanev zou zijn vertrokken, dat het maar een paar bezoekjes zouden zijn.

Lilja schudt haar hoofd en neemt nog een hapje biet. 'Ik verbaas me over het gedrag van mevrouw. Wat ik allemaal heb gezien... nou ja, dat is heel ongepast voor een vrouw van haar stand.' Ze eet het laatste restje biet op en veegt haar mondhoeken met haar schort af. Ze weet dat Grisja wil vragen waar ze precies op doelt, maar hij zal dit niet doen. Het is beter zo. Lilja weet hoe sterk verbeelding kan zijn. 'Ik vond gewoon dat je dit moest weten.' Ze gaat staan. 'Aangezien jij je net zoveel zorgen over het welzijn van mevrouw maakt als ik.'

Grisja kijkt haar onderzoekend aan. Hij gaat eveneens staan, drinkt zijn glas leeg en pakt zijn jas. Terwijl hij de deur opendoet, zegt Lilja nog iets.

'Ik zal je laten weten wat er morgen gebeurt. Wanneer hij komt eten.'

Als hij terugloopt naar zijn huis moet Grisja denken aan hoe Antonina hem had gekust, hoe gretig ze was geweest, hoe vrijmoedig ze haar begeerte had getoond. Ze was ongetwijfeld wat losser geworden door de wodka, maar Grisja weet zeker dat Antonina geen toneel speelde toen ze de liefde met hem bedreef.

Die muzikant zou een vrouw als zij nooit weten te hanteren.

'Die violist is niet goed voor haar,' zegt hij in het donker.

Valentin en Antonina hebben hun *soljanka* – de dikke, pikante rundvleessoep – gehad, gevolgd door een hoofdgerecht van gebraden gevogelte met jus en een aardappelsalade met kappertjes, olijven, hardgekookte eieren en doperwten. In de keuken wacht een schaal met kaas en ingemaakte bietjes, en ook een taart, waarvan Antonina weet dat die veel te veel heeft verbruikt van wat er nog over was van hun suiker.

Valentin merkt op dat ze worden bediend door dezelfde man – Pavel – die hem heeft binnengelaten en zijn jas heeft aangepakt. Er is kennelijk geen speciaal personeel meer om het eten te serveren. Het is duidelijk dat de gravin en het landgoed zwaar te lijden hebben gehad onder het afschaffen van de lijfeigenschap.

Antonina eet weinig maar drinkt gestaag van haar wijn. Pavel trekt geruisloos een tweede fles open om Antonina's lege glas te vullen. Daarna loopt hij naar Valentin, met de fles in de aanslag, maar Valentin schudt zijn hoofd. Pavel zet de fles terug op het buffet en neemt zijn plaats bij de deur weer in.

'Het is slechts eenvoudig voedsel,' zegt Antonina. 'Ik bied u mijn excuses aan.'

'Weet u waarom ik mij u al deze jaren heb herinnerd, gravin?' vraagt Valentin, zonder acht te slaan op haar opmerking over het eten. 'En waarom u zo'n indruk op me hebt gemaakt toen ik u voor het eerst zag, op uw naamdag?'

Antonina kijkt hem recht in de ogen. Ze wil niet dat het gedrag van haar moeder iets met het antwoord te maken heeft.

'Ik zag u de eerste dag tijdens onze repetitie. U dacht dat u zich achter een pilaar had verborgen. Wat me opviel was dat u zo vrij leek. U bezit een zekere wildheid. Ik weet geen andere omschrijving. Het was subtiel maar toch duidelijk aanwezig: de manier waarop u bewoog, de manier waarop u ongeduldig uw haar naar achteren veegde, alsof het op uw hoofd was gezet om u te ergeren. En u was er zich totaal niet van bewust. Dat maakte het juist zo intrigerend, dat u geen idee had hoe uniek u was. Ik zag zelfs toen

dat u het vermogen bezat om de harten van mannen te breken –
als u dat zelf maar wilde inzien.'

Antonina vraagt zich af of hij er wel zeker van is dat zij het was.
Niemand heeft haar ooit zo beschreven, als een begeerlijke vrouw.
Het kaarslicht flakkert over Antonina's gezicht. Ze is heel goed
in het verbergen van haar gevoelens. Maar Valentin kijkt erdoorheen. Hij is meer dan alleen maar een musicus. Hij weet wat vrouwen graag willen horen, wat ze willen dat mannen in hen zien. En
dus gaat hij verder: 'En toen ik u onlangs bij Bakanev zag, had uw
meisjesachtige aantrekkelijkheid zich ontwikkeld tot ware schoonheid.' Hij laat haar dit compliment even verwerken. 'Maar er school
geen wildheid meer in u. U zag er verwilderd uit, alsof u gevangen-
zat. Mevrouw de gravin, u ziet er verloren uit.' Zijn stem, zo zacht,
is vol medeleven.

Antonina neemt een slok wijn. Het is een bourgogne die haar
mond verwarmt. Vanavond vindt ze wijn lekkerder dan de scherpe
prikkeling van wodka achter in haar keel.

'Mag ik zo brutaal zijn te vragen waarom u me niet wilt begeleiden wanneer ik speel?' vraagt Valentin, en Antonina wendt haar
blik af.

'Waarom ik niet wil spelen?' herhaalt ze. Ze voelt zich enigszins
onnozel.

Valentin knikt bemoedigend. Zijn complimenten en medeleven
schijnen haar niet te beroeren, dus gooit hij het over een andere boeg.

Antonina staat van tafel op. 'Neem alsjeblieft uw wijn mee. Laten
we naar de muziekkamer gaan.' Ze lopen de eetkamer uit en ze zegt
tegen hem: 'Het ontspant me om dicht bij mijn piano te zijn. Mijn
zoon en ik...' Ze zwijgt even om van de wijn te drinken. 'Michail
wilde beslist dat ik elke dag met hem speelde,' zegt ze, wanneer ze
de wijn heeft doorgeslikt. 'Sinds zijn ontvoering heb ik voor niemand – met niemand – meer gespeeld.' De woorden stokken in
haar keel. Ze gaat even met haar tong langs haar lippen. Ze staan
bij de deur van de muziekkamer.

Valentin doet de deur voor hen open en volgt haar terwijl ze naar de piano loopt en op het bankje gaat zitten. 'Voor u ligt het heel anders, meneer Kropotkin. U bent in staat uw capaciteiten te gebruiken, het talent waarmee u bent geboren, om een groot publiek vreugde te bereiden.' Valentin gaat naast haar zitten. 'Daar hebt u veel mee bereikt. Kijk maar hoe uw leven er nu voor staat.' Ze zet haar wijnglas op de piano en kijkt hem aan. 'Ik weet dat u ooit een kind in een dorpje bent geweest.'

Valentin drinkt de rest van zijn wijn op en zet het glas naast het hare.

'En nu… bent u hier, een deftige heer in een maatpak, die met een gravin dineert.' Haar handen rusten op de toetsen, en voor het eerst lijkt ze ontspannen met hem. 'Met een gravin dineert.'

Valentin legt zijn vingers over de hare op de toetsen.

'Terwijl uw muziek u in een andere wereld brengt,' gaat ze verder, terwijl ze hem blijft aankijken, 'bleef mijn muziek voor altijd binnen de muren van mijn huis. Net als iedere andere vrouw van mijn stand,' zegt ze, 'mag ik alleen spelen om mijn gezin vreugde te bereiden.'

Valentin beseft dat ze aangeschoten is. Ze probeert het te verbergen, maar dat lukt niet goed.

'Zoals u weet, Valentin Vladimirovitsj,' zegt ze, zijn voornaam en patroniem voor het eerst die avond uitsprekend, 'is het nu eenmaal zo dat hoeveel talent ze ook mag hebben, in Rusland geen enkele vrouw van adel op méér kan hopen.'

Er klinkt een luid gekraak, en ze schrikken allebei. 'Het is opmerkelijk hoe het houtwerk reageert wanneer het koud wordt,' zegt Valentin, blij met de onderbreking van de monoloog van de gravin. 'Er is altijd gekraak wanneer het krimpt.'

Antonina is zich er opeens van bewust dat ze zich in verlegenheid heeft gebracht en haar gast ongetwijfeld ook. Ze trekt haar handen onder die van Valentin vandaan en gaat staan.

Valentin gaat eveneens staan. 'Mevrouw,' zegt hij, maar haar gezicht staat niet langer een beetje glazig. Ze kijkt hem strak aan en hij beseft dat hij haar niet moet overhaasten. 'Toch is het zo dat deze situatie – het leven waarover u spreekt – begint te veranderen sinds de afschaffing van de lijfeigenschap. Misschien is het in de provincie nog niet zo duidelijk waarneembaar, maar in de grote steden zijn de nihilisten bezig een nieuw Rusland te scheppen, voor zowel mannen als vrouwen. Er zijn verhalen over nieuwe conservatoria in Sint-Petersburg en Moskou die zowel mannen als vrouwen toelaten om een muzikale beroepsopleiding te krijgen.'

Ze heeft zich niet bij hem vandaan bewogen. 'Het is alweer een tijd geleden dat ik naar Sint-Petersburg ben geweest. Niet meer sinds... nou ja, meer dan een jaar geleden. Ja, voordat het Emancipatie Manifest van kracht werd.' Ze wil haar wijn hebben, maar Valentin staat tussen haar en haar glas.

'Ik denk dat u het erg veranderd zult vinden,' gaat hij verder. 'Er doen zich tal van verrassende mogelijkheden voor. De Russische Maatschappij voor Muziek, die een paar jaar geleden is opgericht, wil het niveau van musiceren in dit land verbeteren en wil muzikale opleiding mogelijk maken.' Hij zwijgt even, maar als ze geen antwoord geeft, gaat hij verder. 'De diversiteit van de leerlingen is verbijsterend – van ambtenaren en kooplieden tot studenten – zelfs jonge vrouwen die zich geen privélessen kunnen veroorloven gaan erheen. Er zijn geweldige nieuwe mogelijkheden en kansen.'

Antonina kan over zijn schouder haar halfvolle glas zien. 'Dat wist ik niet... ik word al enige tijd erg door mijn eigen zaken beziggehouden. Vergeef me alstublieft, meneer Kropotkin. Ik heb de tijd niet in de gaten gehouden.' Ze doet haar uiterste best om haar zelfbeheersing te bewaren; ze weet dat ze te veel heeft gedronken. 'Het zal een koude rit naar huis zijn.' Ze gebaart naar de deur.

'De Bakanevs zijn zo vriendelijk geweest me het gebruik van een rijtuig met koetsier toe te staan,' zegt hij. 'Dus heb ik op de terugweg weinig met de kou te stellen. Tenzij u natuurlijk wilt dat ik meteen vertrek...' Hij legt zijn hand op haar arm.

Ondanks het vage gezoem in haar hoofd wordt Antonina vervuld van schaamte. Ze heeft zojuist geklaagd over haar verwende, verkwistende leven, en ze denkt dat ze hem een onflatteus, misschien zelfs lelijk beeld heeft geschetst van wie ze werkelijk is. Ze voelt de warmte van zijn hand en ze kijkt op de ormulu-klok op de schoorsteenmantel.

'Het is nog vroeg. Kan ik u wat kaas aanbieden, of een dessert?'

'Nee, dank u.' Valentin staat nog steeds heel dicht bij haar. 'Ik heb meer dan genoeg gehad.' Hij legt een hand op haar middel.

'Zullen we naar de salon gaan?' Ze schuift bij hem vandaan, pakt haar wijnglas en drinkt de bourgogne op. 'Ik heb Lilja gevraagd ervoor te zorgen dat de kachels en het haardvuur goed brandende worden gehouden, het zal er warm zijn.'

'Ja,' zegt Valentin. 'Dat lijkt me prettig.'

In de salon doet Antonina de deurtjes van een kast open. Ze schenkt twee glazen wodka in en biedt er Valentin een aan.

Hij schudt zijn hoofd. 'Nee, dank u, mevrouw.'

'Drinkt u niet met me mee? Wilt u zeggen dat er in Rusland een man is die nee zegt tegen een glas wodka?' Ze pakt haar eigen glas en loopt langzaam, wankel, naar hem toe.

Valentin pakt haar opnieuw bij een arm, ditmaal om haar te ondersteunen. 'Het spijt me, maar als ik moet spelen – als u wilt dat ik dat straks nog doe – gaat dat beter met een helder hoofd.'

'Zelfs niet één glaasje?' vraagt Antonina.

Hij schudt zijn hoofd en glimlacht.

'Ik zou wel eens iets over uw kinderjaren willen horen,' zegt ze. Ze wil dat de zwaarte die hen van de muziekkamer naar de salon is gevolgd, optrekt.

Valentin kijkt naar het raam en schraapt zijn keel.

'Als u dat liever niet doet, zal ik…'

'Uiteraard zal ik u erover vertellen als dat uw wens is. Maar zou u me erg brutaal vinden als ik u vraag om een kop thee?'

Ze roept Pavel, die buiten de kamer wacht, en vraagt hem thee te brengen. 'Alstublieft, laten we bij de haard gaan zitten tijdens het wachten.' Wanneer ze tegenover hem in de diepe stoel van velours is gaan zitten en een slokje van haar wodka neemt, gaat hij ook zitten.

'Ik heb les gehad van een alom gerespecteerde leraar, een zekere Desjatnikov,' begint hij zonder omhaal van woorden. 'Ik heb weinig herinneringen aan mijn jeugd vóór die tijd.' De manier waarop hij het verhaal vertelt is alsof hij de zinnen voorleest. Antonina vermoedt dat hij zijn verhaal heel vaak heeft verteld, aan heel veel vrouwen. De meeste mannen vertellen niet zo gemakkelijk over hun verleden. 'Ik weet alleen dat ik nog heel jong was toen ik bij mijn ouders vandaan werd gehaald. Mijn leeftijd blijft een raadsel.' Hij glimlacht. 'Ik was jong genoeg – en misschien ook bang of verward genoeg – om de tijd ervóór te vergeten.' Hij kijkt in het vuur. 'Pas later besefte ik, toen ik de nieuwe jongens zag binnenkomen, dat we een andere naam kregen na onze komst. Mijn oude naam is eveneens uit mijn geheugen verdwenen.'

Na een ogenblik stilte vraagt Antonina: 'Was het heel akelig voor u? Om bij uw ouders te worden weggehaald? Ik denk aan... ik maak me zorgen over mijn zoon.'

'Mevrouw, die tijd...'

'Toe, zeg alsjeblieft Antonina,' onderbreekt ze hem. Het lijkt opeens belachelijk om bij een titel te worden aangesproken wanneer Valentin het intieme verhaal van zijn vroegere leven vertelt.

'Zoals je wilt, Antonina.' Hij glimlacht, en opeens is de atmosfeer lichter.

Haar glas is leeg. Ze denkt aan het glas dat ze voor Valentin heeft ingeschonken en dat op de plank van de kast staat.

'Hoewel ik me mijn familie of mijn dorp of hoe ik werd gekozen niet kan herinneren, was ik later, toen ik ouder was en met Desjatnikov rondtrok, wel getuige van de procedure. Je weet ongetwijfeld hoe zoiets in zijn werk gaat.'

Antonina knikt en schraapt haar keel, staat dan op en loopt naar de kast om haar lege glas te ruilen voor het volle. Ze weet niet waarom, maar ze zou zich meer bij Valentin op haar gemak hebben gevoeld als hij haar wodka had aangenomen en met haar het glas had geheven. Als ze zich omdraait zit hij op zijn hurken voor de haard en wakkert het vuur aan met de blaasbalg.

Wanneer Antonina weer is gaan zitten, blijft Valentin staan, met één voet op de koperen rail voor de haard. 'Elke keer dat ik zag hoe de maestro een nieuwe jongen uitzocht, probeerde ik me te herinneren hoe het mij was overkomen: de man met mooie kleren, het schone overhemd en gestreepte vest en glimmende laarzen, die zorgvuldig mijn gezicht en mijn handen bekijkt. Maar ik kon me niets herinneren. Ik heb zelfs niet de vaagste herinnering aan iets vóór het urenlang studeren onder de hoede van Desjatnikov.'

Ze denkt aan Michail. Hij zou zich dit leven, zijn leven, op Angelkov vast wel herinneren. Zou hij ooit zijn naam echt vergeten. Of haar gezicht?

'Een van de andere muzikanten, een jongen met wie ik een aantal jaren heb samengespeeld, heeft me verteld dat ik lange tijd niet heb gesproken. Misschien was ik helemaal in mezelf gekeerd geraakt. Ik heb het bij anderen gezien, vooral bij de jongsten.

Mijn enige troost – en dit herinner ik me wel – was de zekerheid dat op een dag een groot en sterk iemand me zou redden. Ik veronderstel dat ik aan mijn vader dacht, de droom van een klein kind, dat ik zou worden gered en mee naar huis zou worden genomen. Omdat ik me mijn ouderlijk huis niet kon herinneren, maakte ik het tot de geweldigste plek die je je kunt voorstellen.' Hij glimlachte spijtig. 'Natuurlijk kwam er niemand. Ik raakte gewend aan dat leven en ik groeide op.

Nu ken je het weinig boeiende verhaal van mijn leven.' Hij gebaart zwierig met zijn hand en glimlacht naar haar. 'Ik werd Valentin Vladimirovitsj Kropotkin. Het jongetje dat ik ooit was, bestaat niet meer, Antonina.' Haar naam voelt verrukkelijk in zijn mond. Hij laat hem ronddraaien alsof het een zoete kers is.

Pavel komt binnen met het dienblad voor de thee. Als hij weer weg is, vraagt Antonina aan Valentin hoe lang hij bij Desjatnikov is gebleven.

'Toen ik ongeveer veertien was, verkocht hij me aan het orkest van prins Jablonski, in de provincie Smolensk. We speelden op muziekavonden en hij verhuurde ons aan vrienden en landhuizen in de hele provincie en daarbuiten.' Hij drinkt van zijn thee. 'Zoals we ook op het feest ter ere van jouw naamdag kwamen.'

'Wat vreselijk treurig allemaal, Valentin.'

'Niet wanneer je naar het leven van de dorpsbewoners kijkt. Zonder het orkest van horigen was ik misschien niet meer geweest dan de zoveelste arbeider op het land, had ik een leven vol ontbering gehad zonder ooit de vreugde van muziek te kennen.'

'Ja, misschien wel. En nu kun je spelen voor wie je maar wilt, waar en wanneer.'

Valentin probeert tevreden te blijven kijken terwijl hij het broze theekopje neerzet. Natuurlijk gaat hij haar niet vertellen hoe zijn leven er werkelijk uitziet: de worsteling om werk te vinden, te hopen dat hij zich nieuwe snaren en hars voor zijn stok kan veroorloven. Hoe zou het met mevrouw Golitsyna zijn? Heeft ze hem inmiddels vervangen? Zal hij een plek hebben om te wonen, wanneer hij naar Sint-Petersburg teruggaat als zijn werk bij de Bakanevs is afgelopen? 'Zou je het prettig vinden om mij over je zoon te vertellen?'

Antonina ademt in en houdt haar adem vast. Kan ze over Misja praten? Valentin blijft heel stil zitten, in een afwachtende houding.

'Als het gaat, Antonina.' Hij zegt haar naam zacht.

'Hij... hij is in juni tien jaar geworden. Hij is musicus. Net als jij,' zegt ze, en ze probeert te glimlachen. 'Hij is een waarlijk begaafd pianist. Hij speelt al sinds zijn derde. Als een engel.' Ze denkt aan de cherubijn die uit het plafond van de kerk viel.

'Ik weet zeker dat hij deze gave van zijn moeder heeft geërfd.'

Ze glimlacht. 'Eigenlijk, Valentin, doe jij me aan hem denken.' Ze is zelf verbaasd als ze dit zegt. Had ze dit bij zijn eerste bezoek al gezien?

'Omdat ik musicus ben?'

'Eh… ja. Maar ook vanwege je fijne gelaatstrekken en je expressieve gezicht. Wanneer besefte je dat je muziek in je binnenste voelde?'

Valentin kijkt Antonina spijtig aan. 'Dat is ook verdwenen. Ik herinner me alleen dat ik met de andere jongens onder Desjatnikov heb gespeeld. Ik weet wel dat ik een vreemde eigenschap heb gehad die verband hield met muziek. Ik zie kleur als ik muziek hoor. Ik weet dat ik dit altijd moet hebben gehad omdat er af en toe een tint is die een fluistering lijkt van iets in mijn verleden.'

'Ik begrijp het niet.'

Valentins gezicht is bezield. 'Eerder in mijn leven dacht ik dat iedereen het net zo zag als ik. Als ik geluiden hoor, zie ik kleuren. Bijvoorbeeld wanneer de cello speelt zie ik rood. Al naar gelang van de vaardigheid van de cellist is de kleur helder en stralend, of in diverse tinten tot aan heel donker en modderig bordeauxrood. De kleur trilt in de lucht of, als ik mijn ogen dichtdoe, in mijn hoofd.' Hij vertelt haar vervolgens welke kleuren hij bij welk instrument ziet.

'Wat vreemd, en wat mooi.'

'Ja. Ik praat er natuurlijk niet vaak over – ik denk dat sommige mensen het heel vreemd zouden vinden, zij die geen weet hebben van de macht van muziek, en van wat dat met je verstand kan doen. En met je ziel.'

'Ik weet dat Michail, zelfs als klein kind, muziek intenser beleefde dan ik ooit,' zegt Antonina, en Valentin gaat verzitten.

'Op wat voor manier is hij ontvoerd?' vraagt hij nu, en Antonina knippert snel met haar ogen. De voorwerpen in de kamer zijn opeens te fel, haar ogen doen er pijn van. 'Het spijt me. Ik begrijp dat ik dit niet had moeten vragen.'

'Valentin,' zegt ze. 'Stel dat Misja alles vergeet, net als jij? Je zei dat het kind dat jij ooit was geweest niet meer bestaat.'

'Ik denk dat ik toen jonger was dan Michail.'

'Ja. Michail is nu tien. Hij zal me niet vergeten.' Er komen tranen in haar ogen en ze gaat staan. 'Denk je ook niet?' Ze heeft moeite haar evenwicht te bewaren en zoekt steun bij de armleuningen van haar stoel.

Valentin komt naar haar toe, pakt haar handen, brengt ze naar zijn lippen en kust ze. 'Natuurlijk zal hij je niet vergeten. Hij zal zich alle mooie details van je gezicht blijven herinneren. Hij weet hoe hij heet, hij weet van welk landgoed hij afkomstig is. Hij zal de weg naar jou terug weten te vinden.'

Antonina is geroerd door het medeleven op zijn gezicht, in zijn stem, en ze is erg duizelig. Ze klampt zich aan hem vast.

'Hij zal worden gevonden,' zegt Valentin zacht, en hij slaat zijn armen om haar heen. 'Een kind als dat van jou – van adellijke komaf, herkenbaar door zijn opvoeding en milieu en talent – kan niet zomaar verdwijnen. Hij zit ergens te wachten, Antonina, en misschien maakt hij er wel muziek.' Hij kust haar. Zijn lippen zijn warm en zacht.

Valentins lippen doen haar denken aan Grisja en aan haar eigen immorele gedrag. Ze is weer dronken, en ze gedraagt zich schandalig. Ze legt haar handen tegen zijn borst en trekt haar gezicht bij hem vandaan.

Zijn armen zijn nog steeds om haar heen, losjes.

'Het spijt me,' zegt hij. 'Mijn oprechte excuses. Je bent zo mooi, en zo verdrietig. Ik wil... alsjeblieft, ik wil je pijn verlichten. Ik kan mijn gedrag niet vergoelijken, behalve dat ik me liet meeslepen. Door jou.'

Ze legt haar vingers op haar lippen en daarna tegen haar hals. 'Ik... het ligt ook aan mij. Het is een moeilijke tijd voor me. Ik kan alleen maar aan mijn zoon denken,' zegt ze, wetend dat dit niet helemaal waar is. Wanneer ze aan Grisja denkt zijn er tijden dat ze niet aan Michail denkt. Grisja neemt heel veel ruimte in wanneer hij een kamer binnenkomt, en hij vult haar hoofd al net zo.

Valentin heeft zijn armen nog steeds om haar heen. Antonina weet dat ze zich los moet maken.

'Ik weet niemand te bedenken die de macht bezit om mijn zoon te vinden,' zegt ze. Opnieuw denkt ze aan Grisja. Hij is de enige die contact heeft gehad met de ontvoerders, hoewel de laatste keer maanden geleden was. 'Degene die mijn zoon terugbrengt, Valentin,' zegt ze, 'zal mijn liefde en dankbaarheid hebben, mijn hele leven lang.'

Er klinkt een doffe bons.

Antonina stapt bij Valentin vandaan en ziet Lilja in de deuropening staan. Er liggen drie houtblokken aan haar voeten, ze houdt er nog twee vast.

Lilja heeft lang genoeg in de deuropening gestaan om Valentin-Vladimirovitsj met zijn armen om Antonina te zien. Heeft ze de kus gezien? Ze heeft gehoord wat Antonina zojuist tegen hem heeft gezegd.

'Neem me niet kwalijk, mevrouw,' zegt ze, en ze bukt zich om de blokken op te rapen.

Degene die mijn zoon terugbrengt zal mijn liefde en dankbaarheid hebben, herhaalt Lilja inwendig. *Mijn hele leven lang.*

Dit is wat Lilja altijd van Antonina heeft gewild.

34

$\mathcal{D}$e volgende dag laat Lilja Grisja komen. Deze keer is er geen wodka, geen bord met lekkernijen. Zodra hij de achterdeur binnenkomt, gebaart ze met haar hoofd naar de provisiekamer. In de alkoof zegt ze: 'We moeten iets doen.'

'Vertel eens wat er gisteravond is gebeurd,' zegt Grisja. Zonder op haar antwoord te wachten gaat hij verder: 'Is hij gebleven?'

'De koetsier van Bakanev heeft de hele avond in de keuken zitten wachten tot hij Kropotkin weer terug moest rijden,' vertelt ze. 'Kropotkin kon het excuus van de kou niet gebruiken om te blijven.' Ze kijkt Grisja onderzoekend aan, maar zijn gezicht verraadt niets. 'Hij heeft me trouwens verteld dat de baan van Kropotkin wel eens eindeloos zou kunnen voortduren.' Ze leunt tegen een kast en slaat haar armen over elkaar.

Grisja kijkt naar Lilja's haar. Ze heeft het aan de achterkant opgespeld en een paar slierten afgeknipt zodat die rond haar gezicht hangen. Ze probeert net zo'n kapsel te hebben als Antonina. 'Ga verder,' zegt hij.

'De zuster van de prinses heeft besloten de winter bij hen door te brengen. Dit betekent dat Kropotkin er zal blijven als muziekleraar van de kinderen.'

'Tot het voorjaar?'

Lilja haalt haar schouders op. 'Wie weet? Misschien zelfs wel tot de zomer. Je weet hoe die mensen zijn, ze doen gewoon waar ze zin in hebben.' Ze tast even naar haar haar. 'Je ziet dat Kropotkin al een vaste bezoeker van Angelkov is geworden. En het ziet er nu naar uit dat hij voorlopig hier in de provincie zal blijven. Lang genoeg, als je begrijpt wat ik bedoel.'

Grisja kijkt naar haar gezicht alsof hij de woorden van haar lippen wil lezen.

'Was er nu maar…' zegt ze.

'Was er nu maar wat?'

'Was er maar een manier om zo'n immorele invloed uit Antonina's leven te verwijderen. Maar wat kunnen we doen? We moeten afwachten en zien wat er gebeurt. Zien hoe hij de gravin verleidt.' En daarna zwijgt Lilja.

Grisja pakt een appel uit een open zak op de plank. Hij wrijft er afwezig over terwijl hij de provisiekamer uit loopt.

Lilja komt achter hem aan. 'Grisja!' Als hij geen antwoord geeft, schreeuwt ze: 'Antonina verdient echte liefde. Niet dat waar die man haar voor probeert te gebruiken.'

Haar opmerking doet hem stilstaan. Na een lange pauze kijkt hij om. Hij gooit de appel op de tafel. Hij rolt eraf en raakt de vloer als Grisja de deur uit gaat.

Lilja voelt aan haar haar. Als zij Michail Konstantinovitsj weer bij Antonina terug heeft gebracht, zal de gravin haar al haar liefde schenken. Dat heeft ze zelf tegen Kropotkin gezegd: *Degene die mijn zoon terugbrengt zal al mijn liefde en dankbaarheid hebben, mijn hele leven lang.*

Antonina zit piano te spelen wanneer Lilja met een dienblad met thee binnenkomt.

Antonina stopt en kijkt over haar schouder naar Lilja als ze het dienblad neerzet. 'Je hebt nog steeds geen bericht van Soso gehad, Lilja? Je weet niet waar hij zit?'

Waarom vraagt de gravin nu naar Soso, zo kort nadat zij hem heeft gesproken? Is dit toeval?

'Nee,' zegt ze.

Antonina staart haar aan. 'Mis je hem?'

'Mijn leven is beter zonder hem.' Ze zet de kop-en-schotel neer, samen met het bord met koekjes. 'Hij dronk te veel en hij deed vaak lelijk met praten en met zijn vuisten.'

Antonina maakt een geluid in haar keel. 'Maar ooit, misschien een paar jaar geleden nog, hield je toch van hem?'

Lilja haalt haar schouders op. 'Hij was een harde werker. En hij heeft Ljosja nooit geslagen, ook al vond hij het maar niets dat we hem bij ons in huis hadden.'

'Was dat alles, Lilja?'

Lilja kijkt haar aan. 'Dat zei ik toch? Ik heb nooit van een man gehouden, Tosja.'

'Dat is vreselijk verdrietig, Lilja.'

'Vind je?' vraagt Lilja uitdagend. 'Was het niet net zo bij jou en de graaf? Ben jij niet net zoals ik?'

Antonina's ogen worden groot. 'Net zoals jij?'

'Geen van ons beiden zal ooit echt van een man kunnen houden,' zegt Lilja. Ze wil dat Antonina dit beaamt, wil dat ze dit inziet. Hoe het voor Antonina zou kunnen zijn als ze het maar wilde erkennen.

Op de eerste dag van november maakt Antonina zich gereed voor de komst van Valentin.

Ze denkt aan het advies van Jakovlev om voor de eerste van de maand een minimumbedrag aan belasting te betalen. Maar ze heeft geen roebels te bieden. Hoe lang zal het duren eer er ambtenaren bij haar op de stoep staan om te dreigen het landgoed van haar af te pakken? Ze zal met Grisja praten over het verkopen van wat antiek. Hij zal vast wel weten hoe ze moet beginnen het huis te ontdoen van de voorwerpen die de hoogste prijs opbrengen.

Om haar gedachten af te leiden van haar zorgen oefent ze de *Nocturne nr. 20* van Chopin. Ze zal dit stuk voor Valentin spelen.

Ze heeft besloten geen wijn of wodka te drinken gedurende zijn bezoek. Dat zal ze niet doen.

Om twee uur, zijn gebruikelijke tijd, is hij nog niet gearriveerd, hoewel het vuur in de haard in de muziekkamer hoog vlamt en de samovar staat te wachten, met de theepot en de beste kop-en-schotels. Antonina loopt de trap op naar de overloop en kijkt naar de weg en naar de heldere lucht. Alles is rustig en vredig, alsof het landschap zich gereedmaakt voor de lange winter. Er is iets veranderd voor Antonina. Ondanks het achterstallige onderhoud en het verval van het huis zelf heeft ze voor het eerst in lange, lange tijd oog voor de schoonheid van het land. De gedachten aan de belastingen die moeten worden betaald, komen weer bij haar boven. Zal dit haar laatste winter op Angelkov zijn? Het volgende moment denkt ze aan Michail. Hij heeft 's winters vaak last van verkoudheden en keelpijn. Wie zal hem nu warme melk met honing en boter geven? Wie zal zijn voeten in warm mosterdwater weken?

Ze moet niet denken aan hoe slecht verzorgd hij zal zijn. Dat maakt dat ze naar de wodka verlangt.

Ze kijkt op het horloge dat op haar lijfje zit gespeld. Valentin is bijna een uur te laat. Wanneer ze weer uit het raam kijkt nadert er in de verte een eenzame ruiter over de weg, en ze knikt. Daar zul je hem hebben. Als de ruiter dichterbij komt ziet ze dat het Valentin niet is. Deze man is gezetter en kleiner. Ze loopt naar beneden, en als Pavel op het kloppen opendoet, geeft een vreemde hem een opgevouwen papier, buigt het hoofd en vertrekt.

'Mevrouw,' zegt Pavel, en hij geeft haar het papier. Lilja is ook op het kloppen afgekomen en gaat naast Antonina staan.

'Ik hoop dat hij niet ziek is geworden,' zegt Antonina, en ze loopt met de brief naar de muziekkamer. Lilja volgt haar en Antonina vouwt het dikke velijnpapier open, met het koninklijke wapen van Bakanev bovenaan. Ze leest het en gaat dan zitten, terwijl de brief in haar schoot valt.

'Wat is er, Tosja?' vraagt Lilja, en ze knielt aan Antonina's voeten neer met een diepe frons tussen haar wenkbrauwen.

Antonina slikt even, vouwt het papier weer op, en gaat staan. 'Ik ga nu naar mijn kamer, Lilja,' zegt ze. 'Ik wil niet worden gestoord.'

Lilja springt op en legt haar hand op Antonina's onderarm. 'Is het slecht nieuws? Is hij soms ziek – Kropotkin?'

Antonina kijkt Lilja strak aan. 'Het is meneer Kropotkin, Lilja. En nee, hij is niet ziek. Hij is weggeroepen.'

Lilja reageert niet op Antonina's strakke blik. 'Hoe moet het dan met de lessen van de kinderen?'

Antonina houdt haar hoofd scheef. 'Sinds wanneer bekommer jij je om de kinderen op het landgoed van Bakanev, Lilja?'

Lilja wil haar blik niet afwenden. 'Ik weet dat je de bezoeken van Kr... van meneer Kropotkin erg gezellig vond, Tosja. Het spijt me als je teleurgesteld bent over zijn vertrek.'

'Hoe kom je erbij te denken dat hij is vertrokken? Ik heb alleen maar gezegd dat hij bij de Bakanevs is weggeroepen, niet dat hij uit Pskov is vertrokken.'

'Ik wilde alleen maar...'

'Bedankt voor je bezorgdheid.' Antonina's rug is recht wanneer ze Lilja in de muziekkamer achterlaat, bij het uitdovende vuur en de afgekoelde thee.

In haar eigen kamer, weg van Lilja's vragen, leest Antonina de brief opnieuw.

Mijn beste gravin Mitlovskija,
Het is ons onder de aandacht gebracht dat Valentin Vladimirovitsj Kropotkin u bezoeken heeft gebracht.
Aangezien de heer Kropotkin bij ons in dienst was, beschouwen wij het als onze taak aansprakelijk te zijn voor zijn daden. De heer Kropotkin heeft zich, als voormalige horige, ongepast gedragen.

De prins en ik bieden u onze excuses aan voor zijn volstrekt onge-
paste gedrag. We begrijpen dat hij misbruik heeft gemaakt van uw
vriendelijke karakter en hoge maatstaven. We zijn tot de conclusie
gekomen dat u nog steeds in staat van ontreddering verkeert, en we
begrijpen dat de moeilijkheden waar u voor hebt gestaan in staat
zijn het oordeelsvermogen te verwarren.

De heer Kropotkin is berispt en met ingang van hedenmorgen
ontslagen. Wij zullen ervoor zorgen dat zijn daden niet ongestraft
blijven. Hij heeft geen goede referenties gekregen en dit zal hem zeker
voor problemen plaatsen bij het zoeken van toekomstig werk bij de
adellijke families in de provincie Pskov, en hopelijk eveneens daar-
buiten.

We zijn tot de conclusie gekomen dat het voor alle betrokkenen ge-
past zou zijn als u enige tijd laat verstrijken alvorens u zich weer in
het sociale milieu van Pskov begeeft, zodat de repercussies van deze
ongelukkige situatie voldoende gelegenheid krijgen om te vervagen.
Met Gods zegen,
Prinses Jevgenja Stepanovna Bakaneva

Antonina loopt een uur voor het invallen van de schemering over
de veranda heen en weer. Als ze weer naar binnen gaat, passeert ze
Lilja op weg naar haar slaapkamer, maar ze negeert haar. Ze beveelt Lilja weg te gaan wanneer ze, zacht en hardnekkig, op de afgesloten deur klopt.

Als de duisternis invalt legt Antonina nog meer blokken op het
vuur, verfrommelt de brief en gooit hem in de vlammen. Daarna
kruipt ze in bed met de fles wodka uit haar kleerkast, Tinka naast
zich.

Het is die avond na acht uur wanneer Valentin op Angelkov arriveert.

Pavel is in slaap gevallen in een stoel voor het fornuis in de keuken en er klinkt al urenlang geen enkel geluid uit Antonina's kamer.

Wanneer Lilja de honden woest hoort blaffen, loopt ze naar de deur om open te doen, en tuurt in het donker. Als Valentin de stoep op komt en wordt beschenen door de lamp die Lilja hoog houdt, vertelt ze hem voor hij iets kan zeggen, dat gravin Mitlovskija ligt te slapen en de uitdrukkelijke wens heeft uitgesproken niet lastig te worden gevallen. Door wie dan ook, voegt Lilja eraan toe. Ze weet dat Antonina zich inmiddels in een staat van diepe bewusteloosheid zal hebben gedronken.

'Waar kan ik de rentmeester vinden?' vraagt de man.

Lilja fronst haar wenkbrauwen. 'Waarom vraagt u naar Grisja?'

'Dat gaat jou niet aan,' zegt Valentin tegen haar. 'Waar kan ik hem vinden?'

'Ik neem aan dat hij in zijn huis is,' zegt Lilja.

'En waar is dat dan wel?' Valentin heeft moeite zijn zelfbeheersing te bewaren. Hij heeft gezien hoe deze vrouw rond Antonina draait, elk voorwendsel gebruikt om erbij te zijn wanneer hij op bezoek komt, en hem duistere blikken toewerpt wanneer ze denkt dat haar mevrouw niet oplet.

Lilja wijst met haar kin. 'Achter de personeelsvleugel. Blijf de weg volgen. Zijn huis is het enige daar.'

Zonder nog één woord te zeggen draait hij zich om.

Lilja kijkt hem na, met strakke mond. Grisja zal ervoor zorgen dat Kropotkin niet op Angelkov blijft rondhangen.

Grisja doet open op Valentins klop.

'Hoe wist je me te vinden?' vraagt hij.

'Die akelige vrouw in het huis heeft het me verteld. Mag ik heel even binnenkomen?'

Grisja stapt opzij, laat Valentin binnen en doet de deur achter hem dicht. 'Wat moet je?'

Het is Valentin duidelijk dat Grisja hem niet zal uitnodigen zich bij het haardvuur te warmen. Het geeft niet. Wat hij Grisja wil vragen duurt maar heel kort. 'Ik ben hierheen gereden om te proberen gravin Mitlovskija te spreken te krijgen.'

'Ik hoor dat je de familie Bakanev hebt verlaten.'

'Ja. Ik logeer in een herberg in het volgende dorp. De bediende in het huis zei dat de gravin al sliep. Ik vermoed dat ze liegt.'

Grisja slaat zijn armen over elkaar. 'Ze schept haar eigen waarheden.'

'Die boerenvrouw heeft haar gevoelens jegens mij duidelijk getoond.' Valentin kijkt Grisja doordringend aan. 'Het is duidelijk dat ik op Angelkov door niemand ben verwelkomd, behalve door de vrouw des huizes zelf, en dat is feitelijk het enige wat ertoe doet.' Zijn stem wordt luid en kwaad en hij loopt verder de kamer in, ondanks de frons op Grisja's gezicht. 'Gravin Mitlovskija leek opgevrolijkt te worden door mijn muziek en mijn conversatie. En ik heb erg van haar gezelschap genoten. En toch heeft iemand...' Hij zwijgt even. 'En toch heeft iemand smerige praatjes rondgestrooid.'

Grisja zegt niets. Valentin kijkt naar de volle boekenkast. Vreemd, voor een man die waarschijnlijk zijn halve leven heeft besteed aan het geselen van de horigen op Angelkov, denkt hij. Maar uit wat Valentin heeft gezien, valt er nu niet veel meer te geselen.

'Dus je hebt gehoord dat ik bij Bakanev ben ontslagen.' Als Grisja nog steeds zwijgt, zegt hij: 'Waarschijnlijk zit de hele provincie van dit stukje schandaal te genieten. Ik wilde de gravin graag even spreken. Ik wil weten of alles goed is met haar. Het laatste wat ik wilde is haar nog meer verdriet bezorgen. Ze heeft al genoeg in haar leven te verwerken gehad zonder allerlei roddels die haar reputatie proberen te vernietigen. En wat die van mij betreft' – hij hoest blaffend – 'mag ik van geluk spreken als ik in heel Pskov nog een paar dagen werk kan vinden wanneer de Bakanevs hun campagne tegen mij hebben voltooid.'

'Ik begrijp niet wat dit met mij te maken heeft,' zegt Grisja, in de stellige verwachting dat Valentin is gekomen om hem te beschuldigen van het verspreiden van leugens. Hij is bevriend met de rentmeester van Bakanev. Hij hoefde maar een paar woorden in zijn oor te fluisteren.

'Ik heb een brief geschreven voor de gravin. Ik wilde hem eerst posten, maar toen besefte ik, zoals ik al heb gezegd, hoe graag ik zelf zou willen zien dat alles goed met haar is. Toen die dienstbode me niet binnenliet, wilde ik de brief niet bij haar achterlaten. Ik wist dat het beter zou zijn als ik hem naar iemand met gezag bracht, iemand die ervoor zal zorgen dat de gravin hem ontvangt.'

Het ziet ernaar uit dat Kropotkin hem toch niet wil beschuldigen. 'Je vertrouwt Lilja die brief niet toe,' constateert Grisja.

'Die vrouw met dat harde gezicht? Nee. En hoewel ik weet dat jij geen hoge dunk van me hebt, Narisjkin, lijk je me toch een eerlijk mens.'

Terwijl Grisja naar de haard loopt om nog een blok op het vuur te gooien, bekijkt Valentin de boekenkast wat uitvoeriger. De boeken staan keurig recht in de kast, met hier en daar wat siervoorwerpen ertussen. Op de bovenste plank ligt een primitieve Russische fluit, een svirel. Hij pakt hem op, draait hem om en kijkt naar de naam die erin staat gekerfd. Hij zet de fluit aan zijn lippen en blaast snel een toonladder.

Grisja kijkt naar hem om, met de pook in zijn hand. Er gaat een rilling door hem heen. Hij laat de pook vallen en grist de fluit uit Valentins handen. Behalve de graaf en Tanja is er niemand ooit bij hem binnen geweest; de gravin heeft slechts één of twee keer bij de deur gestaan. Het maakt hem op zich al kwaad dat deze man bij hem binnen is, laat staan dat hij aan zijn spullen mag zitten.

Valentins handen hangen leeg in de lucht. Hij schudt zijn hoofd bij dit ruwe gedrag van de man en vraagt dan, zonder te weten waarom: 'Wie is Tima?'

Grisja's maag krimpt ineen, alsof de boekweitkasja die hij eerder heeft gegeten bedorven is geweest. 'Geef me de brief voor de gravin.' Hij legt de fluit weer in de kast. 'Als je in de herberg terug wilt zijn voordat ze de deur op slot doen, moet je volgens mij nu echt opstappen.'

Valentin haalt een vierkant stuk papier, dat met donkerblauwe was is verzegeld, uit zijn jas. De was is door de kou gebarsten. Hij geeft de brief aan Grisja.

'Het is heel belangrijk voor me dat ze hem morgenochtend krijgt. Vroeg.'

Grisja is nijdig over de brutaliteit van de man. 'Ik heb zo mijn eigen plannen voor morgen. Ik zal ervoor zorgen dat ze hem krijgt wanneer ik tijd heb om hem af te geven...'

'In naam van alles wat heilig is, Narisjkin,' valt Valentin hem met luide stem in de rede, 'heb jij dan nooit gevoelens voor een vrouw gehad?'

Grisja haalt diep adem, draait zich om en zet de brief op de schoorsteenmantel. Zonder naar Valentin te kijken loopt hij naar de deur en doet die open.

Valentin trekt zijn hoed omlaag en stapt naar buiten, de kou in. 'Alsjeblieft, Narisjkin,' zegt hij. 'Het enige wat ik je vraag is dat je die brief morgen aan Antonina geeft. Dat is toch niet te veel gevraagd, hè?' Zijn stem klinkt effen, zonder een spoortje onderdanigheid, en dat maakt Grisja nog bozer. En ook dat hij haar Antonina noemt. 'Kun je me niet helpen, Grisja?' zegt hij, en Grisja's hoofd bonst. Er is iets aan Kropotkin wat hem dwarszit, iets waardoor hij zich vreemd ongemakkelijk voelt. Hij wil dat hij weggaat.

Dat hij het lef heeft te doen alsof ze oude vrienden zijn, hem Grisja te noemen, te praten over zijn gevoelens voor een vrouw, voor háár, denkt Grisja wanneer hij de deur achter Kropotkin dichtdoet.

Die muzikant kent haar amper.

De volgende morgen doet Antonina haar slaapkamerdeur open en laat Lilja binnen met warme chocola en twee zoete broodjes. 'Je moet wat eten, Tosja,' zegt ze, en ze zet het dienblad op het nacht-kastje.

Antonina kijkt ernaar. 'Ik heb geen honger.' Haar gezicht is bleek en opgezet.

'Als jij soms verdrietig bent over Kropotkin en over wat er nog meer in de brief stond... Tosja, het is het niet waard om jezelf daar ziek over te maken.' Lilja vist de lege wodkafles uit het beddegoed en zet hem naast de deur. 'Hij heeft niets, Tosja. Hij is arm en hij kan niets, afgezien van mooie muziek maken. Hij is net als een mooie zangvogel, bedoeld voor plezier. Ja, hij kan mooi praten, maar hij zal alles goed hebben geoefend voor jou. Om indruk op je te maken.' Ze houdt haar adem in, in de verwachting een repri-mande te zullen krijgen.

Het zwijgen van Antonina maakt Lilja stoutmoedig. 'Begrijp je het niet, Tosja? Voor iemand die zo intelligent is als jij zie je niet wat er voor je neus gebeurt?'

Antonina kijkt haar aan, in afwachting van wat Lilja zal ver-tellen dat er zich voor haar neus afspeelt.

En dat gaat Lilja ook doen. Maar ze heeft een iets andere in-valshoek in gedachten dan in haar gesprekken met Grisja.

'Hij weet dat je ver buiten zijn bereik bent. Ja, hij is nu een vrij man, maar dat zegt niets. Alle mannen in Rusland zijn vrij. Be-tekent dit dat jij het met de slager in het dorp of met de plaatse-lijke hoefsmid kunt aanleggen? Met een handelaar die wat balen stof te koop heeft, of met een voormalige rentmeester die een lapje grond op zijn naam heeft staan?' Met de laatste zin neemt ze een gok, maar Antonina's blik verandert niet. 'Je moet aan je stand blijven denken, Tosja. Op dat punt is er niets veranderd. Je hebt alleen maar met hem geflirt.'

'Geflirt?'

'Je hebt toch zeker gemerkt dat hij je aardig begon te vinden? Het is duidelijk dat hij het van jou te pakken had.' Lilja schudt haar hoofd. 'Waar ben je nou toch mee bezig, Antonina Leonidovna?'

zegt ze, heel zacht. 'Waar ben je nou toch mee bezig? Je hebt Kropotkin in een onmogelijke situatie gebracht. Hij kan geen deel hebben aan jouw leven. Je begaat verraad aan je klasse, en daarmee bewijs je hem echt geen dienst.'

Antonina wendt haar blik af van Lilja's kalme gezicht.

'Er bestaat geen enkele mogelijkheid dat er iets tussen jullie zou kunnen zijn,' zegt Lilja, en haar stem is nog steeds gedempt maar resoluut. 'Dat weet jij toch zeker ook wel, Antonina. De eerste indruk is misschien dat hij een goede man is, maar dat is hij niet. Hij is niet het juiste soort man, zelfs als hij wel van jouw stand was. Je zult nooit een man vinden die tegen jouw kracht is opgewassen, een man die begrijpt wat jij hebt doorgemaakt. Wat wij op Angelkov allemaal hebben doorgemaakt.' Ze knielt voor Antonina en pakt haar handen.

'Kijk eens hoe jij je hebt weten te redden zonder je man. Vanaf de dag van de ontvoering heb je totaal niets aan hem gehad, en jij bent zo dapper voortgegaan. En nu moet je die muzikant loslaten. Je weet dat hij er al voor heeft moeten boeten.' Lilja's stem is zacht, sussend, vol medeleven.

'Ik heb voor Valentin nooit andere gevoelens gekoesterd dan vriendschap, Lilja. En ik heb echt niet de indruk dat hij zulke gevoelens voor mij had als jij zegt. We vonden het gewoon gezellig samen. Dat is alles.'

'Echt waar, Antonina?'

'Geloof je me niet?' Antonina trekt haar handen weg en gaat staan.

'Niemand kent je zoals ik, Tosja. Niemand,' herhaalt Lilja, zacht, nog steeds op haar knieën.

Antonina zegt niets. Ze gaat op de bank bij het raam zitten en kijkt uit over de doodse novembertuin.

35

De hemel is vol sterren en een volle maan verlicht de weg. Tinka ligt te slapen voor het haardvuur in de muziekkamer; Antonina heeft besloten 's avonds hier te eten. De rest van het huis is in duisternis gehuld, met uitzondering van de keuken, waar de bedienden het laatste werk van die dag verrichten. Er is geen reden om kachels aan te maken en haardvuren op te stoken wanneer de kamers niet worden gebruikt.

Antonina kijkt naar de nieuwe fles wodka die Pavel op haar verzoek op een tafel naast de deur heeft gezet, maar ze raakt hem niet aan en slaat een dikke cape om. Ze laat Tinka verder slapen en loopt met haar kop thee naar de veranda en kijkt omhoog naar de sterren. Ze vindt een aantal sterrenbeelden en ze denkt aan hoe ze Michail die heeft aangewezen.

In de stille lucht klinkt de plotselinge echo van ver geblaf in het dichtstbijzijnde dorp. Haar twee brakken, die bij de deur op de veranda liggen, komen zwijgend overeind. Er daveren paardenhoeven over haar oprijlaan. Als paard en ruiter dichterbij komen, kan ze in het maanlicht zien dat het Valentin is. Ze zet haar theekop op de balustrade en loopt de stoep af. De honden verdringen zich tegen haar rok; ze legt een hand op elke kop.

'Dus je hebt mijn brief gekregen,' zegt Valentin. Hij stijgt af en loopt naar haar toe. 'Dank je wel dat je op me hebt gewacht. Ik wilde eerder komen, maar dat was onmogelijk.'

Antonina schudt haar hoofd. 'Ik heb geen brief gekregen. Ik was naar buiten gelopen... de sterren zijn zo...'

'Heeft je rentmeester mijn brief niet aan je gegeven, om je te zeggen dat ik vanavond zou komen?'

'Nee,' zegt Antonina.

'Ik wilde met eigen ogen zien of alles goed met je was, na wat er bij Bakanev is gebeurd,' zegt hij. Valentin denkt dat hij op het punt stond bij de gravin voet aan de grond te krijgen. Hij was bereid er de tijd voor te nemen. Hij heeft zelden zo'n gereserveerde vrouw meegemaakt. 'Ik weet niet wat ze tegen jou hebben gezegd, hoewel ik weet dat ze een brief hebben gestuurd. Waren ze hardvochtig?'

'Ze hebben hun standpunt zeer duidelijk gemaakt. Maar hoe zit het met jou, Valentin? Is het waar dat jij nergens werk kunt krijgen in Pskov?'

'Daar ziet het wel naar uit. Ik heb vandaag geen succes gehad, zelfs niet in de stad.'

'Wat ga je nu doen?'

'Ik ga terug naar Sint-Petersburg. Daar zal niemand zich bekommeren om wat er is gebeurd – of niet is gebeurd,' glimlachte hij, 'tussen een onbekende musicus en een beeldschone gravin in de provincie.'

'Heb je daar vrienden, een plek om te wonen?'

Valentin denkt aan madame Golitsyna. Zal ze hem binnenvragen wanneer hij op haar deur klopt? 'Ik heb mijn viool. Dat is alles wat ik nodig heb. Ik zal iets weten te vinden, zo niet in Sint-Petersburg dan wel in Moskou.'

Antonina denkt aan Lilja's woorden, die morgen in haar slaapkamer. 'Ik voel me verantwoordelijk, Valentin,' zegt ze. 'Ik had je... niet moeten aanmoedigen.'

Daarop glimlacht Valentin opnieuw. 'Ik was degene die jouw gezelschap zocht. Ik wilde zien wie je was geworden.' Hij trekt zijn kraag wat strakker tegen de kou.

'En heb jij dat gezien?'

Valentin blijft glimlachen.

'Het is koud,' zegt ze. 'Wil je binnenkomen?'

Aha. Dus het is nog niet voorbij. Valentin zegt heel zacht: 'Heb ik niet al genoeg problemen voor je veroorzaakt?'

'Het is nog steeds mijn huis. Niemand kan tegen me zeggen wat ik in mijn eigen huis moet doen. En het is duidelijk dat jij niet nog meer schade kunt oplopen door geroddel. Kom.' Met een stoutmoedig gebaar, in het besef dat ze hem niet weer zal zien, pakt ze zijn hand. Ondanks de koude avondlucht is zijn hand warm en hij vouwt zijn vingers om de hare.

In de vestibule steekt ze een kaars aan. Olga ligt te slapen in een diepe stoel met kussens in de schaduw, met haar rozenkrans in haar vingers verstrengeld. Antonina wijst naar haar, legt haar vinger tegen haar lippen en loopt dan met Valentin naar de muziekkamer.

Tinka staat op en loopt naar Antonina toe. 'Zou je het vuur kunnen opstoken?' vraagt Antonina, en ze steekt lampen aan terwijl Valentin voor de haard hurkt en in de sintels pookt. Hij legt er wat aanmaakhoutjes op en als ze vlam vatten plaatst hij er twee kleine blokken op. De warmte straalt de kamer in en de gloed ligt rood en oranje op haar gezicht terwijl ze terugloopt naar de haard. Ze pakt Michails dagboek van de schoorsteenmantel. Ze had er weer in zitten lezen om troost te zoeken.

Hij probeert zijn armen om haar heen te slaan, maar ze stapt bij hem vandaan.

'Antonina,' fluistert Valentin.

Ze drukt het dagboek met haar ene hand tegen zich aan en de andere hand legt ze tegen haar gezicht, dat warm is van het vuur. Ze denkt aan Grisja. Ze kent Grisja al meer dan een derde van haar leven. Ze respecteert hem en begrijpt hem, met zijn eerlijkheid en integriteit, zijn sterke karakter. Ze weet heel weinig van Valentin, ook al heeft hij haar de laatste tijd meer over zijn leven verteld dan Grisja ooit over het zijne. 'Ik word volledig in beslag genomen door gedachten aan mijn zoon, Valentin.'

'Ik kan je helpen. Als jij je voor me openstelt, Antonina, en mij jou laat liefhebben, zul je zien dat de duisternis opklaart. Dat beloof ik je.'

Antonina wendt zich van hem af. Ze streelt het zachte leer van Michails dagboek en brengt het daarna naar haar mond en kust het. 'Ik heb een keer bericht van hem gehad, dat hij nog leefde. Maar dat was maanden geleden. Ik denk dat hij nog steeds in leven is, Valentin. Ik zou het weten als hij niet langer op deze aarde was. Tot ik hem zie...' Ze kijkt hem weer aan.

Zo blijven ze zwijgend staan, met tussen hen nog steeds de afstand die Antonina heeft aangebracht.

Valentin heeft het geprobeerd. Ze zal niet zwichten. Maar er zal weer een andere vrouw komen, een vrouw die niet zo onwrikbaar zal zijn als gravin Mitlovskija. 'Ik denk dat het tijd wordt dat ik je ga verlaten, Antonina,' zegt hij.

Ze lopen samen naar de veranda. Antonina houdt de honden vast om ze stil te laten blijven.

'Nogmaals, het spijt me wat er met jou is gebeurd vanwege mij,' zegt Antonina. 'Vertrek je al snel naar Sint-Petersburg?'

'Ja. Er is geen reden voor mij om nog te blijven, nietwaar?'

'Dank je wel, Valentin Vladimirovitsj,' is haar antwoord.

'Waar bedank je me voor?'

'Voor je vriendschap.' Eindelijk stapt ze dichter naar hem toe en staat hem toe haar in zijn armen te houden, maar slechts voor heel even.

Het is te laat en het zal tot niets leiden, weet hij. Hij laat zijn armen zakken, loopt de stoep af en stijgt op zijn paard. Vlak voor hij in de schaduwen van de bomen langs de oprijlaan verdwijnt, draait hij zich om en zwaait naar haar.

Lilja kijkt toe vanuit het donkere raam op de overloop.

De volgende morgen komt Lilja Antonina haar ontbijt brengen. Antonina zit al in haar ochtendjas voor de haard te lezen. Haar haar zit verward.

Antonina's dunne, met kant afgezette onderjurk ligt slordig op het beddegoed. Lilja stelt zich voor hoe Kropotkin het kledingstuk de vorige avond in de muziekkamer bij haar heeft uitgedaan. 'Er is een probleem in de keuken, Tosja. Rajsa heeft muizenkeutels in het meel gevonden. Ze is erg boos. We moeten de hele winter nog met dat meel doen.'

Antonina legt haar boek neer. 'Wat doet men meestal in een dergelijk geval?'

'Er kunnen muizenvallen worden gezet. Of we zetten 's nachts een kat in de provisiekamer.'

'Nou, dat kan dan toch worden geregeld?'

'Rajsa wil het eerst met jou bespreken. Ze wil geen kat in huis halen tenzij jij het goedvindt.' Lilja ziet dat Antonina de bovenste knoopjes van haar ochtendjas niet heeft vastgemaakt en dat ze er geen nachthemd onder aanheeft. Ze heeft nog nooit meegemaakt dat Antonina er zo onverzorgd uitziet.

Antonina zucht en staat op. 'Goed.'

Lilja probeert Antonina's ochtendjas dicht te knopen. Haar vingers schampen langs Antonina's borst en Antonina duwt haar hand weg en maakt zelf de knoopjes dicht.

Als ze eenmaal weg is, pakt Lilja Antonina's onderjurk. Ze brengt hem naar haar neus en ademt de geur ervan in. Als ze zich voorstelt hoe Kropotkin er met zijn handen aan heeft gezeten, verfrommelt ze hem tot een bal en houdt hem stevig met beide handen vast.

Ze brengt de stof weer naar haar gezicht en ruikt er een tweede keer aan. Dan bijt ze er met haar scherpe hoektanden in. Als ze een kleine scheur in de zijde heeft gemaakt, trekt ze hem langzaam doormidden. Ze gooit beide delen in het haardvuur. De zachte zijde rookt even en vat dan vlam.

Lilja duwt de brandende stof met de pook heen en weer tot er niets meer van te zien is. Daarna legt ze de pook weg en zet Antonina's ontbijt klaar. De theekop rammelt op het schoteltje.

Een halfuur later verschijnt Lilja onaangekondigd bij Grisja's huis en bonst op zijn deur.

'Hij was bij haar, Grisja. Bíj haar! In de muziekkamer. Ze heeft hem heimelijk binnengelaten. Ik heb ze gehoord, ik heb gehoord wat ze deden.'

Grisja is te geschokt om iets uit te brengen, maar hij dwingt zich tot zelfbeheersing in aanwezigheid van Lilja. Hij denkt aan Valentins gezicht toen hij zei: *Heb jij nooit iets voor een vrouw gevoeld?* Dan hervindt hij voldoende kalmte om rustig te vragen: 'En waarom vind jij het nodig mij dit alles te vertellen, Lilja?'

'Het heeft niets geholpen dat hij bij Bakanev is ontslagen. Denk je echt dat hij haar met rust zal laten, nu hij zijn zin heeft gekregen? Hij verwoest haar reputatie, en zij is te verblind om zich daarom te bekommeren. Nog even, en hij zet zijn laarzen onder haar bed. Ik heb ze gehóórd, Grisja,' herhaalt ze. 'Wat ga je doen om ze tegen te houden?' wil ze weten, en door de kleur op haar gezicht, de nauwelijks verborgen woede, begrijpt Grisja, met een schok, iets wat hij eerder niet heeft ingezien.

De vrouw is niet ongerust dat Antonina Angelkov aan Kropotkin zal verliezen. Ze is jaloers, net zoals hij jaloers is. Ze verlangt net zo naar Antonina als hij. Hoe lang is dit al gaande? Waarom heeft hij dit nooit gezien?

Hij voelt zich akelig worden bij de gedachte dat de musicus met Antonina de liefde bedrijft. 'Het ligt niet binnen onze macht de gravin ervan te weerhouden iedereen die zij wil in haar huis toe te laten,' zegt hij kalm. Hij wil niet dat ze ziet hoe hevig hem dit aangrijpt. 'Het is nog steeds haar eigen huis, Lilja. Vergeet dat niet.'

Lilja staart hem aan. 'Goed. Dan zal ik hem desnoods zelf tegen moeten houden.'

Hij wendt zich af van Lilja's blik. 'En wat ben jij dan wel van plan te doen?'

Als ze geen antwoord geeft, kijkt hij naar haar om. Ze heeft een vreemde glimlach op haar gezicht, iets wat hem nog heviger schokt dan het inzicht van zojuist. *Er is iets niet goed met haar. Ze lijkt op de een of andere manier ziek.*

'Wacht maar af, Grigori Sergejevitsj. Als hij terugkomt, zul je zien hoe ik hem tegen zal houden.'

Later die morgen, terwijl er een ijzige, kletterende regen valt, kijkt Antonina uit haar slaapkamerraam naar de tuin beneden.

Bijna alle planten zijn dood, de bladeren zijn zwart geworden en verlept, de doorweekte, opgehoogde bloemperken zien eruit als graven. De enige overlevenden zijn een paar platgeregende chrysanten met hun gerafelde roestkleurige en dofgouden bloemen. Er zijn nog wat spikkels kleur van de rozenbottels aan hun doornige stengels: harde, felgekleurde granaten tegen de skeletachtige overblijfselen van de rozenstruiken.

En terwijl Antonina de treurige overblijfselen van vergane schoonheid overziet, gaat de regen over in de eerste sneeuw. Langzaam wordt alles in de tuin bedekt met een vreemde, zilverachtige gloed. Antonina voelt een zekere opluchting. Ze heeft liever dat alles met smetteloos wit wordt bedekt dan dat het er zo lelijk uitziet.

Ze zal Valentin nooit meer zien. Ze slaat haar armen om zich heen terwijl ze hem in gedachten hoort zeggen dat Michail nu vast ergens anders muziek maakt. In haar hart weet ze dat dit onwaarschijnlijk is, maar ze staat zich de troost van dat visioen toe: Misja achter de piano. Het is een beter beeld van hem dan in die boerenhut. Ze kan de gedachte niet verdragen dat haar zoon koud en hongerig zou zijn. Gewond of ziek.

Ze wil niet in het huis blijven met deze gedachten, dus slaat ze haar cape om en loopt de tuin in. De sneeuw gaat weer in regen over en spoelt het dunne laagje sneeuw weg. Ze wordt nat en koud. Valentin zei dat hij Grisja een brief voor haar had gegeven. Waarom heeft Grisja haar die niet gebracht?

Als Grisja op haar kloppen opendoet, in de verwachting Lilja weer te zien, stapt hij verbaasd achteruit.

'Grisja? Valentin Vladimirovitsj zei dat hij jou een brief voor mij had gegeven. Die kom ik nu halen,' zegt ze.

Grisja's gezicht is donker in het vreemde licht van deze derde dag in november. Hij bekijkt Antonina uitvoerig, op zoek naar iets wat aan haar is veranderd sinds ze met die muzikant samen is geweest. Hij voelt een smeulende woede wanneer hij aan hen denkt, maar Antonina kan niet weten dat hij het weet, dat Lilja met hem is komen praten. Hij heeft Lilja nodig om bij Soso te komen. En bij Michail.

'Mevrouw,' zegt hij, en het woord blijft vreemd tussen hen hangen, als een spookverschijning. Hij wil niet Antonina tegen haar zeggen. 'Het spijt me. Ik werd gisteren in beslag genomen door zaken buiten het landgoed, en toen is die brief me volledig ontschoten.'

Het is een regelrechte leugen. Hij wilde hem niet aan haar geven. Hij wilde haar niet onder ogen komen. Hij is erg moe door zijn leugens over Michail, en door zijn gevoelens voor haar.

'Mag ik binnenkomen?' vraagt ze.

'Ja, alstublieft. Kom binnen.'

In de kleine zitkamer zijn de gordijnen open, zodat het zachte daglicht naar binnen valt, en het haardvuur van dennenappels verspreidt een houtachtige geur. De bank, die met zachte bruine wol is bekleed, is dicht bij de haard geschoven. Er branden een paar lampen, wat bijdraagt aan de warme sfeer in de kamer. Er zijn veel boeken en het is er gezellig, huiselijk.

'De brief...' zegt Grisja, om zich heen kijkend. 'Ik heb hem ergens gelaten.'

Antonina pakt een boek dat omgekeerd openligt op de bank. 'Guiraud: *Les Deux Princes*. Lees jij Frans?'

'Mijn vader heeft het me geleerd.'

'Hoe komt het dat je vader Frans sprak?'

Grisja is niet van plan op dit moment zijn verleden te onthullen. Hij denkt opeens dat als hij haar dicht genoeg nadert, hij Kropotkin bij haar zal ruiken – en opeens wordt hij woest op haar. Ze is net een loopse teef die haar geur verspreidt en iedereen binnen reukafstand krankzinnig maakt. Hij bedwingt zich en zegt: 'Ik heb dat boek sinds mijn jeugd. Ik heb het hier mee naartoe genomen, naar Angelkov.'

'Timofej Aleksandrovitsj Kasakov,' leest ze op het schutblad. Het is Grisja's handschrift. Timofej. Tima, de naam die hij haar had gevraagd voor hem te gebruiken, die nacht in de datsja. *Noem me Tima*, had hij gefluisterd.

Ze kijkt op van het boek. 'Tima,' zegt ze, en hij weet door de blik in haar ogen waar ze aan denkt.

Hij beeft, hoewel Grisja geen man is om snel te beven. Hij wil naar haar toe lopen, hij wil haar zo graag in zijn armen nemen dat hij nauwelijks adem kan halen.

'Dat is de naam waarmee je vroeger werd aangesproken?'

Hij voelt een rauwe pijn. Hij weet wat ze met Kropotkin heeft gedaan, wat Lilja hem vertelde dat ze in de afgelopen twaalf uur hadden gedaan. Op dat moment beseft Grisja dat er geen toekomst zal zijn, dat er niets kan volgen. Hij wil iets belangwekkends zeggen, iets wat haar zal doen inzien dat ze bij hém moet zijn, niet bij Kropotkin.

In plaats daarvan zegt hij: 'Ja, dat was de naam die ik had gekregen.'

'Je hebt hem veranderd in Grigori Sergejevitsj Narisjkin.'

'Ja,' zegt hij resoluut.

Ze zwijgt even, en legt het boek dan weer op de bank. Ondanks de norse houding van Grisja lijkt ze niet weg te willen gaan. Ze pakt de svirel en legt haar vingers op de zes gaatjes, net als Valentin, terwijl ze naar de naam Tima kijkt, die aan de zijkant is gekerfd. 'Speel je?'

'Nee. Het was een cadeau.' Haar vragen draaien het mes in zijn ingewanden rond. Ze moet echt weten wat ze doet, zo tegen hem te praten alsof er niets is veranderd. Maar alles is veranderd. Wil ze hem straffen?

Ze legt de fluit terug. 'Zal ik je eens iets vreemds vertellen? Kropotkin zei dat als hij muziek hoort, hij kleuren ziet,' zegt ze. 'Het geluid dat een cello maakt is rood. De piano groen, de piccolo geel... Hij benoemde wat hij zag bij elk instrument. Ik moest aan Misja denken toen hij me dit vertelde. Misja leerde net zo gemakkelijk pianospelen als dat hij de letters van het alfabet leerde lezen of met cijfers leerde tellen.' De gedachte aan hoe Misja leerde spelen, maakt dat ze glimlacht. 'Ik dacht wel eens...' Haar glimlach verdwijnt wanneer ze Grisja aankijkt. 'Wat is er?'

Hij grijpt de schoorsteenmantel vast, zijn knokkels zijn wit, zijn gezicht is bleek.

'Je ziet er niet goed uit.'

'Ik voel me prima.'

'Heb je ooit zoiets gehoord? Dat iemand kleuren ziet als hij muziek hoort?'

Grisja maakt een geluid alsof hij zijn keel schraapt, of misschien blijft zijn adem daar wel steken. 'Welke kleur ziet hij wanneer hij op zijn viool speelt?' vraagt hij, tot haar verbazing.

Haar mond is beeldschoon, en als het gedempte licht in banen op haar valt, wordt Grisja wonderlijk zwak in haar aanwezigheid. Het is intens verwarrend, met die twee elementen die samenkomen. Terwijl hij wordt vervuld van begeerte naar haar, levert zij het laatste stukje van een puzzel waarin hij niet durfde te geloven.

Hij weet de kleur al voor ze het zegt.

'Hij ziet goud wanneer hij speelt. Bepaalde tonen doen het goud schitteren, zei hij, als de zon die door herfstbladeren valt.' Ze kijkt Grisja onderzoekend aan. 'Voel je je echt wel goed, Grisja? Je kijkt zo... je gaat toch niet ziek worden?'

'Nee,' zegt hij, en hij recht zijn schouders. 'Ik heb nog werk te doen. De kasboeken...'

Antonina kan de kasboeken nergens bekennen. 'Geef me dan de brief maar, Grisja. Heb je die brief voor me?'

'Ja,' zegt Grisja, op een vage manier, alsof hij opeens erg moe is, of heel afwezig. Hij kijkt om zich heen, schudt heel even zijn hoofd en trekt de brief dan achter een schilderijtje op de schoorsteenmantel vandaan en geeft hem aan haar. 'Alsjeblieft. Goedendag,' zegt hij tegen haar, waarmee hij duidelijk maakt dat het tijd wordt dat ze vertrekt.

Als ze weg is, gaat hij moeizaam op de bank zitten. Hij staart naar de svirel. Dan staat hij op, loopt naar zijn bureau en maakt het open. Hij pakt pen en papier en een potje inkt. Hij staart even naar het papier en schrijft dan: *Beste Valentin Vladimirovitsj Kropotkin.*

Hij houdt op, alsof hij niet zeker weet wat hij gaat zeggen. Hij doet er lang over om drie eenvoudige zinnen te schrijven.

Antonina leest wat Valentin haar twee dagen geleden heeft geschreven. Zijn woorden vertellen haar hoezeer hij van haar gezelschap heeft genoten. Hij zou nog één keer naar haar toe komen, die avond, maar daarna zou hij haar schrijven vanaf de plek waar hij zich had gevestigd. Dat zij misschien in Sint-Petersburg of in Moskou hem nog eens kon horen spelen. 'Wanneer je je zoon terug hebt,' leest ze. 'Ik zou hem graag willen ontmoeten. Neem hem alsjeblieft mee.'

Michail. *Is dit waarom ik bij je wilde zijn, Valentin, omdat jij me zoveel aan hem doet denken?*

Het is laat in de middag wanneer Antonina naar de keuken gaat. Ze zegt tegen Rajsa dat ze Ljosja wil vragen een kat mee te brengen voor de muizen. Rajsa heeft gevraagd of ze het meel weg moeten gooien, en Antonina vroeg of er een alternatief was. 'We zouden het kunnen zeven, mevrouw, om de keutels eruit te halen. Maar het is veel werk.'

'Ik zal wel helpen,' zegt Antonina tegen haar. Het voelt niet goed, te zitten wachten tot ze bediend wordt, terwijl ze ziet hoeveel Rajsa en de anderen te doen hebben.

Terwijl ze bezig zijn vertelt Rajsa dat Ljosja eropuit is gereden om op konijnen te jagen. Als hij geluk heeft zullen ze morgen stoofschotel met konijn hebben, zegt Rajsa glimlachend.

Noch Antonina noch Rajsa weet dat Ljosja alweer terug is met twee grote konijnen en dat hij ze buiten de personeelsvleugel heeft neergelegd. Lilja is nu bezig ze te villen en schoon te maken.

Ljosja's geweer leunt tegen de voorgevel van het huis. Hij is in de stallen bezig zijn paard droog te wrijven.

Antonina is in de provisiekamer om een andere zak meel van de plank te halen wanneer ze de honden hoort blaffen. Ze denkt dat het Ljosja is die thuiskomt. Ze loopt met het meel naar de keuken en begint weer te zeven.

Lilja kijkt op van het gevilde karkas wanneer de ruiter langs de personeelsvleugel galoppeert, de weg af, naar Grisja's huis.

Het is Valentin.

Ze smijt het konijn neer en grijpt, met bebloede handen, het geweer dat tegen de deurpost leunt.

De twee mannen zijn in Grisja's huis. Valentin heeft de brief van Grisja in zijn hand. *Kom alsjeblieft meteen naar mijn huis wanneer je dit hebt gekregen. We moeten praten. Ik weet wie je bent.*

Grisja houdt de svirel in zijn hand. 'Wat betekent deze fluit voor jou, Kropotkin?' vraagt hij, en hij geeft hem aan hem.

Valentin stopt de brief in zijn zak en glijdt met zijn vingers over de ingekerfde naam. 'Ik heb erop gespeeld toen ik de brief voor de gravin bij jou kwam afgeven,' zegt hij.

'Maar betekent hij iets voor je? Iets uit een andere tijd?'

'Een andere tijd? Ik weet niet waar je het over hebt. Wat wil je zeggen, Narisjkin?'

Grisja slikt even en pakt de svirel dan uit Valentins hand. 'Ik heb hem meegenomen toen ik van huis vertrok. Toen ik uit Tsjita vertrok.'

'Ik ken geen Tsjita.'

'Dat ligt in Siberië, ver ten oosten van Irkoetsk.'

Valentins gezicht verraadt niets.

'Ik heb dit van mijn kleine broertje gekregen,' zegt Grisja. 'Hij had mijn naam erin gekerfd, en hij gaf hem me voor mijn naamdag. Hij was amper acht jaar en hij speelde viool alsof hij het in de hemel had geleerd.' Grisja's gezicht is bleek. 'Hij zag goud wanneer hij op zijn viool speelde. Hij is meegenomen, om musicus te worden.'

Valentins borst gaat op en neer. 'Ik herinner me niets uit mijn kinderjaren.'

'Niets?'

'Klokken.' Hij slikt even. 'Kerkklokken. En andere geluiden. Gongen, denk ik.'

'Tibetaanse gongen.'

Valentin veegt met zijn hand over zijn voorhoofd. 'Een glas water, Narisjkin.'

'Je herinnert je de gongen van de tempel waar we met onze moeder naartoe gingen.'

'Onze moeder?'

'Ja, Kolja.'

Valentin gaat zitten en kijkt naar Grisja op.

Grisja knikt. 'Kolja. Jij was Kolja. Ik was Tima. Ik ben Tima. Je broer, Tima.'

Valentins mond staat open terwijl hij naar Grisja staart. Zijn ademhaling gaat onregelmatig en zijn gezicht wordt rood. 'Jij bent... wacht eens. Wacht eens,' zegt hij, en hij gaat staan en steekt beide handen uit, alsof hij de tijd wil tegenhouden.

De deur wordt met zoveel kracht opengegooid dat hij tegen de muur klapt. Het is Lilja, met Ljosja's geweer. Ze richt op Valentin. Valentin kijkt van haar naar Grisja, en dan weer naar Lilja, verwarring op zijn gezicht. Grisja ziet wat er gaat gebeuren, maar voor hij kan reageren scheurt er een explosie door de kamer. Valentins borst wordt opengereten en hij tuimelt achterover. Hij valt op de bank en daarna op de vloer.

Antonina hoort de gesmoorde knal van een geweer. Ze kijkt even naar het raam. De schemering begint te vallen. Ljosja zal toch niet meer aan het jagen zijn, denkt ze. Het is veel te donker om raak te kunnen schieten.

Wanneer Ljosja bij Grisja's huis arriveert, hijgend van het over de weg rennen bij het geluid van het schot, ligt Grisja op zijn knieën en houdt de musicus in zijn armen. Hij drukt een met bloed doorweekte deken tegen de borst van de man. Lilja zit in elkaar gezakt tegen de open deur, alsof iemand haar daar heeft neergegooid. Haar ogen zijn groot van de shock. Het geweer, nog kleverig van het konijnenbloed, ligt naast haar op de vloer. Ze slaat voortdurend een kruis en fluistert gebeden terwijl ze naar de gewonde man staart.

Ljosja grijpt met zijn handen naar zijn hoofd. Er is heel veel bloed. Het ziet eruit… het lijkt wel of Lilja op de musicus heeft geschoten. En Grisja, waarom houdt hij die andere man zo dicht tegen zich aangedrukt, alsof ze geliefden zijn? Hij mompelt iets en drukt het hoofd van de stervende man tegen zijn borst, terwijl zijn eigen gezicht gruwelijk verkrampt staat.

Lilja beeft hevig, en als Ljosja naar haar kijkt, fluistert ze tegen hem: 'Ik hoorde vannacht een uil krassen. Ik wist dat er vandaag iets vreselijks zou gebeuren.' Ze zegt dit alsof ze hem een geheim vertelt. En dan gaat ze verder met steeds weer een kruis slaan en fanatiek gebeden mompelen: 'Vergeef me, God in de hemel, vergeef me, vergeef me, hemelse Vader, vergeef me.'

Ljosja valt op zijn knieën. Zijn handen heeft hij nog steeds aan zijn hoofd. Heilige Moeder van God. Hij heeft nog nooit een man zo zien sterven. De musicus stikt, er stijgt een borrelend geluid op uit zijn keel. De deken is doordrenkt van bloed. Grisja is ermee overdekt.

'Je bent gekomen,' hoort hij de musicus uitbrengen. 'Je bent gekomen, Tima.'

Grisja probeert te spreken. Het lukt hem niet. Hij probeert het nog eens. 'Ja Kolja, ik ben naar je toe gekomen.' Zijn stem is hees, de woorden komen traag en hortend.

'Zoals ik altijd heb gedroomd. Ik wist dat je me zou komen halen.' Het geborrel wordt heviger. Valentin hoest een mondvol bloed op en zijn lippen bewegen in iets wat een glimlach zou kunnen zijn.

Na een lange stilte kijkt Grisja op naar Lilja en Ljosja. 'Hij is dood,' zegt hij, en hij maakt langzaam drie keer een kruisteken boven de andere man. Zijn ogen zijn nat.

Ljosja heeft Grisja nooit eerder een kruisteken zien maken. Hij kijkt naar zijn zuster en dan weer naar Grisja. 'Kende... ken je hem dan zo goed, Grisja?' vraagt Ljosja, met een stem alsof hij pijn in zijn keel heeft. Zijn handen beven hevig.

'Nee,' zegt Grisja tegen hem. 'Ik ken hem helemaal niet. Maar ik had hem kúnnen kennen.'

36

*G*risja kijkt neer op het lichaam van de broer die hij op de weg buiten Tsjita in de steek had gelaten.

Hij denkt aan die ene dag die hij in Irkoetsk was en dat hij er niet langer wilde blijven voor het geval hij Kolja tegen het lijf zou lopen. Dat hij dronken werd en zijn eerste vrouw had. Dat hij zo graag zijn leven wilde beginnen zonder verantwoordelijkheden, zonder banden met een kleine jongen die hem alleen maar tegen kon houden.

Hoe gemakkelijk was het voor hem geweest om die jongen te bedriegen. Hij had hem ooit bedrogen en nu is hij verantwoordelijk voor zijn dood.

'Lilja,' hijgt Ljosja, en hij gaat eindelijk weer staan. 'Lilja, wat heb je gedaan?' Hij pakt het geweer op.

Lilja staart naar het lichaam.

'Lilja?' zegt Ljosja weer. Ze slaat nog steeds een kruis en fluistert gebeden. Ze slaat haar handen ineen en heft ze voor zich. Ljosja wil tegen haar schreeuwen, haar slaan, maar het is allemaal te angstaanjagend, te verwarrend. Het is nu heel stil in Grisja's huis, met Grisja die de dode violist in zijn armen houdt en kapot van verdriet naar hem kijkt. 'Wat is er gebeurd? Waarom heb je dit gedaan?' Ze geeft geen antwoord. Ljosja kijkt weer naar Grisja. 'Waarom heeft Lilja dit vreselijke gedaan?'

'Ik moet naar de kerk. Ik moet om vergeving vragen.' Lilja praat voor het eerst hardop. 'Ik... ik wilde niet... ik wist niet wat ik deed. Ik dacht dat hij niet geladen was. Waarom heb je hem geladen achtergelaten, Ljosja? Ik wilde hem helemaal niet doden. Ik wilde hem alleen maar wegjagen. Om hem te laten begrijpen dat hij nooit meer bij haar terug kon komen. Ik moet om vergeving smeken. Zal God me vergeven, Ljosja?' Ze begint te huilen.

Daarop legt Grisja Valentin voorzichtig neer. 'Ljosja, breng Lilja naar haar kamer. En kom daarna terug om mij te helpen.'

Ljosja is heel bleek. 'Jou helpen? Maar hoe moet het met Lilja? Komt ze in de gevangenis? Ik had die patroon niet in het geweer moeten laten zitten. Dat doe ik nooit. Ik... ik was moe. Ik ben thuisgekomen en...'

'Ik ga niet naar de gevangenis.' Lilja's stem is onverwacht luid, resoluut. Ze keert haar blik van Valentins lichaam af en kijkt Grisja woest aan. 'Er gebeuren slechte dingen, maar dat komt niet altijd doordat iemand slecht is.'

Grisja staart haar aan.

'Ik wilde hem alleen maar bang maken, zodat hij nooit meer terug zou komen. Maar... maar nu...' Lilja's stem verliest alle kracht en ze huilt weer. Direct daarna weet ze zich te vermannen. 'Ga me nou niet vertellen dat jij niet blij bent,' zegt ze tegen Grisja. 'Ik heb je in elk geval de moeite bespaard, nietwaar?'

Grisja wenst dat Lilja haar mond houdt. Hij probeert kalm te blijven, logisch na te denken, maar dat lukt hem niet. Hij wil alleen zijn met zijn dode broer.

'We moeten hem in het bos begraven,' gaat Lilja verder. 'Want hoe moeten we een man met een kogel in zijn borst verklaren? Niemand zal hem missen. Hij is bij Bakanev ontslagen, zijn carrière is geruïneerd. Het zou heel waarschijnlijk zijn dat hij naar een andere provincie is verhuisd, waar niemand van zijn schande weet.' Haar woorden komen stamelend, het spuug vliegt van haar lippen. 'En je kunt vertellen dat ik het heb gedaan, Grisja. Als je dat doet, zal ik tegen Antonina zeggen dat jíj hem hebt gedood.

Denk je dat ze mij zou verdenken? Denk je dat ze niet weet hoe jij over hem dacht? Dat je hem net zo haatte als ik?' Ten slotte kijkt ze weer naar het lichaam. 'Ik zal tegen haar zeggen dat jij het hebt gedaan,' zegt ze weer.

'Lilja,' zegt Ljosja, 'Lilja, hou op.'

Ze negeert hem. 'Bovendien, als ik word gearresteerd voor de moord op hem, zul je Soso nooit kunnen vinden.'

Daarop stapt Grisja naar haar toe en legt met één snelle beweging zijn handen rond haar keel. Hij wil alleen maar dat ze ophoudt met dat eindeloze gekakel.

Ljosja grijpt naar zijn geweer. 'Grisja, wat doe je?'

Grisja's handen zijn los, los genoeg om Lilja te laten praten. 'Dood me dan,' zegt ze. 'Dood me, en je zult de jongen nooit vinden. Dood me, en je doodt Michail Konstantinovitsj.'

Grisja heft zijn handen omhoog, weg van haar hals, en hij stapt achteruit.

'Grote god. Grote god,' zegt Ljosja. 'Zeg me waar jij het over hebt, zuster. Wat is er in godsnaam gaande?'

Grisja brengt zijn hand naar zijn slaap. 'Neem haar mee, weg van hier.'

Iets in Grisja's stem maakt Ljosja banger dan wanneer hij had geschreeuwd.

'Laat haar niet naar de gravin gaan,' zegt Grisja, en Ljosja pakt Lilja bij de arm. 'En kom later terug om me te helpen.'

Die avond graven Ljosja en Grisja een graf op het kerkhof achter de Kerk van de Verlosser. Grisja heeft een plek achter een dicht sparrenbosje uitgezocht, waar de pas omgespitte aarde niet snel zal worden opgemerkt. De grond is hard, maar niet bevroren.

'Waarom heeft ze dit gedaan, Grisja?' vraagt Ljosja, terwijl hij moeizaam klonten harde grond opzij schept. Het werkterrein wordt verlicht door twee lampen die op de grond staan. Hij kijkt om naar de ingepakte vorm achter op de kar. 'En waarom begraven we hem? Moeten we het niet aan iemand vertellen? Op zijn minst aan vader Kirill?'

Grisja houdt op met spitten. Het felle licht van de lampen doet de beenderen van zijn gezicht scherper uitkomen. Zijn mond staat grimmig. 'Wil je dat je zuster in de gevangenis komt, Ljosja? Dat ze naar een vrouwenkamp in Siberië wordt gestuurd, waar ze na jarenlange dwangarbeid zal sterven?'

'Nee. Maar het is niet goed. Het is niet goed in de ogen van God. We moeten het aan de politie in Pskov vertellen. Het was een ongeluk. Dat begrijp jij ook. Het was niet Lilja's bedoeling om dit te doen.' Hij kijkt weer naar het lichaam. 'Ik zal wel zeggen dat ik het heb gedaan. Dat ik aan het jagen was en hem per ongeluk heb geraakt. Ik zal zeggen dat ik het heb gedaan, Grisja. Het is mijn schuld, omdat ik het geweer geladen had achtergelaten. Ik zal de schuld op me nemen.'

Grisja kijkt naar de jongeman, hoort wat hij bereid is te doen uit liefde voor zijn zuster. Hij heeft dit soort toewijding nooit gekend. Hij had die niet voor zijn broer. Hij heeft hem bedrogen omdat hij daar zelf beter van werd. Zoals hij ook Michail heeft bedrogen – en daarmee Antonina – voor zijn eigen gewin. Ljosja is een veel betere man dan hij ooit zal zijn.

'Zou jij niet hetzelfde doen?' vraagt Ljosja, en daarop draait Grisja zich om. Hij loopt naar de kar en tilt, voorzichtig, Valentins lichaam op. Met slechts een lichte krachtsinspanning legt hij hem, heel zachtjes, op de koude grond naast het graf. Hij maakt de lijkwade los en knielt boven Valentin, kust zijn voorhoofd en tekent er met zijn wijsvinger een kruisje op.

Terwijl hij neerkijkt op het gezicht van de man voelt hij opeens een flits van begrip. Zijn vader wilde zijn jongste zoon een kans in het leven geven die hij nooit zou krijgen als hij in Tsjita bleef. Als hij Kolja – Valentin – als knappe en zelfverzekerde jongeman had kunnen zien, een bedreven musicus die velen vreugde wist te schenken, zou hij trots op hem zijn geweest. 'Ik vergeef je, papa,' zegt Grisja, en hij slaat een kruis. 'Je had gelijk,' voegt hij er fluisterend aan toe.

Kon hij zichzelf maar vergeven. Had hij maar iets gedaan waar zijn vader trots op zou zijn geweest.

Grisja legt de doek weer terug en laat, met hulp van Ljosja, het lichaam in het gat zakken. Hij pakt een handje donkere aarde en strooit die langzaam over Valentins lichaam terwijl hij voor hem bidt. Ljosja bidt met hem mee, en dan beginnen de twee mannen te scheppen.

Die nacht valt er sneeuw en de volgende morgen is het nieuwe graf niet meer dan een stuk hobbelige grond op het verwaarloosde kerkhof.

Vlak voor het aanbreken van de dag, als Grisja en Ljosja, alleen en slapeloos, wachten tot de nacht voorbijgaat, en op Angelkov alles nog stil is, gaat Lilja naar Antonina's slaapkamer. Ze maakt het vuur in de haard aan en wekt dan Antonina. Ze gaat op het bed zitten en pakt Antonina's hand terwijl ze kalm tegen haar praat.

'Gisteren, Tosja,' vertelt ze haar, 'is Kropotkin gestorven. Hij is hier vlakbij op de weg door bandieten vermoord. Hij moet op weg zijn geweest naar jou. Hij werd neergeschoten en beroofd en dood langs de kant van de weg achtergelaten. Het dorp praat erover. Hij is teruggebracht naar Pskov en zijn lichaam zal daar ergens worden begraven. Ik ben het gisteravond te weten gekomen, maar ik wilde het je niet toen al vertellen. Het leek me beter dat je eerst zou slapen.'

Antonina trekt haar hand uit die van Lilja. 'Wat vertel je me nou, Lilja? Je hebt het vast mis. Zoiets kan toch niet...'

'Nee. Hij is dood. Het is gisteren gebeurd, toen het donker werd. Hij probeerde weer naar jou toe te komen, net als gisteren. De muzikant is dood doordat hij jou liefhad, Tosja.'

Antonina's gezicht is asgrauw. Ze herinnert zich het verre schot dat ze heeft gehoord, denkend dat het Ljosja was die nog steeds op jacht was. Ze beeft. 'Drinken, Lilja. Ik moet iets drinken.'

Lilja loopt naar de kleerkast en haalt de fles wodka tevoorschijn. Ze schenkt Antonina een half limonadeglas in. 'Alsjeblieft, *moja dorogaja*, mijn liefste. Ja, je hebt iets nodig om je te helpen. Ik begrijp dat dit heel schokkend en onvoorstelbaar is. Maar je weet hoe gewelddadig sommige boeren nu zijn. Jij moet al helemaal weten waar ze toe in staat zijn. Het zou me niets verbazen als Grisja er iets mee te maken heeft gehad.'

Antonina staart haar aan, met de wodka nog in haar mond. Ze heeft moeite met slikken. 'Waar héb je het over?'

'Jij hebt Grisja's woede nooit gezien, maar ik wel,' zegt Lilja.

'Waarom zou Grisja Valentin kwaad willen doen?'

Lilja gaat weer op het bed zitten en strijkt Antonina's haar glad. 'Uit jaloezie, gewoon jaloezie, Tosja.' Haar stem is zacht, sussend. 'We weten allemaal wat dat bij een mens kan doen.'

'Jaloezie,' mompelt Antonina. Ze denkt aan hoe ze gisteren met Grisja over Valentin heeft gesproken, bij hem thuis. Hoe vreemd – bijna ziek – hij eruitzag. Ze zet het glas op het nachtkastje. Ze had aan één stuk zitten ratelen. Voelt Grisja echt zoveel voor haar? Is dit dan haar schuld? Heeft ze Grisja zo kwaad gemaakt dat...

Ze slaat haar handen voor haar gezicht. Lilja heeft gelijk. Het is haar schuld dat Valentin dit is overkomen. Ze weet niet waarom hij naar haar terugkwam... ze hadden afscheid genomen, maar het doet er niet meer toe. Hij was op weg naar haar.

'O barmhartige God,' zegt ze. *Ik ben verantwoordelijk voor Valentins dood.* 'Ga weg, Lilja,' zegt ze, maar Lilja blijft naast haar zitten en slaat dan haar armen om haar heen.

'Nee. Je hebt mij hier nodig, Tosja. Je hebt me nodig.' Ze overdekt Antonina's wang met kussen. 'Ik zal bij je blijven en je troosten.'

Heel even zwicht Antonina voor Lilja's liefkozingen. Maar er ligt iets demonisch op Lilja's gezicht, iets wat Antonina afstotelijk vindt. Het is alsof de andere vrouw opgewonden raakt van dit alles. Abrupt maakt Antonina zich los. 'Ik heb je gezegd dat ik alleen wil zijn. Ga weg.' Haar stem is resoluut.

Lilja gaat staan. 'Ik zal je je ontbijt brengen. We kunnen samen eten.'

Antonina balt haar vuisten. 'Lilja, begrijp je me niet?' schreeuwt ze. 'Laat me met rust.'

'Ik begrijp het. Je wilt geen ontbijt. Dat komt door de schok,' zegt Lilja. 'Je zult later wel wat willen eten.'

Als Lilja weg is, laat Antonina zich in haar gebedshoek op haar knieën vallen. Ze beseft het. Het komt door haar. Zij is het vergif op Angelkov. Alles is gebeurd door haar.

Ik ben immoreel en slecht. Ik hield meer van mijn zoon dan van het leven zelf, en hij is me ontnomen omdat mijn man niet wilde dat ons kind steeds bij mij in de buurt was. Ik ben verantwoordelijk voor de dood van mijn man, want de avond dat hij ziek werd lag ik met Grisja in bed. Valentin is gestorven doordat ik vriendschap met hem sloot. En Grisja… als het echt waar is wat Lilja me heeft verteld dat er is gebeurd, dan zal hij sterven in de handen van de autoriteiten vanwege de moord die hij heeft gepleegd, en dan heb ik ook schuld aan zijn dood.

Antonina drukt haar voorhoofd tegen haar ineengeslagen handen. 'Lieve God, u hebt mijn slechtheid gezien. Ik breng verwoesting aan allen die bij mij in de buurt komen. Dit is de reden waarom u mijn zoon bij mij vandaan houdt. Dit is mijn straf.'

Haar mond is droog en haar handen trillen nog heviger. Ze wankelt de kamer door, grijpt de fles wodka en drinkt eruit. Dan smijt ze hem in het haardvuur. De fles breekt en de vlammen schieten hoog op in felle, verterende kleuren.

Ze ademt zwaar. Ze moet blijven bidden om boete te doen en ze moet het kwaad dat in haar schuilt zien te stoppen. Hoe langer ze op Angelkov blijft, hoe meer verwoesting ze zal aanrichten.

Ze moet alleen zijn, weg van de verleiding.

Twintig minuten later komt Lilja terug met een dienblad.

'Ik weet dat je hebt gezegd dat je niets wilt, maar je zult je veel beter voelen als je...' Lilja kijkt naar de kleren die op Antonina's bed verspreid liggen. Op de vloer staat een reistas. 'Wat ben jij aan het doen, Tosja?'

'Ik ga weg,' zegt Antonina, en ze trekt een onderjurk uit een lade.

'Weg? Hoe bedoel je?'

'Laat Ljosja Doenja zadelen, en een arabier voor hemzelf.'

'Ik vroeg waar je naartoe gaat.' Lilja kijkt naar de kleren op het bed. Antonina heeft wonderlijke dingen uitgezocht, het lijkt alsof ze het eerste het beste heeft gepakt dat haar hand in de kast aanraakte. Een omslagdoek, een nachthemd. Een zomerhoedje. Waar is ze mee bezig? 'Wil je er niet een paar jurken bij? En wat muiltjes? Je hebt geen...'

'Het doet er niet toe,' valt Antonina haar in de rede. Ze zit aan haar kaptafel en kijkt in de spiegel, maar Lilja heeft niet de indruk dat ze haar eigen spiegelbeeld ziet.

Lilja zet het dienblad neer en gaat op de paarsfluwelen stoel naast die van Antonina zitten. 'Tosja,' zegt Lilja, en ze pakt Antonina's hand. 'Ninotsjka.' Ze kust de rug van de hand en draait hem daarna om en kust de palm. Haar lippen zijn warm, klef.

Antonina huivert.

'Ik weet dat je treurt om meneer Kropotkin,' zegt Lilja. 'Ik wou dat ik je verdriet kon wegnemen. Maar er is geen reden voor jou om te vertrekken. Je zult je een stuk beter voelen als je iets hebt gegeten en...'

Antonina gaat staan. 'Breng mijn reistas naar beneden.'

Wanneer Antonina en Ljosja bij de datsja arriveren ligt er een dun laagje sneeuw op de houten treden.

Ljosja draagt haar reistas en de mand met eten die de gravin Rajsa heeft gevraagd in te pakken, en eenmaal binnen maakt hij een vuur met het beetje hout dat nog naast de open haard ligt. Hij gaat naar buiten om nog meer hout te klieven van de stapel blokken achter de datsja, en hij brengt twee vrachten naar binnen terwijl hij nog een hoge stapel op de stoep laat liggen. Hij zorgt ervoor dat er een volle doos aanmaakhoutjes naast de haard staat.

Terwijl Antonina hem zo bezig ziet, vindt ze dat Ljosja helemaal niet op zijn zuster lijkt. Zijn gezicht is open en eerlijk, terwijl dat van Lilja hard is geworden en steeds smaller lijkt, met samengeknepen ogen, lippen en neusvleugels.

'Weet u zeker dat u zich hier kunt redden, helemaal alleen? Weet u hoe u het vuur brandende moet houden...?'

'Dank je, Ljosja. Je kunt nu wel gaan, en neem Doenja mee. Ik wil me geen zorgen over haar moeten maken in de koude stal. Maar alsjeblieft, denk eraan dat ik niet wil dat iemand weet waar ik ben. Begrijp je? Niémand!'

Ljosja heeft het gezicht van zijn zuster gezien toen ze hen vanaf de veranda zag vertrekken, en hij begrijpt dat ze erg boos is omdat de gravin weigerde haar te vertellen waar ze naartoe ging.

Ljosja is uitgeput en ziek van het piekeren. Hij moet steeds maar denken aan wat Lilja gisteren heeft gedaan, aan hoe ze die arme man hebben begraven. Vanmorgen deed Lilja heel beheerst, alsof er niets was gebeurd. Hoe heeft ze die man – die stille musicus – ijskoud kunnen vermoorden en dan vandaag toch zo kalm doen? En wat is dat voor gepraat over Soso en Michail Konstantinovitsj?

'Het spijt me dat ik je dit moet vragen, Ljosja,' zegt Antonina. 'Het is erg belangrijk dat je dit geheimhoudt. Ik weet dat ik je kan vertrouwen.'

'Ja, mevrouw,' zegt Ljosja. 'Wanneer moet ik terugkomen voor u?'

'Ik heb eten voor drie of vier dagen.'

Ljosja tikt tegen zijn pet en stijgt op zijn paard. Antonina kijkt hem na terwijl hij wegrijdt, met Doenja achter zich aan over het smalle bospad.

Antonina kijkt in de datsja om zich heen, en denkt terug aan de vorige keer dat ze hier was, met Grisja. Ze loopt door de gang naar de slaapkamer. Het beddegoed ligt er nog steeds rommelig bij, er is hier sindsdien niemand meer geweest. Ze gaat liggen en drukt haar gezicht in het koude laken. Het ruikt vaag naar hem en naar haar parfum. Ze trekt de sprei over zich heen en wanneer ze dat doet vindt ze het geborduurde vest dat Grisja aanhad toen ze hier samen waren. Ze strijkt met haar vinger over het borduurwerk en zegt tegen zichzelf dat Grisja niets met Valentins dood te maken heeft gehad. Vast niet. Het was Lilja die probeert roddels over Grisja te verspreiden. Niet Grisja. Ze denkt aan alle goedheid waarvan ze in al die jaren getuige is geweest: jegens haar zoon, jegens Ljosja, jegens veel bedienden. Ze weet dat hij niet met de knoet straft, zoals Gleb indertijd. Ze heeft dit gehoord van het personeel. Ze zorgden er wel voor dat Konstantin dit niet te weten kwam, maar zij weet het. Zelfs Misja wist het. Hij vertelde ooit hoe blij hij was dat Grisja niet wreed deed tegen de staljongens, zoals hij van de rentmeester van een ander landgoed had gezien.

Ze denkt aan hoe Grisja haar hier had gebracht. Zonder ook maar één moment geen rekening te houden met haar gebroken neus, had hij zijn mond zacht en toch stevig op de hare gedrukt. Valentin had haar in zijn armen gehouden alsof ze een lief huisdier was, en die ene korte kus van hem... het was alsof ze even iets zoets, iets aangenaams had geproefd, iets wat slechts kort op de tong bleef liggen, als een ijsje in de zomer. Grisja's mond was stevig.

Ze heeft zichzelf ervan overtuigd dat ze Grisja's mond, zijn aanraking, nimmer meer zal kennen. Op dat moment wil ze niets liever dan zijn voetstappen op de houten treden van de veranda horen. Ze wil dat hij zonder te kloppen de deur opensmijt, door de datsja stapt en haar zo stevig omhelst dat ze, al is het maar voor een uur, haar verdriet over Michail, de droefenis rond Valentin, haar zorgen over de toekomst van het landgoed, over haar eigen toekomst, kan vergeten. Zodat ze ook kan vergeten dat ze zo'n vreselijke behoefte heeft aan drank dat ze het gevoel heeft dat ze zonder dat geen stap meer kan verzetten, geen lucht meer kan inademen. Met Grisja zou ze in staat zijn te vergeten, en slechts te leven voor de momenten dat hij bezit van haar neemt.

Ze moet haar dwaze gedachten van zich afzetten. Ze loopt terug naar de warme zitkamer. Uit haar reistas haalt ze de brief die Misja op de achterkant van haar bewerking van Glinka heeft geschreven, en ook de twee extra pagina's die ze in zijn jas heeft gevonden. Ze heeft het allemaal al zo vaak gelezen dat ze ze bijna niet meer open durft te vouwen; ze zijn verkreukeld en broos. Ze denkt aan alle beproevingen die haar zijn voorgezet: Konstantin, Grisja, Valentin. De wodka. Ze is overal tekortgeschoten.

Het enige waarin ze niet tekort is geschoten is in haar rol als goede moeder.

Ze valt op haar knieën en drukt de pagina's tegen haar borst terwijl ze hardop bidt. 'Ik biecht mijn zonden aan u, o hemelse Vader. Ik heb vele zonden begaan en ik begrijp dat u zult vinden dat ik niet nog een kans heb verdiend. Ik zweer u dat ik het zal proberen. Ik zal het opnieuw proberen. Misschien vindt u dat ik het niet verdien mijn zoon terug te krijgen. Ik was een onwaardige echtgenote. Ik ben een onwaardige vrouw. Ik aanvaard uw bestraffing van mij voor deze dingen. Maar ik ben geen slechte moeder.'

Ze gaat rechtop zitten. Ze heeft dorst en haar handen beven voortdurend, haar buik doet pijn alsof ze ongesteld moet worden. Ze loopt naar de keuken en pakt de mand met eten uit. Er is een stuk worst, een brood, een pot ingemaakte kool en een pot gemarineerde appels, gekookte aardappels nog in de schil, hardgekookte eieren en flessen karnemelk. Ze maakt een fles open en zet hem aan haar mond. Ze drinkt ervan en trekt een vies gezicht om de volle smaak. Ze wordt er misselijk van.

Het is pas twaalf uur.

Valentin is nog geen vierentwintig uur dood.

Grisja was die morgen weer naar het graf gegaan. Hij knielde neer om te bidden voor zijn broer. Hij voelt een grote onrust, alsof hij meer zou moeten doen.

Hij weet niet wat hij het sterkste voelt: verdriet, berouw, of woede.

Hij rijdt naar het landgoed van Bakanev om de overeengekomen prijs te ontvangen voor het land dat hij heeft terugverkocht aan de prins. De prins was boos over deze transactie en heeft Grisja slechts de helft gegeven van wat hij ervoor had betaald, maar Grisja heeft geen keus. Zijn veilige toekomst is nu verdwenen, in ruil voor Misja's vrijheid.

Hij komt aan het eind van de middag terug en loopt naar de achterdeur van het huis. De deur is op slot, voor het eerst. Wanneer hij aanklopt doet Lilja open, waarna ze zich in de deuropening opstelt.

Hij vraagt naar de gravin.

'Het is goed met haar,' vertelt Lilja hem.

'Ik wil haar graag even spreken. Ik wil zelf zien dat het goed met haar is. Ik vraag me af wat jij haar hebt wijsgemaakt. Ik vertrouw je niet.' Grisja dringt langs Lilja de keuken binnen. Binnenkort zal hij geen last meer van haar hebben. Ze zal van Angelkov vertrekken zodra Michail terug is en zij haar deel van het geld heeft gekregen. 'Heb je haar verteld over...' Hij vindt het moeilijk de naam van zijn broer uit te spreken. 'Heb je haar iets verteld? Over wat er gisteren is gebeurd?'

Lilja kijkt om zich heen om zich ervan te vergewissen dat ze alleen zijn. 'Je kunt haar niet spreken. Heb je het extra geld al?'

'Ja.'

'Mooi zo. Het begint kouder te worden en ik weet niet of Misja het warm genoeg zal hebben.'

'Denk je niet dat ik net zo ongerust over hem ben als jij?'

'Maakte jij je ook zorgen toen je hielp om hem te ontvoeren?'

Grisja klemt zijn kaken op elkaar. 'Het wordt al laat. Morgen breng jij me naar Soso en dan krijgen wij Michail Konstantinovitsj

terug. Ga nu tegen Antonina zeggen dat ik met haar wil praten.'
Hij zal haar niet vertellen wat er morgen gaat gebeuren, voor het
geval er iets niet goed gaat. Maar hij wil – moet – zien hoe het met
haar is.

Lilja weigert. 'Ze ligt nog te slapen.'

'Hoe bedoel je, "nog"? Het is het eind van de middag.'

'Je weet hoe ze kan zijn,' zegt Lilja en ze doet alsof ze een glas
aan haar lippen zet. 'Ik ga haar niet wakker maken.'

'Morgenochtend dan, Lilja. Ik kom morgen terug, en dan gaan
we naar Soso.'

Lilja haalt haar schouders op en draait zich om.

Om vijf uur is Antonina misselijk en aan het begin van de avond
ligt ze te kreunen, grijpt naar haar onderlijf vol krampen en voelt
beurtelings koude rillingen en gloeiende koorts, terwijl haar lichaam overdekt is met zweet. In de keuken heeft ze alles al over-
hoopgehaald op zoek naar de fles wodka waaruit ze samen met
Grisja had gedronken, de vorige keer dat ze hier was. Wanneer
ze hem vindt – leeg – slaakt ze een kreet en smijt hem tegen het
fornuis. Hij valt in scherven op de vloer. Uit wanhoop laat ze zich
op handen en knieën vallen. Ze snijdt haar vinger aan een glas-
scherf van de kapotte fles. Ze trekt de scherf eruit, zuigt het bloed
op en gaat dan op haar zij op de koude keukenvloer liggen. Ze wil
huilen, maar kan het niet.

Grisja gaat de volgende morgen terug naar het huis. Rajsa en
Pavel zijn in de keuken bezig. Hij vraagt Pavel Lilja te halen.

'Hoe is het vandaag met haar?' vraagt hij zodra Lilja de keuken
binnenkomt.

Lilja negeert zijn vraag. 'Je hebt de deur opengelaten. Doe hem
dicht. Het is koud en kijk, sneeuw.' Ze kruist haar armen over haar
borst en slaat ze om zich heen, terwijl ze dichter naar het fornuis
gaat.

Grisja doet de deur stevig dicht. Het is 's nachts begonnen te sneeuwen, aanvankelijk slechts een dun laagje, maar nu is de wind aangewakkerd. Er vallen zware, natte vlokken met grote snelheid omlaag, zodat Grisja's voetstappen al bijna zijn bedekt als hij de veranda aan de achterzijde heeft bereikt. Het is pas begin november, maar de winter laat nu al zijn ijzige greep voelen.

Als hij zich omdraait bij de deur ziet hij met een schok dat Lilja een jurk van Antonina aanheeft.

Rajsa staat te roeren in een pan gerstepap die op het fornuis staat en Pavel zit aan de tafel zilver te poetsen: een rechaud, kandelaars, vismessen.

Grisja herkent deze middagjapon: een zachte, roomkleurige stof in een model dat de taille accentueert. Antonina had hem aan toen ze naar zijn huis kwam, de laatste keer dat hij haar zag, om over Valentin te praten. De jurk had haar blanke huid goed doen uitkomen. Lilja lijkt er grauw mee. De stof zit te strak en trekt rond de heupen. Lilja's figuur is anders dan dat van Antonina. Ze draagt ook Olga's sleutelring – de sleutels van de huishoudster – aan een dikke leren riem, wat heel vreemd staat bij de verfijnde jurk. 'Heeft de gravin jou toestemming gegeven haar kleren te dragen?'

Lilja kijkt kwaad. 'Het gaat jou niets aan wat ik aantrek.' Er zit rouge in zorgvuldige cirkels op haar wangen en in haar haar bungelt een scheefgezakte schildpaddenkam.

'Ik moet haar spreken, dat wilde ik gisteren al.'

'Dat gaat niet,' zegt Lilja.

Grisja kijkt nog steeds naar Lilja. Ze is wat kleiner dan Antonina, en ze heeft platte laarzen aan. Antonina draagt altijd muiltjes met hoge hakken. De zoom van de jurk sleept over de vloer, er zijn stofpluizen en stukjes gruis in blijven hangen. De rouge is te rood op haar wangen. 'Is ze ziek?' vraagt hij dan. 'Is dat het? Rajsa, is de gravin ziek en wil ze niemand ontvangen? Dan zal ik de dokter halen.'

Rajsa doet fronsend haar mond open, maar Lilja zegt: 'Nee, ze is niet ziek.'

Grisja kan zich niet voorstellen dat Antonina zo vroeg in de morgen al zoveel heeft gedronken. 'Dan ga ik nu naar haar toe, of je dat goedvindt of niet,' zegt hij, en hij begint door de keuken te lopen.

'Nee!' roept Lilja, en ze loopt naar de deur die in het huis uit-komt.

Grisja duwt Lilja's uitgestrekte arm weg. Hij loopt door de hal, waar zijn natte laarzen met zware, doelbewuste dreunen op de houten vloer neerkomen.

Alle deuren op de woonverdieping zijn dicht. Hij doet ze snel, systematisch, achter elkaar open om naar Antonina te zoeken in de eetkamer, de kleine zitkamer, de bibliotheek, de studeerkamer, de salon, de muziekkamer. Elke kamer is donker, de gordijnen zijn dichtgetrokken tegen de tocht van het koude glas, en nergens brandt een kachel of haardvuur. De lucht is droog en koud. Er is niet voldoende brandhout in de ooit zo grote stapels buiten om meer dan een paar kamers tegelijk te verwarmen. Ze worden om-ringd door bos, maar er zijn geen mannen meer om het hout te zagen en te stapelen.

De oude Olga zit in een hoek van de grote hal op een rechte houten stoel met een zware deken om haar schouders geslagen, haar kin op haar borst. Ze heft haar hoofd op als Grisja's voet-stappen haar wakker maken, en ze knippert verward met haar ogen en kijkt hem na als hij de trap op gaat. Noesja, de laatste van de jonge bedienden die op Angelkov is gebleven, ligt op haar knieën het tapijt te vegen met een kleine, harde borstel. Ze gaat snel opzij als Grisja met twee treden tegelijk de trap op rent.

Lilja volgt hem.

Hij blijft voor Antonina's deur staan. 'Mevrouw,' roept hij, ter-wijl hij aanklopt. 'Mevrouw, ik ben het, Grisja. Mag ik binnen-komen?'

Hij draait de kristallen deurknop om en duwt de deur open. 'Mevrouw?' zegt hij, op voorzichtige toon. Maar als hij over de drempel stapt is de kamer net zoals de andere, met gesloten gordijnen en geen vuur in de haard. Hij draait zich om en kijkt Lilja aan.

'Waar is ze? Zeg op, waar is ze?' zegt hij en hij loopt naar Lilja toe, blijft met zijn lange, forse gestalte voor haar staan.

Lilja stapt niet achteruit en geeft geen krimp. Ze kijkt naar hem op. 'De gravin is weg, Grisja,' zegt ze kalm. 'Ze is weggegaan.'

'Hoe bedoel je? Waarheen?'

Terwijl Grisja's blik geagiteerd is geworden, is die van Lilja nu sereen, ondoorgrondelijk. 'Ze heeft zich door Ljosja naar de stad laten brengen, waar ze een rijtuig met koetsier wilde huren.' Ze is woedend op Ljosja omdat hij niets wil loslaten. Dat hij partij voor Antonina heeft gekozen en niet voor haar, heeft de kloof tussen hen nog verbreed. Ze hebben niet meer met elkaar gesproken sinds die afschuwelijke gebeurtenis bij Grisja thuis. Ze denkt snel na, maar ze spreekt langzaam. 'Ze is helemaal naar Sint-Petersburg gegaan,' verklaart ze, en ze wordt beloond doordat Grisja's pupillen zich verwijden en zijn gezicht opeens rood wordt.

'Sint-Petersburg?' herhaalt hij.

Lilja is nu aan de winnende hand. Ze heeft Valentin uit Antonina's leven weten te verwijderen, en nu zal ze hetzelfde met Grisja doen.

'Ja, Sint-Petersburg. Ze zei dat er voor haar geen reden was om op dit moment op Angelkov te blijven. Er is hier niets voor haar, heeft ze me verteld.'

Lilja geniet van dit spelletje terwijl ze naar Grisja's gezicht kijkt. Haar uren zijn lang en saai zonder Antonina.

37

$\mathcal{D}$e sneeuw zet door en valt snel en zwaar. De wind wordt steeds kouder.

Ljosja moet steeds aan Antonina denken, in haar eentje in de datsja, nu het hout veel sneller opraakt dan verwacht. Om elf uur die morgen loopt hij naar de stal, waar de sneeuw al tot halverwege zijn schenen komt. Hij zadelt de arabier en rijdt de weg op. Het is in dit weer logischer om de Orlovs voor de trojka te spannen: zij zijn gefokt om de slee met grote snelheid door de sneeuw te trekken. Die drie naast elkaar gaat prima op de hoofdweg, maar hij weet dat ze niet over het smalle bospad naar de datsja zouden kunnen. Hij is van plan Antonina achter op zijn paard mee terug te nemen, als ze naar huis wil. Als ze dat niet wil, zal hij meer hout voor haar hakken. Misschien zal hij zelfs wel bij haar blijven, om er zeker van te zijn dat ze veilig is.

Tegen de tijd dat hij de afslag naar de datsja heeft bereikt, is de sneeuw verblindend. Het is nu nog een halfuur rijden door het bos. Het paard ploetert door de sneeuw, probeert zijn benen zo hoog mogelijk op te tillen, wordt dan schichtig, hinnikt angstig. Het dier weigert verder te gaan, hoezeer Ljosja hem ook voorwaarts probeert te drijven. Hij heeft het zo koud dat hij geen gevoel meer heeft in zijn handen die de teugels vasthouden. Zijn oesjanka is diep over zijn wenkbrauwen getrokken en hij heeft een dikke sjaal over zijn neus. Maar zijn wimpers zitten vol ijs, zijn ogen branden van de bijtende sneeuw.

Ten slotte wendt hij zijn paard. Langzaam zoekt het dier de weg terug over het spoor dat het had gebaand. Ljosja kan de weg niet zien. Alles is wit en verblindend. Als het dier niet zo vastberaden was geweest en over zo'n goed richtingsgevoel had beschikt, waren ze misschien op een akker beland en doodgevroren. Ljosja is zes uur onderweg geweest voor een tocht die onder normale omstandigheden niet meer dan twee uur zou duren. Het begint donker te worden wanneer het paard over de lange weg naar het landhuis ploetert.

Maar de arabier is te uitgeput om zich door de sneeuwmassa een weg te banen naar de stal. Ljosja tuurt, probeert te zien waar ze zijn. Het enige wat hij kan ontwaren is de grote, vierkante vorm van het huis, maar de kleinere bijgebouwen zijn verdwenen. Hij laat zich van het paard glijden en neemt het bij de teugel, terwijl hij, dubbelgebogen tegen de wind, naar het huis sjokt.

Op de stoep voor het huis zakt hij in elkaar, en het duurt even voor hij genoeg kracht heeft verzameld om omhoog te kruipen. Op zijn knieën bonst hij op de gesloten voordeur. Even later wordt die opengemaakt door Lilja en Grisja, met Pavel, Olga, Rajsa, Fjodor en Noesja – de enige bedienden die nog op Angelkov over zijn – op een kluitje achter hen.

Als Ljosja zich min of meer naar binnen laat vallen, brengt Grisja het paard de brede, hoge ingangshal binnen. Het arme dier heeft ijspegels aan zijn neusgaten en harige kaak hangen, en de manen zitten zo vol met ijs dat ze hard zijn als steen. Het dier huivert hevig.

Terwijl de vrouwen Ljosja naar de keuken brengen, haalt Fjodor dekens en begint samen met Grisja het paard grondig droog te wrijven. Grisja laat Fjodor het werk afmaken en loopt naar de keuken.

Ljosja ligt op de vloer naast het fornuis, volledig aan het eind van zijn krachten. Hij heeft een dikke deken over zich heen. Lilja zit geknield naast hem. Zijn laarzen en sokken zijn uitgedaan en ze is druk bezig zijn voeten te wrijven.

Toen Ljosja voor zijn middagmaal niet naar het huis was gekomen, was Lilja naar de personeelsvleugel gegaan. Ze had hem eerst daar gezocht, en later in de stal. Ze was nog steeds kwaad op hem, maar toen ze zag dat de box van de arabier leeg was, was ze bang geworden. Waar kon Ljosja in deze sneeuwstorm naartoe zijn gegaan? Ze baande zich een weg naar Grisja's huis en vertelde hem dat Ljosja werd vermist. Ze hadden beiden dezelfde gedachte gekregen: na alles wat er met de musicus was gebeurd, wilde hij niet langer op Angelkov blijven. Hij had besloten niets tegen een van hen te zeggen – wie kon hem dat kwalijk nemen? – en gewoon te vertrekken. Lilja vroeg zich af of hij naar het huis van Anja Fomovna was gegaan. Waar hij ook naartoe zou willen, in deze storm zou hij niet ver komen, dat wisten ze ook.

Grisja liep met Lilja mee terug naar het huis en ging aan de keukentafel naar zijn knokkels zitten staren. De bedienden baden voor de icoon boven het fornuis voor de veilige terugkeer van Ljosja.

Eindelijk beweegt Ljosja zich. Moeizaam gaat hij zitten. Lilja geeft hem een dampende beker. Grisja staat naast hem. 'Vertel me nu eens wat jij daar uitspookte. Je weet maar al te goed dat je er in dit weer niet met een paard op uit moet gaan,' zegt hij scherp. Hij verbergt zijn bezorgdheid over Ljosja door over het paard te praten.

'Ik probeerde naar haar toe te gaan. Naar de gravin,' zegt Ljosja. Het puntje van zijn neus is bevroren. 'Ik wist dat ze meer hout nodig zou hebben en…'

Lilja valt hem in de rede. 'Waar is ze?'

Grisja kijkt van Ljosja naar Lilja. 'Jij zei toch dat ze naar Sint-Petersburg was?'

'Ze is in de datsja. Ongeveer zes werst hiervandaan,' zegt Ljosja. 'In het bos, in de buurt van…'

'Ik weet waar het is,' zegt Grisja. 'Waarom is ze daarheen gegaan?'

'Ik weet het niet, Grisja. Ik heb haar erheen gebracht omdat ze dat wilde.'

Grisja kijkt Lilja aan. 'Waarom heb je tegen mij gelogen?'

'Ze wist het niet,' zegt Ljosja. 'Ik mocht het aan niemand vertellen. Lilja wist het niet,' herhaalt hij.

Lilja haalt haar schouders op. 'Wat maakt het uit? Ze had net zo goed wél naar Sint-Petersburg kunnen zijn.'

Grisja schudt kwaad zijn hoofd. 'Dus daar zit ze nu... Wanneer heb je haar erheen gebracht, Ljosja?'

'Gistermorgen vroeg, na...' Ljosja zwijgt. Het beeld van de dode musicus staat hem nog te duidelijk voor de geest. Hij kan het niet van zich afschudden, evenmin als het beeld van zijn zuster met haar bebloede handen. 'Ik probeerde vandaag naar haar toe te gaan omdat ik bang ben dat ze niet genoeg hout heeft.'

'Hoe lang heeft ze gezegd dat ze er wilde blijven?'

'Ze zei dat ik over drie of vier dagen terug moest komen. Maar we wisten niet dat er een storm zou losbarsten. En ik weet niet of ze genoeg olie voor de lampen heeft. Het zat me niet lekker dat ik haar daar alleen moest laten, Grisja, maar ze wilde het per se.' Hij slaat een hand voor zijn ogen.

'Ik ga wel naar haar toe,' zegt Grisja.

'Maar het is donker, je kunt er nu echt niet met een paard naartoe,' mompelt Ljosja.

Grisja beseft maar al te goed dat hij tot de volgende morgen zal moeten wachten.

In de warme, helverlichte keuken, waar een geurige soep op het fornuis staat te borrelen, moeten ze allemaal aan gravin Mitlovskija denken, helemaal alleen, midden in het bos, in het donker en in de kou. 'Er zitten wolven in het bos,' zegt Noesja.

Rond middernacht gaat de storm liggen en Grisja gaat op weg zodra er een zweempje ochtendschemering is. De sneeuw schittert in de opgaande zon. Het is zwaar ploeteren voor het paard en de tocht is moeilijk.

Als hij bij de datsja arriveert komt er geen rook uit de schoorsteen en langs de buitenwanden zijn ontelbare wolvensporen te zien. Hij ruimt de diepe sneeuw voor de voordeur weg om hem open te krijgen. Eenmaal binnen, vindt hij Antonina op de vloer voor de haard, die leeg is, op een hoge berg as na. Ze ligt onder dekens en een beschimmeld berenvel waarvan hij weet dat het aan de wand van de kleine veranda aan de achterzijde was vastgespijkerd. Zoals Ljosja heeft voorspeld, is er geen brandhout meer en in de datsja lijkt het kouder dan buiten. Hij kan Antonina's gezicht niet zien, maar haar adem stijgt op in de lucht boven haar.

Hij doet de deur zachtjes dicht en loopt weer naar buiten om een vracht hout te hakken en wat aanmaakhoutjes te kloven. Als hij ermee naar binnen gaat, is Antonina gaan zitten, met een hand aan haar keel. Er zit opgedroogd bloed op een vinger.

'Grisja, ben jij het echt?' roept ze, met een snik in haar stem. 'Ik hoorde de bijl. Ik heb het zo koud, Grisja, en ik was bang. De wolven... Grisja, ze jankten en ze krabbelden aan het huis.'

Ze is zo bleek weggetrokken dat Grisja een steek van angst voelt. Er zitten donkere kringen onder haar ogen en haar lippen zijn gebarsten.

'Zijn de wolven weg?' vraagt ze, en hij knikt, stapt over haar heen en legt het hout neer. Hij knielt om alle as uit de haard te scheppen en kijkt naar haar over zijn schouder.

'Is alles goed met je, Antonina?' Natuurlijk is het niet goed met haar. Ze is niet alleen koud en bang. Er is nog iets anders dat bezit van haar heeft genomen.

Haar tanden klapperen. 'Heeft Ljosja je verteld dat ik hier was?'

Grisja knikt weer en draait zich terug om de haard aan te maken. Wanneer de kleine houtjes vlam vatten, gaat hij op zijn hurken zitten en kijkt hoe het vochtige hout aarzelend begint te sissen en te roken. 'Hij heeft gisteren geprobeerd naar je toe te komen, maar hij kon er niet door komen.'

'En toen ben jij gekomen,' constateert Antonina. Er ligt sneeuw, als kleine smeltende edelsteentjes, in zijn haar. Het ligt op zijn brede schouders.

'Je bent ziek, Antonina,' zegt hij, en hij kijkt haar weer aan. 'Wat is er?' Haar lippen zijn kapot, alsof ze er wild op heeft gebeten.

Hoe moet ze het hem vertellen zonder zichzelf te vernederen? De enige oplossing is de simpele waarheid. 'Ik ben hier gekomen om boete te doen, Grisja, en om weg te zijn van... van... de verleiding.'

'Verleiding?'

'De drank, Grisja. De wijn. De wodka.' Ze probeert langs haar lippen te likken, maar haar tong is erg droog. 'Ik kan het niet... niet meer. Ik kan het niet gebruiken om mijn leven draaglijk te maken, want dat doet het niet. Het maakt het niet draaglijker. Het maakt het alleen maar erger. Wat het bij mij deed... het maakte me alleen maar zwak. Ik had mezelf wijsgemaakt dat het me sterk maakte.'

Ze begint opeens hevig te trillen, ze buigt zich voorover en grijpt naar haar buik. Ze gaat weer op haar zij liggen, met haar knieën opgetrokken, en ze doet haar ogen dicht met een bijna onhoorbaar gekreun.

Terwijl het haardvuur sterker wordt zit Grisja naar haar te kijken. Ze lijkt min of meer in slaap te zijn gevallen, hoewel ze afwisselend schokt en verstijft.

Ze opent haar ogen weer en slaakt een kreet wanneer ze hem ziet. 'Ik was vergeten... Ik dacht dat je een droom was. Ik droomde dat je me zou komen redden.'

Grisja moet zich omdraaien zodat Antonina niet kan zien hoe haar woorden hem aangrijpen. Heeft zijn eigen broer niet precies hetzelfde gezegd, slechts enkele dagen geleden, toen hij stervende was? Antonina is niet stervende. Toch? Hij kan haar nog steeds helpen.

'Ja. Ik ben er. Ik ben hier,' zegt hij, en hij kijkt weer naar haar en pakt een hand. Die is ijskoud, hoewel de palm klam is. Haar vingers voelen slap aan. 'Begin je al wat warmer te worden?'

Ze knikt, maar haar tanden klapperen nog steeds.

Als hij de dekens opzij duwt, ziet hij dat de voorkant van haar jurk gevlekt is doordat ze heeft overgegeven. Hij ziet ook zijn vest; ze heeft liggen slapen met zijn vest in haar armen. Dit bezorgt hem een golf van emotie. Hij neemt haar in zijn armen en drukt haar tegen zich aan. Ze legt haar hoofd tegen zijn borst alsof ze een klein kind is dat geborgenheid zoekt.

Dan gaat hij staan en draagt haar naar de bank. Ze is nog lichter dan hij zich herinnert. Hij legt haar neer en slaat een deken om haar heen. Ze duwt die echter onrustig weg en gaat zitten.

'Ga liggen, Antonina,' zegt hij. 'Probeer wat te slapen.'

'Dat kan ik niet. Elke keer dat ik mijn ogen dichtdoe zie ik vreselijke dingen. Het zijn net nachtmerries, maar ik geloof dat ik dan nog niet slaap.'

'Ze zullen weer ophouden.'

'Soms zijn mijn ogen open en komen de nachtmerries ook. Ik ben bang, Grisja,' zegt ze, en hij slaat zijn armen weer om haar heen. 'Wanneer zal ik me beter voelen?'

'Heel gauw,' zegt hij. 'Ik weet zeker dat het heel gauw zal zijn.' Hij weet het niet zeker, maar de alcohol moet nu toch wel uit haar lichaam verdwenen zijn – dit is de derde dag. Haar lichaam herinnert zich slechts, en begeert. Hij weet zelf hoe lang zíjn lichaam begeerde wat het eens had gehad, met haar. En hoe lang de herinnering duurt.

Hij veegt haar haar naar achteren. Het zit verward, met kammen die naar alle kanten uitsteken.

Ze tast ernaar en begint ze eruit te trekken. Hij zit naar haar te kijken. Wanneer de laatste lange strengen haar over haar rug tot aan haar middel vallen, haalt hij diep adem. Hij haalt zijn vingers erdoorheen. Het is heel fijn en toch heeft het veel gewicht.

Hij begrijpt wat ze doet: ze laat zich aan hem zien in een staat van volledige zwakte. Nee, misschien is het geen zwakte, maar kracht. Het is haar manier om hem te vertellen dat ze hem vertrouwt. Ze geeft het laatste van zichzelf aan hem en daar is kracht voor nodig.

'Ik zal thee voor je maken.' Wanneer hij opstaat om naar de keuken te gaan, grijpt ze zijn hand. 'Laat me niet alleen. Ga niet weg, Grisja.'

'Ik ga alleen maar naar de keuken, Antonina.'

Ze begint weer te trillen en op haar kapotte lip te bijten, zodat er een kloofje in haar onderlip opengaat. Er verschijnt een druppel bloed.

Grisja zou die druppel het liefste weg willen likken, maar hij verwenst zichzelf om zo'n gedachte, terwijl ze zo duidelijk ziek en kwetsbaar is. In de keuken ziet hij het onaangeroerde eten dat Antonina heeft meegebracht. Hij steekt het fornuis aan, vult de ketel en loopt daarna terug. Vanuit de deuropening kijkt hij naar haar.

'Ik probeerde vannacht moed te houden door Poesjkin op te zeggen,' zegt Antonina. 'Ken je "Winteravond" van hem?'

Hij knikt.

'Is het niet vreemd? Toen ik het hardop zei, besefte ik dat het over mijn leven ging.

De stormwind bedekt de lucht.

Doet de losse sneeuwduinen tollen. Nu jankt hij als een wolf,

Dan weer huilt hij als een verdwaald kind.

Laat ons drinken, goede vriend,

Op mijn arme verspilde jeugd.

Laat ons drinken

Uit verdriet – waar is het glas?

Dan zullen onze harten op zijn minst worden verlicht.'

Antonina's gezicht beweegt: een aarzelende poging tot een glimlach. 'Zelfs Poesjkin zet me aan tot drinken,' zegt ze. 'Een gedicht over winter en wolven en verdwaalde kinderen en drank. Ha!' zegt ze bitter. 'Moeilijk, hè? Hier heb ik geen keus. Hier is geen wodka. Maar als ik naar Angelkov terugga… Zou ik het kunnen, Grisja?' De ketel begint langzaam ploffende geluiden te maken. 'Het moet voor altijd zijn. Dat moet.'

Hij kijkt haar nog even aan en gaat dan theezetten en een bord met brood en plakken worst klaarmaken.

De thee dampt in het glas en is gezoet met klontjes suiker die hij van de kegel heeft afgebroken. Hij gebaart naar het brood. Ze kijkt ernaar, pakt het dan op en neemt een hapje. Ze kauwt, maar ze heeft moeite met slikken, kokhalst, en slaat dan haar handen voor haar mond als ze het half gekauwde brood in haar hand spuugt.

'Het spijt me. Ik kan nog niet eten, Grisja. Mijn maag… Ik ben zo misselijk geweest.'

'Brood is te hard, en de worst… Natuurlijk niet. Drink wat thee.'

Ze weet een paar slokjes binnen te houden.

'Ik zal wat soep voor je maken,' zegt hij. 'Soep is nu het beste voor je.'

'Kun jij soep maken?'

Hij legt een hand op haar schouder. 'Ga nu maar slapen, en als je weer wakker wordt, zal er warme soep zijn.'

Nadat ze in een onrustige slaap is gevallen, gebruikt Grisja de worst en aardappels en kool die Antonina heeft meegebracht, om een dikke soep te maken. Hij kijkt in de keuken om zich heen, in het besef dat de datsja niet meer van hem is. Het huisje is nu weer van prins Bakanev, het staat op het land dat hij, zo kort, in bezit heeft gehad. Hij wil niet stilstaan bij alles wat hij heeft verloren. Hij gaat naar buiten om nog meer hout te hakken, zodat hij er zeker van is dat het vuur goed blijft branden en de kamer warm blijft. De vonken vliegen in de schoorsteen omhoog en het hout knettert. Hij gaat op een stoel naast het bankje zitten en ziet hoe Antonina's lichaam verkrampt, en haar benen af en toe spartelen. Haar gezicht en hals zijn klam. Ze fronst en kreunt en slaakt een keer een kreet. Hij pakt haar hand. 'Ga maar slapen, Tosja,' zegt hij zacht, en hij veegt haar voorhoofd en nek af.

Het is laat in de middag wanneer ze eindelijk rechtop gaat zitten. 'Mijn hoofd,' zegt ze. 'Het bonst nog steeds.' Haar pupillen zijn iets verwijd.

'Je zult je beter voelen als je iets eet. Wil je wat soep proberen?'

Ze knikt en hij brengt haar de kom en een lepel. Hij houdt de kom vast terwijl zij de lepel erin steekt, maar haar hand beeft te veel. Hij voert haar vier lepels, en dan schudt ze haar hoofd.

'Het is een goed begin. Je kunt later nog wat nemen.' Hij brengt de kom naar de keuken.

'Grisja?' roept ze. 'Kun je een glas water voor me meenemen?'

Wanneer hij haar het glas geeft, kijkt ze ernaar. 'Dit is wat ik van nu af aan zal drinken, Grigori Sergejevitsj. Ik heb een belofte aan God gedaan.'

'Mooi.'

'Geloof je mij? Geloof je ín mij?'

'Ik geloof in jou, Antonina Leonidovna,' zegt hij, en hij voelt zo'n golf van tederheid jegens haar – met haar ernstige blik en stem – dat hij zich niet kan bedwingen. Hij legt zijn hand tegen haar wang.

Ze leunt in zijn handpalm, legt haar eigen hand erbovenop. Zo blijven ze lang zitten. 'Ik moet in bad,' zegt ze ten slotte.

Hij verwarmt twee wasketels vol water en brengt de grote zinken badkuip, die op de achterveranda aan een haak hangt, naar binnen. Hij zet hem voor het fornuis, dat zijn warmte in de keuken verspreidt.

'Ik kom je zo halen, Antonina,' roept hij, terwijl hij het warme water in de badkuip giet. Maar ze komt zelf, langzaam, terwijl ze zich voor steun aan de deurpost vasthoudt. Ze kijkt naar het dampende water, en dan, alsof ze heel oud is, of heel zwak, knoopt ze haar jurk los, schuift haar armen eruit en laat hem in een hoop achter zich neervallen. Ze doet haar kousen en directoire uit, en daarna trekt ze haar onderjurk over haar hoofd. Ze blijft hem de hele tijd aankijken. Haar bovenlip trilt.

Antonina is veel te mager, ze is als een slanke, bleke bloem die plotseling wordt onthuld, haar onderlijf is hol, haar heupen en sleutelbeenderen steken ver uit.

Hij steekt zijn hand uit. Ze pakt die en stapt in de kuip, gaat dan zitten, met opgetrokken knieën. Hij komt achter haar staan, bukt zich om haar haar met één hand bijeen te nemen, schept water in een grote soeplepel en giet dit over haar schouders. Ze rondt haar rug en buigt haar hoofd. Haar nek is heel blank, heel gevoelig. Hij kan al haar wervels tellen. Hij zou zijn lippen op elk ervan willen drukken. Maar hij pakt een waslapje en maakt dit nat, waarna hij het over haar rug haalt alsof haar huid van heel dun, broos papier is.

Voorzichtig wast hij haar nek, haar schouders, haar bovenarmen.

Antonina legt haar voorhoofd op haar knieën en slaat haar armen om haar benen. Haar lichaam is eindelijk rustig, haar ademhaling zacht en gelijkmatig, en Grisja vraagt zich af of ze weer in slaap is gevallen. Hij legt het waslapje neer, laat langzaam haar haar los en pakt de schone deken die hij over een stoel bij het fornuis heeft voorverwarmd. 'Kom,' zegt hij, terwijl hij de deken wijd houdt, en ze heft haar hoofd op en kijkt hem aan. Haar pupillen zijn nog steeds wat vergroot. Met zijn hand als steun stapt ze uit de kuip. Hij slaat de warme deken om haar heen en drukt haar tegen zich aan.

Hij herinnert zich Lilja's woorden tegen hem, in de keuken: *ze verdient liefde.*

'Ik wil je liefhebben, Antonina,' zegt hij, zo zacht dat ze haar hoofd moet opheffen zodat haar oor vlak bij zijn mond is.

Ze geeft geen antwoord. Hoort ze hem? Hij heeft dit nog nooit tegen een vrouw gezegd. Hij weet zelf niet wat hij bedoelt – de liefde met haar bedrijven, of haar liefhebben? Het is opeens hetzelfde. Ze is zo klein in zijn armen, zo broos. Hoe heeft hij haar in september kunnen nemen zonder haar pijn te doen?

'Kunnen we terug naar de zitkamer?' vraagt ze, en hij tilt haar op, net als eerder. Ze leunt opnieuw tegen hem aan, ze nestelt zich op zo'n vertrouwde manier dat hij zich sterker voelt dan ooit. Hij zou haar eeuwig kunnen blijven dragen.

Hij zet haar op het bankje en stookt het vuur nog eens op.

'Grisja?' zegt ze, en hij draait zich om.

'Toe, kom alsjeblieft bij me zitten.'

Dat doet hij, en ze pakt zijn hand – deze keer pakt ze zíjn hand – en zegt: 'Je moet me niet liefhebben, Grisja.'

Dus ze heeft hem gehoord.

'En ik moet jou niet liefhebben.'

'Je hebt me eerder begeerd, Antonina. Je begeerde me, en toen niet meer. Is dit omdat ik rentmeester ben?' Hij voelt de oude verwarring, de eerste steek van woede. 'Het heeft je niet van Valentin Vladimirovitsj weerhouden. Je hebt je aan hem gegeven, ondanks het verschil in stand.' Hij heeft de grootste moeite om zijn stem kalm te laten klinken.

Er verschijnt een rimpel tussen haar wenkbrauwen. 'Me aan hem gegeven? Nee, dat is niet gebeurd. Hij heeft me één keer gekust. Dat had niets te betekenen.' Ze knijpt haar ogen even stijf dicht en doet ze dan weer open. 'Arme, arme man,' zegt ze, en Grisja begrijpt dat Lilja haar heeft verteld dat Valentin dood is. Hij is niet verbaasd. 'Waarom denk je dat er méér tussen ons was?'

'Omdat Lilja…' Hij zwijgt. 'Ach…' zegt hij, nu het hem begint te dagen. In gedachten ziet hij het graf achter het sparrenbosje. Zodra dit alles voorbij is – zodra alles is opgelost – zal hij een grafsteen plaatsen. Hij zal zijn broer de begrafenisceremonie geven die hij verdient. 'Ja. Arme Valentin,' zegt hij opnieuw, en iets in zijn stem maakt dat Antonina heel stil blijft zitten.

'Maar… heb jíj hem gedood? Nee toch zeker? Lilja zei…'

Grisja staart in het vuur. 'Natuurlijk heb ik hem niet gedood. Waarom zou ik. Lilja valt niet te vertrouwen, Antonina. Ze heeft haar eigen redenen om leugens te verspreiden, om ons tegen elkaar op te zetten.'

'Was het dan een gewone overval? Een vreselijk misdrijf, zoals ze me vertelde? Het is wel zeker dat Valentin naar mij op weg was,' zegt ze, zonder op zijn antwoord te wachten. 'Als hij niet naar mij op weg was geweest, zou hij niet zijn gedood.'

'Hij was niet op weg naar jou, Antonina.' De vlammen laaien goudkleurig op. Het is bijna alsof Grisja iets hoort, een vage melodie in de stille datsja.

Antonina fronst haar wenkbrauwen. 'Natuurlijk was hij naar mij op weg. En daarom zal ik het mezelf nooit kunnen vergeven.'

Grisja kijkt haar recht aan. 'Je kunt jezelf niet verantwoordelijk houden voor Valentins dood, Antonina. Je moet jezelf geen verwijten maken, denken dat het jouw schuld is.'

'Begrijp je het dan niet? Het is wél mijn schuld. Al het vreselijke dat op Angelkov is gebeurd, is mijn schuld. Alles. Iedere man die bij mij in de buurt komt, wordt gestraft. Konstantin. Valentin. Zelfs mijn eigen zoon. Het komt doordat… wanneer ik drink, ben ik mezelf niet. En dan gebeuren er slechte dingen.'

Grisja sluit zijn ogen.

'Ik ben naar de datsja gegaan om alleen te zijn, om te boeten voor mijn slechtheid.'

'Denk jij dat je slecht was toen je hier eerder met mij was? Wil je zeggen dat het een slechte zaak was, wij samen?'

'Het was overspel.' Ze zwijgt even. 'Maar het voelde goed, Grisja. Het voelde té goed. Het maakte dat ik meer naar je verlangde.'

'En nu?'

'Als ik nu weer met je samen ben, zullen jou slechte dingen overkomen. Als ik me door jou laat aanraken, Grisja, zul je vergiftigd worden.'

Hij wil haar zo vreselijk graag zeggen dat niets haar schuld is. De ontvoering had op elk moment kunnen plaatsvinden: als het niet die dag was geweest, dan wel een andere dag. Soso en zijn mannen hadden alle tijd. Valentin was terug naar Angelkov gekomen omdat Grisja hem in een brief had gevraagd te komen. Het had niets met Antonina te maken. Hoe kan hij haar dit vertellen zonder haar te zeggen dat hij bij de ontvoering betrokken was? Zonder haar te vertellen dat Valentin zijn broer was?

'Ik vind dat jij jezelf moet vergeven voor alle problemen die jij denkt dat je hebt veroorzaakt. Je bent een goede vrouw. Een goed mens.' Dit is alles wat hij kan zeggen.

Ze geeft niet meteen antwoord. 'Heb jij ooit dingen gedaan waar je steeds aan moet blijven denken, dingen waarvan je zou willen dat je ze kon veranderen?'

'Ja.' Zijn stem is zacht. 'Dat is waar.'

'Dingen die je nooit meer terug kon draaien om ze weer goed te maken?'

Hij knikt.

'En heb je jezelf vergeven?'

Hij denkt aan Valentins gezicht, aan zijn woorden. *Je bent gekomen zoals ik had gedroomd. Ik wist dat je me zou komen halen.* 'Nee. Ik heb mezelf niet kunnen vergeven.'

'Nog niet?' vraagt ze. 'Of kun je dat nooit meer?'

Hij haalt zich het gezicht van Michail voor de geest, toen hij met het losgeld de open plek op reed. Het achtervolgt hem: Misja's bleke gezichtje dat zoveel op dat van Antonina lijkt. Hij herinnert zich het visioen van het gezicht van zijn eigen broer, net als dit, achter in de tarantass.

Hij heeft hetzelfde gedaan jegens twee kleine jongens die hem vertrouwden en van hem hielden: hij heeft hen bedrogen.

Het is te laat voor een van hen, maar bij de andere moet hij het goedmaken.

Hij staat op, loopt naar zijn jasje en tast in de zak.

Hij geeft haar Michails laatste brief – de brief die Soso aan Lilja had gegeven. Voor hij Angelkov verliet om naar de datsja te gaan, dwong hij Lilja hem de brief te geven. Hij schaamt zich dat hij fysieke kracht heeft gebruikt, door haar pols zo ver om te draaien tot ze het uitgilde en zei: *Goed, laat me los. Ik zal hem geven.* Hij wist dat hij Antonina hoop moest laten hebben. Hem te laten geloven als hij tegen haar zal zeggen dat hij haar zoon voor haar terug zal halen.

'Wat is dat?' vraagt ze, wanneer ze het opgevouwen papier in Grisja's hand ziet. Maar ze weet het al. Haar gezicht laat zien dat ze het weet. Ze herkent haar aantekeningen bij Glinka. Deze is nieuwer, niet zo verkreukeld en versleten.

Ze reikt ernaar. Het trillen is weer begonnen, maar ditmaal niet van de laatste sporen alcohol die haar lichaam verlaten. Deze keer is het door zowel hoop als vrees.

'Lees het, Tosja,' zegt Grisja. 'Ik heb dit pas onlangs gekregen.' Hij hoopt dat ze niet vraagt hoe.

Antonina vouwt langzaam de pagina open. '*Mama, ik mis je erg. Ze hebben me verteld dat papa dood is,*' leest ze hardop voor, en ze haalt diep adem. '*Ik ben verdrietig. Ik bid elke dag.*' Nu begint ze velletjes van haar onderlip te plukken. Grisja moet zich bedwingen om haar vingers niet weg te trekken. '*Ik heb nog steeds de rest van mijn muziek van Glinka. Bewaar deze alsjeblieft voor me tot ik terugkom bij jou, mamoesjka. Ik zal nu voor je zorgen. Misja.*'

Ze kijkt naar Grisja op, haar ogen vol tranen. 'Is dit echt waar? Heeft God me vergeven? Heeft hij gezien hoezeer ik anders wil zijn en beloont hij me nu al?' Ze denkt aan de plafondengel die omlaag was gekomen in de kerk. 'Kan het waar zijn dat hij mij genoeg liefheeft om dit te doen?'

Grisja wil God niet ter sprake brengen. Voor hem speelt God geen rol in het kwaad van de mens. In het kwaad van een mens zoals hij. 'Ik zal Misja voor je terughalen, Tosja. De komende dagen zal ik te weten komen waar hij is. Ik zal je zoon naar je toe brengen.'

Antonina huilt. 'Grisja, o Grisja, laat dit alsjeblieft waar zijn. Zeg me dat ik niet droom.'

Hij slaat zijn armen om haar heen. 'Je droomt niet, Tosja. Je kunt mijn armen toch voelen?' Hij houdt haar nu nog steviger vast, streelt haar over haar haar.

Zo blijven ze even zitten, tot haar snikken langzaam minder worden en ophouden. Ze slaakt een diepe, beverige zucht, maar voor ze haar hoofd opheft spreekt hij ertegen, in haar haar.

'Ik moet je iets vertellen, Antonina. Ik zal je zoon terugbrengen, maar je moet iets heel belangrijks weten. Ik moet het je nu vertellen, voordat je vindt dat jij mij hoe dan ook dankbaar moet zijn.' Hij had het er vandaag eigenlijk niet over willen hebben, maar hij kan en mag er niet langer over zwijgen, of zichzelf wijsmaken dat zijn schuld en berouw opwegen tegen het kwaad dat hij heeft aangericht. Hij weet dat zodra hij de woorden – *ik ben ook verantwoordelijk voor de ontvoering van je zoon* – heeft uitgesproken, zij zich van hem zal afwenden en nooit meer iets met hem te maken zal willen hebben. Hij weet zo zeker dat ze hem zal haten, dat hij vervuld is van een diepe, diepe angst zoals hij nooit eerder heeft gekend, zelfs niet toen hij zijn stervende broer in zijn armen hield. Hij weet dat als ze haar zoon eenmaal heeft, ze het volste recht heeft naar de politie te stappen om alles te vertellen. En dan zal hij in de gevangenis belanden. Worden gemarteld, of naar Siberië gestuurd. Hij zal haar misschien nooit meer zien. Hij weet dit allemaal. Maar het doet er niet toe, niets wat hem overkomt doet ertoe. Het belangrijkste is dat Antonina haar zoon terugkrijgt. Hij wil nooit meer aan haar hoeven denken zoals ze nu is. Hij wil aan haar denken hoe ze lachend achter de piano zit, met haar zoon.

'Antonina, luister alsjeblieft. Toen Michail werd ontvoerd, was ik...'

Ze legt haar beide handen op zijn arm en kijkt naar hem op. 'Alsjeblieft, Grisja. Bederf dit moment niet. Praat niet over die vreselijke dag. Op dit moment voel ik iets geweldigs. Bederf het niet,' herhaalt ze. 'Alsjeblieft, Grisja.'

'Maar ik moet je vertellen dat ik...'

'Je kunt het me een andere keer vertellen, later, als ik mijn zoon in mijn armen houd. Dan kun je me alles vertellen wat je me te vertellen hebt. Begrijp je?'

Wat wil ze hiermee zeggen? Is dit een soort bevestiging, iets wat erop wijst dat ze vermoedt dat hij erbij betrokken was?

Ze slaat haar armen om zijn hals. De deken valt weg. Hij ziet de ader in haar hals kloppen. Hij ziet haar borst op en neer gaan terwijl ze ademhaalt. Hij weet hoe haar borst in zijn mond aanvoelt. Hij kent de zachtheid van haar huid, haar geur.

Grisja haalt haar armen van zijn nek en gaat staan. 'Voel je je goed genoeg om terug te rijden naar Angelkov voordat het donker wordt? Je moet vannacht in je eigen bed liggen, in je eigen warme kamer.'

Hij kijkt op haar neer. Haar gezicht is open: ze ziet slechts een goed mens. Hij zal niet vrij zijn om haar lief te hebben, en om haar liefde te aanvaarden, tot ze de waarheid over hem kent en accepteert.

38

*A*ntonina zit voor Grisja op het paard als ze langzaam naar Angelkov terugrijden, door de sneeuw die blauw lijkt in het afnemende licht. Ze leunt tegen hem aan, voelt zijn troostvolle breedte en de warmte van zijn armen om haar heen terwijl hij de teugels vasthoudt. De lucht is helder en fris, met elke ademteug verdwijnt iets van haar hoofdpijn.

Wanneer het landhuis in zicht komt aan het eind van de oprijlaan, zegt Antonina: 'Ik denk dat ik Lilja niet langer in dienst wil houden. Ik vind al een tijdje dat het misschien beter is – zowel voor haar als voor mij – als ze niet langer op het landgoed blijft. Ze is heel erg veranderd, en af en toe...' Ze zwijgt even. Ze stond op het punt te zeggen dat Lilja haar af en toe bijna bang maakte, maar dat is het niet. Lilja maakt haar niet echt bang, maar er is nu iets overheersends aan haar. Bijna bezitterig. 'Het leven is voor haar veranderd. Het leven heeft ons allen veranderd,' besluit ze. 'Noesja zal haar plaats kunnen innemen.'

'Ja,' zegt Grisja nu. 'Ik denk ook dat dat het beste zou zijn. Lilja moet haar eigen leven kunnen leiden, ergens bij jou vandaan.'

'Ik zou haar daarbij willen helpen,' zegt Antonina, terwijl ze ziet hoe de lage middagzon op de ramen van het grote huis wordt weerkaatst. 'Ik heb nog steeds wat mooie sieraden over. Die kan ze verkopen en met de opbrengst een bedrijfje in Pskov of in een grotere stad beginnen. Ze is een uitstekend naaister en ze kan prachtig kantwerk maken. Ik wil haar niet met lege handen wegsturen. Ze verdient het een goed leven te hebben. Alleen niet bij mij in de buurt.'

'Ik ben het helemaal met je eens, zoals ik al zei. Maar praat er vandaag nog niet met haar over. Niet totdat…' Hij zwijgt.

'Totdat wat, Grisja?'

Tot ze me naar Soso heeft gebracht, denkt Grisja. Hij wil geen problemen tussen Lilja en Antonina voordat Misja veilig bij zijn moeder is. Zodra het kind terug is op Angelkov, kan Lilja vertrekken. En daarna zal hij alles aan Antonina opbiechten.

'Zeg nu alsjeblieft nog niets tegen haar,' vraagt hij.

Ze kijkt schuin naar hem op. 'Waarom?'

'Alsjeblieft. Vertrouw me hierin.'

Ze blijft hem nog even aankijken. 'Goed,' zegt ze, en ze kijkt daarna weer voor zich uit. 'Het heeft geen haast, denk ik. Maar ze zal niet gemakkelijk opstappen.'

Na een tijdje zegt Grisja: 'Bedenk, Antonina, dat wat zij ook mag zeggen of doen, jij de gravin bent. Angelkov is van jou. Jij bent degene die de dienst uitmaakt over je land, over je leven. Niet Lilja.'

Lilja hoort gehinnik en ze rent naar de voordeur. Ze doet hem open en ziet hoe Grisja zich van zijn paard slingert en daarna Antonina omlaaghelpt. Antonina kan Grisja's blik niet zien, maar Lilja kan dat wel. Ze vermoedt dat ze meer hebben gedeeld dan deze rit op het paard. Nee, denkt ze, God nee. Laat het niet wéér zijn gebeurd.

Lilja draagt nog steeds Antonina's middagjapon. Ze vouwt haar armen over haar borst en wiegt heen en weer terwijl ze toekijkt hoe Grisja zijn arm om Antonina's rug slaat wanneer ze langzaam naar de stoep lopen.

Antonina heeft haar cape en hoed afgedaan en ligt nu tegen de kussens op haar bed, met een lichte deken over haar benen. Grisja zit op de rand van het bed en houdt haar hand vast wanneer Lilja naar de openstaande deur loopt. Ze heeft, uit het zicht, gewacht tot ze boven waren.

'Je kunt nu wel gaan, Grisja. Ik zal voor haar zorgen,' zegt ze vanuit de deuropening. Ze hadden niet eens het fatsoen om de deur dicht te doen, ze hebben hem gewoon opengelaten, alsof ze niets hebben om zich voor te schamen. Haar maag krimpt ineen om de manier waarop Antonina's vingers zich over die van Grisja vouwen. Ze kan nu zien dat Antonina's jurk vies is en haar haar... haar haar hangt helemaal los, het valt over haar schouders tot aan haar middel. Antonina heeft zich nog nooit aan iemand vertoond met haar haar los. Zelfs toen Misja was geboren en Konstantin wachtte om de slaapkamer binnen te gaan om zijn zoon te zien, had Antonina erop gestaan dat Lilja eerst haar haar opstak alvorens hem binnen te laten.

Antonina had haar haar niet aan haar man laten zien. Alleen Lilja had het in volle schoonheid kunnen bewonderen. Het onpasselijke gevoel stijgt op naar haar keel. 'Ga nu weg, Grisja,' zegt ze. 'Ik weet wat de gravin nodig heeft.'

'Nee,' zegt Antonina. 'Ik wil dat Grisja hier blijft. Hij zorgt dat Misja terugkomt, Lilja, misschien morgen al. Laat ons alleen, het gaat prima.'

Lilja blijft in de deuropening staan en Antonina kijkt haar onderzoekend aan.

'Waarom heb je mijn jurk aan, Lilja?' vraagt ze, met gefronste wenkbrauwen. Als Lilja geen antwoord geeft, schudt ze haar hoofd en zegt: 'Ga nu je eigen kleren aantrekken en breng die jurk naar de wasserij. Ik ben verbaasd over je. Verdwijn alsjeblieft. Nu.'

'Goed, Tosja,' zegt Lilja ten slotte. Voor ze vertrekt kijkt ze Grisja aan. Op dit moment hebben we elkaar nodig, denkt ze. Wacht maar af. Je hebt geen idee wat jou te wachten staat.

Lilja blijft in de schaduwen van de gang boven staan tot ze Grisja's voetstappen de trap af hoort gaan. Het is acht uur geweest. De voordeur gaat achter hem dicht. Hij is zo brutaal om niet eens via de personeelsingang bij de keuken te gaan, constateert ze.

Ze gaat Antonina's kamer binnen. Er brandt één lamp heel laag, en de haard is goed opgestookt. Antonina is diep in slaap. Lilja doet haar laarzen uit, trekt vervolgens Antonina's jurk uit en legt die samen met de riem met de sleutelbos op het voeteneind van het bed. Ze gaat in haar katoenen onderjurk naast Antonina liggen, met het gezicht naar haar toe. Wanneer het matras onder haar gewicht inzakt, beweegt Antonina zich en steekt haar hand uit, waardoor ze Lilja's blote arm raakt.

Lilja houdt haar adem in. Ze ziet Antonina's mond in een glimlach bewegen. 'Ben je daar nog, Grisja?' mompelt ze.

Grisja was bij Antonina gebleven en had haar omhelsd tot ze diep in slaap was. Lilja had hen vanuit haar uitkijkpost in de donkere gang kunnen zien.

Antonina's ogen knipperen maar blijven dicht. De glimlach verdwijnt, en ze slaapt weer door. Lilja blijft stilliggen en neemt Antonina's vredige gezicht in zich op.

Ten slotte verroert Antonina zich, ze doet haar ogen open, en slaakt een gesmoorde kreet bij het zien van Lilja's gezicht, dat bijna tegen het hare aan ligt. Ze komt moeizaam overeind en schuift bij haar vandaan.

'Stil maar, stil maar,' zegt Lilja, en ze probeert Antonina's wang te strelen. 'Stil maar, lieverd, ik ben het. Ik ben gekomen om bij je te zijn, om je te helpen deze nacht te kunnen slapen,' zegt ze sussend. 'Ik zal bij je blijven.'

Antonina knippert met haar ogen en duwt haar haar naar achteren. In het lamplicht zijn haar ogen te groot en haar mond trilt.

'Waarom kijk je zo verdrietig? Wees niet boos, mijn liefste. Alles komt goed. Als jij je weer wat beter voelt zal ik je laten zien dat ik meer van jou kan houden dan hij ooit zal weten te bedenken.' Lilja pakt een streng haar van Antonina en brengt dit naar haar gezicht. Ze doet haar ogen dicht en ademt diep in.

Antonina laat zich van het bed glijden terwijl ze zich aan het hoofdeinde vasthoudt. 'Eruit, Lilja,' zegt ze, met een stem die gedempt maar sterk is. 'Spreek niet op die manier over liefde tegen mij. Je maakt jezelf te schande. Hoor je me?' Ze wijst naar de deur. 'Ga van mijn bed en verlaat mijn kamer onmiddellijk.'

Lilja staart Antonina aan terwijl ze aan de andere kant het bed uit klimt. Ze ziet eruit alsof Antonina haar zojuist heeft geslagen.

'En kom niet terug tenzij ik om je vraag.' Antonina kijkt naar haar jurk en Lilja's riem op het voeteneind van het bed. Ze pakt de riem en haalt de sleutelring eraf. 'Je bent mijn bediende,' zegt ze, en ze vouwt haar vingers om de ring. 'Dat mag je nooit vergeten.' Ze gooit de riem op de vloer.

Lilja huilt nu, de tranen stromen over haar wangen. 'Tosja,' zegt ze zacht. 'Alsjeblieft. We zijn toch vriendinnen? Meer dan vriendinnen, na alles wat we samen hebben doorgemaakt. Behandel me niet op deze manier. Na alles wat er lang geleden met Ljosja en mij is gebeurd, kun je toch zeker niet...'

Antonina wil Lilja dat oude deuntje niet laten zingen. 'Ik wil dat je nu weggaat,' valt ze haar in de rede. 'We zullen er morgen over praten, bij daglicht.'

Lilja veegt haar wangen met haar handen af. 'Ja, morgen. We zullen morgen praten. Het is een lange en moeilijke dag geweest, Tosja. Je kunt nu niet helder nadenken.'

Ze pakt haar riem en haar laarzen, en loopt in haar onderjurk naar de deur. Dan kijkt ze over haar schouder. 'Je begaat een vergissing,' zegt ze. 'Binnenkort zul je je vergissing inzien en mij om vergeving smeken. En ik zal je vergeven. Ik zal je vergeven,' herhaalt ze, en dan is ze verdwenen, op haar kousenvoeten, de donkere gang in.

Antonina loopt naar de deur. Ze doet hem dicht, draait hem op

slot en zakt dan tegen de deur in elkaar, terwijl ze zwaar ademhaalt. Het kan haar niet schelen wat Grisja heeft gezegd. Ze moet
Lilja onmiddellijk ontslaan. Die vrouw is gevaarlijk, denkt ze, terwijl ze Lilja's gezicht weer voor zich ziet zoals ze haar aanstaarde
op het bed. Gevaarlijk.

De volgende morgen vroeg, als Antonina nog achter haar gesloten
deur ligt te slapen, komt Grisja naar het huis.

'Het is tijd, Lilja,' zegt hij tegen haar. Haar gezicht is vlekkerig,
haar oogleden gezwollen en rood. 'Vandaag zul je me naar Soso
brengen, en dan gaan we Michail Konstantinovitsj ophalen. Vandaag zal hij met zijn moeder worden herenigd.'

Lilja knippert met haar ogen en kijkt Grisja aan. Dan zegt ze
langzaam: 'Nee. We doen het morgen.'

'Waarom morgen?'

'Ik moet tijd hebben om Soso te waarschuwen dat we eraan
komen. Er zijn dingen die hij zal moeten doen – hij en de anderen...' Ze zwijgt even. 'Het moet morgen zijn. En Ljosja gaat
met ons mee.'

'Nee. Je moet Ljosja hier niet bij betrekken. Hij weet niets en
hij hoeft niets te weten.'

Lilja's lippen worden nog dunner. 'Ik ga niet zonder Ljosja.'

Grisja grijpt haar bij de arm. 'Morgenochtend dan. Vroeg. Niet
later op de dag.'

'Ja. Vroeg,' zegt ze. Als hij weg is luistert ze onder aan de trap
om er zeker van te zijn dat Antonina nog in haar kamer is. Dan
loopt ze naar Konstantins studeerkamer en doet de deur zachtjes
achter zich dicht. Ze gaat achter het brede bureau zitten, doet een
lade open en haalt er een pen en een vel papier met het wapen van
Mitlovski uit. Ze doet het deksel van de inktpot.

Ze heeft veel tijd nodig om de eenvoudige brief op te stellen.
Tot twee keer toe verfrommelt ze een pagina en pakt een nieuw
vel papier. Als ze klaar is wacht ze tot de inkt is opgedroogd, vouwt

dan het papier op en knoopt het stevig dicht met het dunne touw van een klos in de la.

Ze legt alles heel zorgvuldig weer terug. In de keuken verbrandt ze de twee mislukte vellen papier in het fornuis. Ze slaat haar cape om en loopt over het erf naar de stal.

'Ljosja, je moet een paar boodschappen doen.'

Hij legt de rosborstel neer en kijkt Lilja aan.

'Om te beginnen,' zegt ze tegen hem, 'moet je naar Borzik rijden. Wanneer je het dorpje binnenkomt, zul je een izba zien met een ezel die buiten staat vastgebonden. Daar zul je Soso vinden.'

'Woont Soso in Borzik?'

'Ja. Zeg tegen hem dat wij – Grisja, jij en ik – morgenochtend halverwege de ochtend naar hem toe zullen komen. Zeg hem dat het plan gereed is.'

'Plan? Hoe bedoel je?'

'Stel me geen vragen, Ljosja. Doe gewoon wat ik zeg. Als Soso het niet eens is met morgen, of als je hem niet kunt vinden, kom dan weer terug. Als hij er wel is en zegt dat hij morgenochtend op ons zal wachten, rijd dan verder naar Pskov.' Lilja haalt de dichtgebonden brief uit haar cape en steekt die naar hem uit. 'Je moet deze brief naar de politie brengen op Fedosovoj Prospekt. Je mag er tegen niemand iets over zeggen.'

Ljosja kijkt naar de brief die ze naar hem uitsteekt. Al dit geheimzinnige gedoe. Het bevalt hem niets. 'Hoor eens, zuster, ik wil niet...'

'Het is om ons te helpen Michail Konstantinovitsj weer bij zijn moeder terug te krijgen,' zegt ze streng. 'Wil jij dat dan niet?'

Ljosja denkt terug aan de ijzingwekkende opmerkingen van Lilja nadat ze die musicus had gedood: *Als je mij doodt, zul je de jongen niet vinden. Dood mij, en je doodt Michail Konstantinovitsj.* 'Natuurlijk zal ik het doen, Lilja. Maar waarom moet alles zo stiekem? Hoe is Soso erbij betrokken?'

'Dit is alles wat ik je nu kan zeggen. Als jij niet doet wat ik van je vraag, zal de gravin haar zoon nooit terugzien. Begrijp je?'

Ljosja knikt en pakt de brief aan.

'Niemand mag het weten,' herhaalt Lilja. 'De brief moet rechtstreeks in handen van de politie komen.' Haar gezicht verraadt niets. 'Ik kan je toch zeker vertrouwen, hè?'

'Ja,' zegt hij. 'Dat weet je, Lilja.'

Lilja klopt op Antonina's deur en de gravin zegt dat ze haar niet wil zien.

'Maar gisteravond zei je dat we vandaag moesten praten,' zegt Lilja, met haar lippen tegen de deur.

'Stuur Noesja naar boven met warm water, zodat ik me kan wassen,' zegt Antonina. 'En met thee. Doe wat ik zeg,' beveelt ze, en Lilja gaat weg.

Later, als ze zich heeft gewassen en aangekleed en haar haar eenvoudig heeft opgestoken, gaat Antonina naar beneden. Gehuld in een warme cape loopt ze over de veranda heen en weer. Het erf is verlaten en stil, met sneeuw die vertrapt is door paardenhoeven. De lucht is lichtblauw met strepen van cirruswolken. Ze loopt de stoep af. Halverwege het erf ziet ze Fjodor. 'Is Grisja in de stal?' roept ze.

De andere man schudt zijn hoofd. 'Ik heb hem straks wel gezien, maar ik weet niet waar hij nu is.'

Grisja is vast Michail gaan halen, zoals hij had gezegd. Antonina gaat terug naar haar kamer. Het wachten valt haar zwaar. Eén keer loopt ze naar haar kleerkast. Ze weet dat daar niets is, ze heeft de laatste fles in de haard gegooid. Het geeft haar een goed gevoel te zien dat er niets dan jurken en hoeden en schoenen van haar zijn. Ze drinkt veel water en ze weet zelfs een paar happen eten naar binnen te krijgen van het inmiddels koude ontbijt dat Noesja haar heeft gebracht. Ze speldt een paar losse slierten haar vast. Ze probeert wat kleur op haar wangen te wrijven. Als Misja thuiskomt wil ze er zo goed mogelijk uitzien. De dag verstrijkt. Grisja brengt haar zoon niet terug.

Ze weigert te wanhopen. Ze troost zich met de gedachte dat Grisja de volgende dag met Misja naar haar toe zal komen. Het is het enige waar ze zich nu aan vast kan klampen.

Lilja staat de volgende morgen al vroeg op Grisja te wachten, en zodra hij bij de achterdeur is verwisselt ze zwijgend haar huislaarzen voor haar warme vilten valenki's. Ze slaat een dikke cape over haar omslagdoek en knoopt haar hoofddoek nog steviger onder haar kin. 'Laat die roebels eens zien,' zegt ze.

'Die heb ik bij me. Breng me nu naar Soso.'

Ze lopen naar de stallen. Daar zijn Fjodor en Ljosja.

Ljosja had gedaan wat zijn zuster hem had opgedragen. Hij kijkt van haar naar Grisja. Er hangt nu een akelige sfeer rond zijn zuster en het is duidelijk dat de verhouding tussen Lilja en Grisja heel slecht is. Hij kan de spanning in de lucht voelen hangen, bijna tastbaar, als een trillende draad in de wind.

'Fjodor,' roept Grisja. 'Span de drie Orlovs voor de trojka.'

Op weg naar Borzik wil Lilja het geld van Grisja hebben. Hij heeft zijn eigen geld van de verkoop van het land meegebracht, en ook het pakje roebels van de gravin – het bedrag dat hij in Toesjinsk niet aan Lev heeft gegeven. Hij heeft de roebels verdeeld en haalt er nu een klein bedrag uit en geeft dit aan Lilja. Ze zit in haar eentje op de achterbank van de trojka, Ljosja ment. Ze maakt het pakje open en bekijkt de inhoud. 'Is dit alles?'

Grisja geeft geen antwoord. Hij hoopt dat Soso en zij en de anderen zullen pakken wat ze kunnen krijgen. Dit is hun laatste kans. Ze zullen die grijpen, want ze willen weg uit de provincie Pskov. Ze willen de jongen niet steeds moeten blijven verbergen. Iets is beter dan niets.

'Ik weet dat dit niet alles kan zijn. Ik weet dat je land had.'

Ljosja draait zijn hoofd naar Grisja, en zijn mond staat een eindje open. 'Grisja?' zegt hij, maar Grisja kijkt naar Lilja.

'Land zonder horigen om het te bewerken is waardeloos,' zegt hij. 'Neem het geld aan voor ik van gedachten verander en het aan de gravin vertel.'

'Als Soso niet genoeg geld ziet zal hij ons niet naar Michail brengen. Ik weet dat je meer moet hebben. Geef op,' zegt Lilja weer.

'Waarom zou ik jou vertrouwen? Denk je echt dat ik hier niet over heb nagedacht? Zou ik niet weten dat jij samen met Soso er met het geld vandoor zou kunnen gaan? Nee, Lilja. Ik houd de rest tot ik de jongen heb.'

Ljosja kijkt weer naar Grisja en daarna kijkt hij over zijn schouder naar Lilja. 'Zuster, wat...'

Lilja zit woest naar Grisja te kijken. 'Men jij nou maar,' zegt ze tegen haar broer en Grisja en zij draaien zich om en kijken weer voor zich uit.

Ljosja ment de trojka met de vier leidsels, één voor elk buitenpaard dat in galop gaat en twee voor het middelste paard dat in een snelle draf gaat, onder de *doega*. De doega – een halfronde houten boog die de lamoenstokken met het middelste paard verbindt – is met blauwe rozetten versierd en met de traditionele honderd belletjes behangen. De belletjes en de frisse winterlucht doen Ljosja aan gelukkiger tijden denken. Zijn gezicht is rood van de kou, maar nog meer door zijn ongerustheid over het gesprek tussen zijn zuster en Grisja.

Veertig minuten later arriveren ze in Borzik. Grisja en Ljosja wachten buiten terwijl Lilja het lage hutje binnengaat. Langs de buitenwanden snuffelt een varken. De ezel balkt er chagrijnig naar, met lippen die over zijn lange, gele tanden naar achteren zijn getrokken. Na een paar minuten komt Lilja met Soso naar buiten. Er zitten etensresten in zijn baard en zijn haar steekt naar alle kanten uit, alsof hij heeft liggen slapen. Hij kijkt naar Grisja omhoog. 'Heb je het geld?'

'Dat heb ik. Schiet een beetje op, voor ik mijn geduld verlies.'

Soso kijkt Lilja aan. 'Heb je het gezien?'

'Ja,' zegt ze. 'Hier is een deel ervan.' Ze doet het pakje open en Soso kijkt naar de roebels. 'Hoe zit het met Lev en Edik?'

'Ik verdeel het geld later wel met hen,' zegt hij, na een korte aarzeling. En daarmee weet Lilja dat Soso helemaal niet van plan is het met iemand te delen. Ze weten niets over deze transactie. Misschien hebben ze de provincie zelfs verlaten. 'Waarom is hij hier?' vraagt Soso, en hij gebaart met zijn kin naar Ljosja.

'Ik wilde dat hij meeging.' Lilja houdt Soso's jas van berenvacht op.

Soso grist hem uit haar handen en trekt hem aan. Hij schopt naar het varken, het dier krijst en waggelt weg. 'We gaan naar Pskov,' zegt hij, en hij kijkt weer naar Lilja, en iets in de blik van verstandhouding tussen Soso en Lilja maakt dat Grisja op zijn hoede is.

'Is dat waar Michail Konstantinovitsj wordt vastgehouden?' vraagt hij.

'Waarom zouden we daar anders naartoe gaan?' Soso klimt voor in de trojka en duwt Ljosja weg terwijl hij zelf de leidsels grijpt. Ljosja gaat achterin zitten, naast Lilja.

Wanneer ze bij de izba wegrijden, pakt Grisja het geladen pistool dat hij in zijn tuniek heeft gestopt voor ze van Angelkov vertrokken. Hij gaat zijwaarts op de voorste bank zitten, met zijn gezicht naar Soso, en hij kan Lilja ook zien, achter Soso. Hij houdt het pistool laag, gericht op Soso. Soso kijkt er terloops naar. 'Gewoon voor alle duidelijkheid, Soso,' zegt Grisja. 'We gaan naar de jongen.'

Soso schreeuwt tegen de paarden en ze gaan op weg.

Na drie kwartier, als de stad nog slechts enkele wersten ver is, wendt Soso de trojka scherp naar links, naar een smal weggetje dat het bos in leidt. De paarden kunnen hier slechts langzaam vooruit, en de buitenste paarden lopen zwiepen en schrammen op van alle laaghangende takken. Niemand heeft iets gezegd sinds ze uit Borzik zijn vertrokken.

Ze ploeteren moeizaam verder in het bos vol struikgewas. Grisja kan Soso ruiken; de jas is smerig en samengeklit. Hij wil er niet aan denken dat dit weer een valstrik kan zijn, dat Soso hen in werkelijkheid naar de twee andere mannen brengt om te worden beroofd en geslagen, of nog erger. Hij klemt zijn pistool nog steviger vast. Hij bereidt zich erop voor het te gebruiken zodra hij een dreiging bespeurt. Hij kan alleen maar hopen en bidden, net als eerst, dat ze Michail Konstantinovitsj zullen vinden.

Hij ziet dat Lilja tussen de bomen kijkt en af en toe achter de trojka. De spanning hangt in de lucht. Hij wil zo vreselijk graag dat de jongen nog in leven is, dat hij hem bij Antonina kan terugbrengen. Stel dat Michail niet is waar Soso hen naartoe brengt? Grisja's grootste angst is dat hij zal sterven zonder te weten wat er met de jongen is gebeurd, of hij ooit met zijn moeder zal worden herenigd.

Grisja kan de gedachte niet verdragen aan hoe Antonina zal kijken wanneer hij niet wordt teruggebracht. Hij beseft dat hij er alles voor overheeft om dit te laten gebeuren, hij zal er desnoods zijn leven voor geven. En terwijl ze door het uitgestrekte bos reizen voelt hij een onverwachte en verrassende blijdschap. Het is niet alleen dat hij niet bang is, maar hij verheugt zich eigenlijk op wat er staat te gebeuren. Het besef dat dit het einde zal vormen van alle narigheid schenkt een zekere opluchting. En hij zal de dood berustend aanvaarden als dit betekent dat Michail kan worden teruggebracht bij Antonina.

Rechts van het pad is een houten kruis aan een boom gespijkerd, met een ruw bord dat naar Oebenovo Monastyr verwijst, en een pad dat niet meer lijkt dan een paadje voor het plukken van paddestoelen of bessen. Soso laat de paarden halt houden.

'Ze kunnen niet verder,' zegt hij, en hij klimt omlaag.

Ljosja zet de paarden vast aan de bomen. Daarna loopt hij met

Grisja en Lilja achter Soso aan over het bevroren en besneeuwde paadje. Binnen een paar minuten bereiken ze een open plek. De bomen zijn in een brede baan weggekapt. Er staat een lage ronde kapel met een klein koepeldak. De bijgebouwen hebben een hangslot op de deur. Het is er stil, afgezien van de hese kreten van de bonte kraaien die ineengedoken tegen de kou in de kale berken en populieren zitten.

Grisja houdt zijn pistool nog steeds op Soso gericht terwijl hij op deze spookachtige plaats om zich heen kijkt. Ook Lilja kijkt om zich heen, alsof ze verwacht iemand te zien.

'Vader Saavitsj,' roept Soso in de windstille lucht, en dan nog eens, luider, 'Slava Saavitsj!'

De deur van de kapel wordt opengedaan door een priester van middelbare leeftijd, gekleed in een versleten soutane en op grove laarzen, met een houten kruis aan een leren band om zijn hals. Zijn lange grijze haar en baard zijn vettig en slierterig, zijn huid is geel alsof hij aan een leverkwaal lijdt.

'We komen 'm halen,' zegt Soso, en de priester kijkt van hem naar Grisja. Zijn ogen blijven rusten op het pistool. 'Hoor je me?' vraagt Soso. 'We komen de jongen halen. Breng hem naar buiten.'

De priester kijkt Soso aan met gefronste wenkbrauwen, alsof hij hem niet herkent.

'Saavitsj,' zegt Soso korzelig, 'ben je doof? Haal die jongen.'

Ten slotte stapt de priester de kapel weer in. Ze wachten allemaal, toegekrast door de kraaien. Het is een eenzaam en desolaat oord, de gebouwen zijn oud en vervallen, het pleisterwerk afgebladderd.

'Wat is dit voor klooster?' vraagt Ljosja op gedempte toon.

Niemand geeft antwoord.

'Soso, wat is dit voor plek?' herhaalt Ljosja.

'Het is voor boerenjongens, om ze te leren als monnik te leven, zodat ze als priester naar hun dorp terug kunnen keren.'

'En moeten ze daarvoor worden opgesloten?' Ljosja gebaart naar de hutten.

Terwijl hij zijn zin afmaakt komt de priester weer tevoorschijn, met zijn hand op de schouder van een jongen.

39

$\mathcal{B}$ij het zien van de jongen voelt Grisja een brok in zijn keel en hij houdt het pistool achter zijn rug om hem niet bang te maken. Hij weet niet of hij tot dat moment echt heeft geloofd dat hij Michail Konstantinovitsj ooit levend terug zou zien.

Het is Michail, maar niet het levendige kind dat hij zich herinnert. Deze jongen is langer, zijn polsen zijn knokiger, zoals ze uit de mouwen van de zwarte pij steken, zijn handen zijn rood en hebben kloven van de kou. Zijn kaak is scherp, zijn kin puntig. Zijn haar is een goudkleurig stoppelveld.

Zijn blik... die is ongewoon, strak. Maar als Michail hen ziet – Grisja en Ljosja en Lilja – verandert alles op zijn gezicht. Het wordt zachter en verliest zijn strakheid, en opeens is hij weer Misja. Hij rukt naar voren, alsof hij naar hen toe wil rennen; er schallen stemmen door de lucht wanneer hij hen roept en zij hem antwoorden. Maar de priester blijft de jongen stevig bij de schouder vasthouden. Zijn vingernagels zijn lang en vies.

Het wordt weer stil. Soso gaat voor de priester en Misja staan.

Michail beweegt zijn hoofd, probeert om de volumineuze berenjas heen te kijken, en hij staart Grisja aan. Misja's ogen schitteren, maar hij huilt niet. Hij recht zijn schouders en steekt zijn kin naar voren en ondanks de haveloze pij met een touw om zijn middel, het geschoren hoofd, is hij opnieuw het kind van adellijke afkomst. Grisja ziet dat hij schoenen van berkenschors draagt, er zitten blaren op zijn magere blote hielen. Hij voelt een golf van trots, alsof de jongen zijn eigen zoon is. Voor de eerste keer in zijn leven wenst hij dat hij een zoon had, een kind van hemzelf. 'Michail Konstantinovitsj,' zegt hij.

'Ja, Grisja. Ik ben het,' zegt Michail, met vaste stem, maar de woorden zijn hartverscheurend, alsof ze allemaal misschien waren vergeten wie hij is. Hij ademt kort en beverig, met witte wolkjes die in de vrieslucht opstijgen.

Grisja begrijpt dat de jongen grote moeite heeft zijn zelfbeheersing te bewaren. Soso staat tussen Michail en Grisja in. De jongen heeft geleerd bang te zijn en hij begrijpt dat dit een doorslaggevend moment is, dat hij iets wat zo belangrijk is niet mag bederven. Hij is pas tien, maar het is een kind van goede komaf. Hij begrijpt dit, denkt Grisja, ondanks alles wat hij moet hebben meegemaakt.

'Nou,' zegt Soso, en hij kijkt naar Grisja. 'Je ziet met eigen ogen dat de jongen nog in leven is. Geef me het geld.'

'We zijn je komen halen, Michail Konstantinovitsj,' zegt Grisja, zonder acht te slaan op Soso, en hij steekt zijn vrije hand uit, terwijl hij de andere, met het pistool, nog steeds op zijn rug houdt. 'Kom.'

'Niet zonder het geld,' zegt Soso.

Grisja haalt de pakjes roebels tevoorschijn, maar hij brengt tegelijkertijd het pistool naar voren. Hij kan het niet op Soso richten, Michail is te dichtbij. Hij gooit de pakjes op de grond.

Soso kijkt naar iets achter Grisja. Er ligt verbazing, misschien wel ongeloof, op zijn gezicht, en dit maakt dat Grisja zich omdraait om te zien waar hij naar kijkt.

Lilja houdt met beide handen een pistool op borsthoogte vast. Ze richt het op haar man. Soso tast in zijn jas van berenvacht en fronst. Hij doet een stap, 'Geef hier, stom wijf.'

'Blijf staan, Soso,' zegt Lilja.

Soso stopt, maar hij laat zijn tanden aan Lilja zien. 'Liljanka,' zegt hij lijzig, haar koosnaam gebruikend. 'Kom. Ik ben het, Soso. We doen dit samen, liefje. Zo is het toch?'

'Nee, zo is het niet.'

'Hoe ben je aan mijn pistool gekomen?' schreeuwt Soso, en Lilja schrikt op.

'Denk je echt dat dat moeilijk was? Je hebt altijd als een zwijn geslapen, het was heel eenvoudig om het uit je jas te halen voordat ik je wakker maakte.'

'Lilja,' zegt Soso weer, en hij laat zijn stem dalen, met iets wat op gegrinnik lijkt. Alsof ze een klein en parmantig kind is.

Lilja spant de haan van het kozakkenpistool, zoals ze Soso dat in zijn izba heeft zien doen. Bij dit geluid, dat in de koude, stille lucht heel luid is, sterft Soso's gegrinnik weg. Lilja begrijpt, door de uitdrukking op zijn gezicht, dat het pistool geladen is, zoals hij had gepocht.

'Geloof je niet dat ik zal schieten?' zegt ze. 'Ik heb al eerder iemand gedood. Ik zal het weer doen, als dat moet.' Ze stapt achteruit. 'Ljosja, pak dat geld.'

Ljosja doet wat ze zegt en dan doet Soso nog een stap naar Lilja toe. Ljosja roept: 'Soso! Stop. Het is waar. Ze heeft al…' Hij kijkt even naar zijn zuster, en dan weer naar Soso. 'Je moet geloven dat ze ertoe in staat is. Ik verzeker je, Soso, dat ze zal schieten.'

Iets in Lilja's blik en in de zelfverzekerde manier waarop ze het pistool vasthoudt, met haar duim kalm op de haan, of misschien door wat Ljosja zojuist heeft gezegd, maakt dat Soso stilstaat.

Grisja houdt nog steeds zijn eigen pistool in de aanslag. Voor iemand in de gaten heeft wat er gebeurt, draait Soso zich om en grijpt Misja, rukt hem bij de priester weg en sleurt de jongen voor zich.

Misja spartelt, schopt achteruit, probeert zich los te rukken uit Soso's greep. 'Nee!' schreeuwt hij. 'Laat me los!' Bij zijn luide kreten doemt er een forse man in een lange overjas en met een grijze bontmuts achter de priester op, vanuit de kapel. Op zijn muts zit een witte ster, en daaronder staan de woorden PSKOV en COM-MANDANT geborduurd. Hij wordt gevolgd door een tweede en daarna een derde man, beiden even groot en breed als de eerste, eveneens gehuld in de overjassen en bontmutsen van de politie. Ze hebben allemaal een revolver in de aanslag.

Grisja begrijpt er niets van.

'Mooi,' zegt Lilja. 'Jullie zijn er.'

'U bent Lilja Petrova?' vraagt de commandant, en als ze knikt gaat hij verder: 'Leg dat wapen neer. En jij ook.' Hij kijkt naar Grisja. Grisja aarzelt even en legt zijn pistool dan behoedzaam voor zich op de grond

Lilja houdt haar pistool nog steeds vast. Haar handen blijven kalm, haar gezicht beheerst.

'Laat de jongen los,' zegt de commandant, en Soso spuwt met een blik vol weerzin op de laarzen van de priester wanneer hij Michails armen laat vallen. Michail rent naar Grisja, die het dichtst bij hem is. Grisja drukt Michail tegen zich aan, met zijn armen stevig om hem heen.

Er klinkt een snik uit Misja's keel. Hij begrijpt dat het nog niet voorbij is. Hij staart naar Lilja, en naar het pistool, maar ze heeft hem niet aangekeken. Haar ogen zijn op Soso gericht.

'Leg dat pistool neer,' zegt de commandant weer.

Als Lilja de revolver op Soso gericht houdt, steekt Ljosja langzaam een hand naar haar uit, met de palm omhoog. 'Zusje, wat doe je nu? Kijk. Het is Misja. We hebben hem nu. Doe niemand pijn. Je bent geschrokken, Lilja. Dat is alles. Geef me het pistool en dan brengen we Misja naar huis. Dan gaan we allemaal naar Angelkov terug, naar de gravin.'

Daarop komt er een vreemde blik in Lilja's ogen, een blik van volslagen helderheid, gevolgd door afschuw. Ze kijkt naar haar handen die de revolver vasthouden alsof het de handen van een ander zijn, en ze laat het pistool zakken zodat de loop naar de grond aan haar voeten wijst. Voor het eerst kijkt ze naar Misja. Hij heeft zijn gezicht naar Grisja's borst gedraaid en zijn handen over zijn oren geslagen. 'Misja,' zegt ze. 'Het spijt me, *moja malisj*, mijn kind, het spijt me. Alles is goed. Wees maar niet bang. Je hoeft nu niet meer bang te zijn.'

Als Misja zijn handen laat zakken glimlacht hij half naar Lilja, met een beverige glimlach vol vertrouwen, en Lilja probeert naar hem terug te lachen. Dan zegt ze tegen Ljosja, met een heel benepen stemmetje: 'Ik hield van haar, Ljosja. Ik heb haar altijd liefgehad. Maar ze wil me niet. Dat weet ik nu. Ik heb het heel duidelijk op haar gezicht gezien. Zelfs als ik haar zoon terugbreng, zal ze me niet liefhebben.'

Ljosja begrijpt niet waar ze het over heeft, maar hij wil dat zijn zuster kalm blijft, niemand pijn doet. Ze heeft de revolver nog steeds in haar hand. 'Ik... Je weet dat ik veel om je geef, Lilja.' Hij heeft de woorden 'houden van' nooit gebruikt, en dat kan hij nu ook niet.

Ze knippert met haar ogen en kijkt hem aan alsof hij een vreemde is. 'Jij houdt nu van Anja. Ik wilde niet dat je van iemand anders zou houden. Maar dat is wel zo, hè, Ljosja? Jij zult van haar houden, net zoals zij van hém houdt. Ze houdt van hem, en niet van mij.'

'Lilja, alsjeblieft,' dringt Ljosja niet-begrijpend aan.

Opeens glimlacht Lilja, de natuurlijke glimlach zoals Ljosja die zich herinnert, en hij wordt overmand door opluchting. Hij glimlacht naar haar terug en knikt bemoedigend. 'Zo is het goed, Lilja. Zo is het beter. Geef dat aan mij.' Hij doet een stap naar haar toe, nog steeds met uitgestoken hand, de palm omhoog.

Ze legt de revolver in zijn hand. Hij bukt zich en legt hem op de grond, net als Grisja deed. 'Je zei dat het er vier waren,' zegt de commandant.

Lilja haalt haar schouders op. 'Het zijn er nu nog maar twee, Soso en Grisja. Hij niet,' zegt ze, en ze legt haar hand op Ljosja's arm.

Soso zwaait met zijn armen in de lucht. 'Waar heeft ze het over?' Zijn stem is luid en verontwaardigd. 'Ze is niet goed wijs. Je kunt zien dat ze niet goed snik is. We kwamen de zoon van de graaf juist bevrijden. We hoorden dat hij hier was, in het klooster. We kwamen hem ophalen, om hem naar huis te brengen en...'

'Jij bent Josif Igorovitsj, bekend als Soso,' verklaart de man, en Soso doet zijn mond dicht en laat zijn armen zakken. 'We hebben met vader Saavitsj gesproken. Hij bevestigde het verhaal van de vrouw: dat je vandaag de jongen zou komen halen. Dat je hem de afgelopen maanden hebt bedreigd opdat hij de jongen verborgen zou houden.'

Soso kijkt naar vader Saavitsj. 'Klootzak. Verrader,' zegt hij, en hij spuugt weer naar de laarzen van de priester.

'En hoe was jij hierbij betrokken?' vraagt de man aan Lilja.

'Zij was er niet bij betrokken,' zegt Grisja. De jongen staat niet langer te beven, en hij kijkt naar Grisja op. 'Zij was er niet bij betrokken. Het is zoals ze u heeft verteld. Het waren Soso en ik, Grigori Sergejevitsj Narisjkin. Ga naar Lilja, Misja,' zegt hij dan, en de jongen doet wat hij zegt maar hij blijft over zijn schouder naar Grisja kijken.

Lilja doet haar cape af en slaat die om Misja, ze drukt hem tegen zich aan en kust zijn wangen, zijn stoppelige hoofd, zijn koude oor.

'Geef hem jouw oesjanka, Ljosja,' zegt Grisja, en Ljosja doet zijn muts af en zet hem op Michails hoofd.

Op het politiebureau op Fedosovoj Prospekt in Pskov worden Soso en Grisja naar binnen geleid, met hun handen op hun rug gebonden. Lilja en Ljosja en Michail volgen, er moet een proces-verbaal worden opgesteld over het vinden van de zoon van Mitlovski.

Lilja bewaart haar zelfbeheersing tijdens het moeizame noteren van alle details. Ze beantwoordt alle vragen langzaam terwijl ze losjes met haar handen in haar schoot blijft zitten.

Ljosja zit met Michail in een andere kamer te wachten. De jongen is nog steeds in Lilja's cape gewikkeld. Hij houdt de oesjanka in zijn handen. Iemand heeft een oud paar vilten laarzen voor hem gevonden.

Op een gegeven moment wordt Grisja langs hen geleid, en Misja haalt even diep en beverig adem. Ljosja slaat zijn arm om de schouders van de jongen. Grisja blijft voor hen staan en zegt: 'Ljosja, wil je er alsjeblieft voor zorgen dat al het geld aan de gravin wordt gegeven? Daarmee kan ze haar belasting betalen en Angelkov nog een tijdje langer houden.' Als Ljosja knikt, kijkt Grisja naar Misja.

De jongen kijkt naar hem omhoog. 'Grisja?' fluistert hij, met een vraag in zijn stem.

'Michail Konstantinovitsj,' zegt Grisja. 'Het spijt me. Dit is niet wat ik wilde dat jou zou overkomen. Ooit.' Wanneer de commandant en een andere politieman proberen hem mee te trekken, vraagt Grisja: 'Zal ik een brief mogen schrijven?'

'Nu niet,' zegt de commandant. 'Later mag je één keer contact hebben.'

'Ik zal je moeder schrijven, Michail, om alles uit te leggen. Wil je tegen haar zeggen dat ik haar zal schrijven?'

Misja tast in de losse voorkant van zijn pij en haalt er een leren boekje uit. Hij doet het open, scheurt er twee pagina's uit en steekt ze uit naar Grisja.

De commandant pakt de vellen bladmuziek, draait ze om en fronst.

'Dit zijn haar aantekeningen bij Glinka,' zegt de jongen, 'zodat Grisja mijn moeder kan schrijven.'

De commandant knikt, en ze leiden Grisja weg.

De commandant zegt dat ze Lilja en Ljosja en Michail naar Angelkov terug zullen brengen. 'Ik volg te paard,' vertelt hij hun in de wachtkamer. 'Ik moet ervan verzekerd zijn dat de jongen veilig wordt teruggebracht bij gravin Mitlovskija, en ik moet haar het officiële proces-verbaal overhandigen.'

Ljosja gaat recht staan, met zijn hand op Misja's schouder, en hij knikt naar de man.

Wanneer de commandant achter hen aan naar buiten loopt, zegt hij dat ze moeten wachten tot hij zijn paard uit de stal heeft gehaald.

Voordat Michail in de trojka klimt, omhelst en kust Lilja hem nogmaals. Ze blijft hem zo lang vasthouden dat Ljosja haar even op haar arm klopt. Ze laat Misja los en draait zich om naar haar broer. Hij steekt zijn hand uit om haar omhoog te helpen. Ze pakt de hand aan, maar brengt hem dan naar haar lippen en kust hem, waarna ze haar wang ertegenaan legt.

'Kom Lilja. Instappen.'

'Zorg ervoor dat je het geld aan de gravin geeft, zoals Grisja heeft gezegd.'

Ljosja steekt zijn hand in zijn jasje. 'Hier. Neem jij het maar mee. Jij zou degene moeten zijn die het aan haar geeft.'

'Nee. Jij moet het doen. Ik ga niet met jullie mee.'

'Je gaat niet terug naar Angelkov?'

'Nee. Er rest mij nu nog maar één ding.'

'Waar heb je het over? De gravin zal je nog meer nodig hebben, nu Misja…'

'Nee,' valt ze hem in de rede. 'Het is zoals ik heb gezegd. De gravin heeft me niet meer nodig. Er is op Angelkov voor mij geen plaats.'

Ljosja kijkt heel aandachtig naar haar gezicht. Het is bleek maar kalm. Vastbesloten. 'Je weet dat God je liefheeft, Lilja,' zegt hij.

'Nee. Niet sinds ik in Grisja's huis het overgeeflijke heb gedaan.'

'Maar God vergeeft de mensen. Hij zal jou ook vergeven.'

'Ik zal mijn leven wijden aan het vragen om zijn vergeving. Vaarwel, Ljosja.'

'Waar ga je naartoe?'

'Naar waar ik alleen maar goed kan doen. Naar Seltotsjiva.'

Ljosja fronst zijn wenkbrauwen. 'Naar het klooster?'

'Ze heten me daar welkom. Ze verwachten me,' zegt ze.

Ljosja weet dat ze te oud is om novice te zijn. Bovendien nemen ze alleen leden van de aristocratie in hun zustergemeenschap op. Maar wat kan hij zeggen? Hij kent Lilja goed genoeg om te weten dat het geen zin heeft te proberen haar van gedachten te laten veranderen. Het ziet ernaar uit dat ze dit al heeft geregeld. Hij denkt weer aan haar, hoe ze in Grisja's huis was, met het bebloede geweer. Hij herinnert zich hoe ze slechts een paar uur geleden het pistool op Soso richtte.

'Als je van gedachten verandert, kom dan terug naar Angelkov.'

Ze schudt haar hoofd, maar haar ogen en mond zijn zacht. 'Dit maakt deel uit van mijn penitentie, Ljosja. Ik moet gestraft worden. Nooit meer degenen te zien die ik waarlijk liefheb, zal mijn grootste verdriet zijn.' Ze kijkt weer naar Misja. 'Vaarwel, Misjenka, mijn liefste.'

'Vaarwel, Lilja,' zegt Misja. 'Je cape,' gaat hij verder, 'je moet je cape terughebben.' Hij begint hem uit te doen.

Lilja steekt haar handen uit om hem tegen te houden. 'Zorg dat je warm blijft. Tot je veilig in de armen van je moeder bent.'

Michail en Ljosja kijken Lilja na terwijl ze wegloopt. De koude novemberwind doet haar rok en dunne omslagdoek wapperen. Haar hoofddoek glijdt omlaag, zoals zo vaak gebeurt, en Ljosja ziet de scheiding in haar haar.

Haar schedel ziet er kwetsbaar uit.

'Vaarwel zusje,' zegt hij, hoewel ze al te ver weg is om hem te horen, en dan klimt hij naast Misja in de trojka.

Op Angelkov is Antonina wakker geworden in een stil huis. Wanneer ze naar beneden, naar de keuken gaat, zijn Rajsa en Pavel en Noesja daar. Ze vraagt Rajsa naar Lilja, maar Rajsa zegt dat ze haar niet heeft gezien. En Grisja? Opnieuw schudt Rajsa haar hoofd.

Antonina wacht tot er iets gaat gebeuren: dat Grisja met Michail naar haar toe komt. Of zelfs dat Lilja boven water komt. Maar er komt niemand. Halverwege de middag krijgt ze het vreselijke gevoel dat er iets is gebeurd, iets wat ondraaglijk zal zijn.

Ze gaat naar de stal, maar daar is alleen Fjodor. Hij vertelt haar dat Grisja en Lilja en Ljosja die morgen allemaal met de trojka zijn vertrokken. Ze loopt over de kronkelige weg naar Grisja's huis; het is er koud en leeg. Ze maakt een klein vuur in de haard en gaat daar zitten, terwijl ze naar de boeken en de voorwerpen in zijn boekenkast kijkt. Na een tijdje staat ze op en kijkt rond, in de kleine, opgeruimde keuken en in zijn slaapkamer. Ze gaat op het bed zitten. Ze stelt zich hem hier voor, zoals hij de ruimte vult. Ze gaat liggen en trekt zijn dikke, gewatteerde deken over zich heen.

Er verstrijkt een uur.

Zodra het haardvuur in de zitkamer is gedoofd, begint Antonina aan de terugtocht naar het grote huis. Ze is stuurloos. Ze voelt zich op dit moment meer alleen dan ooit. Ze zijn allemaal weg: Misja, Konstantin, Valentin, Lilja, Grisja, zelfs Ljosja.

Ze kijkt om zich heen als ze over de besneeuwde weg ploetert, ze ziet de schoonheid van de sneeuw die de sparrenbomen bedekt, ze hoort de roep van de witrugspecht en van de gaaien vanaf hun tak.

Wanneer het huis in zicht komt, ziet ze de trojka en een onbekend paard. Ze gaat sneller lopen. Ze ontwaart twee lange gestalten. Alsjeblieft, smeekt ze, laat een van hen Grisja zijn. Laat een van hen Grisja zijn. Maar hij is het niet. Op de veranda staan Ljosja en een man in uniform. Ze holt. Als ze de stoep opkomt, kijkt ze in Ljosja's gezicht, maar ze kan niet duiden wat ze daar ziet. Ze kijkt even naar de andere man. Aan zijn kleding te zien lijkt hij iemand van de politie. Opeens kan het haar allemaal niets meer schelen, want nu hoort ze het.

Muziek. Die komt van in het huis. Antonina dringt zich langs Ljosja, die zijn armen naar haar uitsteekt, terwijl zijn mond beweegt omdat hij tegen haar praat. Maar ze kan zijn stem niet horen. Ze hoort alleen maar muziek. Ze duwt de deur open en holt de gang in, slippend met haar besneeuwde laarzen op de houten vloer.

Ze rent naar de muziekkamer, naar de muziek van Glinka, en naar haar zoon.

Een jaar later
Oudejaarsavond 1863

Klooster Seltotsjiva, Pskov

In het klooster Seltotsjiva is het rustig tijdens de feestdagen. De kleine zusters van de Barmhartige Jelizavita hebben op Kerstavond de geboorte van Christus gevierd, maar het nieuwe jaar breekt onopgemerkt aan.

Lilja is een van de onbetaalde vrouwen die hun verblijf in het klooster verdienen met het verrichten van diensten waartoe de zusters zelf niet in staat zijn. De zusters maken het klooster schoon en werken in de tuinen. Ze bewaren en bereiden voedsel en dienen het op, en ze doen de was. Maar er is behoefte aan fraaie kant voor de superplies, en geen van de zusters beschikt over Lilja's vaardigheid. En zo zit ze elke dag in een kleine nonnencel met een brits en een icoon. Ze werkt aan kleine, ingewikkelde patronen die ze creëert onder een hoog raam waar de zon naar binnen schijnt. Naast deze kamer krijgt ze ook twee maaltijden per dag. Hoewel ze geen non is, draagt ze alleen zwart, als teken van boetedoening en eenvoud. Ze woont 's ochtends en 's avonds de diensten in de kapel bij, waar ze eerbiedig bidt bij de kleine en de grote processie, de lezingen uit de Bijbel aanhoort, deelneemt aan de eucharistie en de offerande, en de heenzending aanvaardt. In haar cel valt ze elk uur op haar knieën om te bidden bij het luiden van de klokken van de kapel.

Ze beëindigt haar werk wanneer het laatste daglicht verbleekt. Dit is niet voor een superplie, het is voor een geschenk. Ze gaat staan, rekt zich uit, en strijkt dan met haar vingers over de fraaie ceintuur die ze heeft geborduurd. Ze strijkt haar haar glad en knijpt even in haar wangen om er wat kleur op te brengen. De laatste klokken zijn opgehouden met luiden, en in de stilte heerst er een heerlijk gevoel van vrede.

Lilja bidt voor de icoon en loopt daarna door de lange, smalle gang. Ze klopt zacht op de lage deur van zuster Ljoedmila's verblijf. De deur gaat open. De jonge zuster kijkt naar haar en glimlacht.

'Lilja Petrova,' zegt ze.

Lilja glimlacht terug. Ze heeft de eed tot zwijgen afgelegd, ook al zijn lekenzusters daar niet toe verplicht. Ze biedt zuster Ljoedmila de ceintuur aan. Wanneer de zuster hem aanpakt, laat Lilja haar vingers even die van de non raken.

Zuster Ljoedmila trekt haar hand terug en haar glimlach verdwijnt. 'Hebt u dit voor mij gemaakt?' Ze bekijkt de ceintuur, een symbool van de eed van kuisheid, die op feestdagen wordt gedragen.

Lilja's blik blijft op de jonge vrouw gericht. Het gezicht van zuster Ljoedmila is smal en bleek, er straalt een helder licht uit haar grijze ogen. Er valt een plukje blond haar onder haar zwarte *kloboek* vandaan, vlak bij de slaap. Lilja raakt de lok heel even aan.

Ze weet dat onder de kap de hals van de zuster lang en wit zal zijn.

Ze zou die hals graag een keer willen leren kennen. Ze droomt van dat moment.

Ilitsjiv Prospekt, Sint-Petersburg

De *Novogodnaja Jolka*, de nieuwjaarsboom, is prachtig, met zijn heldere ster op de bovenste twijg. Tussen de takken hangen snoepjes en goudgeverfde noten. De plafondengel, met zijn vleugel die door

Grisja was gerepareerd, is met een roodsatijnen lint aan een tak vastgemaakt.

In het appartement in Sint-Petersburg is geen plaats voor een hoge, brede boom zoals ze op Angelkov hadden, maar dit is een prachtige symmetrische spar met zachte, wijd uitstekende takken. Ljosja heeft hem zelf gekapt, en had daarbij Misja meegenomen om hem naar de boom in het bos aan de rand van de stad te helpen zoeken. Ze hebben hem op kerstavond achter Ljosja's paard naar huis gesleept en in een hoek van de zitkamer in een emmer met stenen gezet. Hij hangt een beetje scheef, maar niemand zegt daar iets over.

Er ligt een nieuwjaarscadeau voor Misja onder de boom – een nieuw leren muziekboek – hoewel hij veel te oud is om te geloven dat *Ded Moroz* en *Snegoerotsjka*, het sneeuwmeisje, dit hebben gebracht. Had hij nog in Vadertje Vorst en zijn kleindochter geloofd in het jaar dat hij werd ontvoerd? Antonina kan zich die tijd niet meer zo goed voor de geest halen. Het is meer dan een jaar geleden dat Misja en zij hun nieuwe leven zijn begonnen.

In de herfst was Michail aangenomen op het conservatorium van Sint-Petersburg, dat dat jaar was opgericht door de jonge musicus Anton Rubinstein. Het is in Rusland de eerste opleiding voor kunstonderwijs onder de verantwoordelijkheid van de Keizerlijke Russische Maatschappij voor Muziek. Michail Konstantinovitsj Mitlovski is een van de jongste studenten en hij gaat elke dag vol enthousiasme naar zijn lessen.

Het jaar 1862 bracht nog een nieuwe school in Sint-Petersburg: de Vrije School voor Muziek, opgericht door Mili Aleksejevitsj Balakirev. Antonina Leonidovna Mitlovskija is een van de drie vrouwelijke leerkrachten die in dienst zijn genomen om les te geven aan getalenteerde jonge vrouwen die niet in staat zijn privélessen te bekostigen. Het is zoals Valentin Vladimirovitsj haar heeft verteld: er ontstaan nieuwe kansen en nieuwe mogelijkheden.

Elke morgen loopt ze met haar zoon naar het conservatorium. Daarna gaat zij verder naar haar baan in de Vrije School, waar ze 's ochtends lesgeeft. 's Middags geeft ze privélessen in haar appartement. Ze verwerft een klein inkomen zowel uit haar werk op de Vrije School voor Muziek als uit de privélessen, genoeg om de huur te betalen en in hun dagelijkse onderhoud te voorzien.

Het geluid van de staande Britse piano die ze heeft gekocht is goed, maar lang niet zo mooi als van haar prachtige rozenhouten Erard-vleugel, die veel te groot is voor de kleine zitkamer. Met het geld dat Ljosja haar heeft gegeven, heeft ze zich ervan weten te verzekeren dat ze het landgoed nog minstens een aantal jaren kan aanhouden. Op Angelkov zijn de ramen van het huis dichtgespijkerd en zijn de resterende meubels met stoflakens afgedekt. Antonina maakt zich zorgen over muizen die aan de boeken kunnen knagen en nesten in de Erard kunnen maken. Misschien zal ze er ooit weer willen wonen. Misschien zal er eens een reden toe zijn, maar voorlopig ligt haar leven in Sint-Petersburg.

Als Misja klaar is met zijn lessen loopt hij met zijn nieuwe vrienden van het conservatorium naar huis en met mooi weer gaan Antonina en hij met Tinka en Dani naar het nabijgelegen park. Dani is Misja's hond. Hij is klein, bruin met witte vlekken en lange, zachte oren, en hij ligt 's nachts aan het voeteneind van Misja's bed. Tinka is nu te oud om ver te lopen, dus draagt Antonina haar.

Na het park gaan ze eten en praten ze over de muziek die ze die dag hebben gehoord en gemaakt. Misja doet zijn huiswerk of studeert op de piano. Het appartement op Ilitsjiv Prospekt, niet ver van de rivier de Fontanka, is klein maar warm en gezellig.

'Moeder,' zegt Michail – ergens tussen zijn elfde en twaalfde jaar is hij opgehouden met mama te zeggen – 'kunnen we naar het plein om het vuurwerk te zien?'

Antonina herinnert zich hoe Misja naar het vuurwerk keek dat Konstantin elk jaar met Oud en Nieuw op Angelkov liet afsteken.

Ze kan zich nog steeds de verbazing op Misja's gezicht voor de geest halen.

'Straks, mijn zoon. Ljosja? Hoe laat is het vuurwerk?'

Ljosja kijkt naar de klok op de piano. 'We moeten over een kwartier vertrekken.'

'Dan gaan we na de toost. Zou je Anja even uit de keuken willen halen? En vraag haar de goede glazen mee te nemen.'

Ljosja is tien maanden geleden getrouwd. Anja Fomovna is klein en aantrekkelijk, met kastanjebruin haar dat glanst als hout. Ze zijn met Antonina en Misja naar Sint-Petersburg gegaan en ze wonen vlakbij. Ljosja heeft een goedbetaalde baan in de militaire stallen weten te bemachtigen. Anja komt elke morgen naar Antonina's appartement om de huishouding en de was te doen terwijl Antonina aan het werk is. In de weekends leert ze Antonina koken.

De kleine Noesja is terug naar haar ouders in een van de plaatselijke mirs, met als afscheidscadeau een zakje roebels. Voor Pavel heeft Antonina werk bij de Bakanevs geregeld; ze heeft hem toestemming gegeven alles wat hij van Konstantin wilde hebben mee te nemen.

Fjodor en Rajsa passen op Angelkov. Ze wonen in het huis met de blauwe luiken. Olga is met hen meegegaan. Ze was te oud om nog een nieuw leven te beginnen. Ze is vorige maand gestorven, en Antonina is naar Angelkov teruggegaan om de begrafenis bij te wonen en te zorgen dat de oude vrouw achter de Kerk van de Verlosser werd begraven. Terwijl ze daar was, hield ze toezicht op het plaatsen van grafstenen voor Konstantin en Valentin, en zij alleen heeft bij het graf van de violist gestaan om voor hem te bidden.

Ze weet nu alles van wat er op die laatste, vreselijke dagen op Angelkov is gebeurd. Ze kijkt even naar het bureau waar Grisja's brief in de bovenste lade ligt: de brief die in zijn resolute handschrift op de achterkant van haar aantekeningen bij Glinka is geschreven. De twee pagina's zijn een week na Misja's thuiskomst op Angelkov bezorgd. De brief vertelt haar alles. Ze kent hem uit het hoofd, zo vaak heeft ze hem gelezen.

Ze doet haar best om te vergeven en ze ontdekt dat het gemakkelijker is te vergeven wanneer je vooruitkijkt in plaats van achterom.

Nu heffen ze alle vier – Antonina, Michail, Ljosja en Anja – het glas om op het nieuwe jaar te toosten. De wijn is goedkoop, maar licht robijnrood op in de kristallen glazen die Antonina heeft meegenomen naar Sint-Petersburg.

'*Za vasje zdorovje!*' zegt Ljosja. Antonina herhaalt: 'Gezondheid!' en ze klinken met hun glazen. Misja trekt een vies gezicht bij de smaak maar hij kijkt trots, nu hij bij deze speciale gelegenheid ook wijn heeft gekregen. De hemel weet, denkt Antonina, dat hij genoeg heeft meegemaakt om nu als een jongeman te worden beschouwd.

Op deze bijzondere avond denkt ze aan haar ouders en aan haar broers, aan Konstantin en Valentin – arme Valentin – aan al degenen die op hun eigen manier hebben geprobeerd voor haar te zorgen. Ze denkt aan Lilja.

Ljosja heeft drie keer geprobeerd zijn zuster in Seltotsjiva te bezoeken, maar hij werd weggestuurd. Lilja Petrova, werd hem verteld, heeft haar leven aan God gewijd en heeft voor altijd de buitenwereld verlaten. Ljosja heeft zich erbij neergelegd dat hij haar nooit meer zal zien.

Na de toost zet Antonina haar glas neer zonder van de wijn te hebben gedronken. Ze heeft de belofte die ze in de datsja aan God en zichzelf heeft gedaan, gehouden.

Als ze zich warm aankleden om op het plein naar het vuurwerk te gaan kijken, ziet Antonina met een schok dat Ljosja een gewatteerde jas aantrekt die Grisja in de stal droeg. Ze strijkt met haar hand over de mouw en glimlacht naar Ljosja.

Op weg naar buiten kust ze de icoon en slaat een kruis. Op het geloof, denkt ze, en ze volgt dan Ljosja, Anja en Misja naar buiten, de koude januarilucht in, terwijl ze de deur stevig achter zich dichttrekt om de warmte binnen te houden.

Zerentoej Katorga, Siberië

De mannen in Hut 83 zijn klaar met hun werk voor die dag en hebben een rantsoen aardappelwodka gekregen om het nieuwe jaar te vieren. In de houten barak zitten tweeëndertig mensen opeengepropt. Er is een smal gangpad tussen de zestien stapelbedden, met aan het ene uiteinde de deur en aan het andere een open emmer bij wijze van toilet. Vanavond is het nog luidruchtiger in de hut en stinkt het er nog erger dan anders.

'En, wat zijn jouw plannen voor 1864?' vraagt de nieuwe man – hij heet Bogdan. Dan grijnst hij om zijn eigen poging tot een grap. 'Plannen,' herhaalt hij, met een grof gesnuif.

Grisja draait de metalen beker met de aardappelwodka tussen zijn handpalmen heen en weer. 'Het enige wat mogelijk is,' zegt hij, en hij kijkt de man in de roodomrande ogen.

Bogdan is een van de nieuwste gevangenen die onlangs naar Zerentoej zijn gebracht. Hij is een Sybirak: een Pool. Hij heeft het bed boven Grisja toegewezen gekregen. De man die eerst boven Grisja sliep, is drie dagen voordat Bogdan arriveerde gestorven – hij was broodmager en hoestte bloed op. Enkele anderen, die de onnatuurlijke stilte in het bovenste bed hadden opgemerkt, hadden heimelijk de dekens, de laarzen en de kleren van de dode man ingepikt voor de bewakers werden gewaarschuwd om het lichaam weg te halen.

Grisja was de eerste geweest die had begrepen dat de man, een bejaarde cellist, die ooit voor de tsaar had gespeeld, dood was. Hij had hem gemogen en gerespecteerd, en had daarom, in plaats van dat weg te nemen wat de dode cellist niet langer kon gebruiken, een kruisteken op het voorhoofd van de man gemaakt en had het koude, wasbleke gezicht met de deken bedekt voordat de anderen dichterbij slopen om alles weg te nemen. Hij kon het hun niet kwalijk nemen, hij had hetzelfde gedaan.

Bogdan, met zijn hoofd voor de helft geschoren, zoals dat bij alle nieuwe gevangenen het geval is, heeft nog wat gewicht op zijn lichaam. Hij heeft nog geen ruwe plekken van bevriezingen op zijn wangen. Grisja ziet zijn laarzen, hij is verbaasd dat de bewakers die nog niet hebben afgepakt. Maar dat zullen ze nog wel doen. Hij zou graag weer soepel leer rond zijn voeten willen voelen, in plaats van de met kranten gevoerde vilten laarzen van de gevangenen. Hij vraagt zich terloops af wat deze man, Bogdan, heeft gedaan om hier in een Siberisch werkkamp te belanden. Hij weet ook dat het niet waarschijnlijk is dat hij erachter zal komen.

De mannen praten nooit over hun misdrijven, of over dat waaraan zij schuldig zijn bevonden. Het is niet goed om in een katorga te veel te vertellen. Sommige mannen met wie Grisja elke dag werkt zijn moordenaars en dieven. Anderen hebben gewoon te veel commentaar gehad op het nieuwe regime dat Rusland heeft gekregen: zij die geloven dat de wil van de tsaar niet per definitie als de Russische wet zou moeten worden beschouwd.

'Hier weg zien te komen,' zegt Grisja ten slotte tegen Bogdan. 'Dat is wat ik van plan ben.'

Een kleine, rimpelige man die zwaar mank loopt, komt op weg naar de emmer langs het onderste bed waarop Grisja en Bogdan zitten.

'Je bent een dromer, Grigori Sergejevitsj. Je weet dat je dat niet zult halen.'

'Toch wel.' Grisja's stem is kalm en stellig.

De oudere man schudt zijn hoofd en zijn longen piepen als blaasbalgen wanneer hij lacht. Bogdan drinkt zijn beker leeg. Hij houdt hem stevig vast met zijn enorme handen vol littekens.

'Omdat het Nieuwjaar is, Narisjkin, ben ik bereid je aan te horen. Stel dat jij uit het kamp weet te ontsnappen. Die ouwe drommel,' zegt Bogdan, terwijl hij naar de rug van de hijgende man kijkt, 'heeft het opgegeven. Hij weet dat hij geen kans meer maakt. Laten we zeggen dat jij weet te ontsnappen. Wat dan? Hoe wil jij door Siberië trekken? Waar wil je naartoe?'

Grisja zet zijn beker aan zijn voeten en graaft onder de rafelige jas die met touw is dichtgeknoopt, en in de vele lagen van verstelde tunieken. Hij haalt een hard stuk donker brood tevoorschijn en scheurt dit met enige moeite doormidden. Hij geeft een stuk aan zijn nieuwe vriend. De man pakt de homp snel aan, knikt dankbaar en stopt het aan de rechterkant in zijn mond, waar nog zes tanden en kiezen over zijn – boven drie en onder drie. Grisja begrijpt, door de voorzichtige manier waarop Bogdan aan het brood knaagt en door de moeizame manier waarop hij zijn woorden vormt, dat hij pas onlangs het grootste deel van zijn gebit heeft verloren.

'Ga verder, Narisjkin,' dringt Bogdan aan. 'Het is Nieuwjaar en het is de nacht om naar de toekomst te kijken. Dus vertel me eens wat jij voor jezelf voorspelt, mijn vriend.'

'Ik zal weglopen,' zegt Grisja, terwijl hij zijn beker weer oppakt. 'Ik heb al eerder door Siberië gelopen en toen was ik nauwelijks meer dan een kind. Ik heb het één keer gedaan, en ik zal het nog eens doen.'

'Goed,' zegt Bogdan, nog steeds voorzichtig kauwend. 'En waar ga je dan naartoe? Heb je een gezin dat op je wacht? Een thuis?

Grisja denkt aan het huis met de blauwe luiken. 'Ik weet het niet. Maar ik weet wel naar wie ik toe zal lopen. Wie ik zal zoeken, en van wie ik hoop dat ze nog steeds op me wacht.'

Het gezicht van de andere man wordt zachter. 'Het is altijd goed om te denken aan iemand die op je wacht,' zegt hij rustig. 'Op zo'n plek als hier is hoop het belangrijkste.' Zijn beker is leeg, maar hij heft hem.

'Op de hoop,' mompelt Grisja. Hij slaat een kruis, heft zijn beker naar Bogdan, en dan omhoog. 'Op de hoop,' herhaalt hij, terwijl hij zich het gezicht van Antonina voor de geest haalt, en hij drinkt.